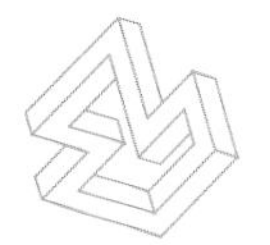
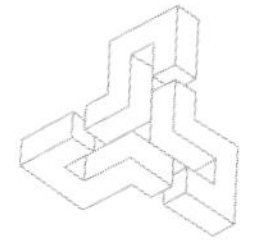
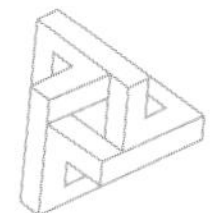

SHERPA

셀파

해 법 수 학

중학 수학

3-2

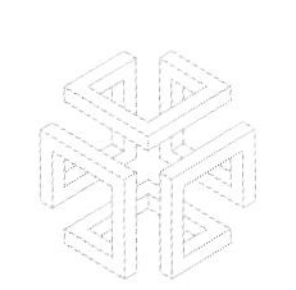

S H E R P A

셀파

해 법 수 학

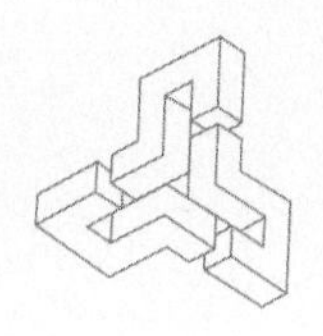

자기주도 학습 *sherpa*

책머리에

수학은 누구나 잘 할 수 있습니다.

셀파 해법수학과 함께하는 여러분은 목표를 꼭 이룰 것입니다.

'어떻게 하면 지긋지긋한 수학을 쉽고 재미있게 공부할 수 있을까?'
하고 고민해 본 경험은 누구에게나 한 번쯤은 있을 것입니다.
수학은 모든 학문의 바탕이 되는 과목입니다.
또한 대학입시에서도 매우 중요한 역할을 합니다.
그러나 안타깝게도 많은 학생들이 수학을 포기하는 것이 우리 현실입니다.

수학을 잘 하기 위해서는 무엇보다 수학과 친해져야 합니다.
그러기 위해서는 쉬운 문제부터 시작하여
기본 원리를 확실하게 터득해야 합니다.

이에 여러분 모두가 수학을 잘 할 수 있기를 바라는 마음으로
셀파 해법수학을 만들었습니다.
수학을 쉽게 익힐 수 있는 셀파 해법수학 개념 기본서는
여러분의 수학 실력을 한 단계 더 높이는 데 도움을 줄 것입니다.

수학을 공부하다 보면
도대체 이 문제를 어떻게 푸는 걸까?
하며 힘들어 할 때가 생길 것입니다.
이렇게 도움이 필요한 순간마다 셀파 해법수학을 펼쳐 보십시오.
셀파 해법수학은 여러분의 수학 공부 도우미가 될 것입니다.

셀파 해법수학과 함께하는 여러분의 성공을 기원합니다.

崔容準

Structure 구성과 특징

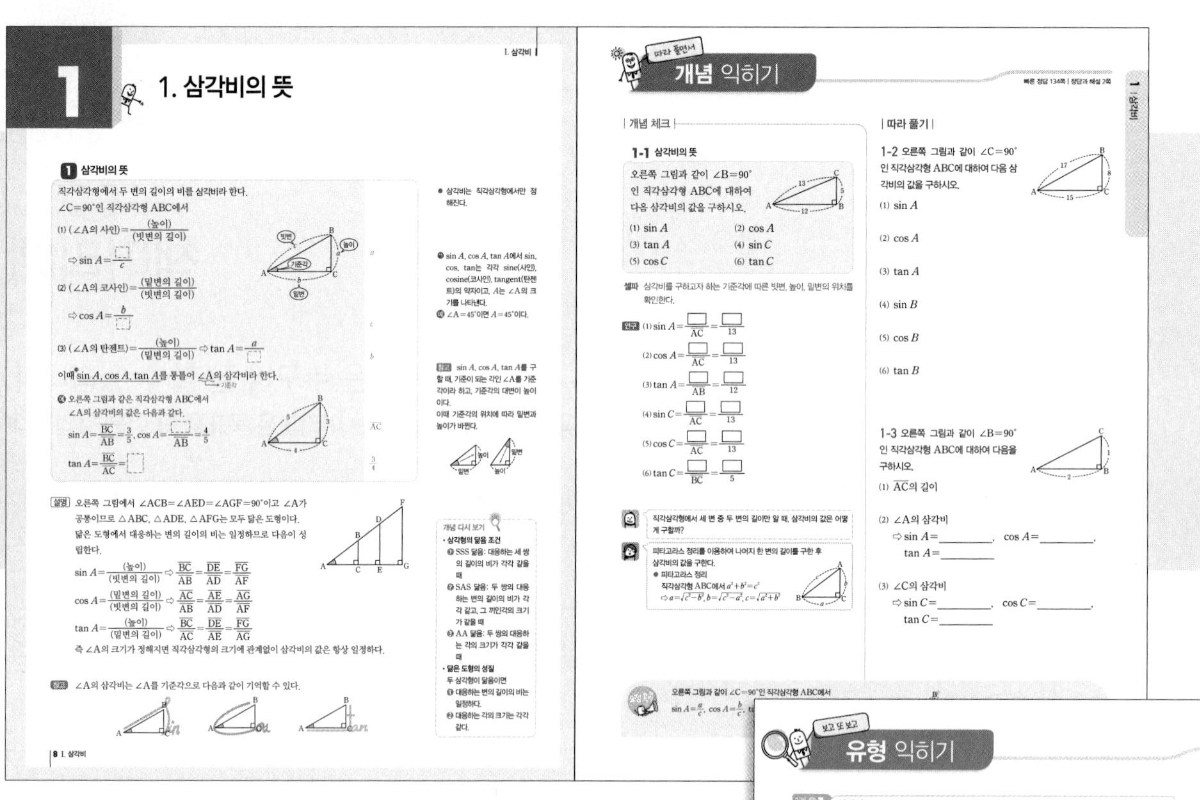

개념 익히기

그 단원에서 다루는 개념을 완벽하게 이해할 수 있도록 꼼꼼하고 상세하게 개념을 정리하였습니다.
개념 설명과 함께 보기를 제시해서 개념이 문제 해결 과정에서 어떻게 이용되는지 알 수 있도록 하였습니다. 빈칸 채우기를 통해 핵심 개념을 더욱 확실히 알 수 있도록 하였습니다.

따라 풀면서 개념 익히기

새로 배우는 개념을 좀 더 편리하게 학습할 수 있도록 다양한 형식의 가장 쉬운 문제를 제시하였습니다. 이 부분의 문제만 풀더라도 개념 형성이 가능하도록 하였습니다.
따라 풀기를 통해 같은 개념의 다른 문제를 한 번 더 풀어봄으로써 기초를 확실히 다질 수 있도록 하였습니다.

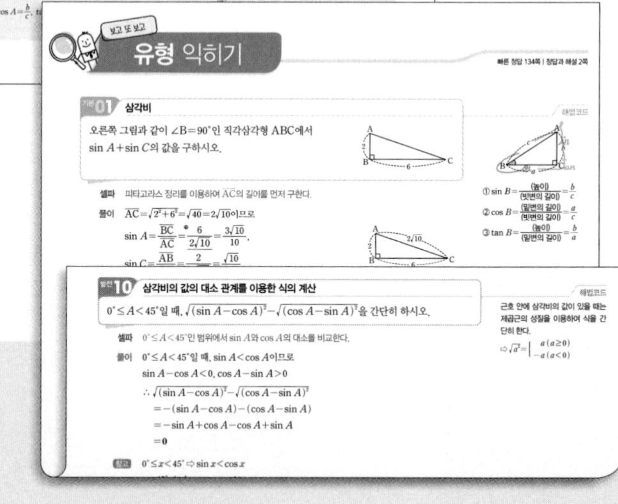

보고 또 보고 유형 익히기

기본 문제 / 발전 문제 꼭 알아야 하는 유형의 기본 문제와 기본 문제를 응용한 발전 문제를 통해 다양한 유형을 학습할 수 있도록 하였습니다. 확인 문제에서 처음 다루는 내용이나 문제 해결에 필요한 내용은 마이 셀파에서 도움말을 제공하여 큰 어려움 없이 문제를 풀 수 있도록 하였습니다.

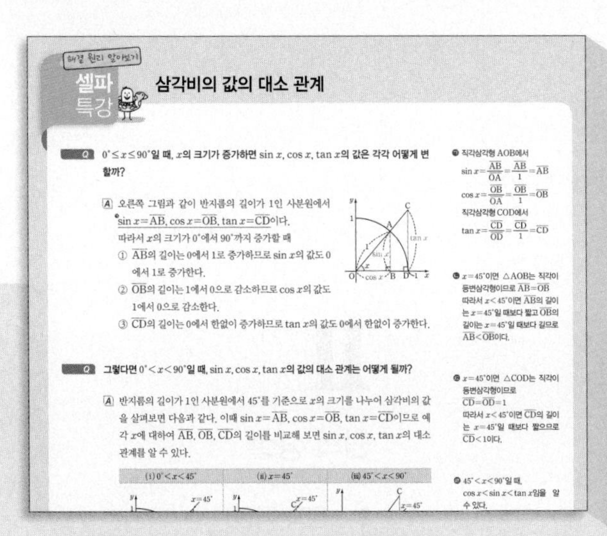
해결 원리 알아보기

셀파 특강 삼각비의 값의 대소 관계

Q $0° \le x \le 90°$일 때, x의 크기가 증가하면 $\sin x$, $\cos x$, $\tan x$의 값은 각각 어떻게 변할까?

A 오른쪽 그림과 같이 반지름의 길이가 1인 사분원에서 $\sin x = \overline{AB}$, $\cos x = \overline{OB}$, $\tan x = \overline{CD}$이다.
따라서 x의 크기가 $0°$에서 $90°$까지 증가할 때
① $\overline{AB}$의 길이는 0에서 1로 증가하므로 $\sin x$의 값도 0에서 1로 증가한다.
② $\overline{OB}$의 길이는 1에서 0으로 감소하므로 $\cos x$의 값도 1에서 0으로 감소한다.
③ $\overline{CD}$의 길이는 0에서 한없이 증가하므로 $\tan x$의 값도 0에서 한없이 증가한다.

Q 그렇다면 $0° < x < 90°$일 때, $\sin x$, $\cos x$, $\tan x$의 값의 대소 관계는 어떻게 될까?

A 반지름의 길이가 1인 사분원에서 45°를 기준으로 x의 크기를 나누어 삼각비의 값을 살펴보면 다음과 같다. 이때 $\sin x = \overline{AB}$, $\cos x = \overline{OB}$, $\tan x = \overline{CD}$이므로 예각 x에 대하여 $\overline{AB}$, $\overline{OB}$, $\overline{CD}$의 길이를 비교해 보면 $\sin x$, $\cos x$, $\tan x$의 대소 관계를 알 수 있다.

(i) $0° < x < 45°$ (ii) $x = 45°$ (iii) $45° < x < 90°$

● 직각삼각형 AOB에서 $\sin x = \frac{\overline{AB}}{\overline{OA}} = \frac{\overline{AB}}{1} = \overline{AB}$, $\cos x = \frac{\overline{OB}}{\overline{OA}} = \frac{\overline{OB}}{1} = \overline{OB}$
직각삼각형 COD에서 $\tan x = \frac{\overline{CD}}{\overline{OD}} = \frac{\overline{CD}}{1} = \overline{CD}$

● $45° < x < 90°$일 때, $\cos x < \sin x < \tan x$임을 알 수 있다.

셀파 특강

중학교 수학에서 꼭 알아야 하지만
본문의 개념 정리에서 조금 부족하게 다룬 내용은
셀파 특강을 통해 충분히 학습할 수 있도록 하였습니다.

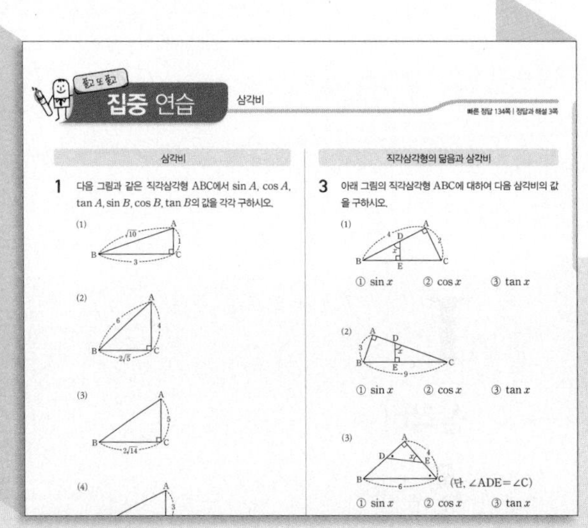
묻고 또 묻고

집중 연습 삼각비

삼각비

1 다음 그림과 같은 직각삼각형 ABC에서 $\sin A$, $\cos A$, $\tan A$, $\sin B$, $\cos B$, $\tan B$의 값을 각각 구하시오.

직각삼각형의 닮음과 삼각비

3 아래 그림의 직각삼각형 ABC에 대하여 다음 삼각비의 값을 구하시오.
① $\sin x$ ② $\cos x$ ③ $\tan x$

집중 연습

새로 배우는 개념을 확실하게 익힐 수 있도록
집중 연습 문제를 제시하였습니다.

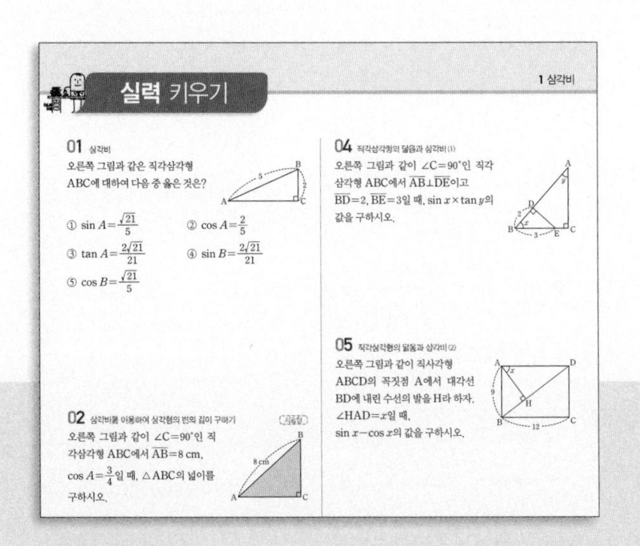
실력 키우기 1 삼각비

01 삼각비
오른쪽 그림과 같은 직각삼각형 ABC에 대하여 다음 중 옳은 것은?

02 삼각비를 이용하여 삼각형의 변의 길이 구하기
오른쪽 그림과 같이 $\angle C = 90°$인 직각삼각형 ABC에서 $\overline{AB} = 8$ cm, $\cos A = \frac{3}{4}$일 때, △ABC의 넓이를 구하시오.

04 직각삼각형의 닮음과 삼각비 (1)
오른쪽 그림과 같이 $\angle C = 90°$인 직각삼각형 ABC에서 $\overline{AB} \perp \overline{DE}$이고 $\overline{BD} = 2$, $\overline{BE} = 3$일 때, $\sin x \times \tan y$의 값을 구하시오.

05 직각삼각형의 닮음과 삼각비 (2)
오른쪽 그림과 같이 직사각형 ABCD의 꼭짓점 A에서 대각선 BD에 내린 수선의 발을 H라 하자. $\angle HAD = x$일 때, $\sin x - \cos x$의 값을 구하시오.

실력 키우기

실력 키우기에서 제시하는 문제는 앞에서 다룬 내용을 바탕으로 하고 있습니다. 기본을 강화하는 데 도움이 되는 내용과 학교 시험에서 자주 나오는 내용뿐 아니라 실력을 한 단계 높일 수 있는 문제로 알차게 구성하였습니다. 창의력 문제, 여러 개념의 통합형 문제, 서술형 문제를 통해 실력을 한층 높일 수 있도록 하였습니다.

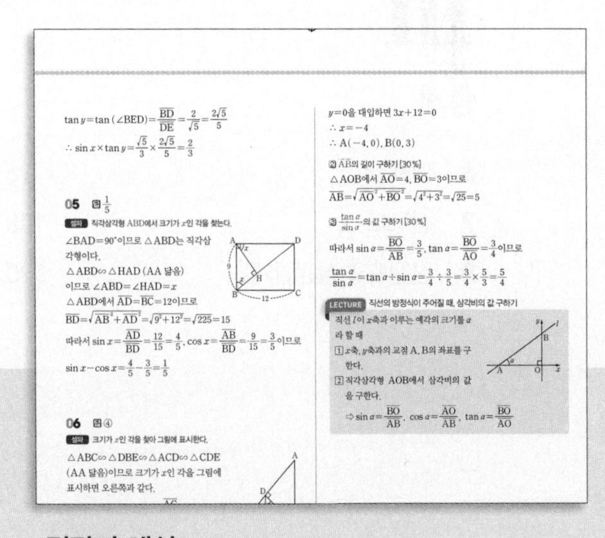
05 답 $\frac{1}{5}$

$\angle BAD = 90°$이므로 △ABD는 직각삼각형이다.
△ABD ∽ △HAD (AA 닮음)이므로 $\angle ABD = \angle HAD = x$
△ABD에서 $\overline{AD} = \overline{BC} = 12$이므로
$\overline{BD} = \sqrt{\overline{AB}^2 + \overline{AD}^2} = \sqrt{9^2 + 12^2} = \sqrt{225} = 15$
따라서 $\sin x = \frac{\overline{AD}}{\overline{BD}} = \frac{12}{15} = \frac{4}{5}$, $\cos x = \frac{\overline{AB}}{\overline{BD}} = \frac{9}{15} = \frac{3}{5}$이므로
$\sin x - \cos x = \frac{4}{5} - \frac{3}{5} = \frac{1}{5}$

06 답 ④

LECTURE 직선의 방정식이 주어질 때, 삼각비의 값 구하기

정답과 해설

이해하기 쉽도록 과정을 자세하게 설명하였습니다. 서술형 문제에서는 설명과 채점 기준을 제시해서 풀이의 핵심을 알 수 있도록 하였고, 개념 다시 보기, 다른 풀이, 오답 피하기 등을 통해 문제를 완벽하게 해결할 수 있도록 하였습니다. 자기주도 학습에 도움이 되도록 깊이 있는 설명이 필요한 부분에 LECTURE를 제시하였습니다.

Contents 이 책의 차례

I

삼각비

1 삼각비 6

2 삼각비의 활용 28

II

원의 성질

3 원과 직선 44

4 원주각 64

5 원주각의 활용 78

III

통계

6 대푯값 96

7 산포도 108

8 산점도와 상관관계 120

빠른 정답 134

셀파 특강·집중 연습 차례

I 삼각비

셀파 특강 삼각비의 값의 대소 관계 22

집중 연습 삼각비 13

II 원의 성질

셀파 특강 현에 대한 성질 설명하기 48~49

미니 특강 현의 길이와 삼각형 51

셀파 특강 원의 일부분으로 원의 반지름의 길이 구하는 방법 52

셀파 특강 원주각과 삼각비의 값 73

셀파 특강 사각형이 원에 내접하기 위한 조건 84

셀파 특강 두 원에서 접선과 현이 이루는 각 91

집중 연습 원주각과 중심각의 크기 71

III 통계

셀파 특강 적절한 대푯값 찾기 100

미니 특강 줄기와 잎 그림 105

미니 특강 변화된 변량의 평균과 분산, 표준편차 116

셀파 특강 산점도 분석하는 방법 126

야, 여기서 뭐하냐?

저기 보이는 안산 말이야. 밑에서 꼭대기까지 거리가 얼마나 될까?
이렇게 주우우우욱~

각도가 이쯤 되려나?
척!
뭐하는 거야?

말시키지 말고 각도기나 구해 와.

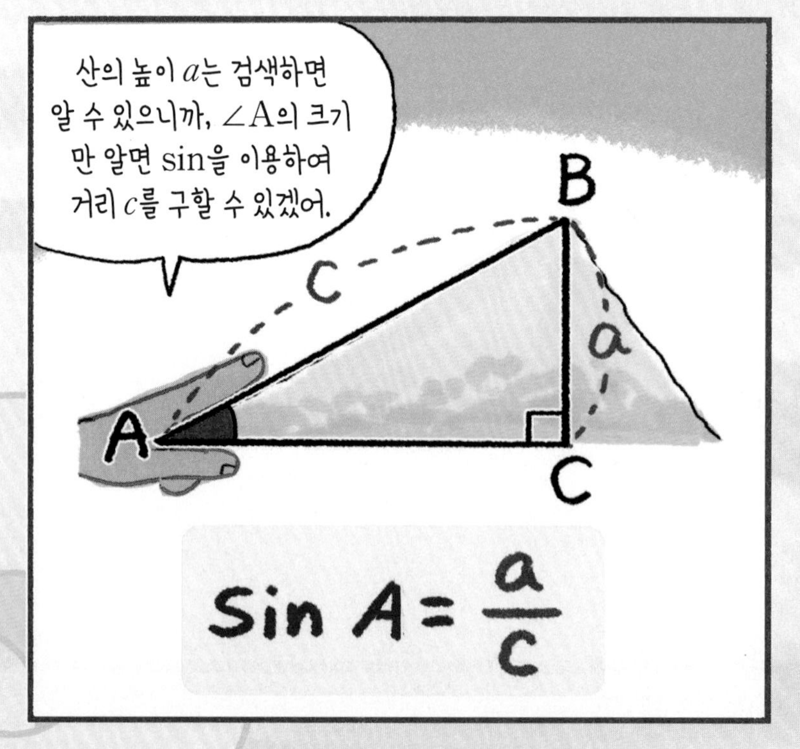
산의 높이 a는 검색하면 알 수 있으니까, ∠A의 크기만 알면 sin을 이용하여 거리 c를 구할 수 있겠어.
B
c
a
A
C
$\sin A = \frac{a}{c}$

sin?
삼각비라고 하는 거야.

I | 삼각비

삼각비

1. 삼각비의 뜻

| 개념 1 | 삼각비의 뜻

2. 삼각비의 값

| 개념 1 | 30°, 45°, 60°의 삼각비의 값

| 개념 2 | 예각의 삼각비의 값

| 개념 3 | 0°, 90°의 삼각비의 값

| 개념 4 | 삼각비의 표를 이용한 삼각비의 값

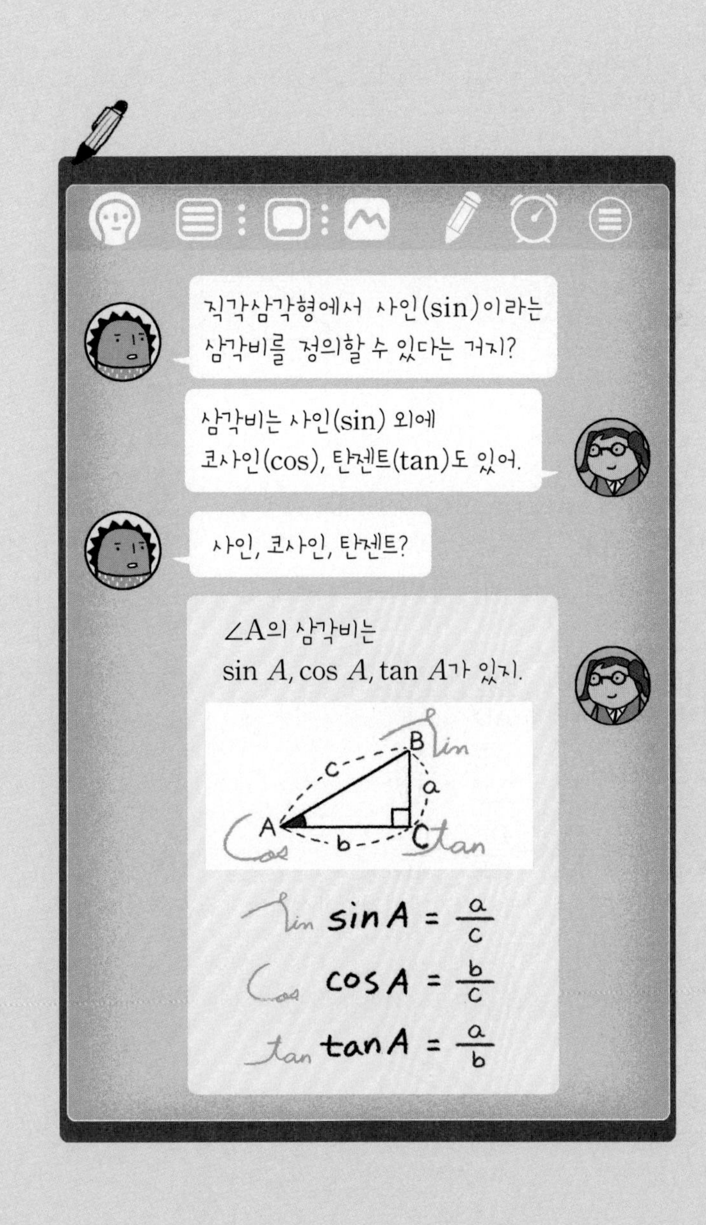

1 1. 삼각비의 뜻

1 삼각비의 뜻

직각삼각형에서 두 변의 길이의 비를 삼각비라 한다.
$\angle C=90^\circ$인 직각삼각형 ABC에서

(1) ($\angle$A의 사인)$=\dfrac{(\text{높이})}{(\text{빗변의 길이})}$

⇨ $\sin A=\dfrac{\square}{c}$

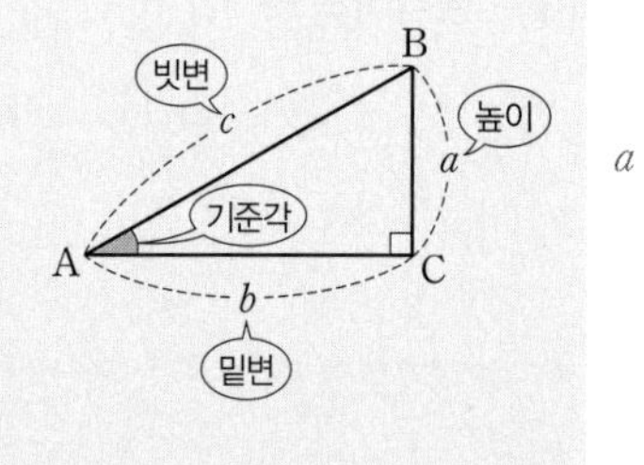

(2) ($\angle$A의 코사인)$=\dfrac{(\text{밑변의 길이})}{(\text{빗변의 길이})}$

⇨ $\cos A=\dfrac{b}{\square}$

(3) ($\angle$A의 탄젠트)$=\dfrac{(\text{높이})}{(\text{밑변의 길이})}$ ⇨ $\tan A=\dfrac{a}{\square}$

이때❶ $\sin A$, $\cos A$, $\tan A$를 통틀어 $\angle$A의 삼각비라 한다. (기준각)

예 오른쪽 그림과 같은 직각삼각형 ABC에서
$\angle$A의 삼각비의 값은 다음과 같다.

$\sin A=\dfrac{\overline{BC}}{\overline{AB}}=\dfrac{3}{5}$, $\cos A=\dfrac{\square}{\overline{AB}}=\dfrac{4}{5}$

$\tan A=\dfrac{\overline{BC}}{\overline{AC}}=\square$

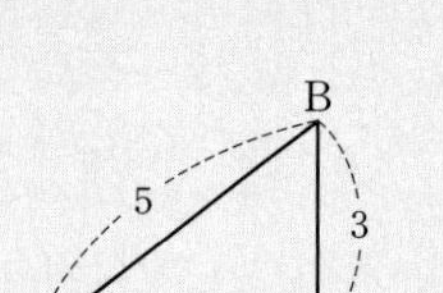

a
c
b
$\overline{AC}$
$\dfrac{3}{4}$

● 삼각비는 직각삼각형에서만 정해진다.

❶ $\sin A$, $\cos A$, $\tan A$에서 sin, cos, tan는 각각 sine(사인), cosine(코사인), tangent(탄젠트)의 약자이고, A는 $\angle$A의 크기를 나타낸다.
예 $\angle A=45^\circ$이면 $A=45^\circ$이다.

참고 $\sin A$, $\cos A$, $\tan A$를 구할 때, 기준이 되는 각인 $\angle$A를 기준각이라 하고, 기준각의 대변이 높이이다.
이때 기준각의 위치에 따라 밑변과 높이가 바뀐다.

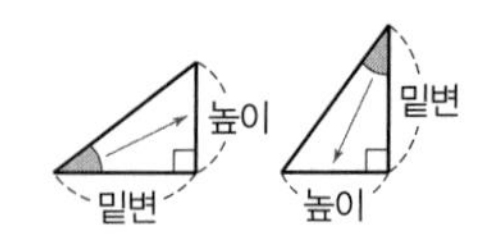

설명 오른쪽 그림에서 $\angle ACB=\angle AED=\angle AGF=90^\circ$이고 $\angle$A가 공통이므로 $\triangle$ABC, $\triangle$ADE, $\triangle$AFG는 모두 닮은 도형이다.
닮은 도형에서 대응하는 변의 길이의 비는 일정하므로 다음이 성립한다.

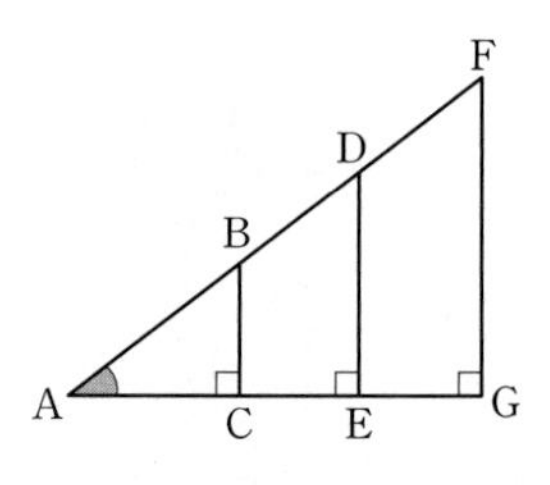

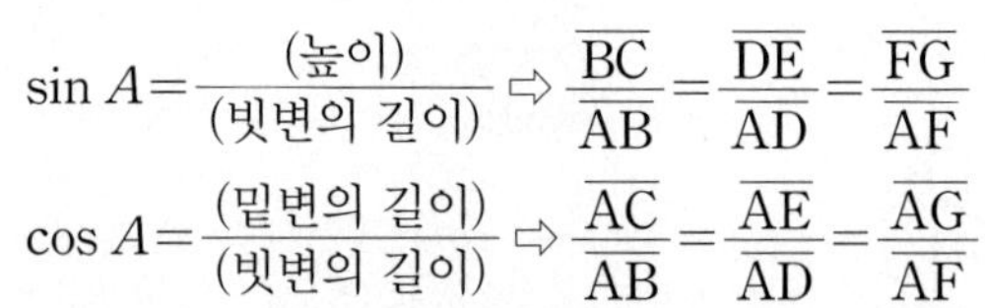

$\sin A=\dfrac{(\text{높이})}{(\text{빗변의 길이})}$ ⇨ $\dfrac{\overline{BC}}{\overline{AB}}=\dfrac{\overline{DE}}{\overline{AD}}=\dfrac{\overline{FG}}{\overline{AF}}$

$\cos A=\dfrac{(\text{밑변의 길이})}{(\text{빗변의 길이})}$ ⇨ $\dfrac{\overline{AC}}{\overline{AB}}=\dfrac{\overline{AE}}{\overline{AD}}=\dfrac{\overline{AG}}{\overline{AF}}$

$\tan A=\dfrac{(\text{높이})}{(\text{밑변의 길이})}$ ⇨ $\dfrac{\overline{BC}}{\overline{AC}}=\dfrac{\overline{DE}}{\overline{AE}}=\dfrac{\overline{FG}}{\overline{AG}}$

즉 $\angle$A의 크기가 정해지면 직각삼각형의 크기에 관계없이 삼각비의 값은 항상 일정하다.

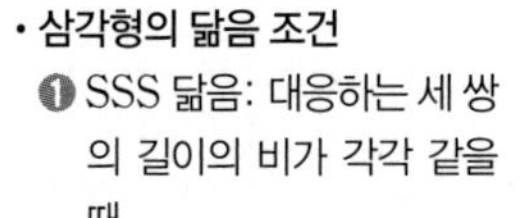

개념 다시 보기
• 삼각형의 닮음 조건
❶ SSS 닮음: 대응하는 세 쌍의 길이의 비가 각각 같을 때
❷ SAS 닮음: 두 쌍의 대응하는 변의 길이의 비가 각각 같고, 그 끼인각의 크기가 같을 때
❸ AA 닮음: 두 쌍의 대응하는 각의 크기가 각각 같을 때
• 닮은 도형의 성질
두 삼각형이 닮음이면
❶ 대응하는 변의 길이의 비는 일정하다.
❷ 대응하는 각의 크기는 각각 같다.

참고 $\angle$A의 삼각비는 $\angle$A를 기준각으로 다음과 같이 기억할 수 있다.

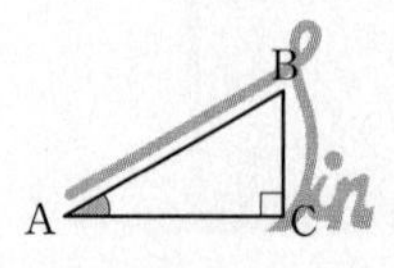

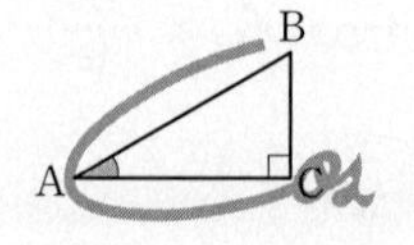

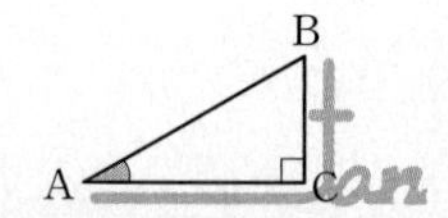

개념 익히기

| 개념 체크 |

1-1 삼각비의 뜻

오른쪽 그림과 같이 ∠B=90°인 직각삼각형 ABC에 대하여 다음 삼각비의 값을 구하시오.

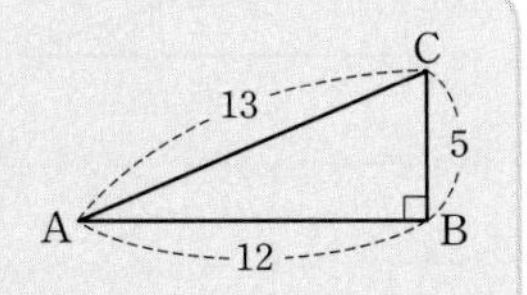

(1) $\sin A$　　(2) $\cos A$
(3) $\tan A$　　(4) $\sin C$
(5) $\cos C$　　(6) $\tan C$

셀파 삼각비를 구하고자 하는 기준각에 따른 빗변, 높이, 밑변의 위치를 확인한다.

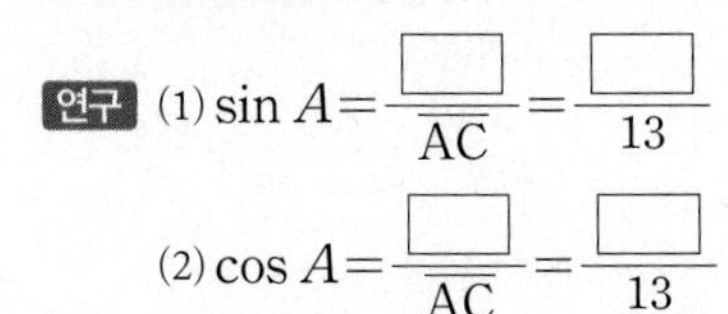

연구 (1) $\sin A=\dfrac{\square}{\overline{AC}}=\dfrac{\square}{13}$

(2) $\cos A=\dfrac{\square}{\overline{AC}}=\dfrac{\square}{13}$

(3) $\tan A=\dfrac{\square}{\overline{AB}}=\dfrac{\square}{12}$

(4) $\sin C=\dfrac{\square}{\overline{AC}}=\dfrac{\square}{13}$

(5) $\cos C=\dfrac{\square}{\overline{AC}}=\dfrac{\square}{13}$

(6) $\tan C=\dfrac{\square}{\overline{BC}}=\dfrac{\square}{5}$

직각삼각형에서 세 변 중 두 변의 길이만 알 때, 삼각비의 값은 어떻게 구할까?

피타고라스 정리를 이용하여 나머지 한 변의 길이를 구한 후 삼각비의 값을 구한다.

● 피타고라스 정리
직각삼각형 ABC에서 $a^2+b^2=c^2$
⇨ $a=\sqrt{c^2-b^2}$, $b=\sqrt{c^2-a^2}$, $c=\sqrt{a^2+b^2}$

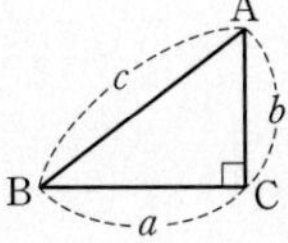

| 따라 풀기 |

1-2 오른쪽 그림과 같이 ∠C=90°인 직각삼각형 ABC에 대하여 다음 삼각비의 값을 구하시오.

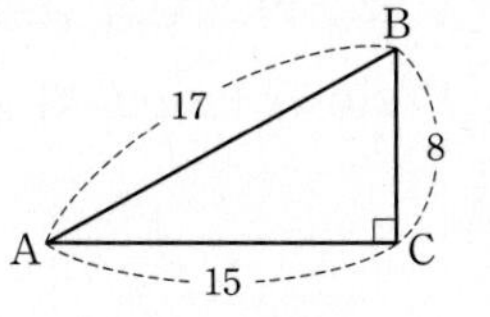

(1) $\sin A$

(2) $\cos A$

(3) $\tan A$

(4) $\sin B$

(5) $\cos B$

(6) $\tan B$

1-3 오른쪽 그림과 같이 ∠B=90°인 직각삼각형 ABC에 대하여 다음을 구하시오.

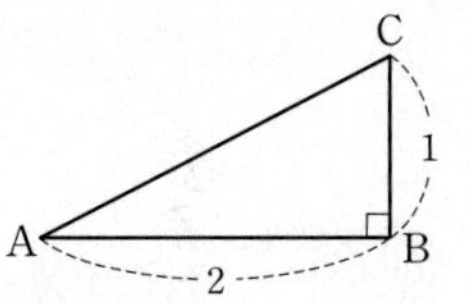

(1) $\overline{AC}$의 길이

(2) ∠A의 삼각비
⇨ $\sin A=$________, $\cos A=$________,
$\tan A=$________

(3) ∠C의 삼각비
⇨ $\sin C=$________, $\cos C=$________,
$\tan C=$________

오른쪽 그림과 같이 ∠C=90°인 직각삼각형 ABC에서
$\sin A=\dfrac{a}{c}$, $\cos A=\dfrac{b}{c}$, $\tan A=\dfrac{a}{b}$

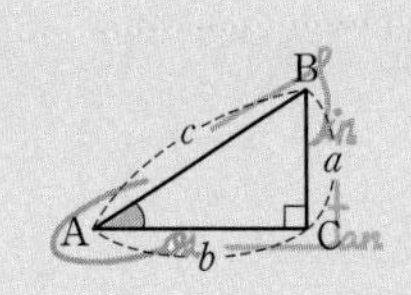

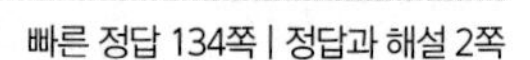

빠른 정답 134쪽 | 정답과 해설 2쪽

기본 01 삼각비

오른쪽 그림과 같이 $\angle B=90°$인 직각삼각형 ABC에서 $\sin A+\sin C$의 값을 구하시오.

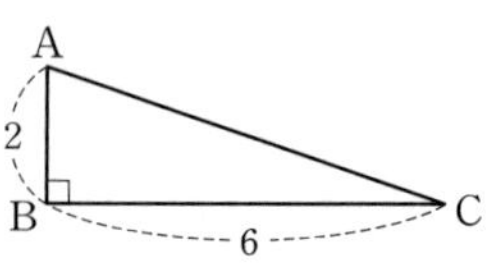

해법코드

① $\sin B=\dfrac{(\text{높이})}{(\text{빗변의 길이})}=\dfrac{b}{c}$

② $\cos B=\dfrac{(\text{밑변의 길이})}{(\text{빗변의 길이})}=\dfrac{a}{c}$

③ $\tan B=\dfrac{(\text{높이})}{(\text{밑변의 길이})}=\dfrac{b}{a}$

셀파 피타고라스 정리를 이용하여 $\overline{AC}$의 길이를 먼저 구한다.

풀이 $\overline{AC}=\sqrt{2^2+6^2}=\sqrt{40}=2\sqrt{10}$이므로

$\sin A=\dfrac{\overline{BC}}{\overline{AC}}=\dfrac{6}{2\sqrt{10}}=\dfrac{3\sqrt{10}}{10}$,

$\sin C=\dfrac{\overline{AB}}{\overline{AC}}=\dfrac{2}{2\sqrt{10}}=\dfrac{\sqrt{10}}{10}$

$\therefore \sin A+\sin C=\dfrac{3\sqrt{10}}{10}+\dfrac{\sqrt{10}}{10}=\dfrac{4\sqrt{10}}{10}=\mathbf{\dfrac{2\sqrt{10}}{5}}$

❶ 분모에 근호가 있으면 분모를 유리화한다.

$\dfrac{c}{b\sqrt{a}}=\dfrac{c\sqrt{a}}{b\sqrt{a}\times\sqrt{a}}=\dfrac{c\sqrt{a}}{ab}$

참고 **피타고라스 정리** 직각삼각형에서 직각을 낀 두 변의 길이를 각각 a, b라 하고 빗변의 길이를 c라 하면 $a^2+b^2=c^2$

⇨ $a=\sqrt{c^2-b^2}$, $b=\sqrt{c^2-a^2}$, $c=\sqrt{a^2+b^2}$

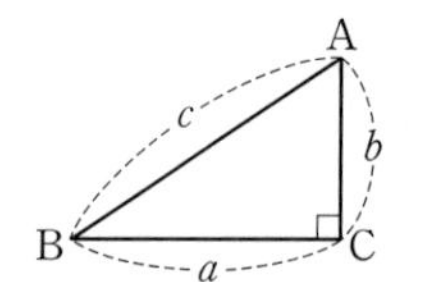

확인 01 오른쪽 그림과 같이 $\angle C=90°$인 직각삼각형 ABC에서 $\sin B\div\cos B$의 값을 구하시오.

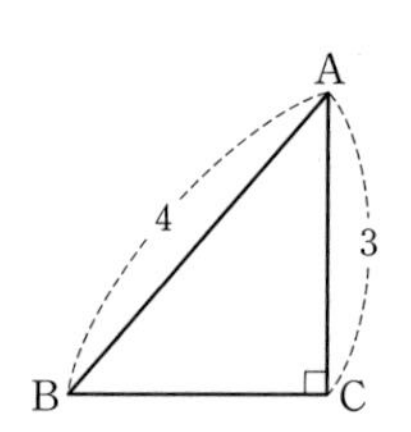

» My 셀파
피타고라스 정리를 이용하여 $\overline{BC}$의 길이를 먼저 구한다.

기본 02 삼각비를 이용하여 삼각형의 변의 길이 구하기

오른쪽 그림의 직각삼각형 ABC에서 $\overline{BC}=6$이고 $\tan B=\dfrac{2}{3}$일 때, $\overline{AB}$의 길이를 구하시오.

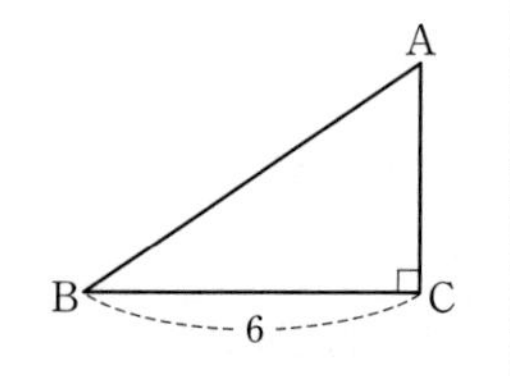

해법코드

한 변의 길이와 삼각비의 값이 주어질 때

1 주어진 삼각비의 값을 이용하여 다른 한 변의 길이를 구한다.

2 피타고라스 정리를 이용하여 나머지 한 변의 길이를 구한다.

셀파 $\tan B=\dfrac{\overline{AC}}{\overline{BC}}=\dfrac{\overline{AC}}{6}$임을 이용하여 $\overline{AC}$의 길이를 먼저 구한다.

풀이 $\tan B=\dfrac{\overline{AC}}{6}=\dfrac{2}{3}$이므로 $3\overline{AC}=12$ $\quad\therefore \overline{AC}=\dfrac{12}{3}=4$

$\therefore \overline{AB}=\sqrt{\overline{BC}^2+\overline{AC}^2}=\sqrt{6^2+4^2}=\sqrt{52}=\mathbf{2\sqrt{13}}$

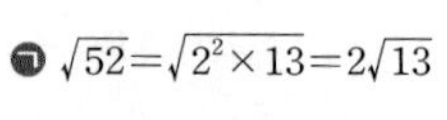

❶ $\sqrt{52}=\sqrt{2^2\times13}=2\sqrt{13}$

● **제곱근의 성질**
$a>0$, $b>0$일 때
$\sqrt{a^2b}=\sqrt{a^2}\sqrt{b}=a\sqrt{b}$

확인 02 오른쪽 그림의 직각삼각형 ABC에서 $\overline{AB}=7$이고 $\sin C=\dfrac{\sqrt{7}}{3}$일 때, $\overline{BC}$의 길이를 구하시오.

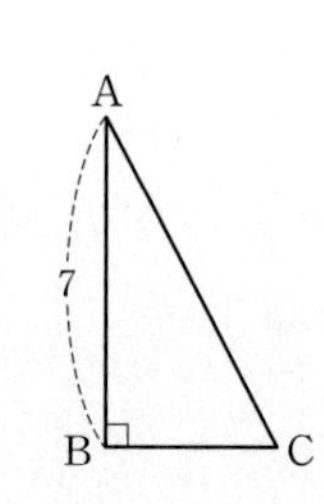

» My 셀파
$\sin C=\dfrac{\overline{AB}}{\overline{AC}}=\dfrac{7}{\overline{AC}}$임을 이용하여 $\overline{AC}$의 길이를 먼저 구한다.

기본 03 한 삼각비를 이용하여 다른 삼각비의 값 구하기

해법코드

$\angle C=90^\circ$인 직각삼각형 ABC에서 $\sin A=\frac{1}{3}$일 때, $\cos A$, $\tan A$의 값을 각각 구하시오.

셀파 $\angle A$를 기준각으로 $\sin A=\frac{1}{3}$이고 $\angle C=90^\circ$인 직각삼각형을 그려 본다.

풀이 $\sin A=\frac{1}{3}$이므로 오른쪽 그림과 같이 $\angle C=90^\circ$이고 $\overline{AB}=3$, $\overline{BC}=1$인 직각삼각형 ABC를 그릴 수 있다.

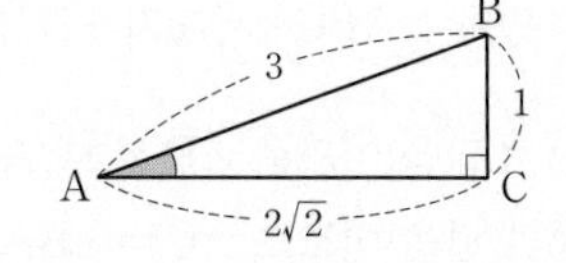

이때 $\overline{AC}=\sqrt{3^2-1^2}=\sqrt{8}=2\sqrt{2}$이므로

$\mathbf{\cos A}=\frac{\overline{AC}}{\overline{AB}}=\mathbf{\frac{2\sqrt{2}}{3}}$,

$\mathbf{\tan A}=\frac{\overline{BC}}{\overline{AC}}=\frac{1}{2\sqrt{2}}=\mathbf{\frac{\sqrt{2}}{4}}$

sin, cos, tan 중 한 삼각비의 값이 주어질 때

1. 주어진 삼각비의 값을 갖는 직각삼각형을 그린다.
2. 피타고라스 정리를 이용하여 나머지 한 변의 길이를 구한다.
3. 다른 삼각비의 값을 구한다.

» 오답 피하기

삼각비의 값이 주어진 경우 세 변의 길이가 가장 간단한 직각삼각형을 그려 삼각비를 구한다.

확인 03 $\angle C=90^\circ$인 직각삼각형 ABC에서 $\tan A=2$일 때, $\sin A+\cos A$의 값을 구하시오.

» My 셀파

$\angle A$를 기준각으로 $\tan A=\frac{2}{1}$이고 $\angle C=90^\circ$인 직각삼각형을 그려 본다.

기본 04 직각삼각형의 닮음과 삼각비 (1)

해법코드

오른쪽 그림과 같은 직각삼각형 ABC에서 $\overline{BC}\perp\overline{DE}$이다. $\overline{AB}=8$, $\overline{AC}=6$이고 $\angle BDE=x$일 때, $\sin x$의 값을 구하시오.

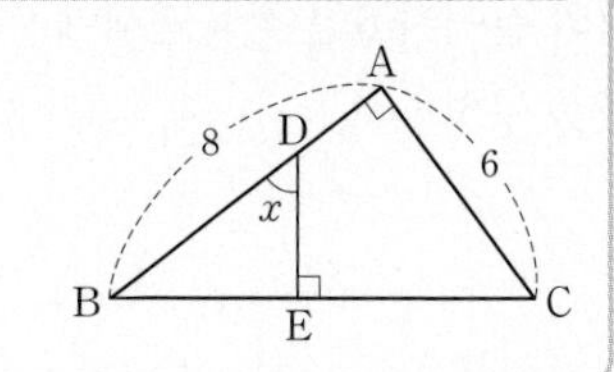

직각삼각형 ABC에서 $\overline{BC}\perp\overline{DE}$일 때

1. 닮음인 직각삼각형을 찾는다.
   ⇨ △ABC∽△EBD (AA 닮음)
2. 크기가 같은 대응각을 찾아 삼각비의 값을 구한다.
   ⇨ $\angle C=\angle BDE$

셀파 닮은 직각삼각형에서 삼각비의 값을 구할 때는 크기가 같은 각을 찾는다.

풀이 △ABC∽△EBD (AA 닮음)이므로

$\angle C=\angle BDE=x$

△ABC에서

$\overline{BC}=\sqrt{\overline{AB}^2+\overline{AC}^2}=\sqrt{8^2+6^2}=\sqrt{100}=10$

$\therefore \sin x=\sin C=\frac{\overline{AB}}{\overline{BC}}=\frac{8}{10}=\mathbf{\frac{4}{5}}$

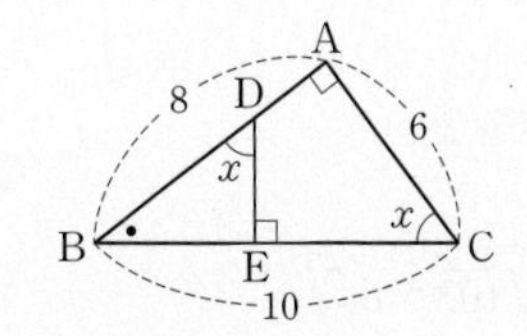

확인 04 오른쪽 그림과 같은 직각삼각형 ABC에서 $\overline{BC}\perp\overline{DE}$이다. $\overline{AB}=8$, $\overline{BC}=17$이고 $\angle CDE=x$일 때, $\tan x$의 값을 구하시오.

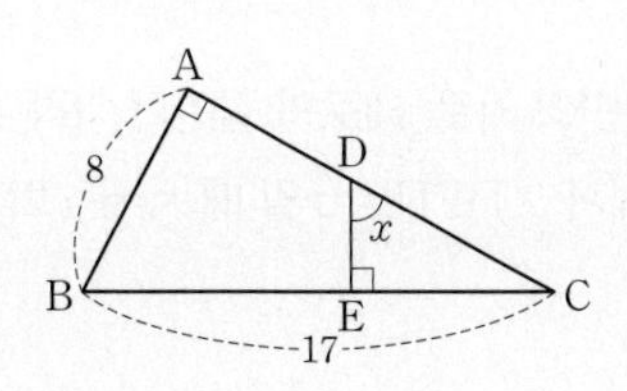

» My 셀파

직각삼각형 ABC에서 세 변의 길이를 알 수 있으므로 △ABC에서 크기가 x인 각을 찾아 $\tan x$의 값을 구한다.

기본 05 직각삼각형의 닮음과 삼각비 (2)

오른쪽 그림과 같이 $\angle BAC=90°$인 직각삼각형 ABC에서 $\overline{AD}\perp\overline{BC}$이다. $\angle CAD=x$, $\angle BAD=y$일 때, $\sin x+\sin y$의 값을 구하시오.

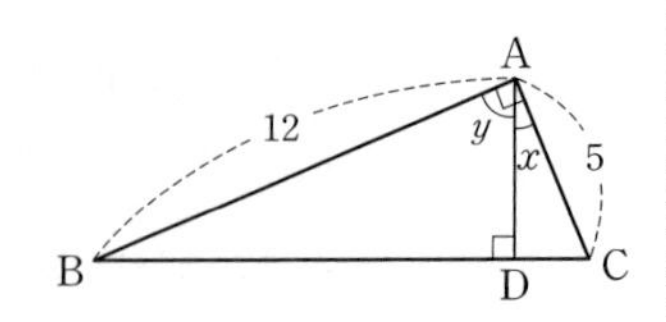

해법코드

직각삼각형에서 두 예각의 크기의 합이 90°이므로 다음 그림에서

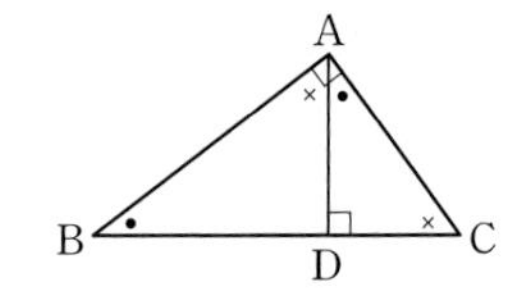

$\angle BAD=90°-\angle CAD=\angle C$,
$\angle CAD=90°-\angle BAD=\angle B$

셀파 세 변의 길이를 모두 알 수 있는 △ABC에서 크기가 각각 x, y인 각을 찾는다.

풀이 △ABC∽△DAC (AA 닮음)이므로 $\angle B=\angle CAD=x$
△ABC∽△DBA (AA 닮음)이므로 $\angle C=\angle BAD=y$
△ABC에서 $\overline{BC}=\sqrt{12^2+5^2}=\sqrt{169}=13$이므로

$\sin x=\sin B=\dfrac{\overline{AC}}{\overline{BC}}=\dfrac{5}{13}$, $\sin y=\sin C=\dfrac{\overline{AB}}{\overline{BC}}=\dfrac{12}{13}$

$\therefore \sin x+\sin y=\dfrac{5}{13}+\dfrac{12}{13}=\mathbf{\dfrac{17}{13}}$

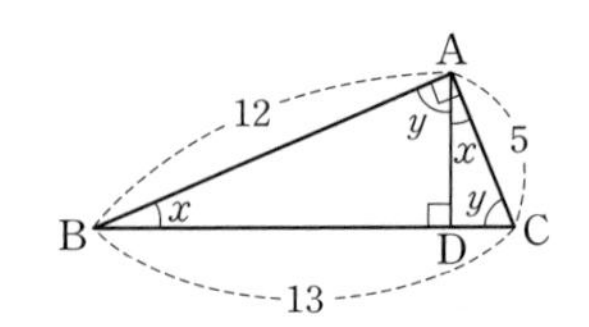

확인 05 오른쪽 그림과 같이 $\angle BAC=90°$인 직각삼각형 ABC에서 $\overline{AD}\perp\overline{BC}$이다. $\angle BAD=x$일 때, $\cos x$의 값을 구하시오.

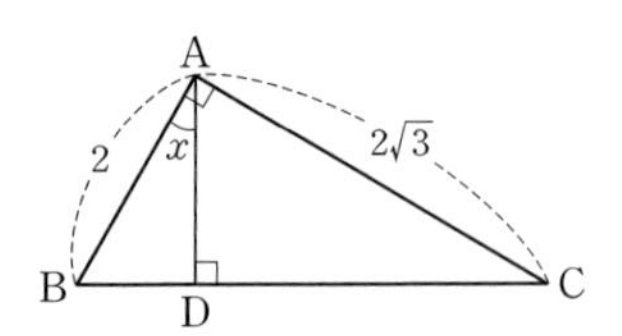

» My 셀파
△ABC에서 크기가 x인 각을 찾는다.

기본 06 입체도형에서 삼각비의 값

오른쪽 그림과 같이 한 모서리의 길이가 6인 정육면체에서 $\angle AGE=x$일 때, $\cos x$의 값을 구하시오.

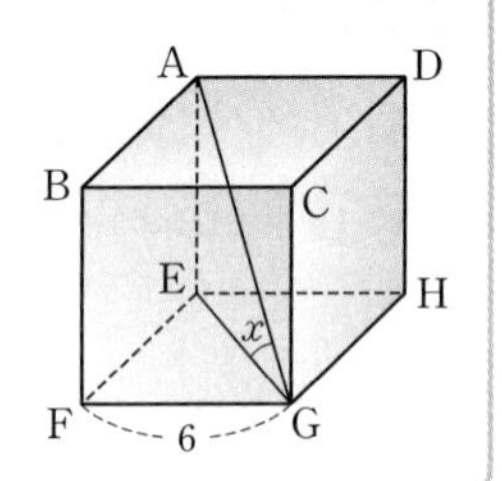

해법코드

입체도형에서 삼각비의 값은 다음과 같은 순서로 구한다.
1. 입체도형에서 직각삼각형을 찾는다.
2. 피타고라스 정리를 이용하여 변의 길이를 구한다.
3. 삼각비의 값을 구한다.

셀파 $\angle x$를 한 내각으로 갖는 직각삼각형을 찾는다.

풀이 직각삼각형 EFG에서
$\overline{EG}=\sqrt{6^2+6^2}=\sqrt{72}=6\sqrt{2}$
직각삼각형 AEG에서
$\overline{AG}=\sqrt{(6\sqrt{2})^2+6^2}=\sqrt{108}=6\sqrt{3}$

$\therefore \cos x=\dfrac{\overline{EG}}{\overline{AG}}=\dfrac{6\sqrt{2}}{6\sqrt{3}}=\mathbf{\dfrac{\sqrt{6}}{3}}$

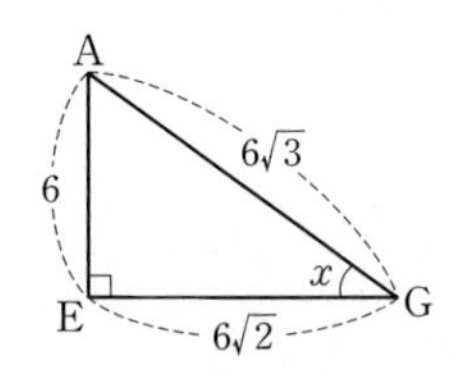

△AEG에서 $\angle AEG=90°$이므로 △AEG는 직각삼각형이다.

확인 06 오른쪽 그림과 같이 밑면의 가로, 세로의 길이가 각각 4, 3이고 높이가 5인 직육면체에서 $\angle DFH=x$일 때, $\sin x$의 값을 구하시오.

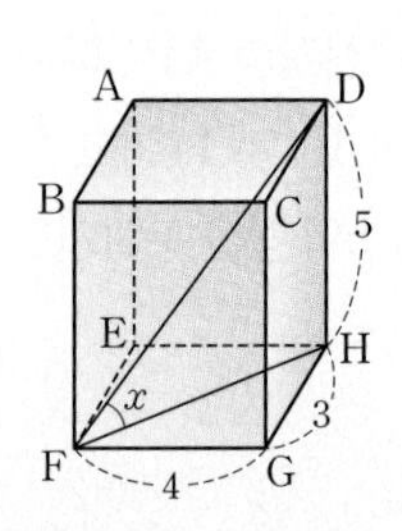

» My 셀파
△DFH는 $\angle DHF=90°$인 직각삼각형이다.

삼각비

1 다음 그림과 같은 직각삼각형 ABC에서 $\sin A$, $\cos A$, $\tan A$, $\sin B$, $\cos B$, $\tan B$의 값을 각각 구하시오.

(1)

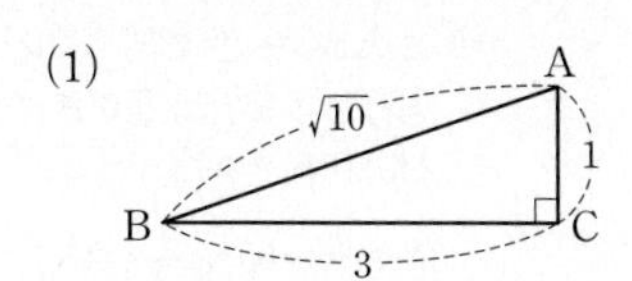

(2)

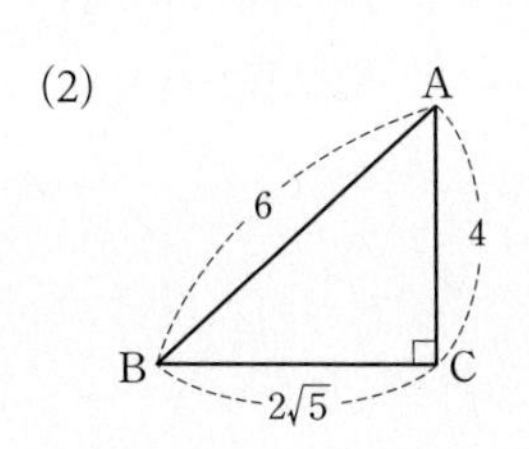

(3)

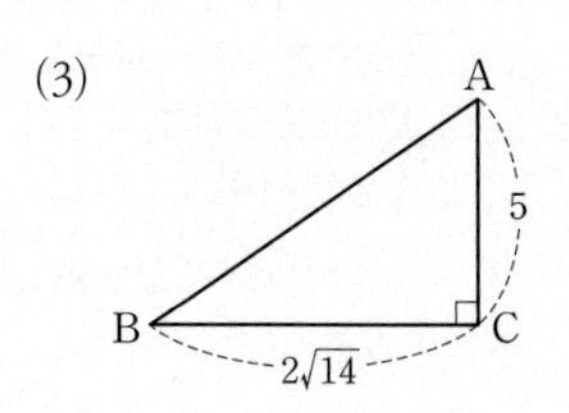

(4)

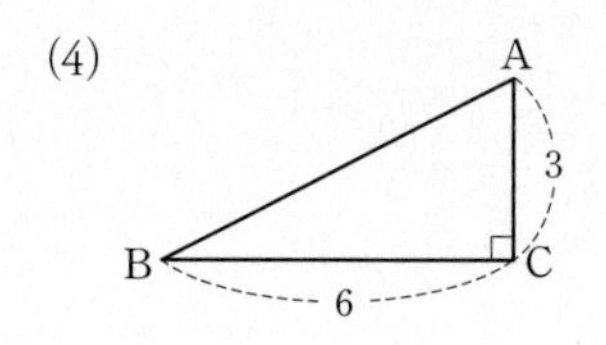

2 $\angle C=90^\circ$인 직각삼각형 ABC에서 다음 삼각비의 값을 구하시오.

(1) $\sin B=\frac{2}{5}$일 때, $\cos B$, $\tan B$

(2) $\cos B=\frac{5}{8}$일 때, $\sin B$, $\tan B$

(3) $\tan B=\frac{3}{2}$일 때, $\sin B$, $\cos B$

직각삼각형의 닮음과 삼각비

3 아래 그림의 직각삼각형 ABC에 대하여 다음 삼각비의 값을 구하시오.

(1)

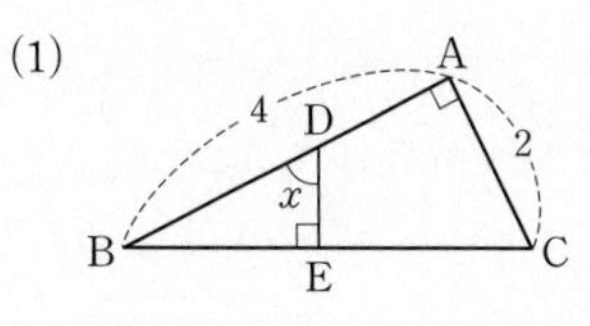

① $\sin x$ ② $\cos x$ ③ $\tan x$

(2)

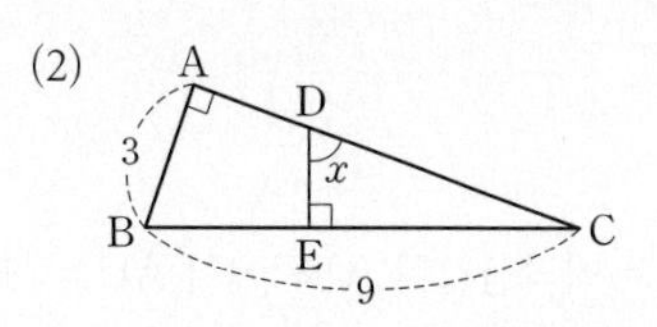

① $\sin x$ ② $\cos x$ ③ $\tan x$

(3)

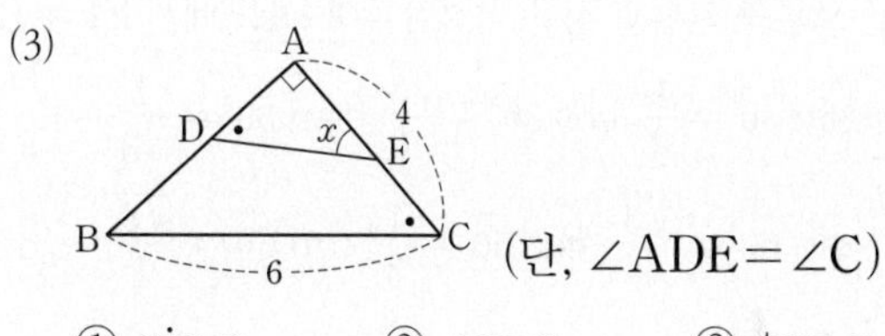

(단, $\angle ADE=\angle C$)

① $\sin x$ ② $\cos x$ ③ $\tan x$

(4)

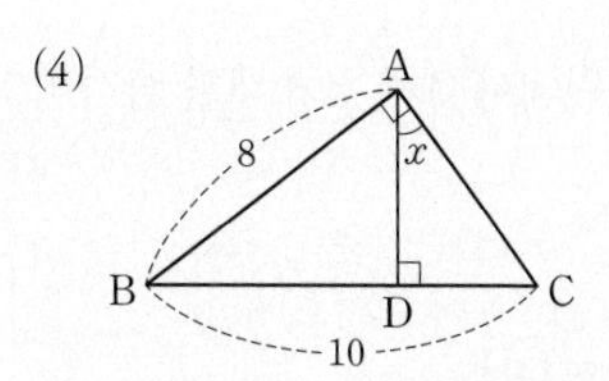

① $\sin x$ ② $\cos x$ ③ $\tan x$

(5)

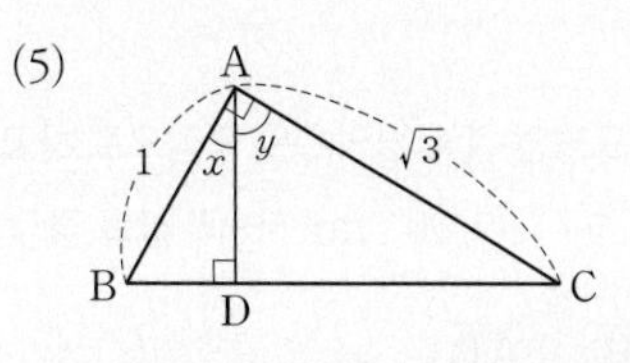

① $\sin x$ ② $\cos x$ ③ $\tan x$

④ $\sin y$ ⑤ $\cos y$ ⑥ $\tan y$

1

2. 삼각비의 값

1 30°, 45°, 60°의 삼각비의 값

삼각비 \ A	30°	45°	60°
$\sin A$	$\frac{1}{2}$	☐	$\frac{\sqrt{3}}{2}$
$\cos A$	$\frac{\sqrt{3}}{2}$	$\frac{\sqrt{2}}{2}$	☐
$\tan A$	☐	1	$\sqrt{3}$

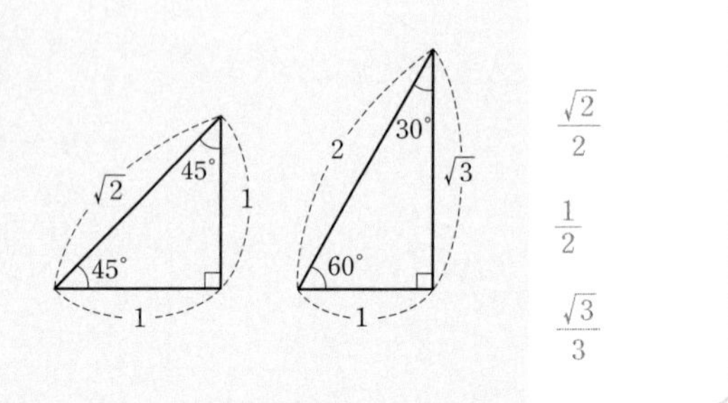

$\frac{\sqrt{2}}{2}$

$\frac{1}{2}$

$\frac{\sqrt{3}}{3}$

㉠ △ABC는 한 변의 길이가 1인 정사각형 모양의 종이를 반으로 접어 만든 것이다.
$\therefore \angle A=90°\times\frac{1}{2}=45°$,
$\angle C=90°\times\frac{1}{2}=45°$,
$\overline{AB}=\overline{BC}=1$

설명 (1) 45°의 삼각비의 값

오른쪽 그림과 같은 ㉠직각삼각형 ABC에서 $\overline{AC}=\sqrt{1^2+1^2}=\sqrt{2}$이므로

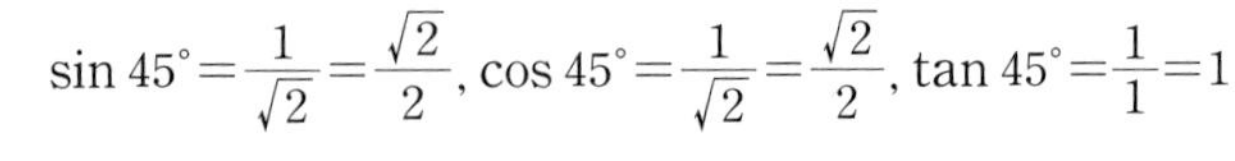

$\sin 45°=\frac{1}{\sqrt{2}}=\frac{\sqrt{2}}{2}$, $\cos 45°=\frac{1}{\sqrt{2}}=\frac{\sqrt{2}}{2}$, $\tan 45°=\frac{1}{1}=1$

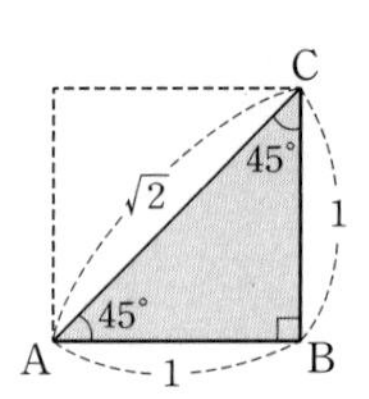

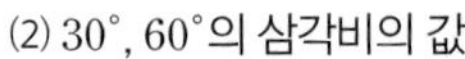

(2) 30°, 60°의 삼각비의 값

오른쪽 그림과 같은 ㉡직각삼각형 DEF에서 $\overline{EF}=\sqrt{2^2-1^2}=\sqrt{3}$이므로

$\sin 30°=\frac{1}{2}$, $\cos 30°=\frac{\sqrt{3}}{2}$, $\tan 30°=\frac{1}{\sqrt{3}}=\frac{\sqrt{3}}{3}$

$\sin 60°=\frac{\sqrt{3}}{2}$, $\cos 60°=\frac{1}{2}$, $\tan 60°=\frac{\sqrt{3}}{1}=\sqrt{3}$

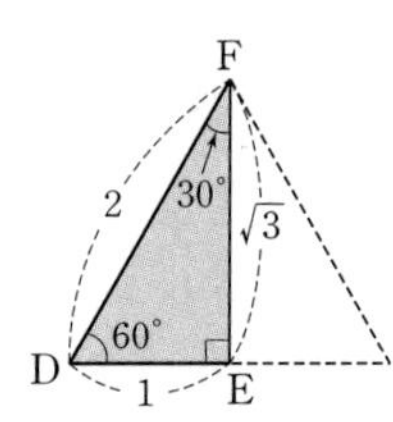

㉡ △DEF는 한 변의 길이가 2인 정삼각형 모양의 종이를 반으로 접어 만든 것이다.
$\therefore \angle D=60°$,
$\angle F=60°\times\frac{1}{2}=30°$,
$\overline{DF}=2$,
$\overline{DE}=2\times\frac{1}{2}=1$

2 예각의 삼각비의 값

(예각: 0°보다 크고 90°보다 작은 각)

반지름의 길이가 1인 사분원에서 ㉢예각 x에 대한 삼각비의 값은 다음과 같다.

① $\sin x=\frac{\overline{AB}}{\overline{OA}}=\frac{\overline{AB}}{1}=$ ☐

② $\cos x=\frac{☐}{\overline{OA}}=\frac{\overline{OB}}{1}=\overline{OB}$

③ $\tan x=\frac{\overline{CD}}{☐}=\frac{\overline{CD}}{1}=\overline{CD}$

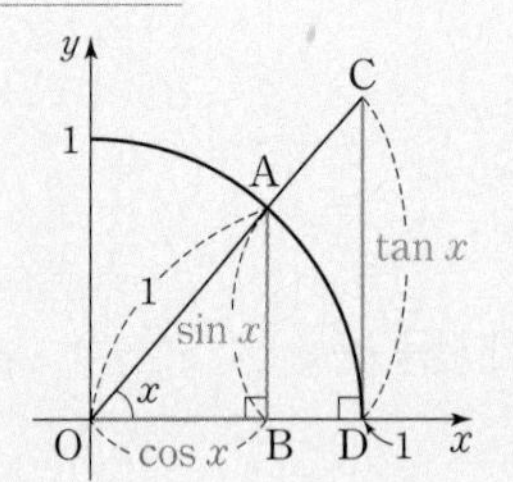

$\overline{AB}$

$\overline{OB}$

$\overline{OD}$

용어 click

사분원 한 원을 직교하는 두 지름으로 나눈 네 부분 중 하나

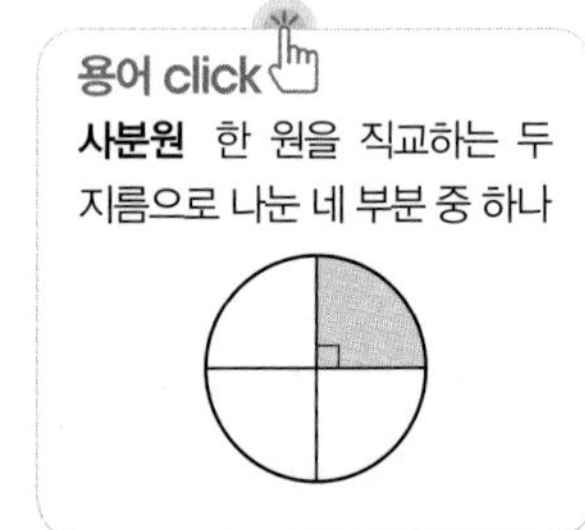

보기 오른쪽 그림과 같이 좌표평면 위의 원점 O를 중심으로 하고 반지름의 길이가 1인 사분원에서 $\sin 50°$, $\cos 50°$, $\tan 50°$의 값을 각각 구하시오.

풀이 $\sin 50°=\frac{\overline{AB}}{\overline{OA}}=\frac{\overline{AB}}{1}=\overline{AB}=\mathbf{0.7660}$

$\cos 50°=\frac{\overline{OB}}{\overline{OA}}=\frac{\overline{OB}}{1}=\overline{OB}=\mathbf{0.6428}$

$\tan 50°=\frac{\overline{CD}}{\overline{OD}}=\frac{\overline{CD}}{1}=\overline{CD}=\mathbf{1.1918}$

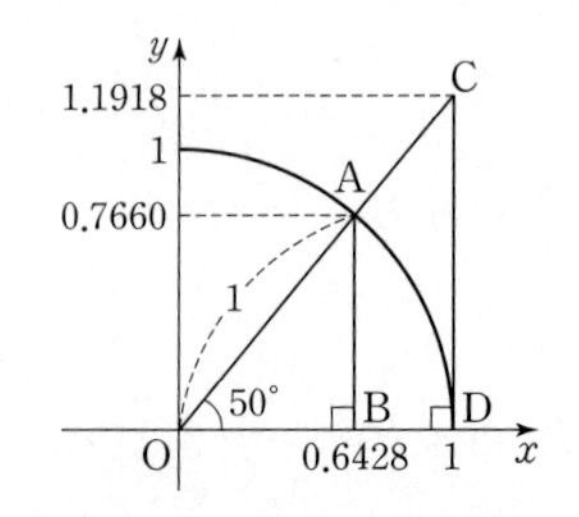

㉢ 반지름의 길이가 1인 사분원에서 예각에 대한 삼각비의 값은 분모가 되는 변의 길이가 1인 직각삼각형을 찾아 구한다.

- $\sin x$와 $\cos x$는 직각삼각형 AOB에서 생각하고, $\tan x$는 직각삼각형 COD에서 생각한다.

| 개념 체크 |

1-1 $30^\circ, 45^\circ, 60^\circ$의 삼각비의 값

오른쪽 그림은 한 변의 길이가 4인 정사각형을 이등분한 것이다. 다음 삼각비의 값을 구하시오.

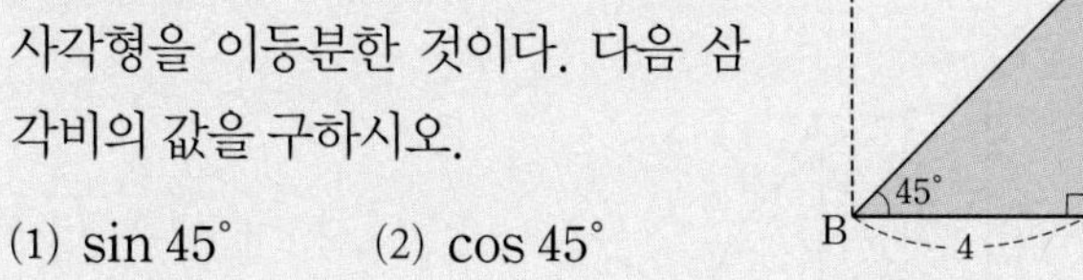

(1) $\sin 45^\circ$　　(2) $\cos 45^\circ$

(3) $\tan 45^\circ$

셀파 피타고라스 정리를 이용하여 $\overline{AB}$의 길이를 먼저 구한다.

연구 직각삼각형 ABC에서 $\overline{AB}=\square$

(1) $\sin 45^\circ=\dfrac{\overline{AC}}{\square}=\dfrac{4}{\square}=\square$

(2) $\cos 45^\circ=\dfrac{\overline{BC}}{\square}=\dfrac{4}{\square}=\square$

(3) $\tan 45^\circ=\dfrac{\square}{\overline{BC}}=\dfrac{\square}{4}=\square$

2-1 예각의 삼각비의 값

오른쪽 그림과 같이 좌표평면 위의 원점 O를 중심으로 하고 반지름의 길이가 1인 사분원에서 다음 삼각비의 값을 구하시오.

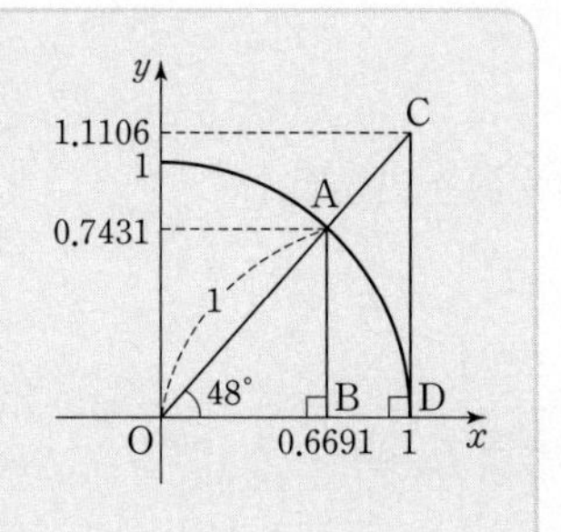

(1) $\sin 48^\circ$　　(2) $\cos 48^\circ$

(3) $\tan 48^\circ$

셀파 분모가 되는 변의 길이가 1인 직각삼각형을 찾아 구한다.

연구 (1) $\sin 48^\circ=\dfrac{\overline{AB}}{\overline{OA}}=\overline{AB}=\square$

(2) $\cos 48^\circ=\dfrac{\square}{\overline{OA}}=\overline{OB}=\square$

(3) $\tan 48^\circ=\dfrac{\overline{CD}}{\square}=\square=\square$

| 따라 풀기 |

1-2 다음 그림은 한 변의 길이가 8인 정삼각형을 이등분한 것이다. □ 안에 알맞은 것을 써넣으시오.

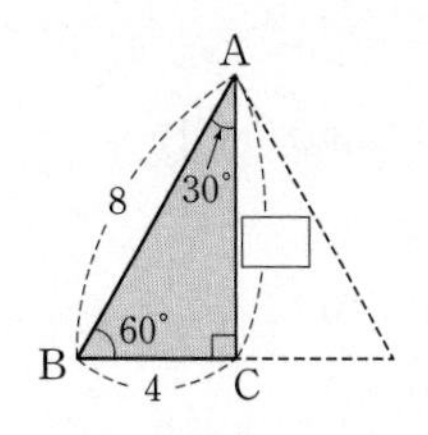

(1) $\sin 30^\circ=\dfrac{\square}{\overline{AB}}=\dfrac{\square}{8}=\square$

(2) $\cos 30^\circ=\dfrac{\square}{\overline{AB}}=\dfrac{\square}{8}=\square$

(3) $\tan 30^\circ=\dfrac{\overline{BC}}{\square}=\dfrac{4}{\square}=\square$

1-3 다음을 계산하시오.

(1) $\sin 60^\circ+\cos 30^\circ$　　(2) $\tan 45^\circ-\sin 30^\circ$

(3) $\cos 60^\circ\times\tan 60^\circ$　　(4) $\cos 45^\circ\div\tan 30^\circ$

2-2 오른쪽 그림과 같이 좌표평면 위의 원점 O를 중심으로 하고 반지름의 길이가 1인 사분원에서 다음 삼각비의 값을 구하시오.

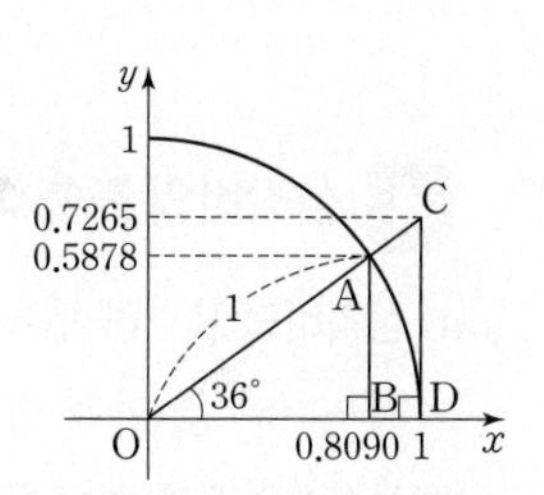

(1) $\sin 36^\circ$

(2) $\cos 36^\circ$

(3) $\tan 36^\circ$

- **$30^\circ, 45^\circ, 60^\circ$의 삼각비 사이의 관계** ① $\sin 30^\circ=\cos 60^\circ=\dfrac{1}{2}$　② $\sin 45^\circ=\cos 45^\circ=\dfrac{\sqrt{2}}{2}$
  ③ $\sin 60^\circ=\cos 30^\circ=\dfrac{\sqrt{3}}{2}$　④ $\tan 30^\circ=\dfrac{1}{\tan 60^\circ}=\dfrac{\sqrt{3}}{3}$
- 반지름의 길이가 1인 사분원에서 예각에 대한 삼각비의 값은 분모가 되는 변의 길이가 1인 직각삼각형을 찾아 구한다.

3 0°, 90°의 삼각비의 값

(1) 0°의 삼각비의 값

⇨ $\sin 0° = 0$, $\cos 0° =$ □, $\tan 0° = 0$ 　　1

(2) 90°의 삼각비의 값

⇨ $\sin 90° = 1$, $\cos 90° =$ □, $\tan 90°$의 값은 정할 수 없다. 　　0

참고 삼각비의 값의 범위
$0° \le x \le 90°$일 때
① $0 \le \sin x \le 1$
② $0 \le \cos x \le 1$
③ $\tan x \ge 0$

설명 오른쪽 그림의 사분원에서 ㉠ $\sin x = \overline{AB}$, $\cos x = \overline{OB}$
x의 크기가 0°에 가까워지면
$\overline{AB}$의 길이는 0에 가까워진다. ⇨ $\sin 0° = 0$
$\overline{OB}$의 길이는 1에 가까워진다. ⇨ $\cos 0° = 1$
x의 크기가 90°에 가까워지면
$\overline{AB}$의 길이는 1에 가까워진다. ⇨ $\sin 90° = 1$
$\overline{OB}$의 길이는 0에 가까워진다. ⇨ $\cos 90° = 0$
또 오른쪽 그림의 사분원에서 ㉡ $\tan x = \overline{CD}$
x의 크기가 0°에 가까워지면 $\overline{CD}$의 길이는 0에 가까워진다.
⇨ $\tan 0° = 0$
x의 크기가 90°에 가까워지면 $\overline{CD}$의 길이는 한없이 길어진다.
⇨ $\tan 90°$의 값은 정할 수 없다.

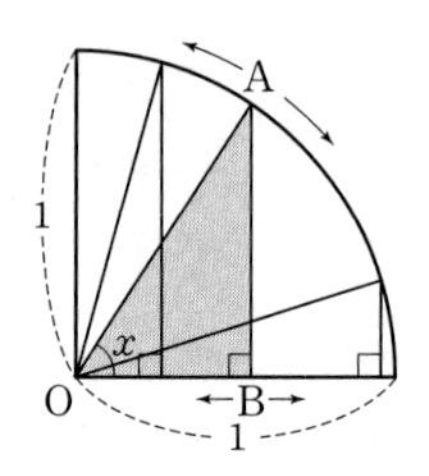

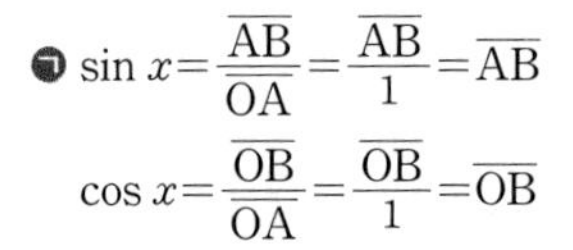

㉠ $\sin x = \frac{\overline{AB}}{\overline{OA}} = \frac{\overline{AB}}{1} = \overline{AB}$
$\cos x = \frac{\overline{OB}}{\overline{OA}} = \frac{\overline{OB}}{1} = \overline{OB}$

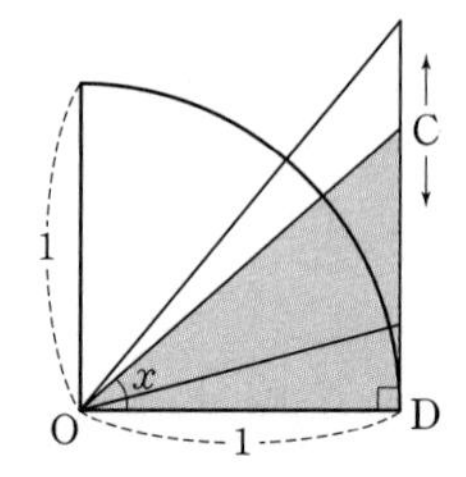

㉡ $\tan x = \frac{\overline{CD}}{\overline{OD}} = \frac{\overline{CD}}{1} = \overline{CD}$

4 삼각비의 표를 이용한 삼각비의 값

(1) ㉢ **삼각비의 표** 0°에서 90°까지의 각을 1° 간격으로 나누어 삼각비의 값을 반올림하여 소수점 아래 넷째 자리까지 나타낸 표

(2) 삼각비의 표를 보는 방법

삼각비의 표에서 □의 가로줄과 sin, cos, tan의 세로줄이 만나는 곳의 수가 삼각비의 값이다. 　　각도

예 $\cos 15°$의 값은 삼각비의 표에서 각도 15°의 □과 코사인(cos)의 세로줄이 만나는 곳에 있는 수인 □이다. 즉 $\cos 15° = 0.9659$ 　　가로줄 　　0.9659

각도	sin	cos	tan
⋮	⋮	⋮	⋮
15°	0.2588	0.9659	0.2679
16°	0.2756	0.9613	0.2867
⋮	⋮	⋮	⋮

㉢ 이 책에서 삼각비의 표는 142쪽에 있습니다.
● 삼각비의 표에 있는 삼각비의 값은 대부분 어림한 값이지만 등호 '='를 사용하여 나타낸다.

보기 위의 삼각비의 표를 보고 다음 삼각비의 값을 구하시오.

(1) $\sin 15°$ 　　(2) $\tan 16°$

풀이 (1) $\sin 15°$의 값은 삼각비의 표에서 각도 15°의 가로줄과 사인(sin)의 세로줄이 만나는 곳에 있는 수인 0.2588이다. 　$\therefore \sin 15° = \mathbf{0.2588}$

(2) $\tan 16°$의 값은 삼각비의 표에서 각도 16°의 가로줄과 탄젠트(tan)의 세로줄이 만나는 곳에 있는 수인 0.2867이다. 　$\therefore \tan 16° = \mathbf{0.2867}$

| 개념 체크 |

3-1 0°, 90°의 삼각비의 값

다음을 계산하시오.

(1) $\sin 90° + \cos 0°$

(2) $\cos 90° - \sin 0° \times \tan 0°$

셀파 $\sin 0° = 0$, $\cos 0° = 1$, $\tan 0° = 0$, $\sin 90° = 1$, $\cos 90° = 0$임을 이용한다.

연구 (1) $\sin 90° + \cos 0° = \square + 1 = \square$

(2) $\cos 90° - \sin 0° \times \tan 0° = \square - 0 \times \square = \square$

4-1 삼각비의 표를 이용한 삼각비의 값

아래 삼각비의 표를 이용하여 다음 삼각비의 값을 구하시오.

각도	sin	cos	tan
41°	0.6561	0.7547	0.8693
42°	0.6691	0.7431	0.9004
43°	0.6820	0.7314	0.9325

(1) $\sin 42°$ (2) $\cos 41°$ (3) $\tan 43°$

셀파 삼각비의 표에서 가로줄과 세로줄이 만나는 곳의 수를 읽으면 된다.

연구 (1) $\sin 42°$의 값은 각도 42°의 가로줄과 sin의 세로줄이 만나는 곳에 있는 수인 $\square$이다.

(2) $\cos 41°$의 값은 각도 41°의 가로줄과 cos의 $\square$이 만나는 곳에 있는 수인 $\square$이다.

(3) $\tan 43°$의 값은 각도 $\square$의 가로줄과 $\square$의 세로줄이 만나는 곳에 있는 수인 $\square$이다.

| 따라 풀기 |

3-2 다음을 계산하시오.

(1) $\sin 0° + \cos 90° - \tan 0°$

(2) $\sin 90° \times \tan 0° - \cos 0°$

(3) $(\cos 90° + \sin 90°) \div \cos 0°$

4-2 아래 삼각비의 표를 이용하여 다음 삼각비의 값을 구하시오.

각도	sin	cos	tan
66°	0.9135	0.4067	2.2460
67°	0.9205	0.3907	2.3559
68°	0.9272	0.3746	2.4751

(1) $\sin 68°$ (2) $\cos 66°$ (3) $\tan 67°$

• **0°, 90°의 삼각비의 값**
① $\sin 0° = 0$, $\sin 90° = 1$ ② $\cos 0° = 1$, $\cos 90° = 0$ ③ $\tan 0° = 0$, $\tan 90°$의 값은 정할 수 없다.

• **삼각비의 표를 읽는 방법** 각도의 가로줄과 sin, cos, tan의 세로줄이 만나는 곳의 수가 그 각도의 삼각비의 값이다.

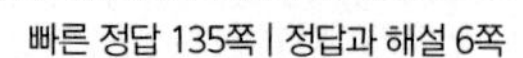

빠른 정답 135쪽 | 정답과 해설 6쪽

기본 01 30°, 45°, 60°의 삼각비의 값

다음을 계산하시오.

(1) $\cos 30° \times \sin 60° + \tan 45°$

(2) $\sin 30° + \sqrt{3} \tan 60° + \cos 60°$

(3) $\sin 45° \div \cos 45° - \tan 30° \times \sin 60°$

셀파 30°, 45°, 60°의 삼각비의 값을 이용한다.

풀이 (1) $\cos 30° \times \sin 60° + \tan 45° = \frac{\sqrt{3}}{2} \times \frac{\sqrt{3}}{2} + 1 = \frac{3}{4} + 1 = \mathbf{\frac{7}{4}}$

(2) $\sin 30° + \sqrt{3} \tan 60° + \cos 60° = \frac{1}{2} + \sqrt{3} \times \sqrt{3} + \frac{1}{2} = \frac{1}{2} + 3 + \frac{1}{2} = \mathbf{4}$

(3) $\sin 45° \div \cos 45° - \tan 30° \times \sin 60° = \frac{\sqrt{2}}{2} \div \frac{\sqrt{2}}{2} - \frac{\sqrt{3}}{3} \times \frac{\sqrt{3}}{2} = 1 - \frac{1}{2} = \mathbf{\frac{1}{2}}$

해법코드

삼각비 \ A	30°	45°	60°	
$\sin A$	$\frac{1}{2}$	$\frac{\sqrt{2}}{2}$	$\frac{\sqrt{3}}{2}$	→ 커진다.
$\cos A$	$\frac{\sqrt{3}}{2}$	$\frac{\sqrt{2}}{2}$	$\frac{1}{2}$	→ 작아진다.
$\tan A$	$\frac{\sqrt{3}}{3}$	1	$\sqrt{3}$	→ 커진다.

참고 다음과 같이 특수한 각을 내각으로 갖는 직각삼각형을 그려 특수한 각의 삼각비의 값을 생각해도 된다.

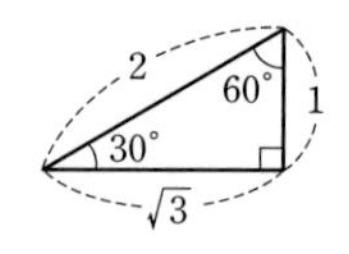

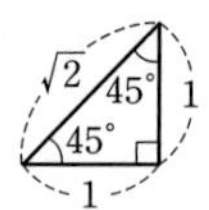

확인 01 다음을 계산하시오.

(1) $\sin 60° \times \tan 30° + \cos 45°$

(2) $\cos 60° \times \tan 45° + \sin 60° \times \tan 60°$

» My 셀파
30°, 45°, 60°의 삼각비의 값을 주어진 식에 대입한다.

기본 02 30°, 45°, 60°의 삼각비의 값을 이용하여 각의 크기 구하기

$\cos(2x - 10°) = \frac{1}{2}$일 때, x의 크기를 구하시오. (단, $5° < x < 50°$)

셀파 $\cos 60° = \frac{1}{2}$임을 이용한다.

풀이 $5° < x < 50°$이므로 $10° < 2x < 100°$ $\quad \therefore 0° < 2x - 10° < 90°$

$2x - 10° = A$로 놓으면 $\cos A = \frac{1}{2}$에서 $A = 60°$ ($\because 0° < A < 90°$)

$2x - 10° = 60°$, $2x = 70°$ $\quad \therefore x = \mathbf{35°}$

해법코드
예각에 대한 삼각비의 값이 주어지면 30°, 45°, 60°의 삼각비의 값을 이용하여 각의 크기를 구한다.

예 $0° < x < 90°$일 때, $\sin x = \frac{\sqrt{2}}{2}$
⇨ $\sin 45° = \frac{\sqrt{2}}{2}$이므로 $x = 45°$

확인 02 $\tan(2x - 15°) = 1$일 때, $\sin x$의 값을 구하시오. (단, $10° < x < 50°$)

» My 셀파
$2x - 15° = A$로 놓고 $\tan A = 1$인 A의 크기를 구한다.

기본 03 30°, 45°, 60°의 삼각비의 값을 이용하여 변의 길이 구하기

오른쪽 그림의 $\triangle ABC$에서 $\angle B=60°$, $\angle C=45°$, $\overline{AB}=4$이고 $\overline{AD}\perp\overline{BC}$이다. 이때 x, y의 값을 각각 구하시오.

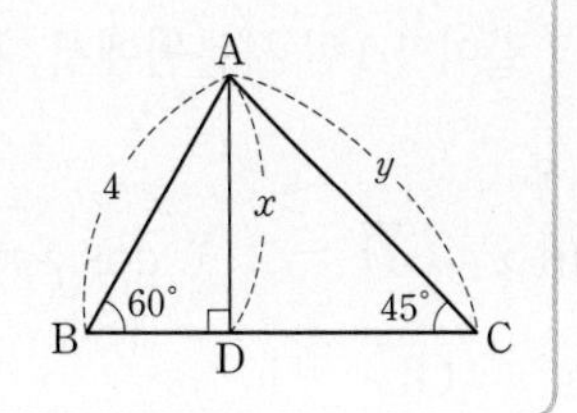

해법코드

한 예각의 크기가 30° 또는 45° 또는 60°인 직각삼각형을 찾아 30°, 45°, 60°의 삼각비의 값을 이용하여 변의 길이를 구한다.

셀파 $\triangle ABD$에서 $\sin 60°$의 값을 이용하여 $\overline{AD}$의 길이를 구하고, $\triangle ADC$에서 $\sin 45°$의 값을 이용하여 $\overline{AC}$의 길이를 구한다.

풀이 $\triangle ABD$에서 $\sin 60°=\frac{x}{4}$, 즉 $\frac{\sqrt{3}}{2}=\frac{x}{4}$

$2x=4\sqrt{3}$ $\quad\therefore \boldsymbol{x=\frac{4\sqrt{3}}{2}=2\sqrt{3}}$

$\triangle ADC$에서 $\sin 45°=\frac{x}{y}=\frac{2\sqrt{3}}{y}$, 즉 $\frac{\sqrt{2}}{2}=\frac{2\sqrt{3}}{y}$

$\sqrt{2}y=4\sqrt{3}$ $\quad\therefore \boldsymbol{y=\frac{4\sqrt{3}}{\sqrt{2}}=2\sqrt{6}}$

확인 03 오른쪽 그림과 같이 $\angle C=90°$인 직각삼각형 ABC에서 $\angle B=30°$, $\angle ADC=45°$이고 $\overline{AC}=2$일 때, $\overline{BD}$의 길이를 구하시오.

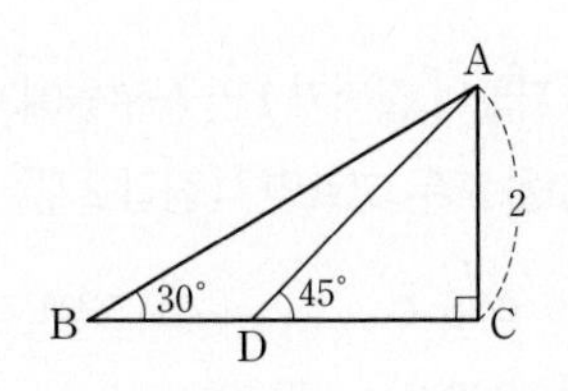

» My 셀파

$\overline{BD}=\overline{BC}-\overline{DC}$

이때 $\triangle ABC$에서 $\tan 30°$의 값을 이용하여 $\overline{BC}$의 길이를 구하고, $\triangle ADC$에서 $\tan 45°$의 값을 이용하여 $\overline{DC}$의 길이를 구한다.

기본 04 직선의 기울기와 삼각비

오른쪽 그림과 같이 x절편이 -3이고, x축의 양의 방향과 이루는 각의 크기가 60°인 직선의 방정식을 구하시오.

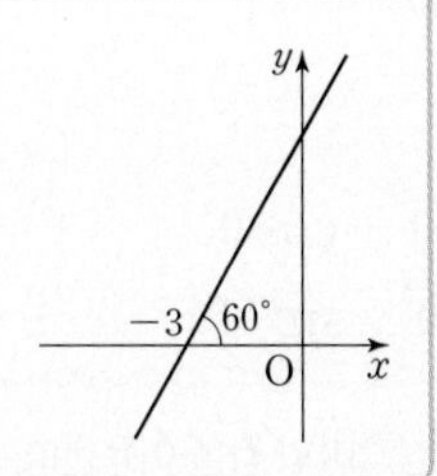

해법코드

다음 그림과 같이 직선 $y=mx+n$이 x축의 양의 방향과 이루는 각의 크기를 α라 하면

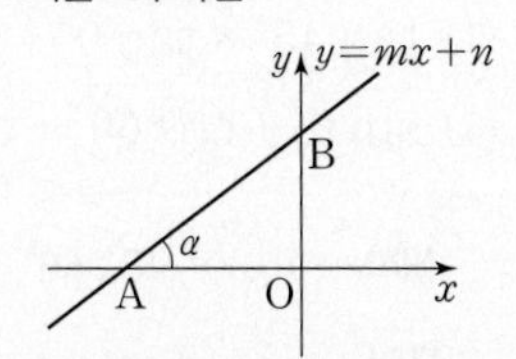

(직선의 기울기)

$=m=\frac{(y\text{의 값의 증가량})}{(x\text{의 값의 증가량})}$

$=\frac{\overline{BO}}{\overline{AO}}=\tan\alpha$

셀파 기울기가 양수인 직선이 x축과 이루는 예각의 크기가 α이면 (기울기)$=\tan\alpha$

풀이 구하는 직선의 방정식을 $y=ax+b$라 하면

$a=$(직선의 기울기)$=\tan 60°=\sqrt{3}$

즉 $y=\sqrt{3}x+b$가 점 $(-3, 0)$을 지나므로

$0=-3\sqrt{3}+b$ $\quad\therefore b=3\sqrt{3}$

따라서 구하는 직선의 방정식은 $\boldsymbol{y=\sqrt{3}x+3\sqrt{3}}$

확인 04 점 $(-2, 0)$을 지나고 x축의 양의 방향과 이루는 각의 크기가 45°인 직선의 방정식을 구하시오.

» My 셀파

구하는 직선의 기울기는 $\tan 45°$이다.

기본 05 사분원에서 삼각비의 값

오른쪽 그림과 같이 반지름의 길이가 1인 사분원에서 다음 중 옳지 않은 것은?

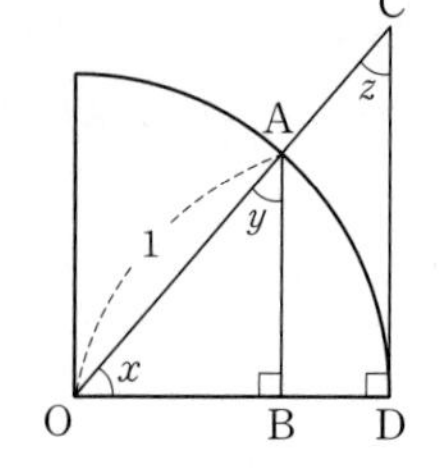

① $\sin x=\overline{AB}$ ② $\tan x=\overline{CD}$ ③ $\cos z=\overline{CD}$

④ $\tan y=\dfrac{1}{\overline{CD}}$ ⑤ $\sin z=\overline{OB}$

해법코드

반지름의 길이가 1인 사분원에서

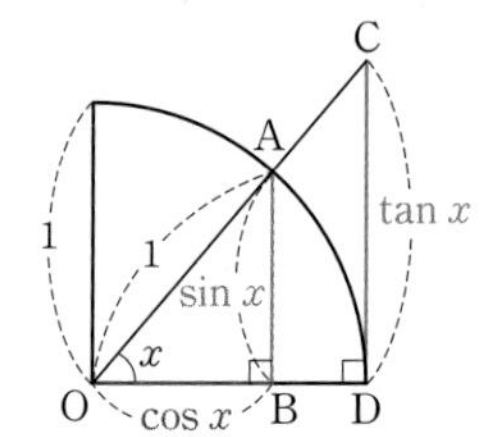

셀파 사분원에서 삼각비의 값을 나타낼 때는 분모 또는 분자를 1로 만드는 직각삼각형을 이용한다.

풀이 ① $\sin x=\dfrac{\overline{AB}}{\overline{OA}}=\dfrac{\overline{AB}}{1}=\overline{AB}$ ② $\tan x=\dfrac{\overline{CD}}{\overline{OD}}=\dfrac{\overline{CD}}{1}=\overline{CD}$

③ ㉠ $\cos z=\cos y=\dfrac{\overline{AB}}{\overline{OA}}=\dfrac{\overline{AB}}{1}=\overline{AB}$ ④ $\tan y=\tan z=\dfrac{\overline{OD}}{\overline{CD}}=\dfrac{1}{\overline{CD}}$

⑤ ㉡ $\sin z=\sin y=\dfrac{\overline{OB}}{\overline{OA}}=\dfrac{\overline{OB}}{1}=\overline{OB}$

따라서 옳지 않은 것은 ③이다.

㉠ $\overline{AB}/\!/\overline{CD}$이므로 $y=z$ (동위각)
$\therefore \sin y=\sin z$, $\cos y=\cos z$, $\tan y=\tan z$

㉡ 직각삼각형 COD에서 $\sin z=\dfrac{\overline{OD}}{\overline{OC}}=\dfrac{1}{\overline{OC}}$ 이기도 하다.

확인 05 오른쪽 그림과 같이 반지름의 길이가 1인 사분원에서 $\overline{OB}$의 길이와 그 값이 같은 것을 모두 고르면? (정답 2개)

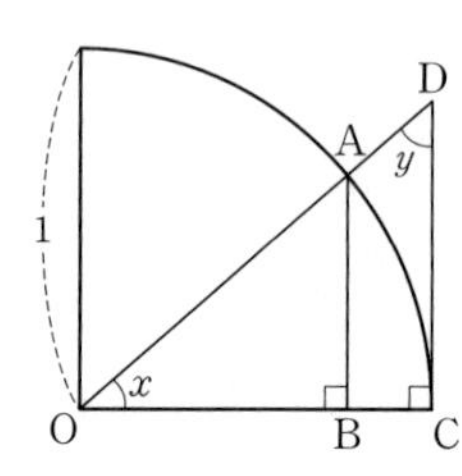

① $\sin x$ ② $\cos x$ ③ $\tan x$

④ $\sin y$ ⑤ $\cos y$

» My 셀파
크기가 y인 각을 찾아 표시한다.

기본 06 0°, 90°의 삼각비의 값

다음을 계산하시오.

(1) $\tan 45^\circ\times\tan 0^\circ+\sin 90^\circ-\cos 0^\circ$

(2) $\sin 0^\circ+\cos 60^\circ+\cos 90^\circ-\sin 30^\circ$

해법코드

삼각비 \ A	0°	90°
$\sin A$	0	1
$\cos A$	1	0
$\tan A$	0	

셀파 0°, 30°, 45°, 60°, 90°의 삼각비의 값을 이용한다.

풀이 (1) $\tan 45^\circ\times\tan 0^\circ+\sin 90^\circ-\cos 0^\circ=1\times0+1-1=\mathbf{0}$

(2) $\sin 0^\circ+\cos 60^\circ+\cos 90^\circ-\sin 30^\circ=0+\dfrac{1}{2}+0-\dfrac{1}{2}=\mathbf{0}$

확인 06 다음을 계산하시오.

(1) $\cos 45^\circ\times\tan 0^\circ+\sin 45^\circ\times\cos 90^\circ+\sin 90^\circ$

(2) $\sin 0^\circ\times\tan 60^\circ-\cos 60^\circ\times\cos 0^\circ+\tan 45^\circ$

» My 셀파
0°, 30°, 45°, 60°, 90°의 삼각비의 값을 주어진 식에 대입한다.

기본 07 삼각비의 표를 이용한 삼각비의 값

오른쪽 삼각비의 표를 이용하여 다음 물음에 답하시오.

(1) $\sin 36^\circ + \tan 38^\circ$의 값을 구하시오.

(2) $\tan x = 0.7536$을 만족할 때, x의 크기를 구하시오.

각도	sin	cos	tan
35°	0.5736	0.8192	0.7002
36°	0.5878	0.8090	0.7265
37°	0.6018	0.7986	0.7536
38°	0.6157	0.7880	0.7813

해법코드

삼각비의 표에서 각도의 가로줄과 sin, cos, tan의 세로줄이 만나는 곳의 수가 그 각도의 삼각비의 값이다.

예 $\sin 35^\circ = 0.5736$
$\cos 36^\circ = 0.8090$
$\tan 37^\circ = 0.7536$

셀파 삼각비의 표에서 삼각비의 값을 찾고, 반대로 삼각비의 값으로 각도를 찾는다.

풀이 (1) $\sin 36^\circ$의 값은 ㉠36°의 가로줄과 sin의 세로줄이 만나는 곳에 있는 수이므로

$\sin 36^\circ = 0.5878$

$\tan 38^\circ$의 값은 38°의 가로줄과 tan의 세로줄이 만나는 곳에 있는 수이므로

$\tan 38^\circ = 0.7813$

$\therefore \sin 36^\circ + \tan 38^\circ = 0.5878 + 0.7813 = \mathbf{1.3691}$

(2) ㉡삼각비의 값 0.7536은 37°의 가로줄과 tan의 세로줄이 만나는 곳에 있는 수이므로

$x = \mathbf{37^\circ}$

㉠ 가로줄과 세로줄을 선으로 표시하여 헷갈리지 않도록 한다.

㉡ 삼각비의 값 0.7536에서 만나는 가로줄과 세로줄을 찾아 x의 크기를 구한다.

확인 07 위의 삼각비의 표를 이용하여 오른쪽 그림의 △ABC에서 $x+y$의 값을 구하시오.

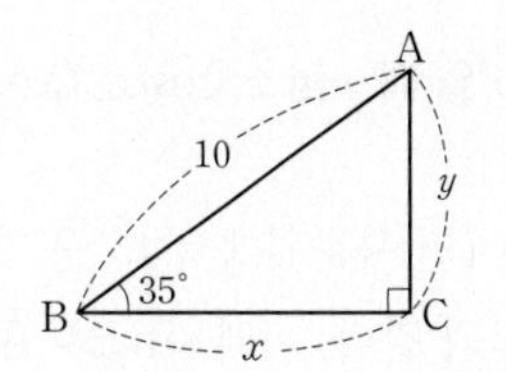

» My 셀파

$\sin 35^\circ = \frac{y}{10}$, $\cos 35^\circ = \frac{x}{10}$임을 이용한다.

발전 08 특수한 각의 삼각비의 값을 이용하여 다른 삼각비의 값 구하기

오른쪽 그림과 같이 $\angle C = 90^\circ$인 직각삼각형 ABC에서 $\angle B = 15^\circ$, $\angle ADC = 30^\circ$이고 $\overline{AC} = 1$일 때, $\tan 15^\circ$의 값을 구하시오.

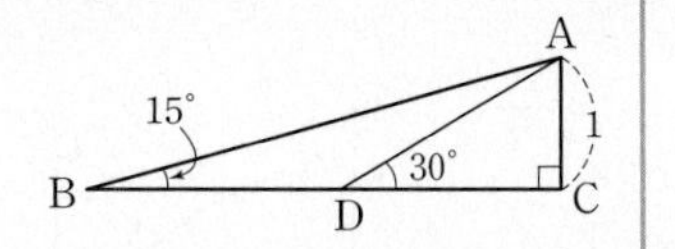

해법코드

30°의 삼각비의 값과 △ABD가 이등변삼각형임을 이용하여 △ABC의 변의 길이를 구한다.

셀파 $\tan 15^\circ = \frac{\overline{AC}}{\overline{BC}}$이고, $\overline{BC} = \overline{BD} + \overline{DC}$이다.

풀이 △ADC에서 $\sin 30^\circ = \frac{1}{\overline{AD}} = \frac{1}{2}$ $\quad \therefore \overline{AD} = 2$

$\tan 30^\circ = \frac{1}{\overline{DC}} = \frac{\sqrt{3}}{3}$, $\sqrt{3}\,\overline{DC} = 3$ $\quad \therefore \overline{DC} = \sqrt{3}$

㉠△ABD에서 $\angle BAD = 30^\circ - 15^\circ = 15^\circ$

즉 △ABD는 이등변삼각형이므로 $\overline{BD} = \overline{AD} = 2$

$\therefore \tan 15^\circ = \frac{\overline{AC}}{\overline{BC}} = \frac{\overline{AC}}{\overline{BD} + \overline{DC}} = ㉡\frac{1}{2+\sqrt{3}} = \mathbf{2-\sqrt{3}}$

㉠ ∠ADC는 △ABD의 한 외각이므로
$\angle ADC = \angle BAD + \angle B$
$\therefore \angle BAD = \angle ADC - \angle B$

㉡ 분모를 유리화하면
$$\frac{1}{2+\sqrt{3}} = \frac{2-\sqrt{3}}{(2+\sqrt{3})(2-\sqrt{3})} = \frac{2-\sqrt{3}}{2^2-(\sqrt{3})^2} = 2-\sqrt{3}$$

확인 08 오른쪽 그림과 같이 $\angle B = 90^\circ$인 직각삼각형 ABC에서 $\angle ADB = 45^\circ$, $\overline{BD} = \sqrt{2}$이고 $\overline{AD} = \overline{DC}$일 때, $\tan 22.5^\circ$의 값을 구하시오.

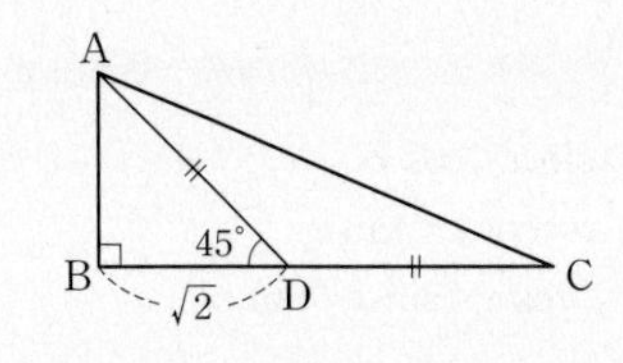

» My 셀파

△ADC가 이등변삼각형이므로
$\angle C = \frac{1}{2}\angle ADB = 22.5^\circ$

해결 원리 알아보기

셀파 특강 삼각비의 값의 대소 관계

Q **$0° \le x \le 90°$일 때, x의 크기가 증가하면 $\sin x$, $\cos x$, $\tan x$의 값은 각각 어떻게 변할까?**

A 오른쪽 그림과 같이 반지름의 길이가 1인 사분원에서 ㉠ $\sin x = \overline{AB}$, $\cos x = \overline{OB}$, $\tan x = \overline{CD}$이다.

따라서 x의 크기가 $0°$에서 $90°$까지 증가할 때

① $\overline{AB}$의 길이는 0에서 1로 증가하므로 $\sin x$의 값도 0에서 1로 증가한다.

② $\overline{OB}$의 길이는 1에서 0으로 감소하므로 $\cos x$의 값도 1에서 0으로 감소한다.

③ $\overline{CD}$의 길이는 0에서 한없이 증가하므로 $\tan x$의 값도 0에서 한없이 증가한다.

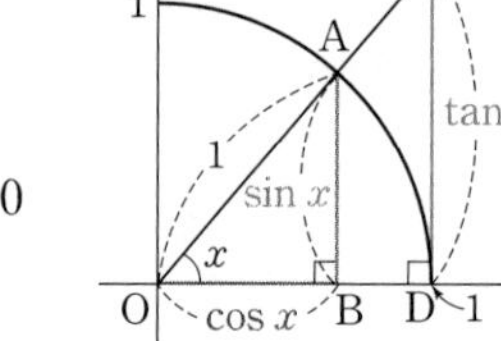

㉠ 직각삼각형 AOB에서

$\sin x = \dfrac{\overline{AB}}{\overline{OA}} = \dfrac{\overline{AB}}{1} = \overline{AB}$

$\cos x = \dfrac{\overline{OB}}{\overline{OA}} = \dfrac{\overline{OB}}{1} = \overline{OB}$

직각삼각형 COD에서

$\tan x = \dfrac{\overline{CD}}{\overline{OD}} = \dfrac{\overline{CD}}{1} = \overline{CD}$

㉡ $x = 45°$이면 △AOB는 직각이등변삼각형이므로 $\overline{AB} = \overline{OB}$

따라서 $x < 45°$이면 $\overline{AB}$의 길이는 $x = 45°$일 때보다 짧고 $\overline{OB}$의 길이는 $x = 45°$일 때보다 길므로 $\overline{AB} < \overline{OB}$이다.

Q **그렇다면 $0° < x < 90°$일 때, $\sin x$, $\cos x$, $\tan x$의 값의 대소 관계는 어떻게 될까?**

A 반지름의 길이가 1인 사분원에서 $45°$를 기준으로 x의 크기를 나누어 삼각비의 값을 살펴보면 다음과 같다. 이때 $\sin x = \overline{AB}$, $\cos x = \overline{OB}$, $\tan x = \overline{CD}$이므로 예각 x에 대하여 $\overline{AB}$, $\overline{OB}$, $\overline{CD}$의 길이를 비교해 보면 $\sin x$, $\cos x$, $\tan x$의 대소 관계를 알 수 있다.

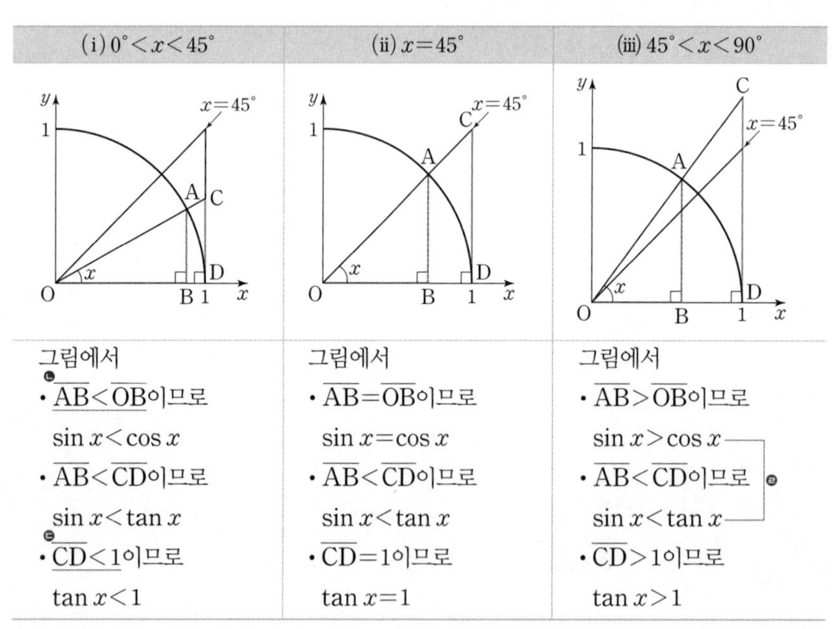

(i) $0° < x < 45°$	(ii) $x = 45°$	(iii) $45° < x < 90°$
그림에서	그림에서	그림에서
㉡ • $\overline{AB} < \overline{OB}$이므로 $\sin x < \cos x$	• $\overline{AB} = \overline{OB}$이므로 $\sin x = \cos x$	• $\overline{AB} > \overline{OB}$이므로 $\sin x > \cos x$
• $\overline{AB} < \overline{CD}$이므로 $\sin x < \tan x$	• $\overline{AB} < \overline{CD}$이므로 $\sin x < \tan x$	• $\overline{AB} < \overline{CD}$이므로 $\sin x < \tan x$ ㉣
㉢ • $\overline{CD} < 1$이므로 $\tan x < 1$	• $\overline{CD} = 1$이므로 $\tan x = 1$	• $\overline{CD} > 1$이므로 $\tan x > 1$

㉢ $x = 45°$이면 △COD는 직각이등변삼각형이므로 $\overline{CD} = \overline{OD} = 1$

따라서 $x < 45°$이면 $\overline{CD}$의 길이는 $x = 45°$일 때보다 짧으므로 $\overline{CD} < 1$이다.

㉣ $45° < x < 90°$일 때, $\cos x < \sin x < \tan x$임을 알 수 있다.

참고

실제로 $0° \le x \le 90°$인 범위에서 각도를 x축, 그에 따른 $\sin x$, $\cos x$, $\tan x$의 값을 y축으로 하여 그래프를 그리면 다음과 같다.

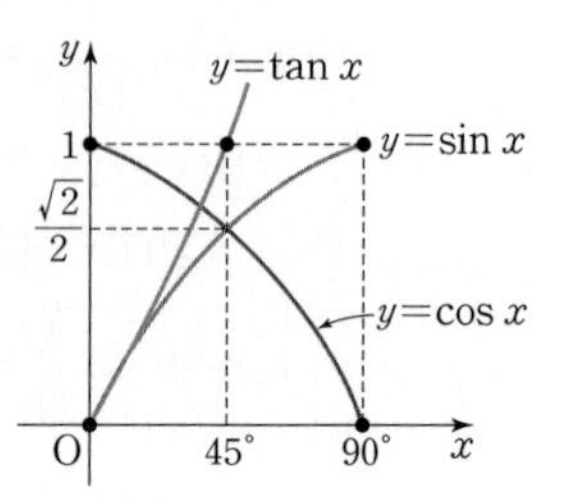

• $0° \le x < 45°$일 때 ⇨ $\sin x < \cos x$

• $x = 45°$일 때 ⇨ $\sin x = \cos x < \tan x$

• $45° < x < 90°$일 때 ⇨ $\cos x < \sin x < \tan x$

발전 09 삼각비의 값의 대소 관계

다음 **보기**의 삼각비의 값을 그 크기가 작은 것부터 차례대로 나열하시오.

보기
㉠ $\sin 45°$ ㉡ $\cos 0°$ ㉢ $\cos 35°$ ㉣ $\tan 50°$ ㉤ $\tan 65°$

해법코드
x의 크기가 $0°$에서 $90°$로 증가하면
① $\sin x$ ⇨ 0에서 1로 증가
② $\cos x$ ⇨ 1에서 0으로 감소
③ $\tan x$ ⇨ 0에서 한없이 증가

셀파 특수한 각의 삼각비의 값을 이용하여 크기를 비교한다.

풀이 $0° \le x \le 90°$인 범위에서 x의 크기가 증가하면 $\cos x$의 값은 감소하므로

$\cos 0° > \cos 35° > \cos 45° = \sin 45° = \frac{\sqrt{2}}{2}$ → ㉠<㉢<㉡

또 $0° \le x \le 90°$인 범위에서 x의 크기가 증가하면 $\tan x$의 값은 한없이 증가하므로

❶ $\cos 0° = \tan 45° < \tan 50° < \tan 65°$ → ㉡<㉣<㉤

따라서 크기가 작은 것부터 차례대로 나열하면 ㉠, ㉢, ㉡, ㉣, ㉤이다.

❶ $\cos 0° = \tan 45° = 1$

확인 09 다음 삼각비의 값 중 가장 큰 것은?

① $\sin 10°$ ② $\cos 45°$ ③ $\cos 60°$
④ $\tan 60°$ ⑤ $\sin 70°$

» My 셀파
$0°, 30°, 45°, 60°, 90°$의 삼각비의 값을 이용하여 크기를 비교한다.

발전 10 삼각비의 값의 대소 관계를 이용한 식의 계산

$0° \le A < 45°$일 때, $\sqrt{(\sin A - \cos A)^2} - \sqrt{(\cos A - \sin A)^2}$을 간단히 하시오.

해법코드
근호 안에 삼각비의 값이 있을 때는 제곱근의 성질을 이용하여 식을 간단히 한다.
⇨ $\sqrt{a^2} = \begin{cases} a \ (a \ge 0) \\ -a \ (a < 0) \end{cases}$

셀파 $0° \le A < 45°$인 범위에서 $\sin A$와 $\cos A$의 대소를 비교한다.

풀이 $0° \le A < 45°$일 때, $\sin A < \cos A$이므로

$\sin A - \cos A < 0$, $\cos A - \sin A > 0$

$\therefore \sqrt{(\sin A - \cos A)^2} - \sqrt{(\cos A - \sin A)^2}$
$= -(\sin A - \cos A) - (\cos A - \sin A)$
$= -\sin A + \cos A - \cos A + \sin A$
$= \mathbf{0}$

참고 $0° \le x < 45°$ ⇨ $\sin x < \cos x$
$x = 45°$ ⇨ $\sin x = \cos x < \tan x$
$45° < x < 90°$ ⇨ $\cos x < \sin x < \tan x$

확인 10 $45° < x < 90°$일 때, $\sqrt{(\sin x - \cos x)^2} - \sqrt{(1 - \cos x)^2}$을 간단히 하시오.

» My 셀파
$45° < x < 90°$인 범위에서 $\sin x$와 $\cos x$, 1과 $\cos x$의 대소 관계를 알아본다.

실력 키우기

01 삼각비

오른쪽 그림과 같은 직각삼각형 ABC에 대하여 다음 중 옳은 것은?

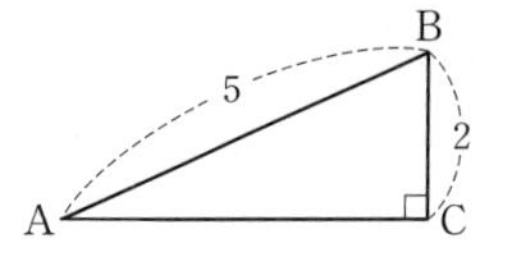

① $\sin A=\frac{\sqrt{21}}{5}$　② $\cos A=\frac{2}{5}$

③ $\tan A=\frac{2\sqrt{21}}{21}$　④ $\sin B=\frac{2\sqrt{21}}{21}$

⑤ $\cos B=\frac{\sqrt{21}}{5}$

02 삼각비를 이용하여 삼각형의 변의 길이 구하기 (서술형)

오른쪽 그림과 같이 $\angle C=90^{\circ}$인 직각삼각형 ABC에서 $\overline{AB}=8\text{ cm}$, $\cos A=\frac{3}{4}$일 때, $\triangle ABC$의 넓이를 구하시오.

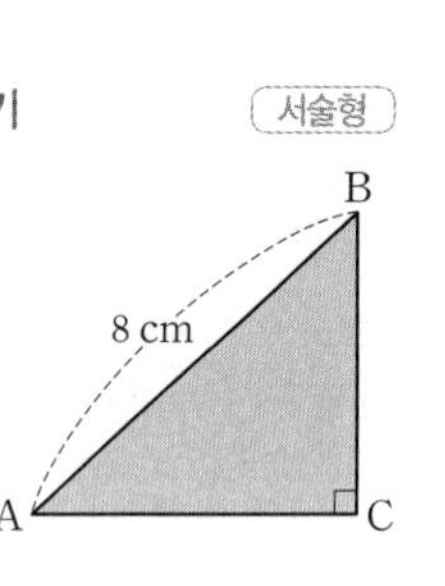

03 한 삼각비를 이용하여 다른 삼각비의 값 구하기

$\angle C=90^{\circ}$인 직각삼각형 ABC에서 $\sin B=\frac{\sqrt{2}}{3}$일 때, $\cos B\times\tan B$의 값을 구하시오.

04 직각삼각형의 닮음과 삼각비 (1)

오른쪽 그림과 같이 $\angle C=90^{\circ}$인 직각삼각형 ABC에서 $\overline{AB}\perp\overline{DE}$이고 $\overline{BD}=2$, $\overline{BE}=3$일 때, $\sin x\times\tan y$의 값을 구하시오.

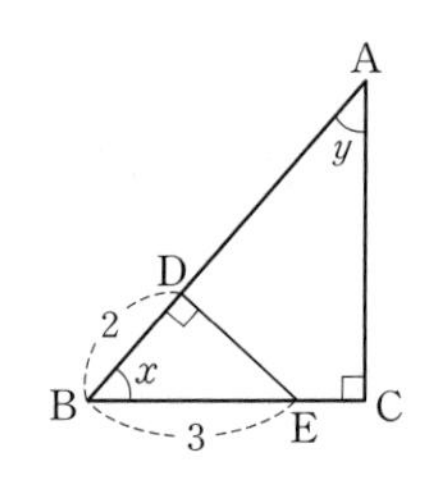

05 직각삼각형의 닮음과 삼각비 (2)

오른쪽 그림과 같이 직사각형 ABCD의 꼭짓점 A에서 대각선 BD에 내린 수선의 발을 H라 하자. $\angle HAD=x$일 때, $\sin x-\cos x$의 값을 구하시오.

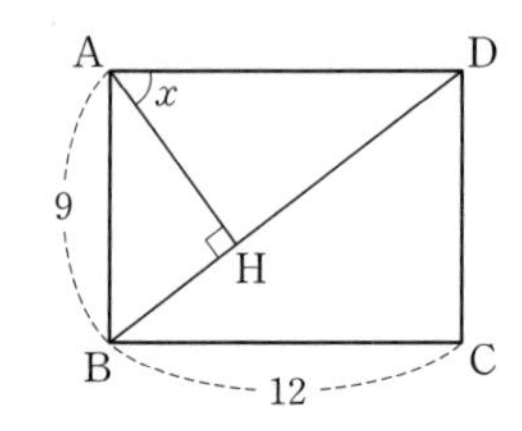

06 직각삼각형의 닮음과 삼각비 (2) (창의력)

오른쪽 그림과 같이 $\angle C=90^{\circ}$인 직각삼각형 ABC에서 $\overline{AB}\perp\overline{CD}$, $\overline{BC}\perp\overline{DE}$일 때, 다음 중 $\tan x$의 값이 아닌 것은?

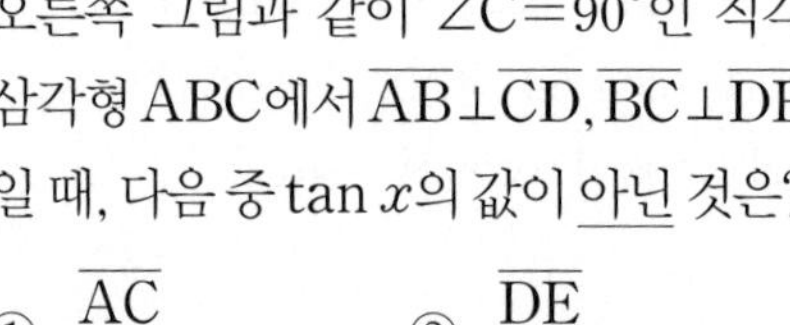

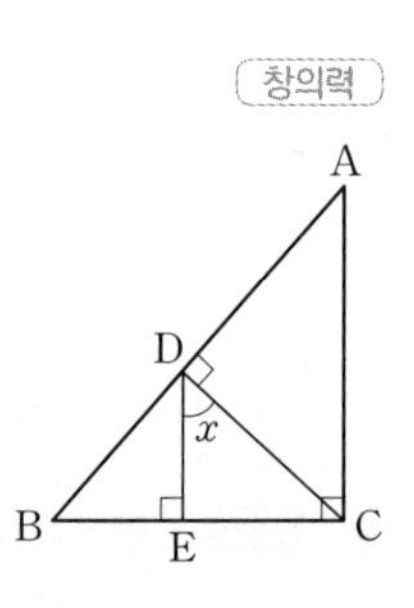

① $\frac{\overline{AC}}{\overline{BC}}$　② $\frac{\overline{DE}}{\overline{BE}}$

③ $\frac{\overline{AD}}{\overline{CD}}$　④ $\frac{\overline{BE}}{\overline{DE}}$

⑤ $\frac{\overline{CE}}{\overline{DE}}$

07 직선의 방정식과 삼각비 서술형 융합형

오른쪽 그림과 같이 일차방정식 $3x-4y+12=0$의 그래프가 x축과 이루는 예각의 크기를 α라 할 때, $\dfrac{\tan\alpha}{\sin\alpha}$의 값을 구하시오.

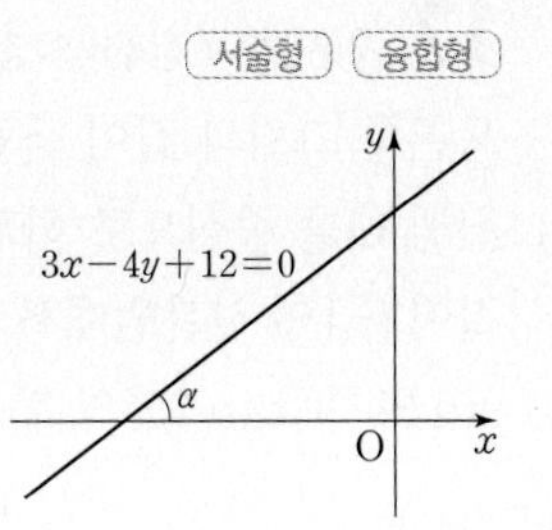

08 평면도형에서 삼각비의 값

다음은 오른쪽 그림과 같이 $\overline{AB}=\overline{AC}=13$, $\overline{BC}=10$인 이등변삼각형 ABC에서 $\sin B$의 값을 구하는 과정이다. (가), (나), (다)에 알맞은 수를 써넣으시오.

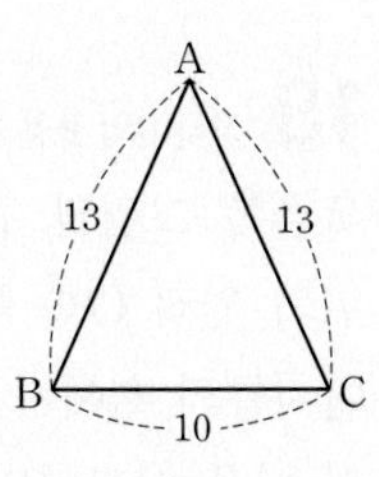

> 오른쪽 그림과 같이 꼭짓점 A에서 $\overline{BC}$에 내린 수선의 발을 H라 하면
>
> $\overline{BH}=$ (가) $\overline{BC}=$ (나)
>
> $\triangle$ABH에서
>
> $\overline{AH}=\sqrt{13^2-\text{(나)}^2}=$ (다)
>
> $\therefore \sin B=\dfrac{\text{(다)}}{13}$

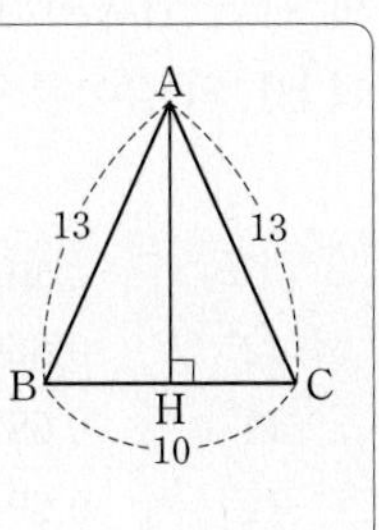

09 입체도형에서 삼각비의 값

오른쪽 그림과 같이 밑면은 한 변의 길이가 2인 정사각형이고 옆면은 모두 이등변삼각형인 사각뿔에서 $\overline{OA}=3$이고 $\angle OAC=x$일 때, $\tan x$의 값을 구하시오.

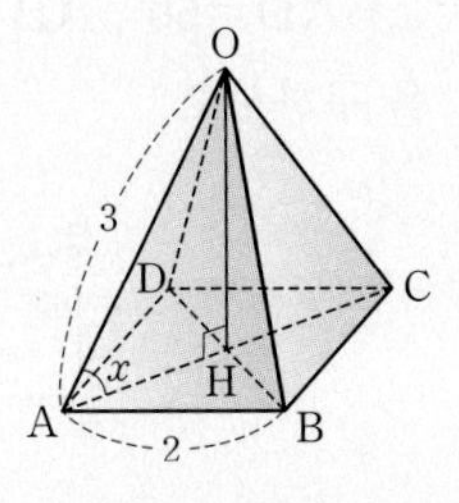

10 특수한 각의 삼각비의 값

다음 중 옳은 것은?

① $\tan 30^\circ \times \dfrac{1}{\tan 60^\circ}=\dfrac{1}{2}$

② $\tan 45^\circ - \sqrt{2}\tan 45^\circ=\dfrac{1}{3}$

③ $\sin 90^\circ \times \tan 30^\circ + \cos 0^\circ \times \sin 30^\circ = 1$

④ $\sin 30^\circ + \cos 60^\circ + \tan 60^\circ \times \tan 30^\circ = 2$

⑤ $(\sin 60^\circ + \cos 60^\circ)(\cos 30^\circ - \sin 30^\circ)=0$

11 특수한 각의 삼각비의 값

삼각형의 세 내각의 크기의 비가 1 : 2 : 3이고, 세 내각 중 가장 작은 각의 크기를 A라 할 때, $\sin A \times \cos A \times \tan A$의 값을 구하시오.

12 특수한 각의 삼각비의 값을 이용하여 각의 크기 구하기 창의·융합

다음 그림과 같이 20 m 떨어진 두 건물 A, B가 있다. A 건물의 옥상 난간에서 B 건물의 옥상 난간으로부터 $20\sqrt{3}$ m 아래 지점에 비스듬히 불빛을 비추었을 때, 불빛을 비춘 각 x의 크기를 구하시오.

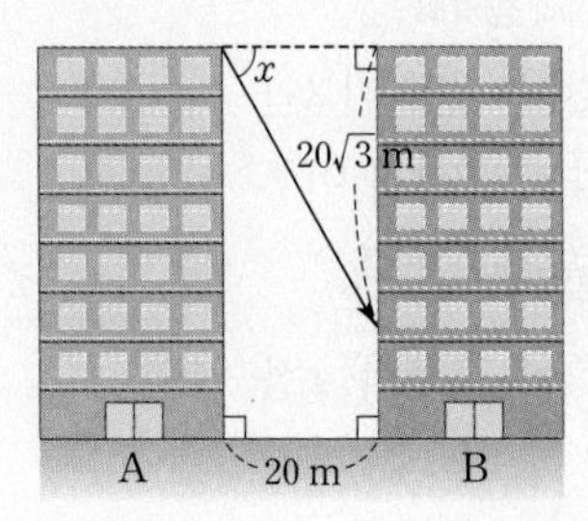

13 특수한 각의 삼각비의 값을 이용하여 각의 크기 구하기

$\sin(2x-30^\circ)=\frac{\sqrt{3}}{2}$일 때, $2\cos x-\tan x$의 값을 구하시오. (단, $20^\circ<x<60^\circ$)

14 특수한 각의 삼각비의 값을 이용하여 각의 크기 구하기 융합형

이차방정식 $4x^2-4x+1=0$의 해가 $\cos A$일 때, A의 크기를 구하시오. (단, $0^\circ<A<90^\circ$)

15 특수한 각의 삼각비의 값을 이용하여 변의 길이 구하기

오른쪽 그림의 두 직각삼각형 ABC, DBC에서 $\angle A=60^\circ$, $\angle D=45^\circ$이고 $\overline{AB}=3\sqrt{2}$일 때, $\overline{BD}$의 길이를 구하시오.

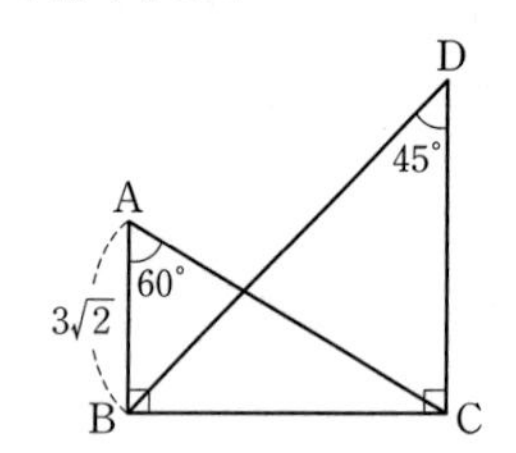

16 직선의 기울기와 삼각비 서술형

오른쪽 그림과 같이 y절편이 3인 직선이 x축의 양의 방향과 이루는 예각의 크기를 α라 할 때, $\sin\alpha=\frac{1}{2}$이다. 이 직선의 x절편을 구하시오.

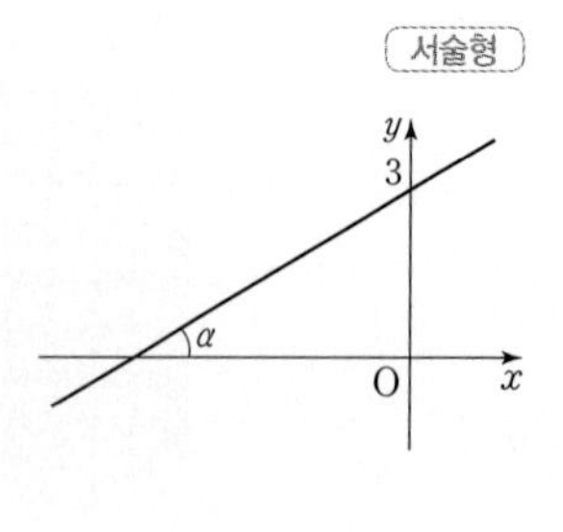

17 사분원에서 삼각비의 값

오른쪽 그림과 같이 좌표평면 위의 원점 O를 중심으로 하고 반지름의 길이가 1인 사분원에서 $\sin 35^\circ+\tan 55^\circ$의 값을 구하시오.

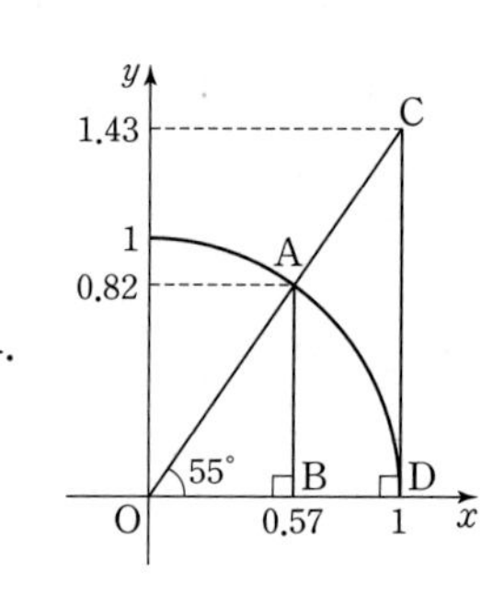

18 삼각비의 표를 이용한 삼각비의 값

오른쪽 그림과 같이 좌표평면 위의 원점 O를 중심으로 하고 반지름의 길이가 1인 사분원에서 다음 삼각비의 표를 이용하여 $\overline{BD}$의 길이를 구하시오.

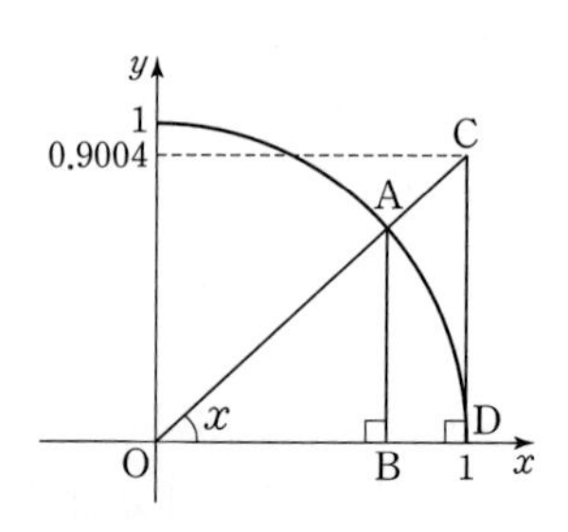

각도	sin	cos	tan
42°	0.6691	0.7431	0.9004
43°	0.6820	0.7314	0.9325
44°	0.6947	0.7193	0.9657

19 특수한 각의 삼각비의 값을 이용하여 다른 삼각비의 값 구하기

다음 그림과 같이 $\angle B=90^\circ$인 직각삼각형 ABC에서 $\angle BAD=60^\circ$, $\overline{AB}=2$이고 $\overline{AD}=\overline{DC}$일 때, $\tan 75^\circ$의 값을 구하시오.

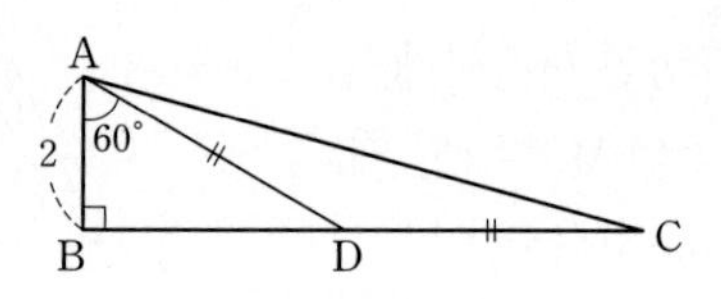

20 삼각비의 값의 대소 관계

$0^\circ \le x \le 90^\circ$일 때, 다음 중 옳은 것은?

① x의 크기가 증가하면 $\cos x$의 값은 증가한다.
② $\sin x$의 값은 1에서 0까지 감소한다.
③ $\tan x$의 값은 0에서 1까지 증가한다.
④ $0^\circ \le x < 45^\circ$이면 $\sin x < \cos x$
⑤ $45^\circ < x < 90^\circ$이면 $\tan x < 1$

21 삼각비의 값의 대소 관계

다음 중 삼각비의 값의 대소 관계가 옳지 않은 것은?

① $\sin 30^\circ < \sin 55^\circ$ ② $\sin 25^\circ > \cos 25^\circ$
③ $\sin 45^\circ < \tan 45^\circ$ ④ $\sin 50^\circ > \cos 50^\circ$
⑤ $\tan 62^\circ < \tan 63^\circ$

22 삼각비의 값의 대소 관계를 이용한 식의 계산

$45^\circ < A < 90^\circ$일 때,
$\sqrt{(\cos A - \sin A)^2} + \sqrt{(\sin A - \tan A)^2}$을 간단히 하시오.

23 특수한 각의 삼각비의 값을 이용하여 변의 길이 구하기 (서술형)

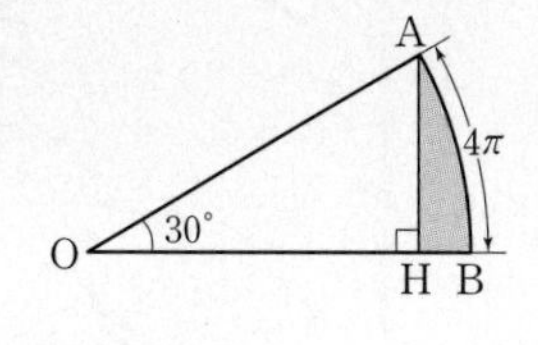

오른쪽 그림의 부채꼴 AOB에서 중심각의 크기는 30°이고 호 AB의 길이는 4π이다. $\overline{AH} \perp \overline{OB}$일 때, 다음 물음에 답하시오.

(1) 부채꼴 AOB의 반지름의 길이를 구하시오.

(2) 색칠한 부분의 넓이를 구하시오.

24 사분원에서 삼각비의 값

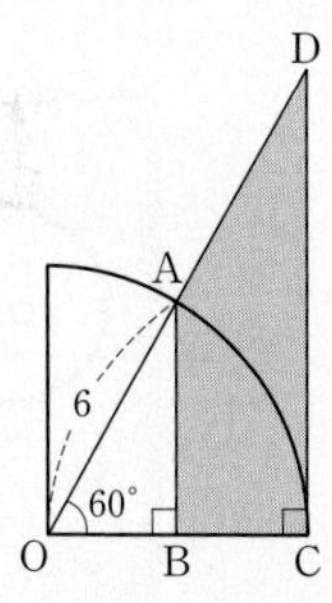

오른쪽 그림과 같이 반지름의 길이가 6인 사분원에서 $\angle AOB = 60^\circ$일 때, 사각형 ABCD의 넓이를 구하시오.

25 삼각비의 응용 (서술형)

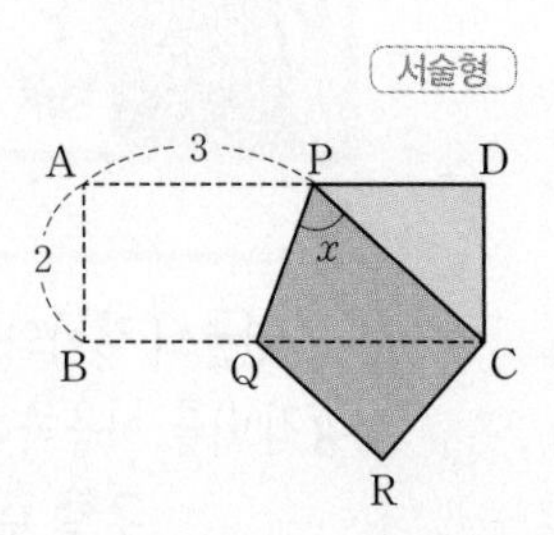

오른쪽 그림과 같이 직사각형 모양의 종이 ABCD를 꼭짓점 A가 꼭짓점 C에 오도록 접었다. $\overline{AB}=2$, $\overline{AP}=3$이고 $\angle CPQ = x$일 때, $\tan x$의 값을 다음 순서대로 구하시오.

(1) $\angle CPQ$와 크기가 같은 각을 모두 찾으시오.

(2) 점 P에서 $\overline{QC}$에 내린 수선의 발을 H라 할 때, $\overline{QH}$의 길이를 구하시오.

(3) $\tan x$의 값을 구하시오.

와~ 용이다 용

용 모양의 연이네. 얼마나 높이 올라간 거야?
높이가 궁금해?
응!

어? 어디가?

찰칵

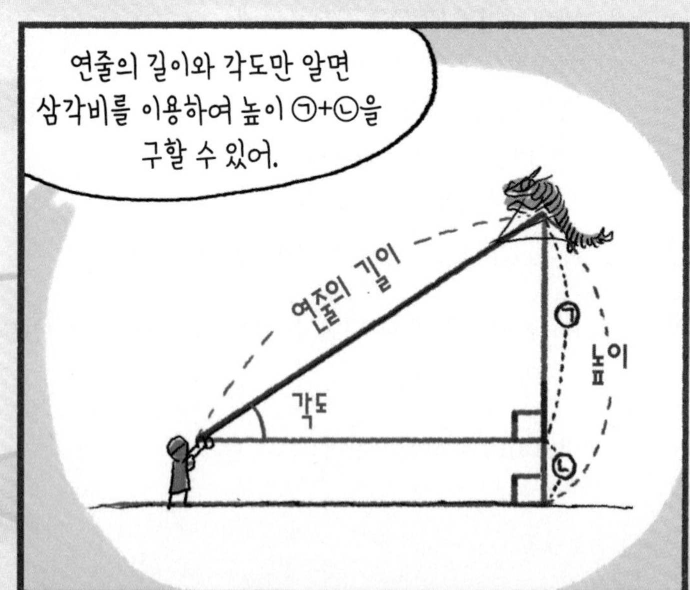

연줄의 길이와 각도만 알면 삼각비를 이용하여 높이 ㉠+㉡을 구할 수 있어.
연줄의 길이
각도
㉠
높이
㉡

㉠을 구하려면 사인, 코사인, 탄젠트 중 어떤 것을 이용할까?
여기에서는 사인을 이용해야 겠는 걸.

I | 삼각비

삼각비의 활용

1. 길이 구하기

| 개념 1 | 직각삼각형의 변의 길이

| 개념 2 | 일반 삼각형의 변의 길이

| 개념 3 | 삼각형의 높이

2. 넓이 구하기

| 개념 1 | 삼각형의 넓이

| 개념 2 | 사각형의 넓이

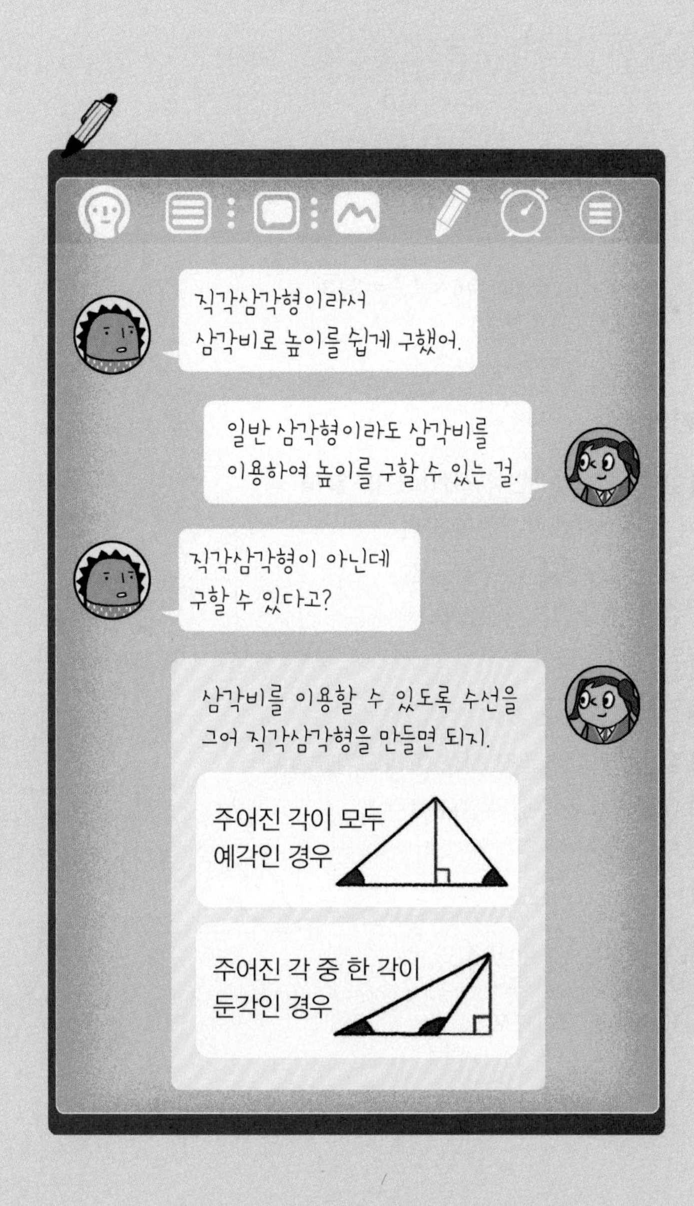

2 1. 길이 구하기

1 직각삼각형의 변의 길이

$\angle C=90^\circ$인 직각삼각형 ABC에서

(1) $\angle A$의 크기와 빗변 AB의 길이 c를 알 때

$\sin A=\dfrac{a}{c} \Rightarrow a=c\sin A$

$\cos A=\dfrac{b}{c} \Rightarrow b=\square\cos A$

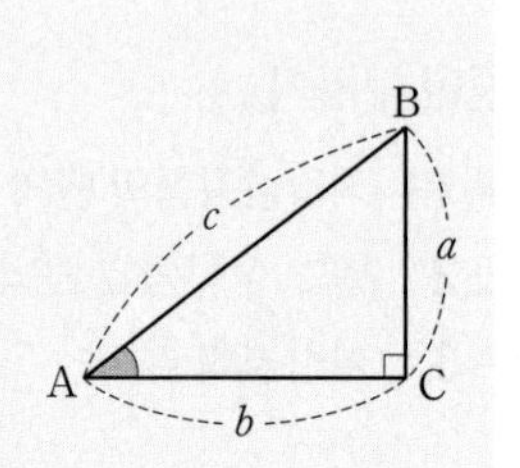

c

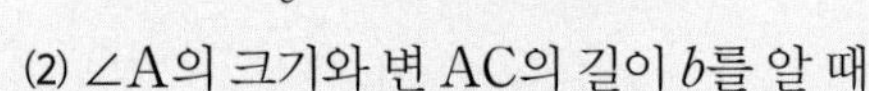

(2) $\angle A$의 크기와 변 AC의 길이 b를 알 때

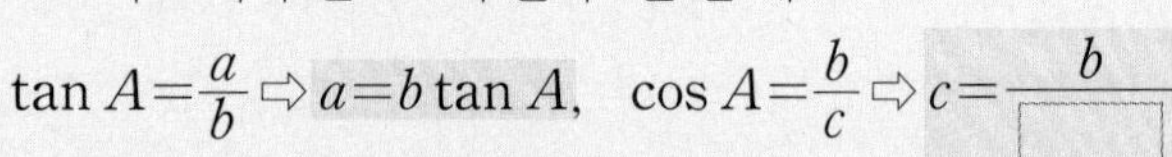

$\tan A=\dfrac{a}{b} \Rightarrow a=b\tan A,\quad \cos A=\dfrac{b}{c} \Rightarrow c=\dfrac{b}{\square}$

$\cos A$

(3) $\angle A$의 크기와 변 BC의 길이 a를 알 때

$\tan A=\dfrac{a}{b} \Rightarrow b=\dfrac{a}{\tan A},\quad \sin A=\dfrac{a}{c} \Rightarrow c=\dfrac{a}{\square}$

$\sin A$

● 직각삼각형에서 한 변의 길이와 한 예각의 크기를 알면 삼각비를 이용하여 나머지 두 변의 길이를 구할 수 있다.

참고 기준각에 대하여 주어진 변과 구하려는 변이
① 빗변과 높이이면 ⇨ sin 이용
② 빗변과 밑변이면 ⇨ cos 이용
③ 밑변과 높이이면 ⇨ tan 이용

보기 오른쪽 그림의 직각삼각형 ABC에서 x, y의 값을 각각 구하시오.

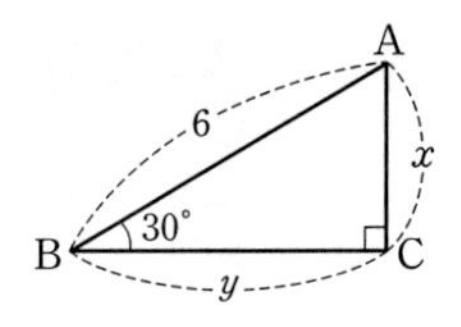

풀이 $\sin 30^\circ=\dfrac{x}{6}$이므로 $\boldsymbol{x}=6\sin 30^\circ=6\times\dfrac{1}{2}=\mathbf{3}$

$\cos 30^\circ=\dfrac{y}{6}$이므로 $\boldsymbol{y}=6\cos 30^\circ=6\times\dfrac{\sqrt{3}}{2}=\mathbf{3\sqrt{3}}$

2 일반 삼각형의 변의 길이

(1) △ABC에서 두 변의 길이 a, c와 그 끼인각 $\angle B$의 크기를 알 때

꼭짓점 A에서 $\overline{BC}$에 내린 수선의 발을 H라 하면

△ABH에서 $\overline{AH}=c\sin B$, $\overline{BH}=\square\cos B$

△AHC에서 $\overline{CH}=\overline{BC}-\overline{BH}=a-c\cos B$

$\therefore \overline{AC}=\sqrt{\overline{AH}^2+\overline{CH}^2}$

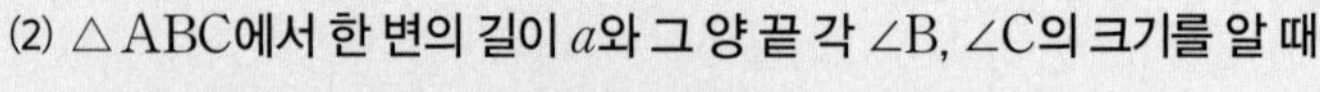

$=\sqrt{(c\sin B)^2+(a-c\cos B)^2}$

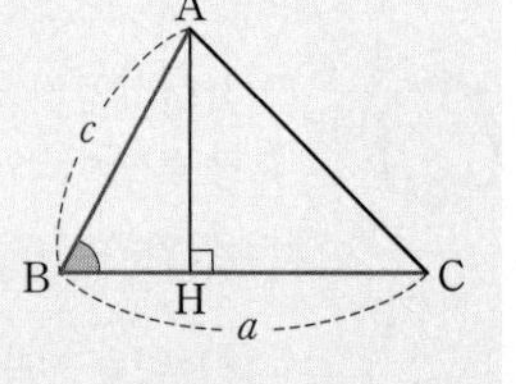

c

(2) △ABC에서 한 변의 길이 a와 그 양 끝 각 $\angle B$, $\angle C$의 크기를 알 때

두 꼭짓점 B, C에서 대변에 내린 수선의 발을 각각 H, H′이라 하면

(i) △BCH에서 $\overline{BH}=a\sin C$이므로

△ABH에서 $\overline{AB}=\dfrac{\square}{\sin A}=\dfrac{a\sin C}{\sin A}$

(ii) △BCH′에서 $\overline{CH'}=a\sin B$이므로

△CAH′에서 $\overline{AC}=\dfrac{\overline{CH'}}{\sin A}=\dfrac{a\square}{\sin A}$

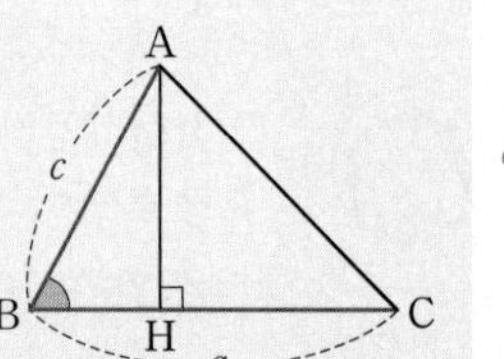

$\overline{BH}$

$\sin B$

● 일반 삼각형의 변의 길이를 구할 때는 특수한 각의 삼각비를 이용할 수 있도록 수선을 그어 직각삼각형을 만든다.
이때 구하는 변이 만들어진 직각삼각형의 빗변임을 알 수 있다.

㉠ △ABC에서 ∠B와 ∠C의 크기를 알므로 ∠A의 크기도 알 수 있다. 즉
$\angle A=180^\circ-(\angle B+\angle C)$

공식을 외우지 말고 구하는 원리를 이해하도록 하자.

| 개념 체크 |

1-1 직각삼각형의 변의 길이

오른쪽 그림과 같이 $\angle C=90^\circ$인 직각삼각형 ABC에서 다음을 구하시오.

(1) $\overline{AC}$의 길이
(2) $\overline{BC}$의 길이

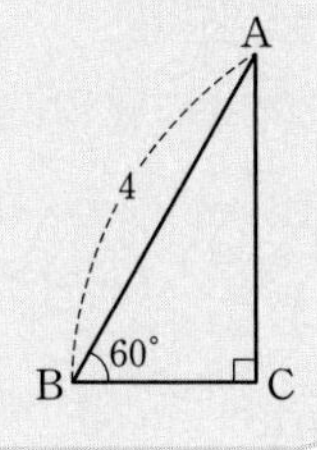

셀파 $\overline{AC}$의 길이를 구할 때는 $\sin 60^\circ$, $\overline{BC}$의 길이를 구할 때는 $\cos 60^\circ$를 이용한다.

연구 (1) $\sin 60^\circ=\dfrac{\square}{4}$이므로

$\overline{AC}=\square \sin 60^\circ=\square$

(2) $\cos 60^\circ=\dfrac{\square}{4}$이므로

$\overline{BC}=\square \cos 60^\circ=\square$

| 따라 풀기 |

1-2 다음 직각삼각형 ABC에서 x의 값을 구하시오.

(1)

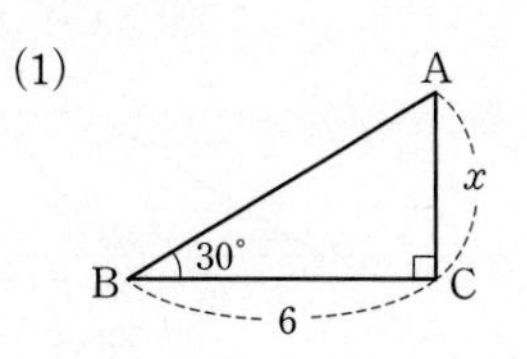

(2)

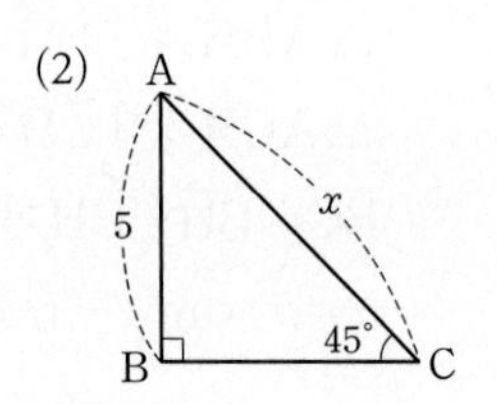

2-1 일반 삼각형의 변의 길이

오른쪽 그림과 같이 $\overline{AC}=10$, $\overline{BC}=8\sqrt{3}$, $\angle C=30^\circ$인 $\triangle ABC$에서 $\overline{AB}$의 길이를 구하시오.

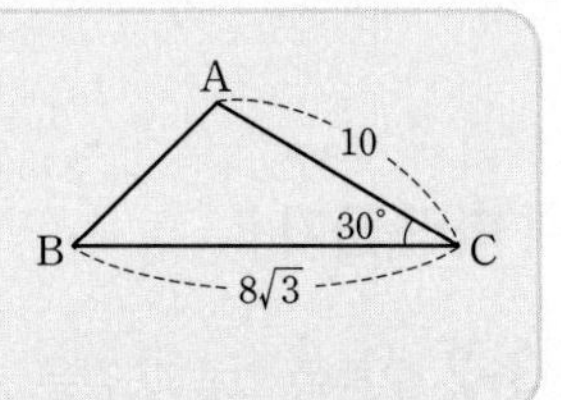

셀파 30°의 삼각비를 이용할 수 있도록 수선을 그어 직각삼각형을 만든다.

연구 꼭짓점 A에서 $\overline{BC}$에 내린 수선의 발을 H라 하면 $\triangle AHC$에서

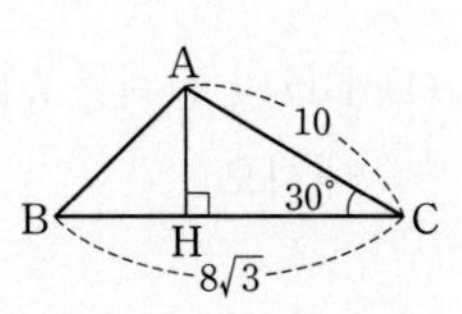

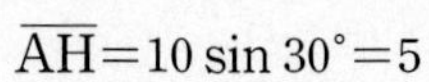

$\overline{AH}=10 \sin 30^\circ=5$

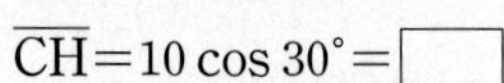

$\overline{CH}=10 \cos 30^\circ=\square$

$\therefore \overline{BH}=\overline{BC}-\overline{CH}=\square$

따라서 $\triangle ABH$에서

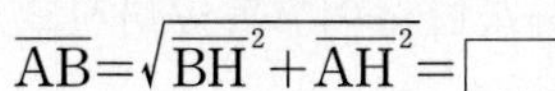

$\overline{AB}=\sqrt{\overline{BH}^2+\overline{AH}^2}=\square$

2-2 다음은 오른쪽 그림의 $\triangle ABC$에서 x의 값을 구하는 과정이다. $\square$ 안에 알맞은 수를 써넣으시오.

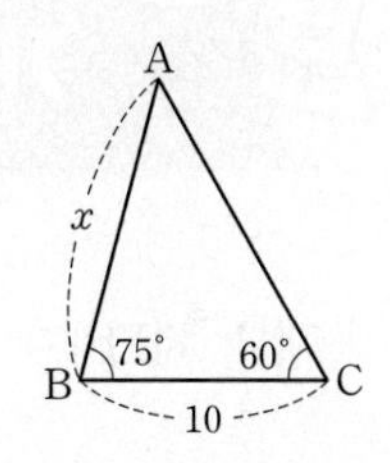

$\triangle ABC$에서

$\angle A=180^\circ-(75^\circ+60^\circ)=\square^\circ$

꼭짓점 B에서 $\overline{AC}$에 내린 수선의 발을 H라 하면 $\triangle BCH$에서

$\overline{BH}=10 \sin 60^\circ=\square$

$\triangle ABH$에서

$x=\dfrac{\overline{BH}}{\sin \square^\circ}=\square$

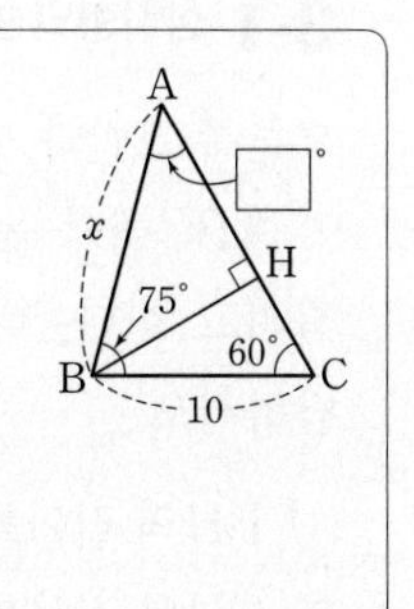

- 직각삼각형에서 한 변의 길이와 한 예각의 크기를 알면 삼각비를 이용하여 나머지 두 변의 길이를 구할 수 있다.
- 일반 삼각형의 변의 길이를 구할 때는 30°, 45°, 60°의 삼각비를 이용할 수 있도록 한 꼭짓점에서 그 대변에 수선을 그어 직각삼각형을 만든다.

3 삼각형의 높이

△ABC에서 한 변의 길이 a와 그 양 끝 각 ∠B, ∠C의 크기를 알 때, 높이 h는

(1) 주어진 각이 모두 예각인 경우

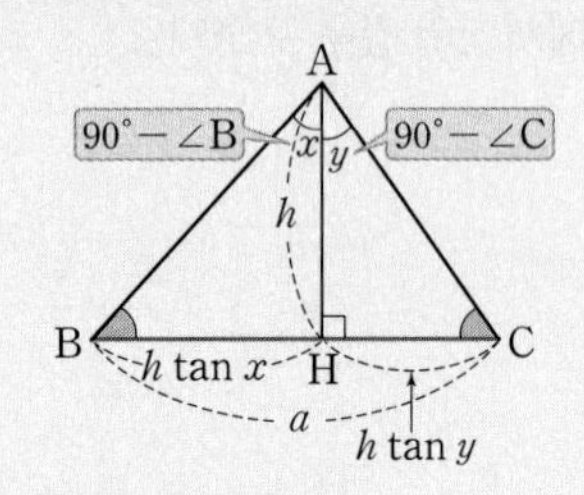

△ABH에서 $\overline{BH}=h\tan x$

△AHC에서 $\overline{CH}=h$ ☐

$\overline{BC}=\overline{BH}+\overline{CH}$이므로

$a=h(\tan x+\tan y)$

$\therefore h=\dfrac{☐}{\tan x+\tan y}$

(2) 주어진 각 중 한 각이 둔각인 경우

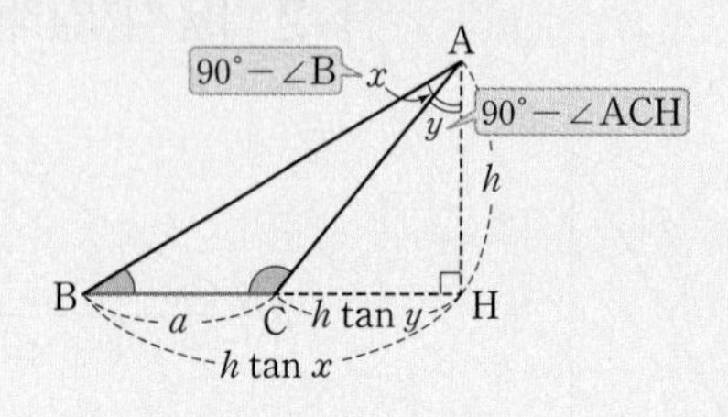

△ABH에서 $\overline{BH}=h\tan x$

△ACH에서 $\overline{CH}=h\tan y$

$\overline{BC}=\overline{BH}-\overline{CH}$이므로

$a=h(\tan x-\tan y)$

$\therefore h=\dfrac{a}{\tan x-\tan y}$

$\tan y$

a

Q 굳이 x, y의 크기를 구하지 않아도 주어진 각의 크기를 이용하여 $\overline{BH}$, $\overline{CH}$의 길이를 h와 tan를 사용하여 나타낼 수 있는데, 왜 x, y의 크기를 구할까?

A 계산을 더 쉽게 하기 위해서지.

(1)에서 $\overline{BH}=\dfrac{h}{\tan B}$, $\overline{CH}=\dfrac{h}{\tan C}$,

(2)에서 $\overline{BH}=\dfrac{h}{\tan B}$, $\overline{CH}=\dfrac{h}{\tan(180°-C)}$로 나타낼 수도 있어. 이 경우 모두 분수 꼴이므로 나눗셈을 해야 되는데, 나눗셈보다는 곱셈이 더 쉽잖아.

빠른 정답 135쪽 | 정답과 해설 13쪽

| 개념 체크 |

3-1 삼각형의 높이

오른쪽 그림과 같은 △ABC에서 높이 h를 구하려고 한다. 다음 물음에 답하시오.

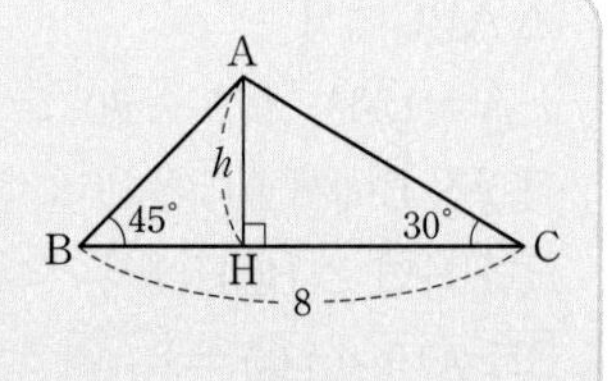

(1) $\overline{BH}$의 길이를 h를 사용하여 나타내시오.

(2) $\overline{CH}$의 길이를 h를 사용하여 나타내시오.

(3) $\overline{BC}=\overline{BH}+\overline{CH}$임을 이용하여 높이 h를 구하시오.

셀파 $\overline{BH}$, $\overline{CH}$의 길이는 45°, 60°의 tan의 값을 이용하여 나타낸다.

연구 (1) △ABH에서 ∠BAH=45°이므로

$\overline{BH}=h\tan 45°=h$

(2) △AHC에서 ∠CAH=60°이므로

$\overline{CH}=h\tan$ ☐°= ☐

(3) 8= $h+$ ☐ 이므로 $h=$ ☐

| 따라 풀기 |

3-2 오른쪽 그림과 같은 △ABC에서 높이 h를 구하려고 한다. 다음 물음에 답하시오.

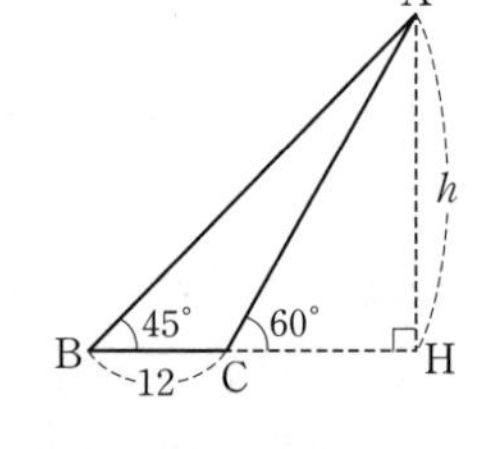

(1) $\overline{BH}$의 길이를 h를 사용하여 나타내시오.

(2) $\overline{CH}$의 길이를 h를 사용하여 나타내시오.

(3) $\overline{BC}=\overline{BH}-\overline{CH}$임을 이용하여 높이 h를 구하시오.

기본 01 직각삼각형의 변의 길이

오른쪽 그림과 같이 $\angle A=90^\circ$인 직각삼각형 ABC에서 $\angle B=50^\circ$, $\overline{BC}=8$일 때, x, y의 값을 각각 구하시오.
(단, $\sin 50^\circ=0.77$, $\cos 50^\circ=0.64$로 계산한다.)

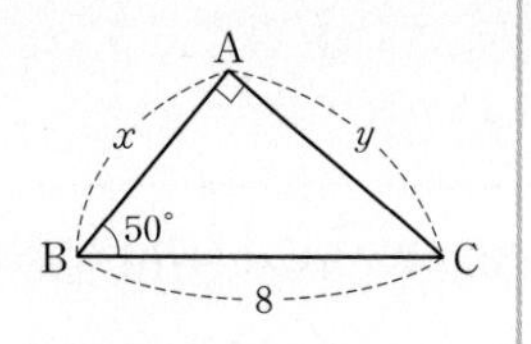

해법코드
직각삼각형에서 한 변의 길이와 한 예각의 크기를 알면 삼각비를 이용하여 나머지 두 변의 길이를 구할 수 있다.

셀파 x의 값은 $\cos 50^\circ$, y의 값은 $\sin 50^\circ$를 이용하여 구한다.

풀이 $\cos 50^\circ=\frac{x}{8}$이므로 $\boldsymbol{x}=8\cos 50^\circ=8\times 0.64=\mathbf{5.12}$

$\sin 50^\circ=\frac{y}{8}$이므로 $\boldsymbol{y}=8\sin 50^\circ=8\times 0.77=\mathbf{6.16}$

확인 01 오른쪽 그림과 같이 $\angle C=90^\circ$인 직각삼각형 ABC에서 $\angle B=43^\circ$, $\overline{AC}=5$일 때, 다음 중 $\overline{BC}$의 길이를 나타내는 것을 모두 고르면? (정답 2개)

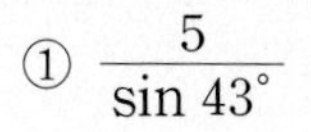

① $\frac{5}{\sin 43^\circ}$ ② $\frac{5}{\tan 43^\circ}$ ③ $5\sin 47^\circ$
④ $5\cos 43^\circ$ ⑤ $5\tan 47^\circ$

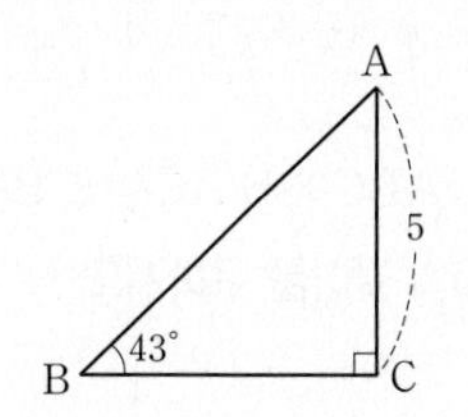

» My 셀파
기준각 $\angle B$에 대하여 주어진 변과 구하려는 변이 밑변과 높이이므로 tan를 이용한다.
이때 $\angle A=90^\circ-\angle B$이므로 $\angle A$의 크기도 알 수 있다.

기본 02 실생활에서 직각삼각형의 변의 길이의 활용

오른쪽 그림과 같이 한 학생이 건물에서 10 m 떨어진 곳에서 건물의 꼭대기를 올려다본 각의 크기는 36°이다. 이 학생의 눈높이가 1.8 m일 때, 이 건물의 높이를 구하시오.
(단, $\sin 36^\circ=0.59$, $\cos 36^\circ=0.81$, $\tan 36^\circ=0.73$으로 계산한다.)

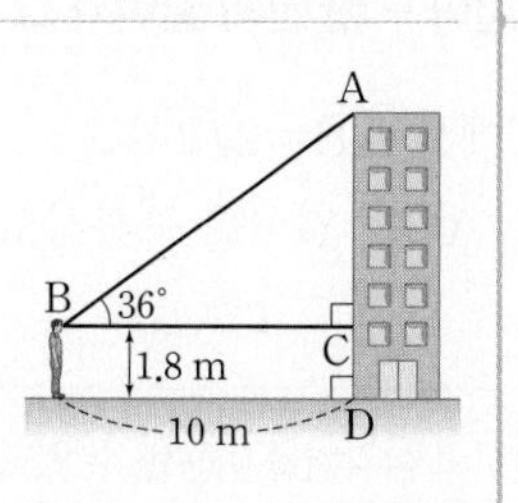

해법코드
주어진 그림에서 직각삼각형을 찾은 후 삼각비를 이용하여 변의 길이를 구한다.

셀파 건물의 높이는 $\overline{AD}$이고 $\overline{AD}=\overline{AC}+\overline{CD}$이다.
이때 $\overline{AC}$의 길이는 직각삼각형 ABC에서 삼각비를 이용하여 구한다.

풀이 직각삼각형 ABC에서 $\tan 36^\circ=\frac{\overline{AC}}{\overline{BC}}$이므로
$\overline{AC}=\overline{BC}\tan 36^\circ=10\tan 36^\circ=10\times 0.73=7.3\ (\mathrm{m})$
따라서 건물의 높이는 $\overline{AD}=\overline{AC}+\overline{CD}=7.3+1.8=\mathbf{9.1\ (m)}$

확인 02 20 m 떨어진 두 건물 (가), (나)가 있다. (가)건물의 옥상에서 (나)건물을 올려다본 각의 크기는 30°이고 내려다본 각의 크기는 45°일 때, (나)건물의 높이를 구하시오.

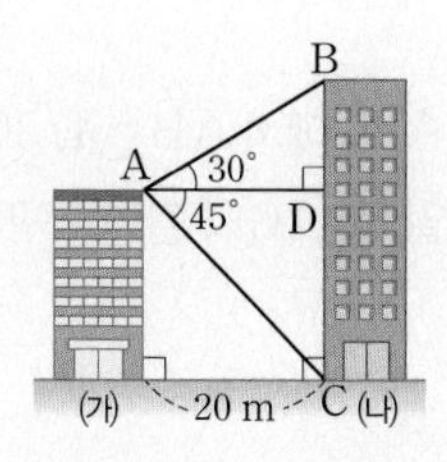

» My 셀파
(나)건물의 높이는 $\overline{BC}$이고 $\overline{BC}=\overline{BD}+\overline{DC}$이다.
이때 $\overline{BD}=\overline{AD}\tan 30^\circ$, $\overline{DC}=\overline{AD}\tan 45^\circ$이다.

기본 03 일반 삼각형의 변의 길이 – 두 변의 길이와 그 끼인각의 크기를 알 때

해법코드

오른쪽 그림과 같은 $\triangle$ABC에서 $\overline{AB}=4$, $\overline{BC}=5$이고 $\angle B=60^\circ$일 때, $\overline{AC}$의 길이를 구하시오.

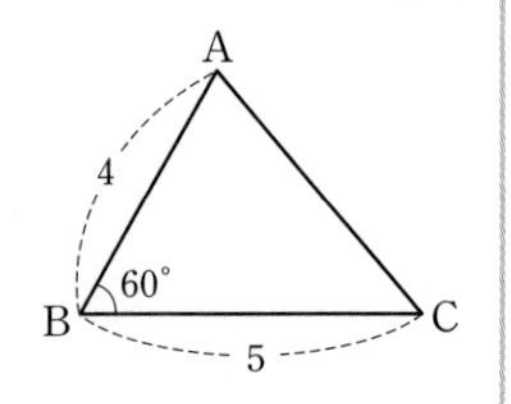

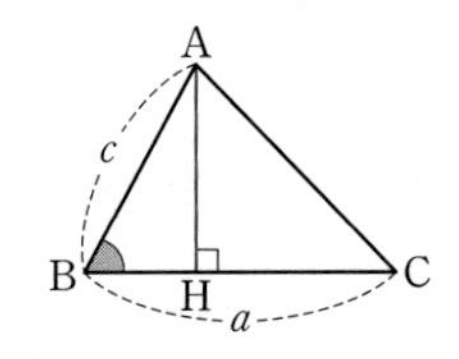

1 길이를 구하고자 하는 변이 직각삼각형의 빗변이 되도록 한 꼭짓점에서 수선을 긋는다.

2 $\overline{AH}=c\sin B$, $\overline{CH}=a-c\cos B$이므로 $\triangle$AHC에서 피타고라스 정리를 이용한다.

셀파 꼭짓점 A에서 $\overline{BC}$에 수선을 그어 $\overline{AC}$가 직각삼각형의 빗변이 되도록 만든다.

풀이 꼭짓점 A에서 $\overline{BC}$에 내린 수선의 발을 H라 하면

$\triangle$ABH에서 $\overline{AH}=4\sin 60^\circ=4\times\dfrac{\sqrt{3}}{2}=2\sqrt{3}$,

$\overline{BH}=4\cos 60^\circ=4\times\dfrac{1}{2}=2$

$\therefore\ \overline{CH}=\overline{BC}-\overline{BH}=5-2=3$

따라서 $\triangle$AHC에서 $\overline{AC}=\sqrt{\overline{AH}^2+\overline{CH}^2}=\sqrt{(2\sqrt{3})^2+3^2}=\boldsymbol{\sqrt{21}}$

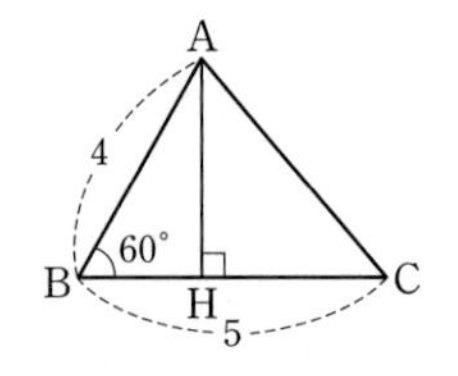

확인 03 오른쪽 그림과 같은 $\triangle$ABC에서 $\overline{AC}=8$, $\overline{BC}=5$이고 $\angle C=120^\circ$일 때, $\overline{AB}$의 길이를 구하시오.

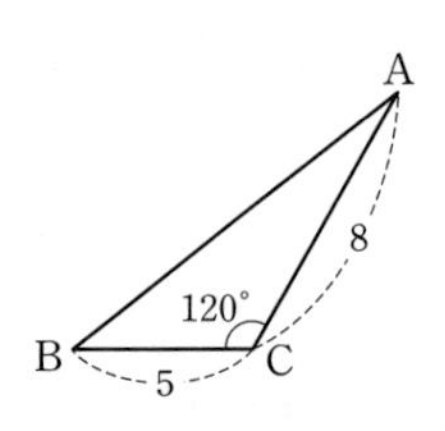

» My 셀파

꼭짓점 A에서 $\overline{BC}$의 연장선에 수선을 긋고, 삼각비를 이용한다.

기본 04 일반 삼각형의 변의 길이 – 한 변의 길이와 그 양 끝 각의 크기를 알 때

해법코드

오른쪽 그림과 같은 $\triangle$ABC에서 $\overline{AB}=2\sqrt{2}$이고 $\angle A=105^\circ$, $\angle B=30^\circ$일 때, $\overline{AC}$의 길이를 구하시오.

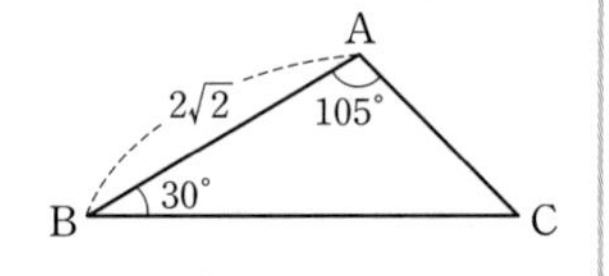

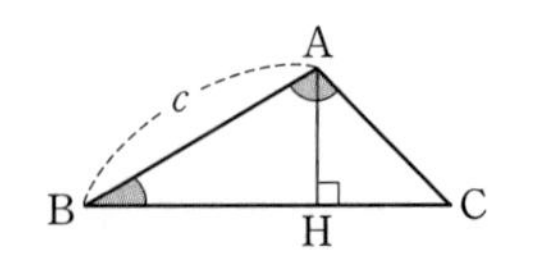

1 특수한 각의 삼각비의 값을 이용할 수 있도록 한 꼭짓점에서 수선을 긋는다.

2 $\angle C=180^\circ-(\angle A+\angle B)$, $\overline{AH}=c\sin B$이므로 $\triangle$AHC에서 삼각비를 이용한다.

셀파 $\angle C=45^\circ$이므로 30°, 45°의 삼각비를 이용할 수 있도록 꼭짓점 A에서 $\overline{BC}$에 수선을 긋는다.

풀이 $\triangle$ABC에서 $\angle C=180^\circ-(105^\circ+30^\circ)=45^\circ$

꼭짓점 A에서 $\overline{BC}$에 내린 수선의 발을 H라 하면

$\triangle$ABH에서 $\overline{AH}=2\sqrt{2}\sin 30^\circ=2\sqrt{2}\times\dfrac{1}{2}=\sqrt{2}$

$\triangle$AHC에서 $\overline{AC}=\dfrac{\overline{AH}}{\sin 45^\circ}=\dfrac{\sqrt{2}}{\sin 45^\circ}$

$\sin 45^\circ=\dfrac{\overline{AH}}{\overline{AC}}$ $\therefore\ \overline{AC}=\dfrac{\overline{AH}}{\sin 45^\circ}$

$=\sqrt{2}\div\dfrac{\sqrt{2}}{2}=\sqrt{2}\times\dfrac{2}{\sqrt{2}}=\mathbf{2}$

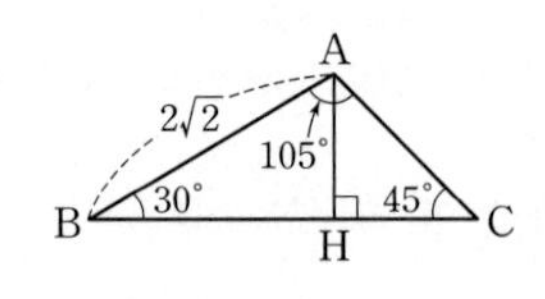

확인 04 오른쪽 그림과 같은 $\triangle$ABC에서 $\overline{AB}=4\sqrt{3}$이고 $\angle A=75^\circ$, $\angle C=60^\circ$일 때, $\overline{AC}$의 길이를 구하시오.

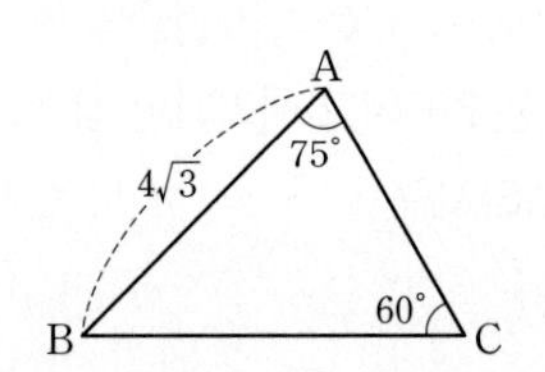

» My 셀파

꼭짓점 A에서 $\overline{BC}$에 수선을 긋는다.

기본 05 삼각형의 높이 (1)

오른쪽 그림과 같은 △ABC에서 $\overline{AH}\perp\overline{BC}$이고 $\angle B=30°$, $\angle C=60°$, $\overline{BC}=20$일 때, $\overline{AH}$의 길이를 구하시오.

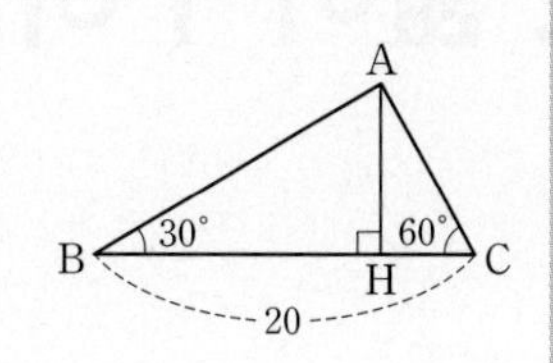

해법코드

$\overline{BH}$, $\overline{CH}$를 $\overline{AH}$에 대한 식으로 나타낸 후 $\overline{BC}=\overline{BH}+\overline{CH}$임을 이용한다.

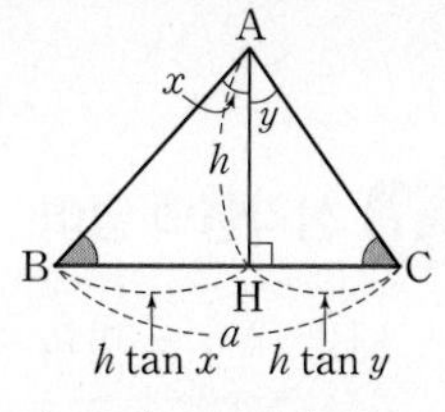

⇨ $a=h\tan x+h\tan y$

셀파 $\overline{BC}=\overline{BH}+\overline{CH}$이므로 $\overline{BH}$, $\overline{CH}$를 $\overline{AH}$에 대한 식으로 나타낸다.

풀이 $\angle BAH=90°-30°=60°$, $\angle CAH=90°-60°=30°$이므로

$\overline{AH}=h$라 하면 △ABH에서 $\overline{BH}=h\tan 60°=\sqrt{3}h$

△AHC에서 $\overline{CH}=h\tan 30°=\frac{\sqrt{3}}{3}h$

이때 $\overline{BC}=\overline{BH}+\overline{CH}$이므로 $20=\sqrt{3}h+\frac{\sqrt{3}}{3}h$

$\frac{4\sqrt{3}}{3}h=20 \quad \therefore h=20\times\frac{3}{4\sqrt{3}}=\mathbf{5\sqrt{3}}$

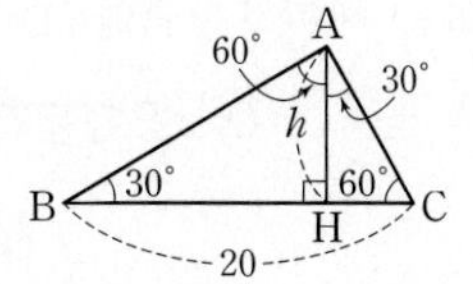

확인 05 오른쪽 그림과 같이 100 m 떨어져 있는 지면 위의 두 지점 A, B에서 열기구가 있는 C 지점을 올려다본 각의 크기가 각각 60°, 45°일 때, 지면으로부터 열기구까지의 높이를 구하시오. (단, 열기구의 크기는 무시한다.)

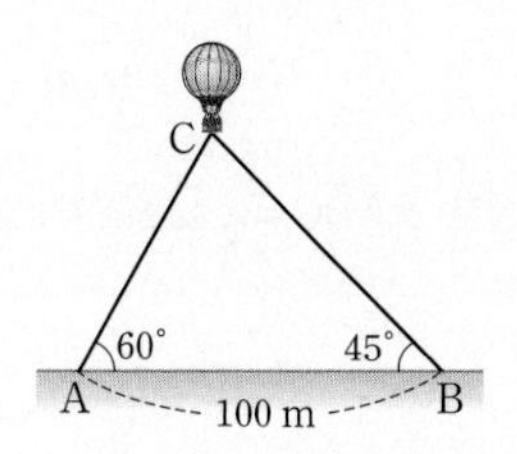

» My 셀파

꼭짓점 C에서 $\overline{AB}$에 내린 수선의 발을 H라 할 때, $\overline{CH}$의 길이가 지면으로부터 열기구까지의 높이이다.

기본 06 삼각형의 높이 (2)

오른쪽 그림과 같이 △ABC의 꼭짓점 A에서 $\overline{BC}$의 연장선에 내린 수선의 발을 H라 하자. $\angle B=30°$, $\angle BCA=135°$이고 $\overline{BC}=2$일 때, $\overline{AH}$의 길이를 구하시오.

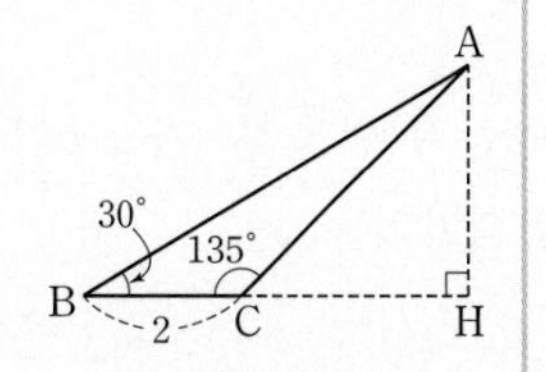

해법코드

$\overline{BH}$, $\overline{CH}$를 $\overline{AH}$에 대한 식으로 나타낸 후 $\overline{BC}=\overline{BH}-\overline{CH}$임을 이용한다.

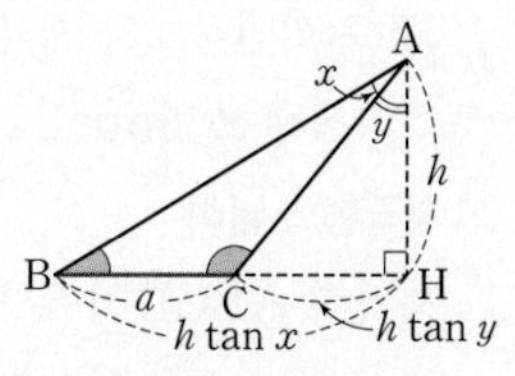

⇨ $a=h\tan x-h\tan y$

셀파 $\overline{BC}=\overline{BH}-\overline{CH}$이므로 $\overline{BH}$, $\overline{CH}$를 $\overline{AH}$에 대한 식으로 나타낸다.

풀이 ❶ $\angle BAH=60°$, $\angle CAH=45°$이므로 $\overline{AH}=h$라 하면

△ABH에서 $\overline{BH}=h\tan 60°=\sqrt{3}h$

△ACH에서 $\overline{CH}=h\tan 45°=h$

이때 $\overline{BC}=\overline{BH}-\overline{CH}$이므로 $2=\sqrt{3}h-h$

$(\sqrt{3}-1)h=2 \quad \therefore h=\frac{2}{\sqrt{3}-1}=\sqrt{3}+1$

따라서 $\overline{AH}$의 길이는 $\mathbf{\sqrt{3}+1}$이다.

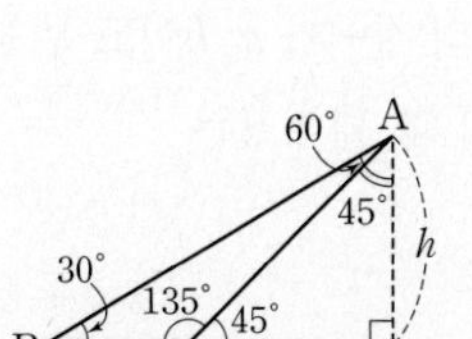

❶ △ABH에서
$\angle BAH=90°-30°=60°$
△ACH에서
$\angle ACH=180°-135°=45°$
$\therefore \angle CAH=90°-45°=45°$

확인 06 오른쪽 그림과 같이 △ABC의 꼭짓점 A에서 $\overline{BC}$의 연장선에 내린 수선의 발을 H라 하자. $\angle B=30°$, $\angle BCA=120°$이고 $\overline{BC}=4$일 때, $\overline{AH}$의 길이를 구하시오.

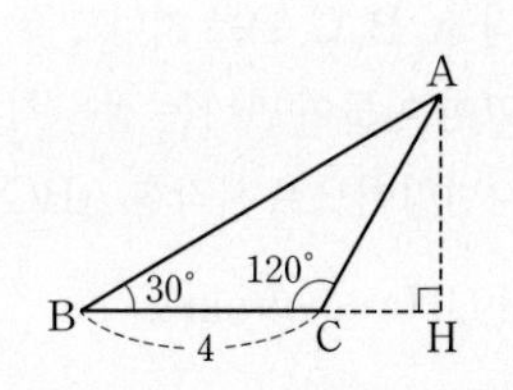

» My 셀파

$\overline{BC}=\overline{BH}-\overline{CH}$임을 이용한다.

2  2. 넓이 구하기

1 삼각형의 넓이

△ABC에서 두 변의 길이 a, c와 그 끼인각 ∠B의 크기를 알 때, 넓이 S는

(1) ∠B가 예각인 경우

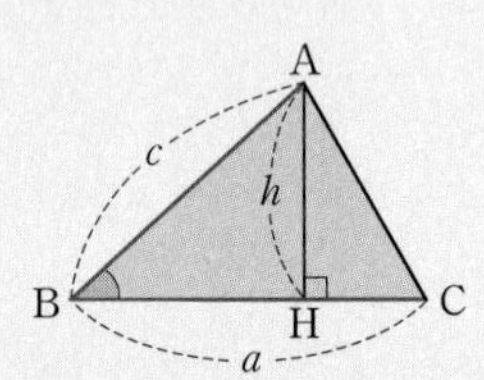

$h=c\sin B$이므로 (높이)

$S=\frac{1}{2}a$ ☐ $=\frac{1}{2}ac\sin B$

(2) ∠B가 둔각인 경우

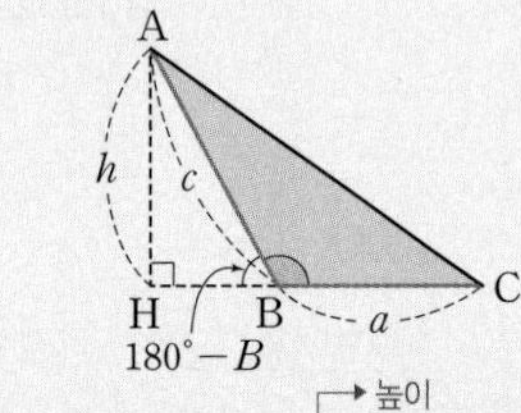

$h=c\sin(180°-$ ☐ $)$이므로 (높이)

$S=\frac{1}{2}ah=\frac{1}{2}ac\sin(180°-B)$

B

h

참고 ∠B=90°이면 $\sin B=1$이므로 $\triangle ABC=\frac{1}{2}ac\sin B=\frac{1}{2}ac$

● 삼각형의 두 변의 길이와 그 끼인각의 크기가 주어지면 꼭짓점에서 밑변 또는 그 연장선에 수선을 그어 삼각형의 높이를 구한 후 넓이를 구할 수 있다.

2 사각형의 넓이

(1) 평행사변형의 넓이

평행사변형 ABCD의 이웃하는 두 변의 길이가 a, b이고 그 끼인각 x가 예각일 때, 넓이 S는

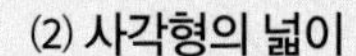

$S=ab\sin x$

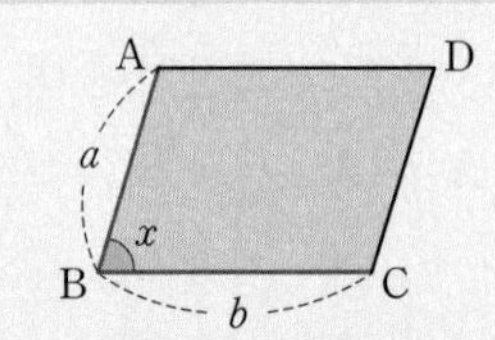

(2) 사각형의 넓이

사각형 ABCD의 두 대각선의 길이가 a, b이고 두 대각선이 이루는 각 x가 예각일 때, 넓이 S는

$S=\frac{1}{2}ab\sin x$

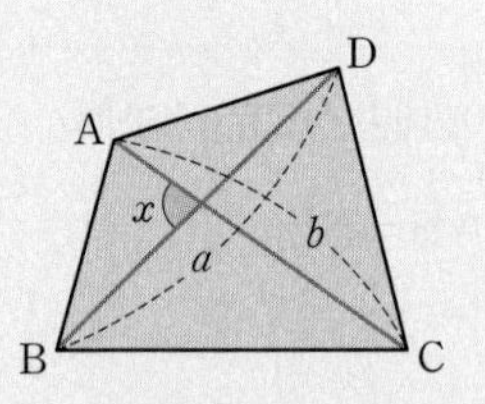

설명 (1) 오른쪽 그림과 같이 대각선 AC를 그으면 평행사변형 ABCD의 넓이 S는

$S=$ ㉠□ABCD $=2\triangle ABC=2\times\frac{1}{2}ab\sin x=ab\sin x$

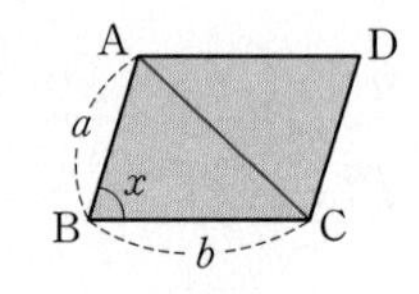

(2) 오른쪽 그림과 같이 네 점 A, B, C, D를 지나고 두 대각선 AC, BD에 각각 평행한 직선을 그어 이들이 만나는 점을 각각 E, F, G, H라 하면 ㉡□EFGH는 평행사변형이므로 사각형 ABCD의 넓이 S는

$S=\square ABCD=\frac{1}{2}\square EFGH=\frac{1}{2}ab\sin x$

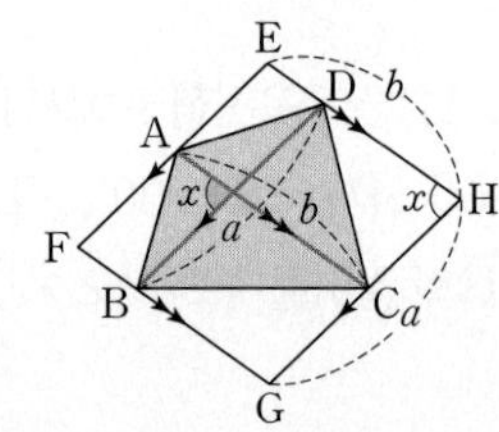

㉠ 평행사변형의 넓이는 대각선에 의하여 이등분된다.

㉡ □EFGH는 이웃하는 두 변의 길이가 a, b이고 그 끼인각의 크기가 x인 평행사변형이다.

참고 x가 둔각인 경우

(1) 평행사변형 ABCD의 넓이

x가 둔각일 때

$\triangle ABC=\frac{1}{2}ab\sin(180°-x)$

이므로

$\square ABCD=ab\sin(180°-x)$

(2) 사각형 ABCD의 넓이

x가 둔각일 때

$\square EFGH=ab\sin(180°-x)$

이므로

$\square ABCD$

$=\frac{1}{2}ab\sin(180°-x)$

빠른 정답 135쪽 | 정답과 해설 15쪽

| 개념 체크 |

1-1 삼각형의 넓이

다음 그림과 같은 △ABC의 넓이를 구하시오.

(1)

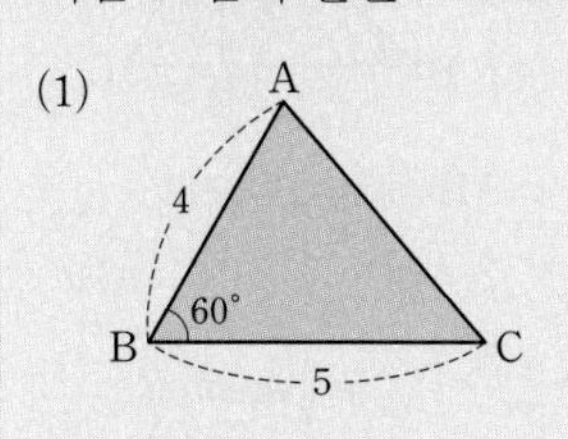

(2)

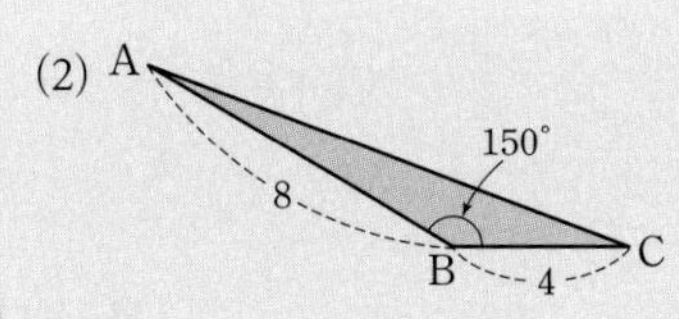

셀파 (삼각형의 넓이)$=\frac{1}{2}\times$(두 변의 길이의 곱)$\times\sin$(끼인각의 크기)

끼인각이 둔각일 때는 $\sin(180°-$끼인각의 크기)를 이용한다.

연구 (1) $\triangle ABC=\frac{1}{2}\times4\times\square\times\sin\square°=\square$

(2) $\triangle ABC=\frac{1}{2}\times8\times\square\times\sin(180°-\square°)=\square$

2-1 사각형의 넓이

다음 그림과 같은 □ABCD의 넓이를 구하시오.

(1)

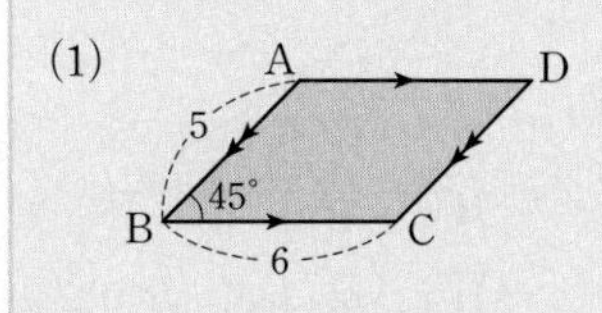

(2)

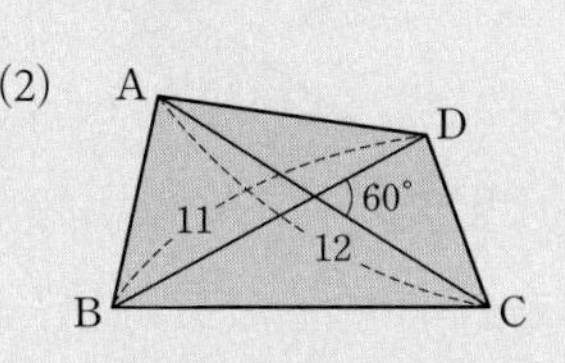

셀파 • (평행사변형의 넓이)=(두 변의 길이의 곱)$\times\sin$(끼인각의 크기)

• (사각형의 넓이)$=\frac{1}{2}\times$(두 대각선의 길이의 곱)

$\times\sin$(두 대각선이 이루는 각의 크기)

연구 (1) $\square ABCD=5\times\square\times\sin\square°=\square$

(2) $\square ABCD=\frac{1}{2}\times11\times\square\times\sin\square°=\square$

| 따라 풀기 |

1-2 다음 그림과 같은 △ABC의 넓이를 구하시오.

(1)

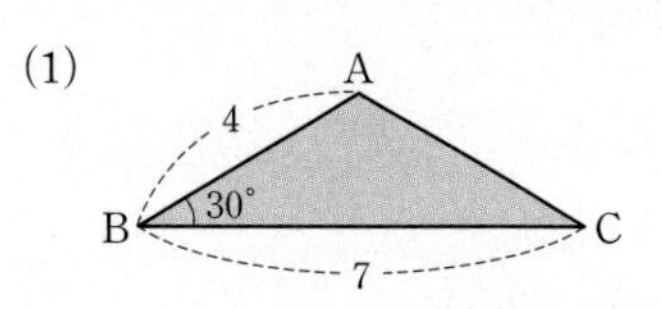

(2)

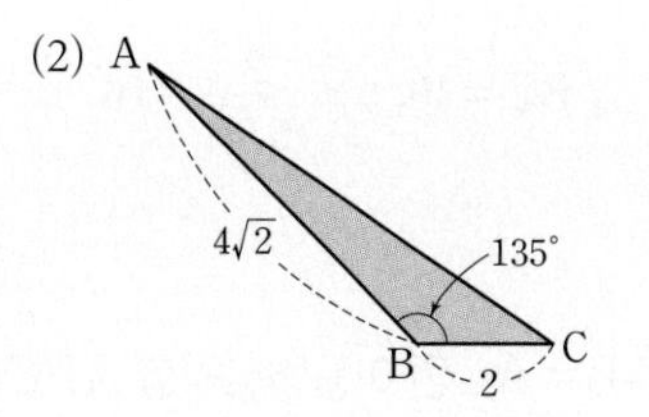

2-2 다음 그림과 같은 □ABCD의 넓이를 구하시오.

(1)

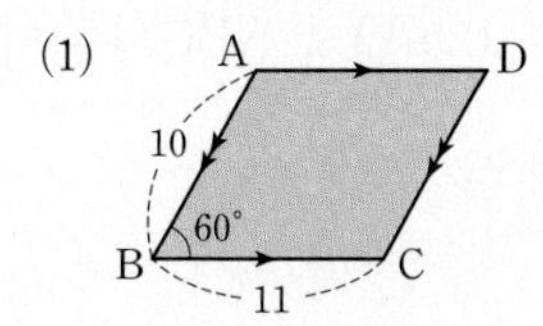

(2)

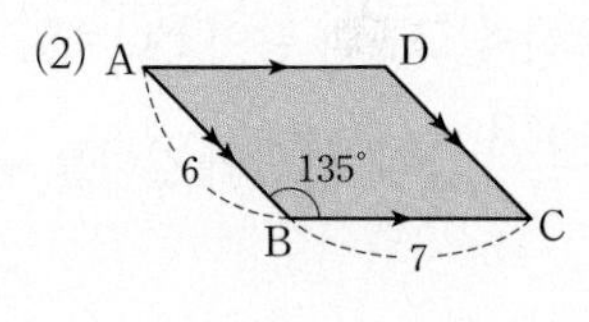

(3) (4)

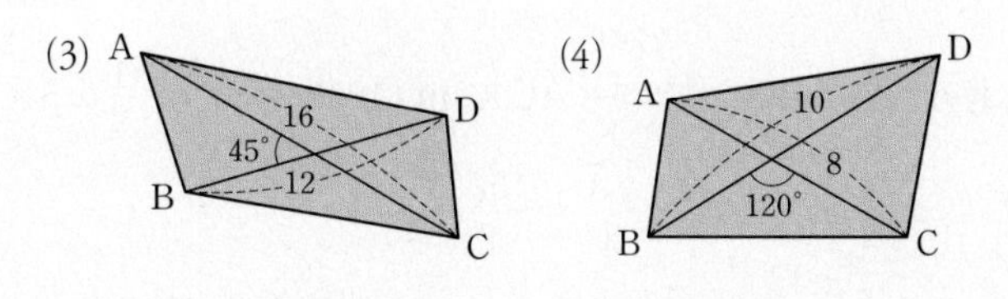

• 이웃하는 두 변의 길이 a, b와 그 끼인각의 크기 $x(0°<x\le90°)$를 알 때

(1) 삼각형의 넓이 ⇨ $\frac{1}{2}ab\sin x$　　(2) 평행사변형의 넓이 ⇨ $ab\sin x$

• 사각형에서 두 대각선의 길이 a, b와 두 대각선이 이루는 각의 크기 $x(0°<x\le90°)$를 알 때, 그 넓이 ⇨ $\frac{1}{2}ab\sin x$

참고 x가 둔각인 경우에는 $\sin x$ 대신 $\sin(180°-x)$를 이용한다.

빠른 정답 136쪽 | 정답과 해설 16쪽

기본 01 끼인각이 예각일 때, 삼각형의 넓이

오른쪽 그림과 같이 $\angle C=60°$, $\overline{AC}=10$인 $\triangle ABC$의 넓이가 $40\sqrt{3}$일 때, $\overline{BC}$의 길이를 구하시오.

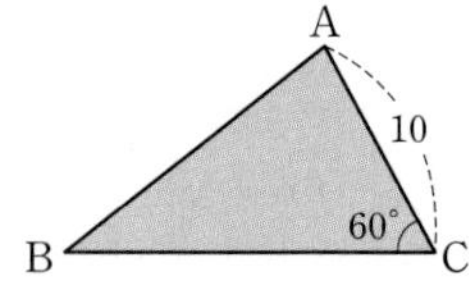

셀파 $\triangle ABC=\frac{1}{2}\times\overline{BC}\times\overline{AC}\times\sin C$

풀이 $\triangle ABC=\frac{1}{2}\times\overline{BC}\times 10\times\sin 60°$에서 $\frac{1}{2}\times\overline{BC}\times 10\times\frac{\sqrt{3}}{2}=40\sqrt{3}$

$\frac{5\sqrt{3}}{2}\overline{BC}=40\sqrt{3}$ $\quad\therefore \overline{BC}=40\sqrt{3}\times\frac{2}{5\sqrt{3}}=\mathbf{16}$

해법코드

$\angle B$가 예각인 경우

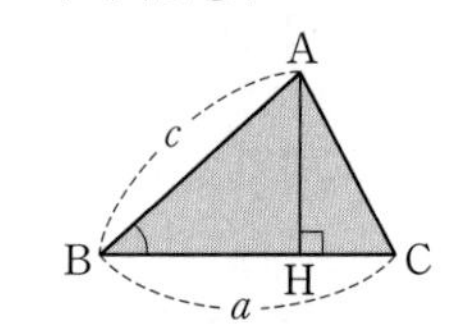

⇨ $\overline{AH}=c\sin B$이므로

$\triangle ABC=\frac{1}{2}\times\overline{BC}\times\overline{AH}$

$=\frac{1}{2}ac\sin B$

확인 01 오른쪽 그림과 같이 $\overline{AB}=\overline{AC}$인 이등변삼각형 ABC에서 $\overline{AB}=8$, $\angle B=75°$일 때, $\triangle ABC$의 넓이를 구하시오.

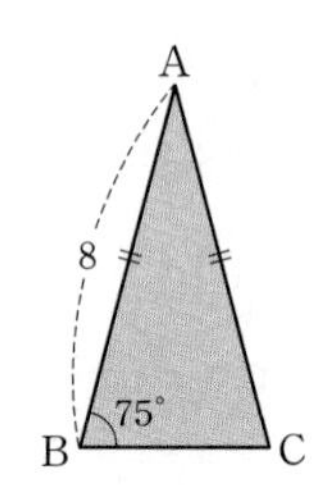

» My 셀파

$\triangle ABC$

$=\frac{1}{2}\times\overline{AB}\times\overline{AC}\times\sin A$

기본 02 끼인각이 둔각일 때, 삼각형의 넓이

오른쪽 그림과 같이 $\overline{BC}=5$, $\angle C=120°$인 $\triangle ABC$의 넓이가 $\frac{15\sqrt{3}}{2}$일 때, $\overline{AC}$의 길이를 구하시오.

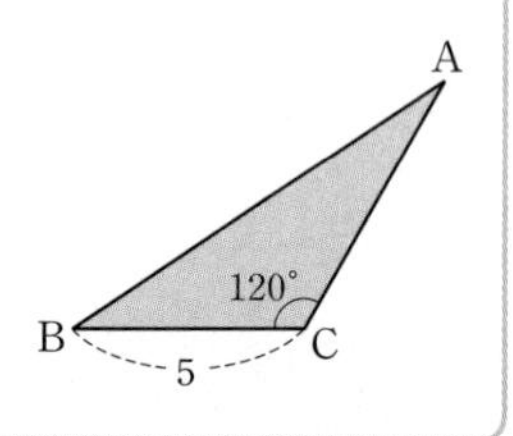

셀파 $\triangle ABC=\frac{1}{2}\times\overline{BC}\times\overline{AC}\times\sin(180°-C)$

풀이 $\triangle ABC=\frac{1}{2}\times 5\times\overline{AC}\times\sin(180°-120°)=\frac{1}{2}\times 5\times\overline{AC}\times\sin 60°$에서

$\frac{1}{2}\times 5\times\overline{AC}\times\frac{\sqrt{3}}{2}=\frac{15\sqrt{3}}{2}$

$\frac{5\sqrt{3}}{4}\overline{AC}=\frac{15\sqrt{3}}{2}$ $\quad\therefore \overline{AC}=\frac{15\sqrt{3}}{2}\times\frac{4}{5\sqrt{3}}=\mathbf{6}$

해법코드

$\angle B$가 둔각인 경우

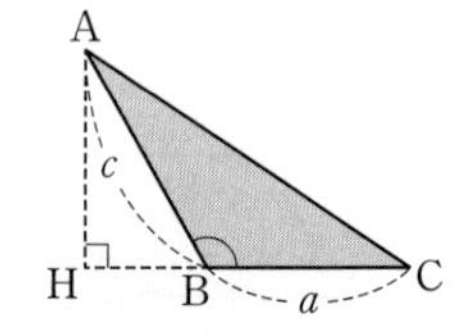

⇨ $\overline{AH}=c\sin(180°-B)$이므로

$\triangle ABC$

$=\frac{1}{2}\times\overline{BC}\times\overline{AH}$

$=\frac{1}{2}ac\sin(180°-B)$

확인 02 오른쪽 그림과 같이 $\overline{AC}=10$, $\overline{BC}=6$인 $\triangle ABC$의 넓이가 $15\sqrt{2}$일 때, $\angle C$의 크기를 구하시오.

(단, $90°<\angle C<180°$)

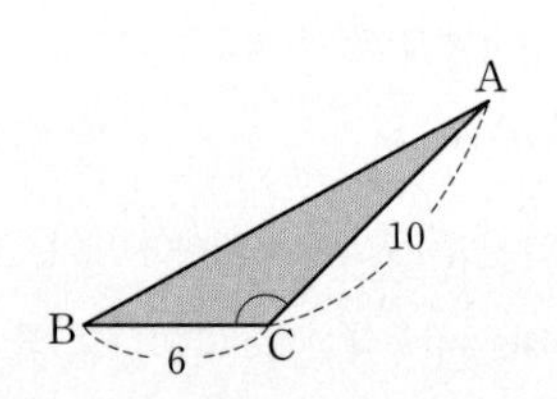

» My 셀파

$\frac{1}{2}\times 6\times 10\times\sin(180°-C)$

$=15\sqrt{2}$

에서 $180°-\angle C$의 크기를 구한다.

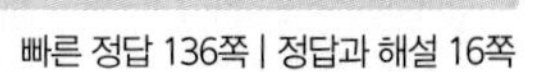

기본 03 다각형의 넓이

오른쪽 그림과 같이 $\overline{AB}=6\sqrt{3}$, $\overline{BC}=12$, $\overline{CD}=12$이고 $\angle B=90^\circ$, $\angle C=60^\circ$인 $\square ABCD$의 넓이를 구하시오.

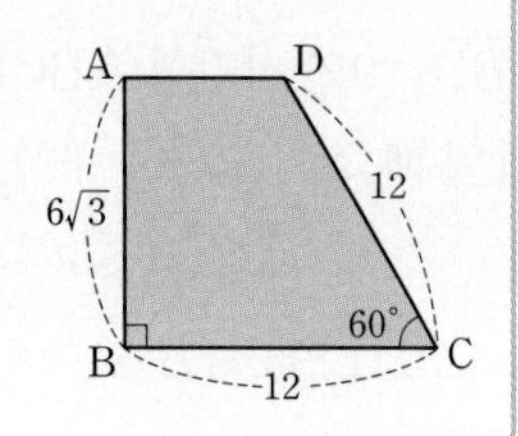

해법코드

1 대각선을 그어 사각형을 두 개의 삼각형으로 나눈다.
2 각 삼각형의 넓이를 구하여 더한다.

⇨ $\square ABCD$
$=\triangle ABC+\triangle ACD$
$=\frac{1}{2}ab\sin B+\frac{1}{2}cd\sin D$

셀파 사각형을 두 개의 삼각형으로 나눌 때는 각 삼각형의 넓이를 쉽게 구할 수 있도록 대각선을 그어야 한다.

풀이 오른쪽 그림과 같이 대각선 BD를 그으면 $\overline{BC}=\overline{DC}=12$이므로 $\triangle BCD$는 이등변삼각형이다.

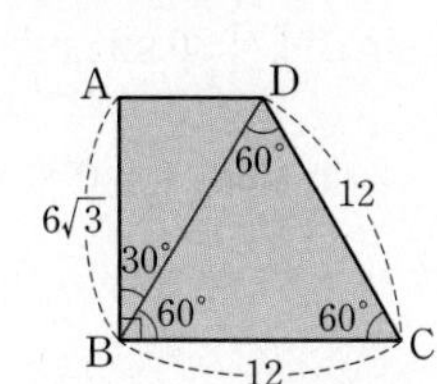

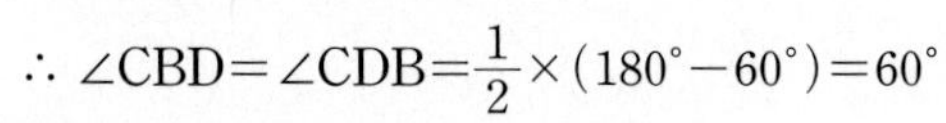

$\therefore \angle CBD=\angle CDB=\frac{1}{2}\times(180^\circ-60^\circ)=60^\circ$

즉 ❶ $\triangle BCD$는 정삼각형이므로 $\overline{BD}=12$

$\therefore \square ABCD=\triangle ABD+\triangle BCD$

$=\frac{1}{2}\times 6\sqrt{3}\times 12\times\sin 30^\circ+\frac{1}{2}\times 12\times 12\times\sin 60^\circ$

$=\frac{1}{2}\times 6\sqrt{3}\times 12\times\frac{1}{2}+\frac{1}{2}\times 12\times 12\times\frac{\sqrt{3}}{2}$

$=18\sqrt{3}+36\sqrt{3}=\mathbf{54\sqrt{3}}$

❶ $\triangle BCD$는 세 내각의 크기가 모두 60°로 같으므로 정삼각형이다.

확인 03 오른쪽 그림과 같은 $\square ABCD$의 넓이를 구하시오.

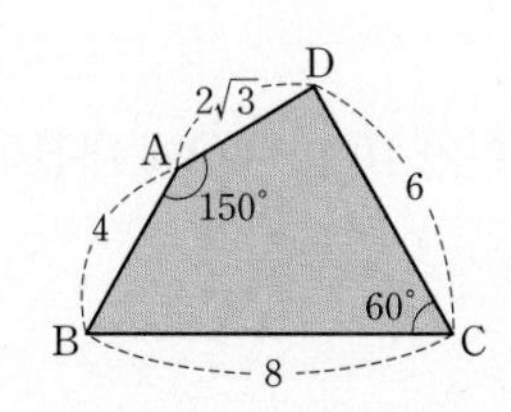

» My 셀파
대각선 BD를 그어 넓이를 구할 수 있는 삼각형 2개로 나눈다.

기본 04 평행사변형의 넓이

오른쪽 그림과 같이 $\overline{AB}=4$, $\angle A=120^\circ$인 평행사변형 ABCD의 넓이가 24일 때, $\overline{BC}$의 길이를 구하시오.

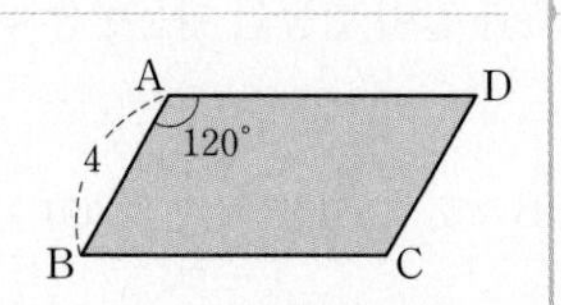

해법코드

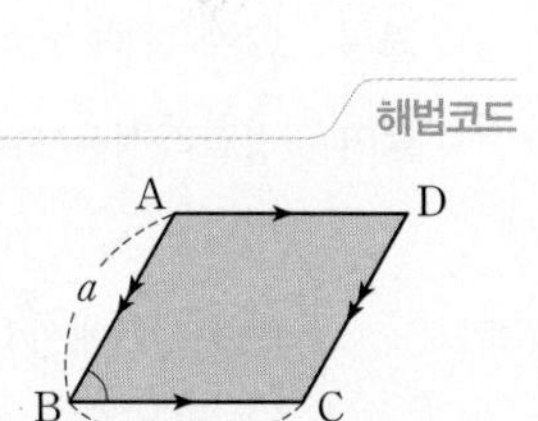

① $\angle B$가 예각일 때
$\square ABCD=ab\sin B$
② $\angle B$가 둔각일 때
$\square ABCD$
$=ab\sin(180^\circ-B)$

셀파 (평행사변형 ABCD의 넓이)$=\overline{AB}\times\overline{AD}\times\sin(180^\circ-A)$

풀이 (평행사변형 ABCD의 넓이)$=4\times\overline{AD}\times\sin(180^\circ-120^\circ)$

$=4\times\overline{AD}\times\sin 60^\circ$

에서 $4\times\overline{AD}\times\frac{\sqrt{3}}{2}=24$, $2\sqrt{3}\,\overline{AD}=24$ $\quad\therefore \overline{AD}=\frac{24}{2\sqrt{3}}=4\sqrt{3}$

따라서 평행사변형에서 대변의 길이는 서로 같으므로 $\overline{BC}=\overline{AD}=\mathbf{4\sqrt{3}}$

확인 04 오른쪽 그림의 $\square ABCD$는 마름모이다. $\overline{BC}=4$, $\angle C=135^\circ$일 때, 마름모 ABCD의 넓이를 구하시오.

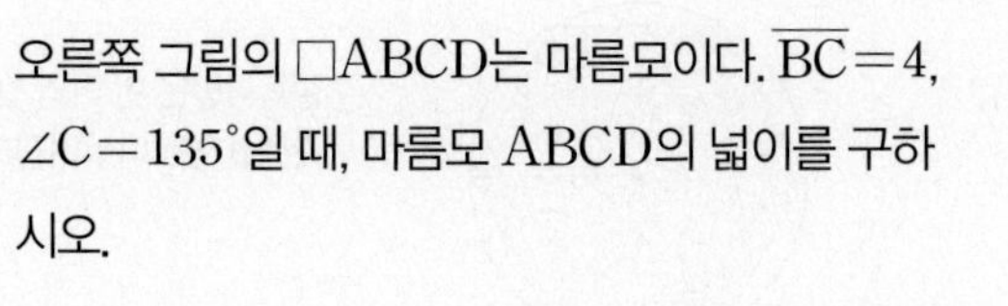

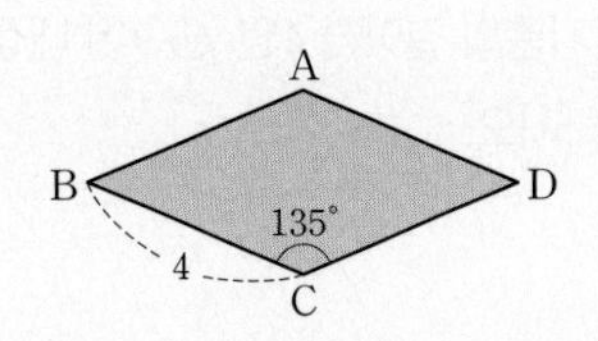

» My 셀파
$\square ABCD$가 마름모이므로
$\overline{AB}=\overline{BC}=\overline{CD}=\overline{DA}$
또 마름모는 평행사변형이다.

기본 05 사각형의 넓이

오른쪽 그림과 같이 $\overline{AC}=8$, $\overline{BD}=9$인 사각형 ABCD의 넓이가 $18\sqrt{3}$이고 $\angle AOB=x$일 때, x의 크기를 구하시오.
(단, $0° < x < 90°$)

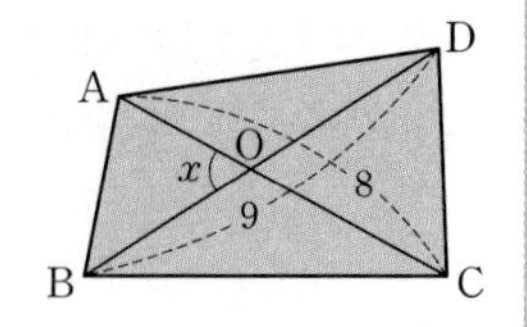

해법코드

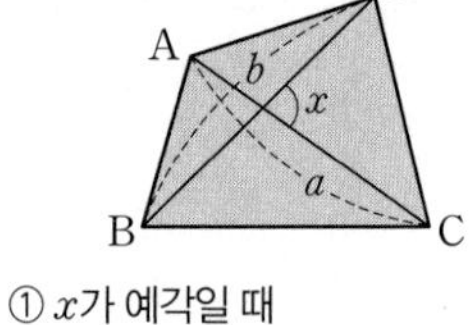

① x가 예각일 때
$\square ABCD=\frac{1}{2}ab\sin x$
② x가 둔각일 때
$\square ABCD$
$=\frac{1}{2}ab\sin(180°-x)$

셀파 $\square ABCD=\frac{1}{2}\times\overline{AC}\times\overline{BD}\times\sin x$

풀이 $\square ABCD=\frac{1}{2}\times 8\times 9\times\sin x$에서 $36\sin x=18\sqrt{3}$

$\sin x=\frac{18\sqrt{3}}{36}=\frac{\sqrt{3}}{2}$ $\quad\therefore x=\mathbf{60°}$ $(\because 0°<x<90°)$

확인 05 오른쪽 그림과 같이 $\overline{AC}=12$, $\overline{BD}=10$이고 $\angle DBC=55°$, $\angle ACB=35°$인 사각형 ABCD의 넓이를 구하시오.

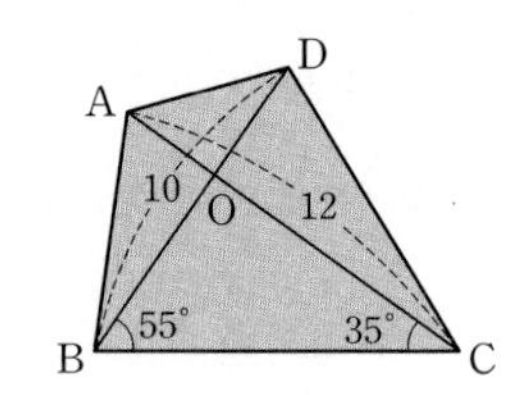

» My 셀파
두 대각선 AC와 BD가 이루는 각의 크기를 구한다.

발전 06 정다각형의 넓이

오른쪽 그림과 같이 지름의 길이가 10인 원 O에 내접하는 정팔각형의 넓이를 구하시오.

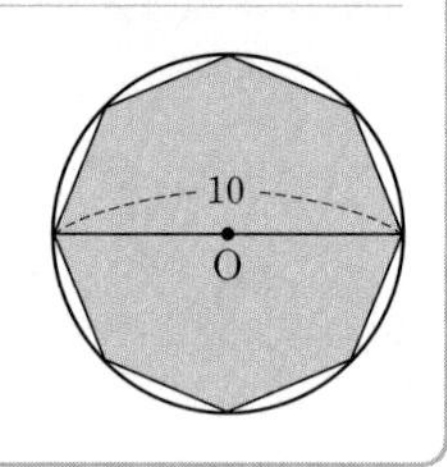

해법코드
정n각형은 n개의 합동인 이등변삼각형으로 나누어진다.

셀파 정다각형에 보조선을 그어 여러 개의 이등변삼각형으로 나눈다.

풀이 정팔각형은 오른쪽 그림과 같이 합동인 이등변삼각형 8개로 나누어진다.

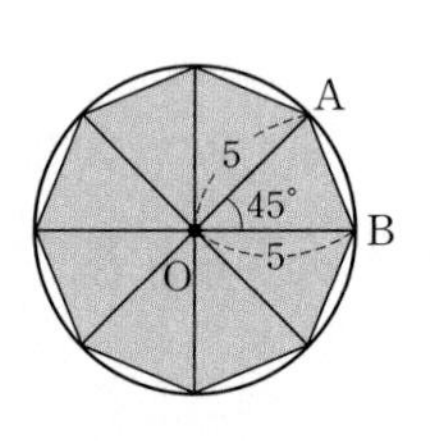

$\triangle AOB$에서 ㉠ $\overline{OA}=\overline{OB}=5$, $\angle AOB=\frac{1}{8}\times 360°=45°$

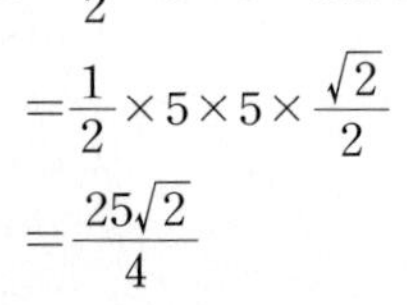

$\therefore\ \triangle AOB=\frac{1}{2}\times 5\times 5\times\sin 45°$
$=\frac{1}{2}\times 5\times 5\times\frac{\sqrt{2}}{2}$
$=\frac{25\sqrt{2}}{4}$

따라서 정팔각형의 넓이는 $8\triangle AOB=8\times\frac{25\sqrt{2}}{4}=\mathbf{50\sqrt{2}}$

㉠ $\overline{OA}$, $\overline{OB}$는 원 O의 반지름이다.
$\therefore \overline{OA}=\overline{OB}=\frac{1}{2}\times 10=5$

확인 06 오른쪽 그림과 같이 반지름의 길이가 4인 원 O에 내접하는 정육각형의 넓이를 구하시오.

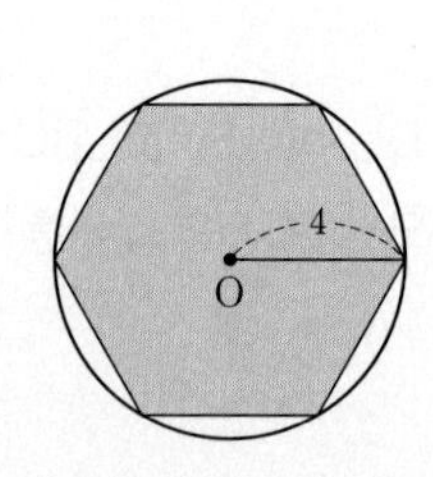

» My 셀파
정육각형은 한 변의 길이가 4인 정삼각형 6개로 나누어진다.

실력 키우기

빠른 정답 136쪽 | 정답과 해설 16쪽

01 직각삼각형의 변의 길이

다음 그림의 직각삼각형 ABC에서 x, y의 값을 각각 구하시오. (단, $\sin 32°=0.53$, $\cos 32°=0.85$, $\tan 32°=0.62$로 계산한다.)

(1)
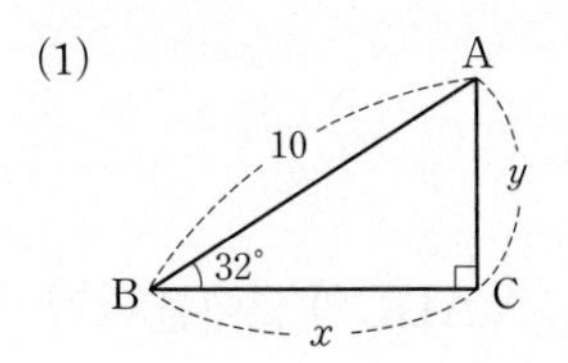

(2)
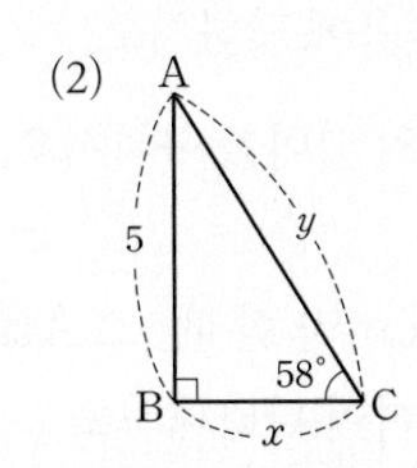

02 실생활에서 직각삼각형의 변의 길이의 활용

오른쪽 그림은 산의 높이를 구하기 위하여 산 아래쪽의 지면 위에 100 m 떨어진 두 지점 A, B에서 측량한 것이다. 이 산의 높이를 구하시오.

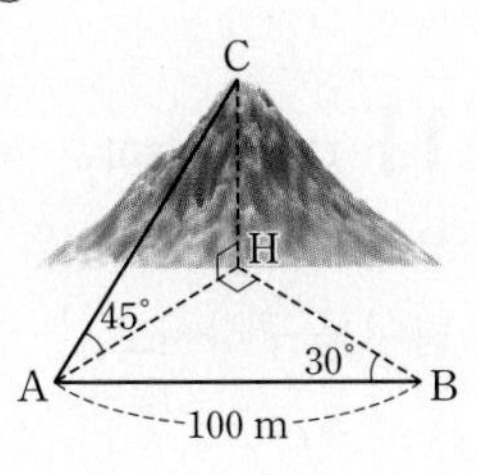

03 일반 삼각형의 변의 길이

오른쪽 그림과 같은 △ABC에서 ∠B$=135°$이고 $\overline{AB}=4\sqrt{2}$, $\overline{BC}=2$일 때, $\overline{AC}$의 길이를 구하시오.

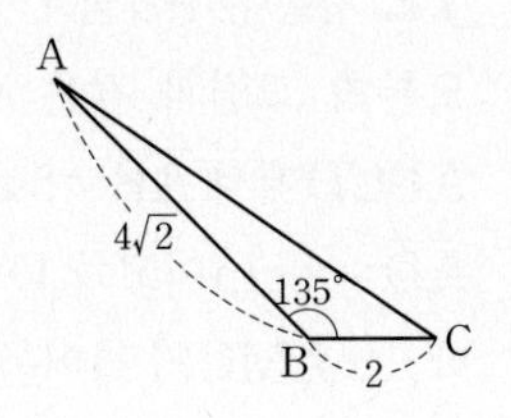

04 일반 삼각형의 변의 길이

연못 가장자리에 있는 두 지점 A, B 사이의 거리를 구하기 위하여 오른쪽 그림과 같이 측량하였다. 두 지점 A, B 사이의 거리를 구하시오.

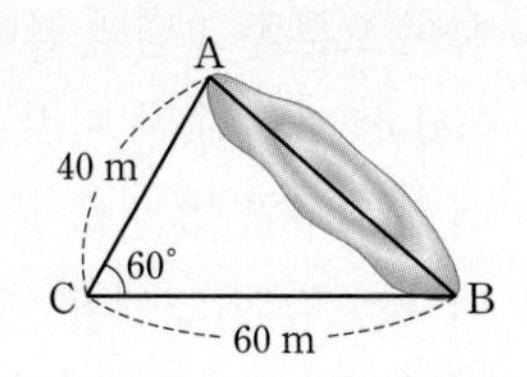

05 일반 삼각형의 변의 길이

오른쪽 그림은 강의 양쪽에 위치한 두 지점 A, B 사이의 거리를 구하기 위하여 측량한 결과이다. 두 지점 A, B 사이의 거리를 구하시오.

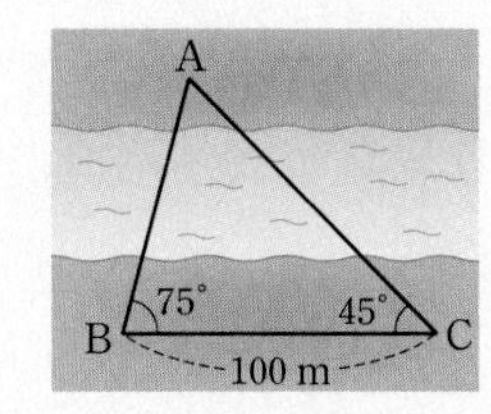

06 삼각형의 높이 (1) 서술형

오른쪽 그림과 같은 △ABC에서 $\overline{BC}=4$ cm이고 ∠B$=45°$, ∠C$=60°$일 때, △ABC의 넓이를 구하시오.

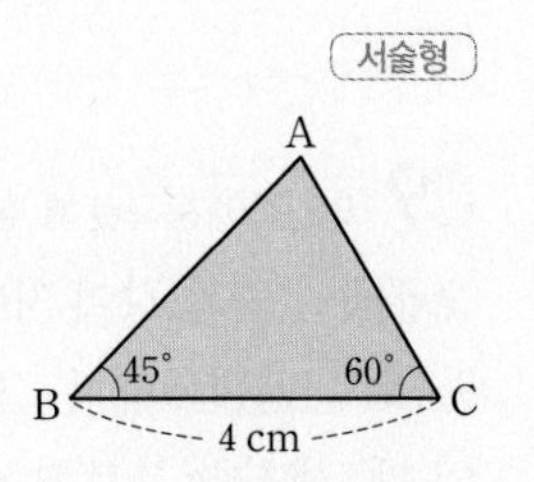

07 삼각형의 높이 (2)

열기구의 높이를 알아보기 위하여 오른쪽 그림과 같이 100 m 떨어진 두 지점 A, B에서 열기구가 있는 C 지점을 올려다본 각의 크기를 측정하였더니 각각 29°, 59°이었다. 다음 중 h의 값을 구하는 식은?

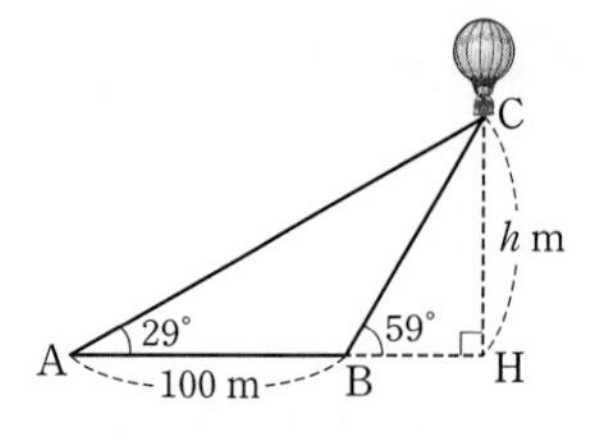

① $\dfrac{100}{\cos 61^\circ - \sin 31^\circ}$ ② $\dfrac{100}{\tan 61^\circ - \tan 31^\circ}$

③ $\dfrac{100}{\cos 61^\circ - \cos 31^\circ}$ ④ $\dfrac{\sin 61^\circ - \sin 31^\circ}{100}$

⑤ $\dfrac{\cos 61^\circ - \cos 31^\circ}{100}$

08 끼인각이 예각일 때, 삼각형의 넓이

오른쪽 그림에서 점 G가 △ABC의 무게중심일 때, △AGC의 넓이를 구하시오.

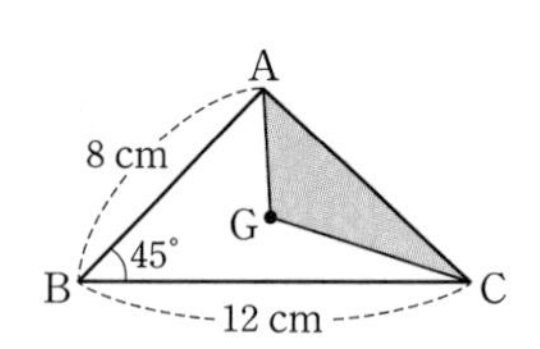

09 끼인각이 둔각일 때, 삼각형의 넓이 서술형

오른쪽 그림과 같이 지름의 길이가 8 cm인 반원 O에서 ∠CAB=15°일 때, 색칠한 부분의 넓이를 구하시오.

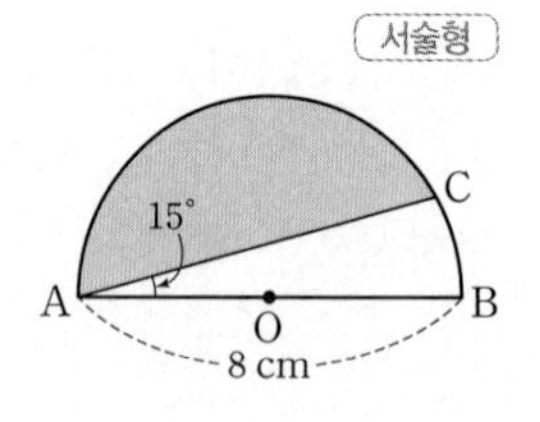

10 삼각형의 넓이 서술형

오른쪽 그림과 같은 △ABC에서 ∠BAC=120°, $\overline{AB}$=8 cm, $\overline{AC}$=6 cm이고 ∠A의 이등분선이 $\overline{BC}$와 만나는 점을 D라 할 때, $\overline{AD}$의 길이를 구하려고 한다. 다음 물음에 답하시오.

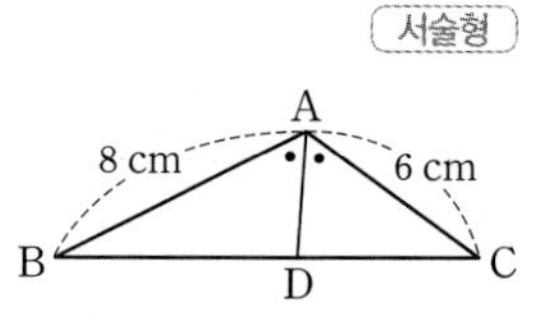

(1) △ABC의 넓이를 구하시오.

(2) $\overline{AD}=x$ cm라 할 때, △ABD, △ADC의 넓이를 각각 x를 사용하여 나타내시오.

(3) △ABC=△ABD+△ADC임을 이용하여 $\overline{AD}$의 길이를 구하시오.

11 다각형의 넓이

오른쪽 그림과 같은 □ABCD의 넓이를 구하시오.

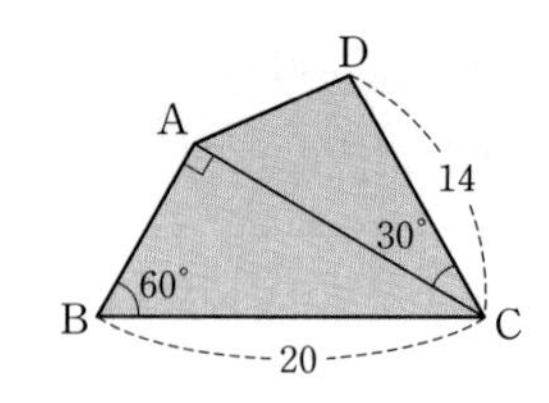

12 평행사변형의 넓이

오른쪽 그림과 같은 평행사변형 ABCD에서 $\overline{AB}$=5 cm, $\overline{AD}$=8 cm이고 ∠D=120°일 때, △AMC의 넓이를 구하시오.

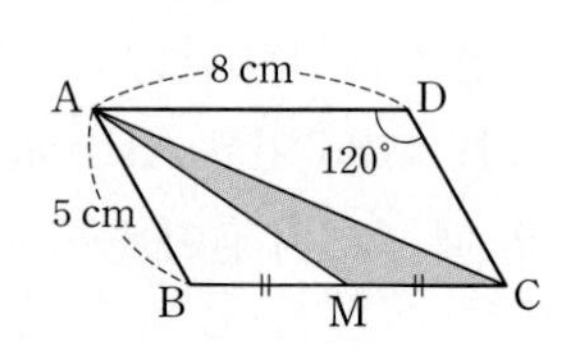

13 사각형의 넓이
융합형

오른쪽 그림과 같은 □ABCD에서 $\overline{AB}=8$ cm, $\overline{BC}=10$ cm이고 ∠B=60°이다. $\overline{AE} /\!/ \overline{DC}$가 되도록 하는 $\overline{BC}$ 위의 점 E에 대하여 □ABED의 넓이를 구하시오.

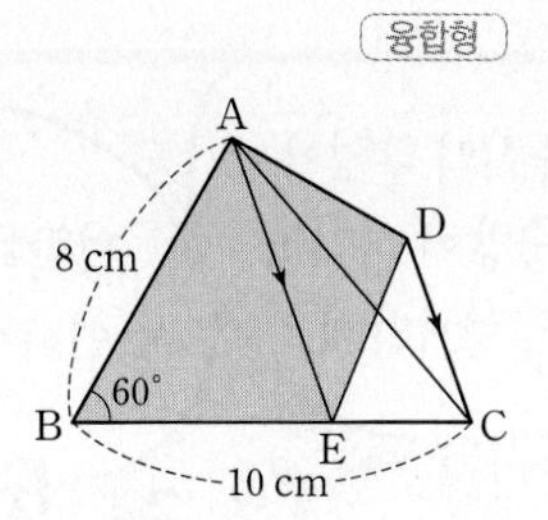

14 사각형의 넓이

다음 그림과 같이 $\overline{AD} /\!/ \overline{BC}$이고 두 대각선이 이루는 각의 크기가 150°인 등변사다리꼴 ABCD의 넓이가 20 cm^2일 때, $\overline{AC}$의 길이를 구하시오.

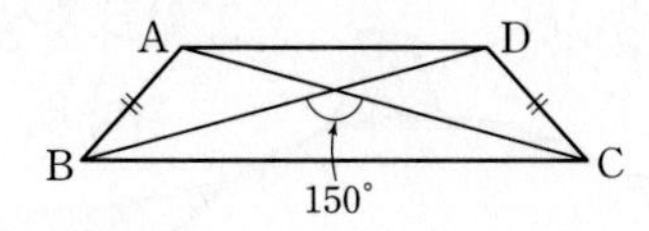

15 직각삼각형의 변의 길이
창의·융합

다음 그림과 같이 길이가 10 cm인 실에 매달린 추가 $\overline{OA}$를 기준으로 좌우로 55°의 각을 이루며 움직이고 있다. 이때 B 지점은 A 지점보다 몇 cm 더 높은지 구하시오.
(단, sin 55°=0.82, cos 55°=0.57로 계산하고, 추의 크기는 무시한다.)

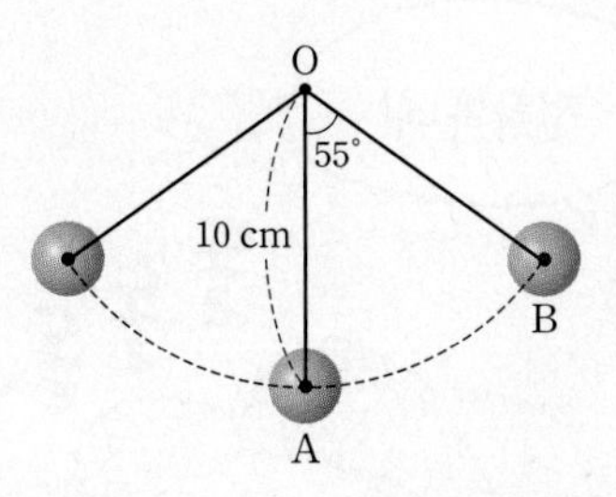

16 삼각형의 넓이의 활용
서술형 창의력

오른쪽 그림과 같이 삼각형 ABC에서 $\overline{AB}$의 길이는 15 % 줄이고, $\overline{BC}$의 길이는 20 % 늘여서 새로운 삼각형 A′BC′을 만들었을 때, 삼각형의 넓이의 변화를 알아보려고 한다.

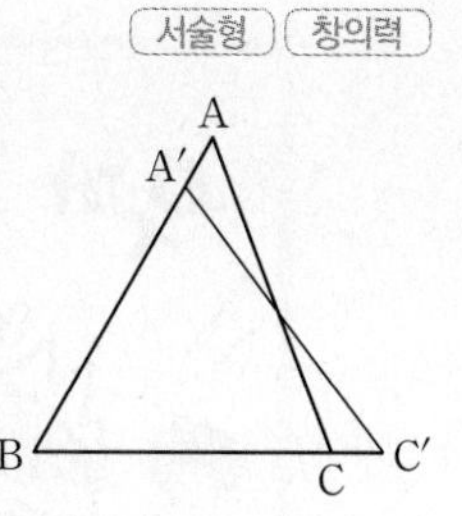

$\overline{AB}=a$, $\overline{BC}=b$라 할 때, 다음 □ 안에 알맞은 것을 써넣고, 물음에 답하시오.

(1) $\triangle ABC=\frac{1}{2}\times\square\times\sin B$

(2) $\overline{A'B}=\frac{\square}{100}a$, $\overline{BC'}=\frac{\square}{100}b$이므로

$\triangle A'BC'=\frac{1}{2}\times\frac{\square}{100}a\times\frac{\square}{100}b\times\sin B$

$=\frac{\square}{100}\triangle ABC$

(3) △A′BC′의 넓이가 △ABC의 넓이보다 몇 % 증가하였는지 또는 감소하였는지 구하시오.

17 직각삼각형의 변의 길이의 활용
창의·융합

수면으로부터 높이가 24 m인 등대에서 처음 배를 내려다본 각의 크기는 오른쪽 그림과 같이 45°이었다. 2초 후에 다시 배를 내려다본 각의 크기가 60°일 때, 배의 속력은 초속 몇 m인지 구하시오. (단, 배는 등대를 향해 일직선으로 움직인다.)

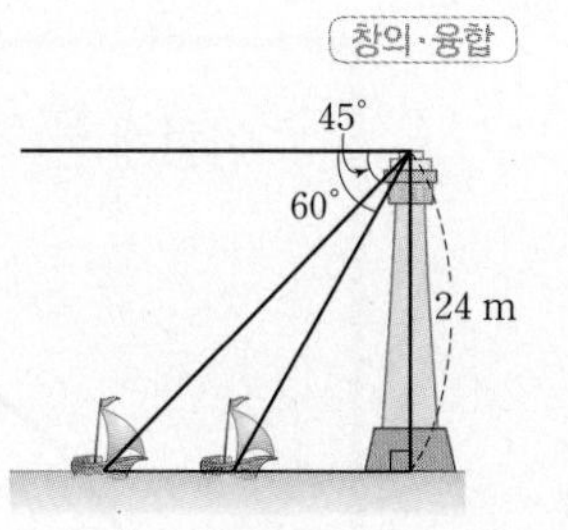

우가 우가
최초로 바퀴를 발명한 우가씨

바퀴의 구멍이 정중앙이 아니라 덜컹거리네.
정확히 뚫을 방법이 없을까?
덜컹 덜컹

이걸로 해결할 수 있어요.
막대?

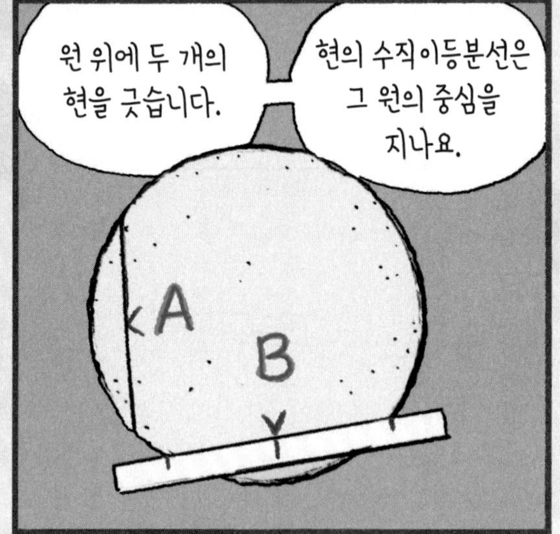

원 위에 두 개의 현을 긋습니다.
현의 수직이등분선은 그 원의 중심을 지나요.
A
B

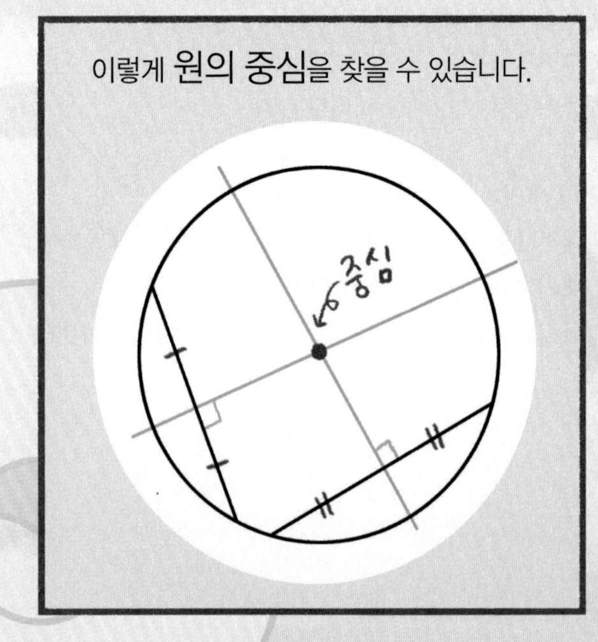

이렇게 원의 중심을 찾을 수 있습니다.
중심

정확하네!
돌돌돌…

Ⅱ | 원의 성질

원과 직선

1. 원의 현

| 개념 1 | 원의 중심과 현의 수직이등분선

| 개념 2 | 원의 중심과 현의 길이

2. 원의 접선

| 개념 1 | 원의 접선

| 개념 2 | 원에 외접하는 삼각형과 사각형의 성질

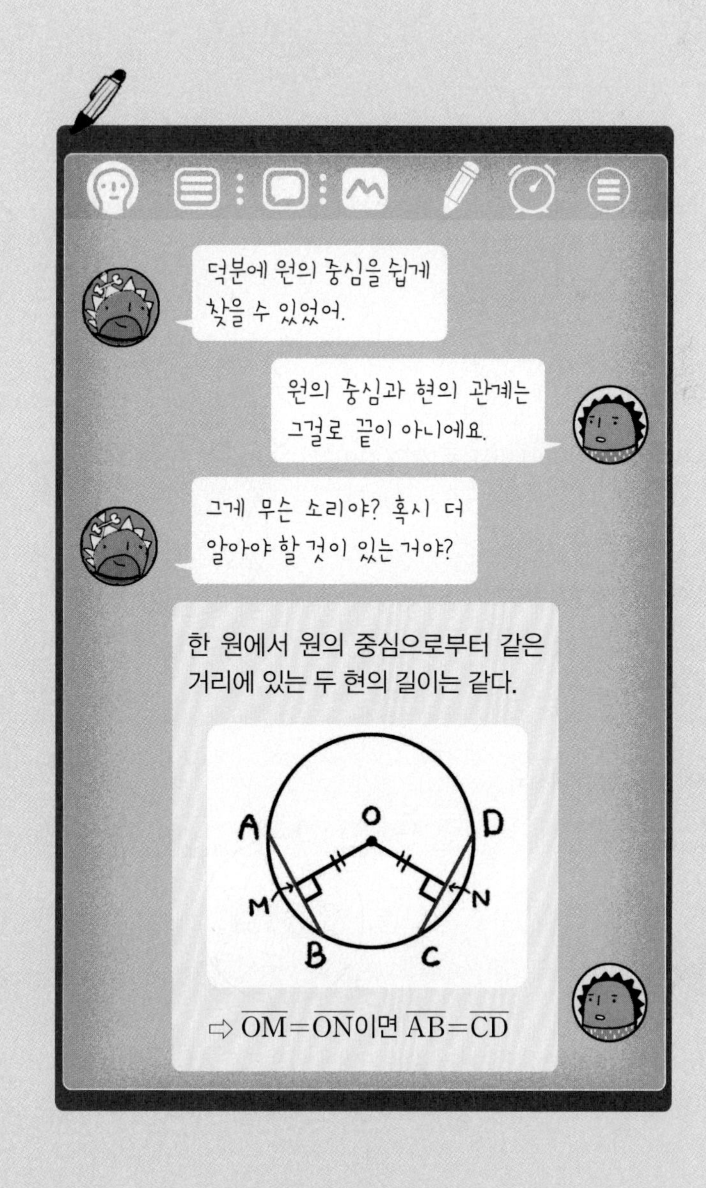

3 1. 원의 현

1 원의 중심과 현의 수직이등분선

(1) 원의 중심에서 현에 내린 수선은 그 현을 이등분한다.
⇨ $\overline{OM}\perp\overline{AB}$이면 $\overline{AM}=$ ☐ 　 $\overline{BM}$

(2) 원에서 현의 수직이등분선은 그 원의 ☐을 지난다. 　 중심

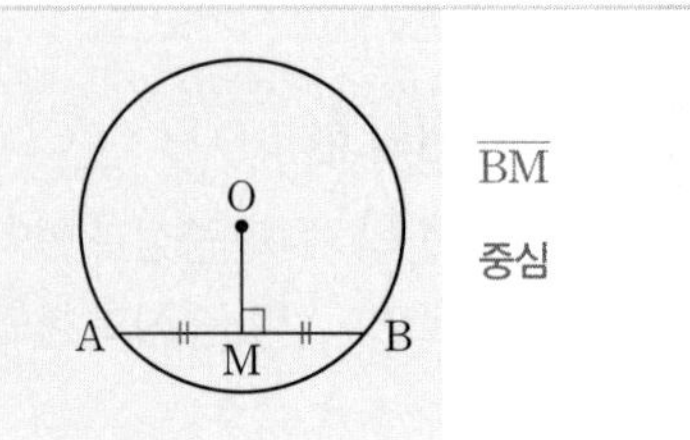

개념 다시 보기
원과 관련된 용어

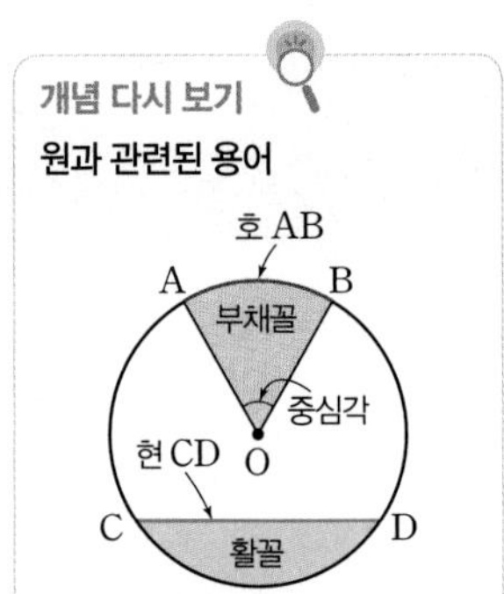

- **호** 원 위의 두 점을 양 끝으로 하는 원의 일부분
⇨ 호 AB($\widehat{AB}$)
- **현** 원 위의 두 점을 이은 선분
⇨ 현 CD($\overline{CD}$)
- **부채꼴** 두 반지름 OA, OB와 호 AB로 이루어진 도형
- **중심각** 두 반지름 OA, OB가 이루는 각 ⇨ ∠AOB
- **활꼴** 호 CD와 현 CD로 이루어진 도형

보기 다음 그림의 원 O에서 $\overline{OM}\perp\overline{AB}$일 때, x의 값을 구하시오.

(1)

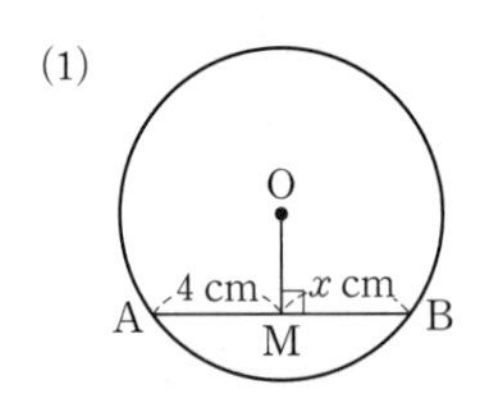

(2)

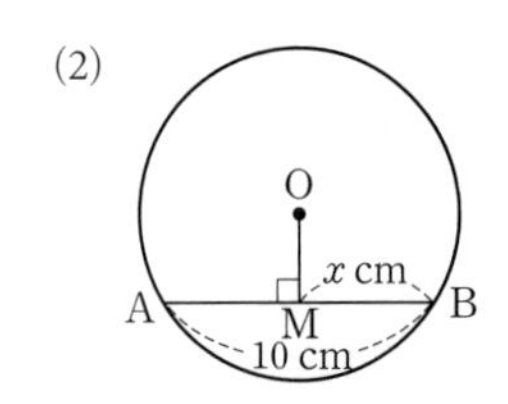

풀이 $\overline{OM}$은 원의 중심에서 현 AB에 내린 수선이다. 　 $\therefore \overline{AM}=\overline{BM}=\frac{1}{2}\overline{AB}$

(1) $\overline{AM}=\overline{BM}$이므로 $x=\mathbf{4}$ 　 (2) $\overline{BM}=\frac{1}{2}\overline{AB}=\frac{1}{2}\times 10=5\ (\text{cm})$ 　 $\therefore x=\mathbf{5}$

2 원의 중심과 현의 길이

(1) 한 원에서 ㉠중심으로부터 같은 거리에 있는 두 현의 길이는 같다.
⇨ $\overline{OM}=\overline{ON}$이면 $\overline{AB}=$ ☐ 　 $\overline{CD}$

(2) 한 원에서 길이가 같은 두 현은 원의 중심으로부터 같은 거리에 있다.
⇨ $\overline{AB}=\overline{CD}$이면 $\overline{OM}=$ ☐ 　 $\overline{ON}$

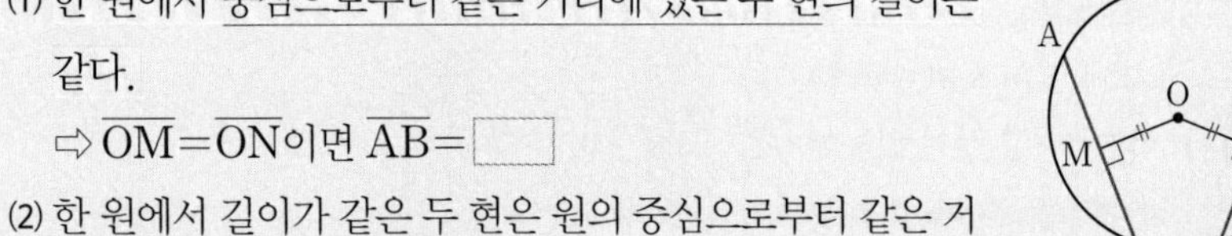

㉠ **점과 직선 사이의 거리**
점 P에서 직선 l에 내린 수선의 발 H까지의 거리, 즉 선분 PH의 길이가 점 P와 직선 l 사이의 거리이다.

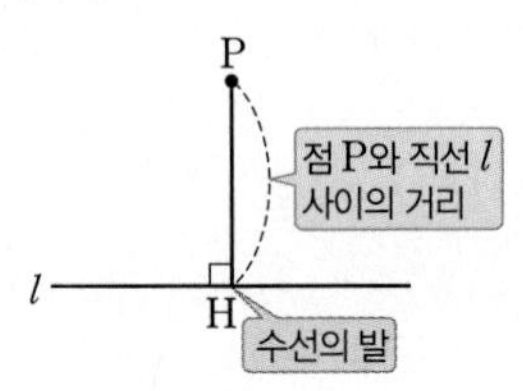

보기 다음 그림의 원 O에서 x의 값을 구하시오.

(1)

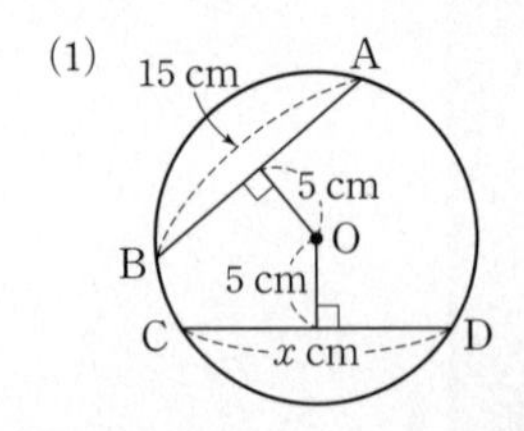

(2)

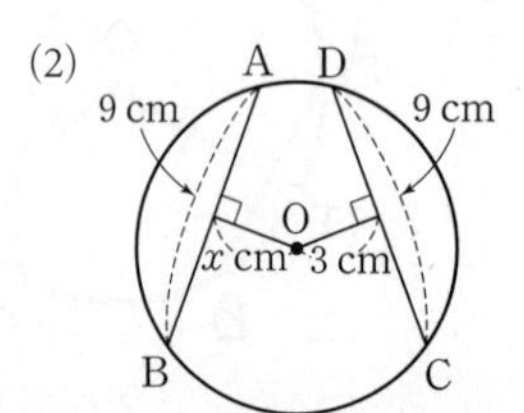

풀이 (1) 두 현 AB, CD는 원의 중심으로부터 같은 거리에 있으므로 $\overline{AB}=\overline{CD}$ 　 $\therefore x=\mathbf{15}$

(2) $\overline{AB}=\overline{CD}$이므로 두 현 AB, CD는 원의 중심으로부터 같은 거리에 있다. 　 $\therefore x=\mathbf{3}$

빠른 정답 136쪽 | 정답과 해설 20쪽

| 개념 체크 |

1-1 원의 중심과 현의 수직이등분선

오른쪽 그림의 원 O에서 $\overline{AB}\perp\overline{OM}$이고 $\overline{OA}=5$ cm, $\overline{OM}=3$ cm일 때, $\overline{AB}$의 길이를 구하시오.

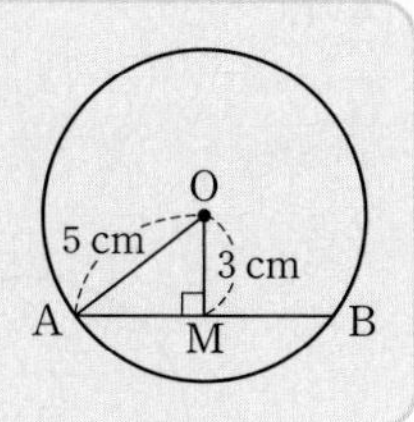

셀파 원의 중심에서 현에 내린 수선은 그 현을 이등분한다.

⇨ $\overline{AM}=\overline{BM}=\frac{1}{2}\overline{AB}$

연구 직각삼각형 OAM에서

$\overline{AM}=\sqrt{\overline{OA}^2-\overline{OM}^2}=\square$ (cm)

$\therefore \overline{AB}=2\overline{AM}=\square$ (cm)

2-1 원의 중심과 현의 길이

다음 그림에서 x의 값을 구하시오.

(1)

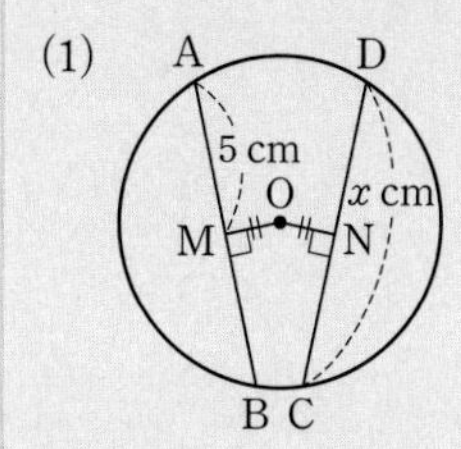

(2)

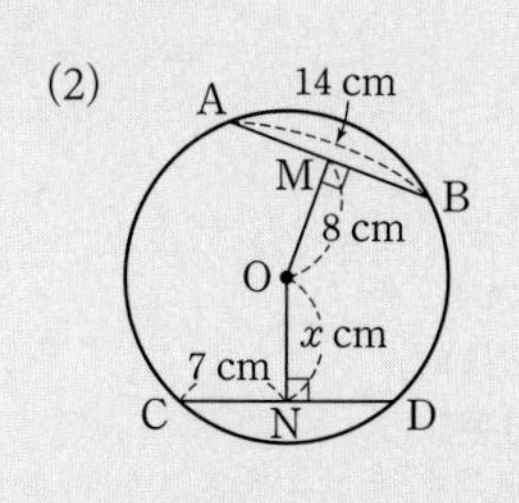

셀파 • 한 원에서 중심으로부터 같은 거리에 있는 두 현의 길이는 같다.
• 한 원에서 길이가 같은 두 현은 원의 중심으로부터 같은 거리에 있다.

연구 (1) $\overline{AB}=2\overline{AM}=10$ (cm)

$\overline{OM}=\overline{ON}$이므로 $\overline{CD}=\overline{AB}=\square$ cm

$\therefore x=\square$

(2) $\overline{CD}=2\overline{CN}=14$ (cm)

$\overline{AB}=\overline{CD}$이므로 $\overline{ON}=\overline{OM}=\square$ cm

$\therefore x=\square$

| 따라 풀기 |

1-2 다음 그림에서 x의 값을 구하시오.

(1)

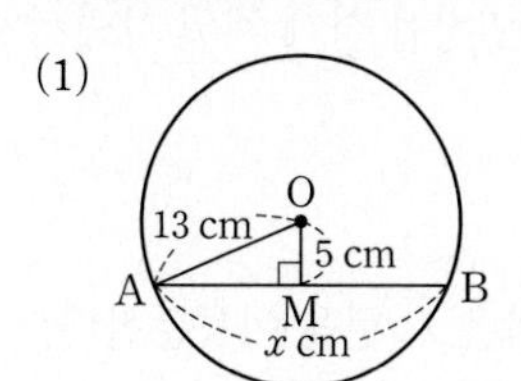

(2)

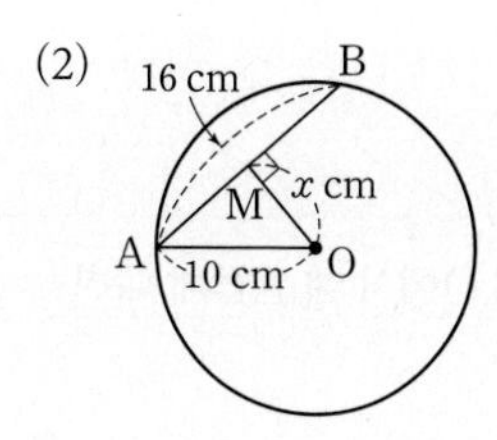

2-2 다음 그림에서 x의 값을 구하시오.

(1)

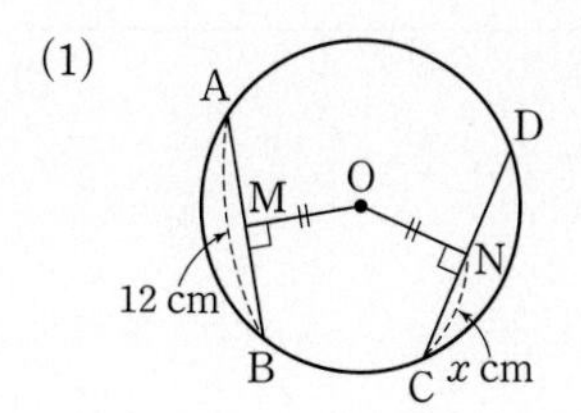

(2)

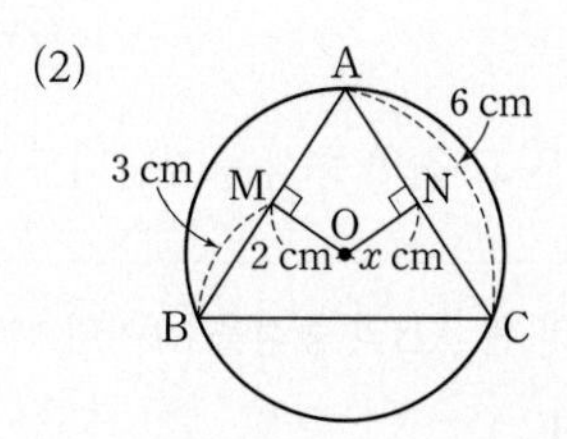

• 원의 중심과 현의 수직이등분선

(1) $\overline{OM}\perp\overline{AB}$이면 $\overline{AM}=\overline{BM}$

(2) $\overline{OA}^2=\overline{AM}^2+\overline{OM}^2$

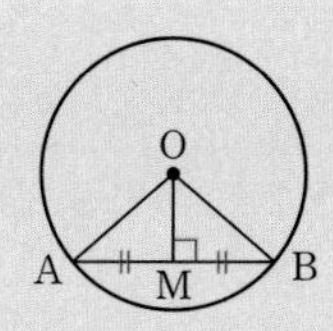

• 원의 중심과 현의 길이

(1) $\overline{OM}=\overline{ON}$이면 $\overline{AB}=\overline{CD}$

(2) $\overline{AB}=\overline{CD}$이면 $\overline{OM}=\overline{ON}$

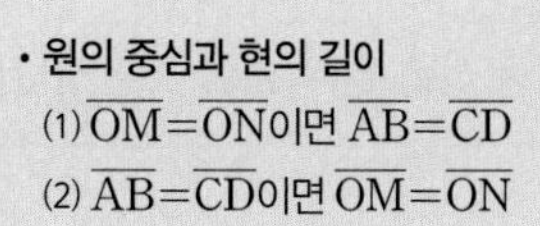

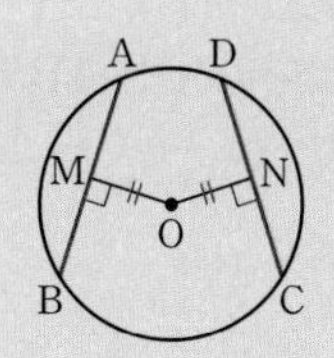

개념 더 알아보기

셀파 특강

현에 대한 성질 설명하기

앞에서 원의 중심과 현에 대한 성질을 배웠다. 이 성질들은 삼각형의 합동을 이용하여 확인할 수 있는데, 그 과정은 어렵지 않다. 다음 빈칸을 함께 채워 가면서 이해해 보자.

1 현의 수직이등분선에 대한 성질

(1) 원의 중심에서 현에 내린 수선은 그 현을 이등분한다.

⇨ $\overline{OM}\perp\overline{AB}$이면 $\overline{AM}=\overline{BM}$

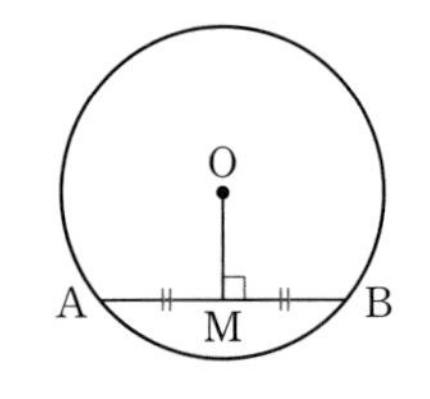

오른쪽 그림과 같이 ㉠원의 중심 O에서 현 AB에 내린 수선의 발을 M이라 하자.

△OAM과 △OBM에서

∠OMA=[①]=90° (주어진 조건),

$\overline{OA}=\overline{OB}$ (반지름), [②]은 공통이므로

△OAM≡△OBM ([③] 합동)

∴ ㉡ $\overline{AM}$=[④]

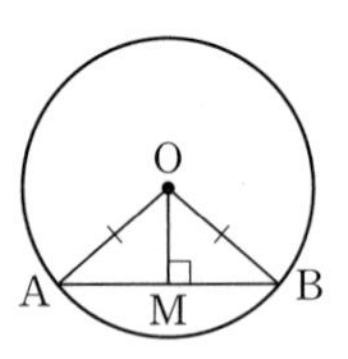

답 ① ∠OMB ② $\overline{OM}$ ③ RHS ④ $\overline{BM}$

(2) 원에서 현의 수직이등분선은 그 원의 중심을 지난다.

> 현 AB의 중점 M과 원의 중심 O를 연결하였을 때, $\overline{OM}\perp\overline{AB}$임을 보이면 된다.

오른쪽 그림과 같이 원 O의 현 AB의 중점을 M이라 하자.

△OAM과 △OBM에서

$\overline{AM}=\overline{BM}$ (주어진 조건), $\overline{OA}$=[①] (반지름),

$\overline{OM}$은 공통이므로

△OAM≡△OBM ([②] 합동)

이때 ∠OMA=∠OMB이고

∠OMA+∠OMB=[③] (평각)이므로

∠OMA=∠OMB=[④], 즉 $\overline{OM}\perp\overline{AB}$

따라서 현 AB의 수직이등분선은 원의 중심 O를 지난다.

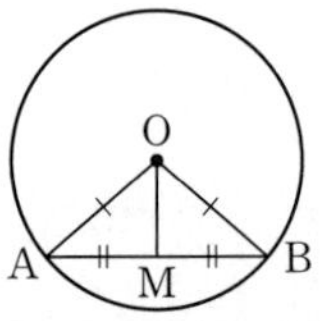

답 ① $\overline{OB}$ ② SSS ③ 180° ④ 90°

개념 다시 보기

삼각형의 합동 조건

다음의 각 경우에 두 삼각형은 서로 합동이다.

1. 대응하는 세 변의 길이가 각각 같을 때 ⇨ SSS 합동
2. 대응하는 두 변의 길이가 각각 같고, 그 끼인각의 크기가 같을 때 ⇨ SAS 합동
3. 대응하는 한 변의 길이가 같고, 그 양 끝 각의 크기가 각각 같을 때 ⇨ ASA 합동

직각삼각형의 합동 조건

두 직각삼각형(R)은 다음 각 경우에 서로 합동이다.

1. 빗변(H)의 길이와 다른 한 변(S)의 길이가 각각 같을 때 ⇨ RHS 합동
2. 빗변(H)의 길이와 한 예각(A)의 크기가 각각 같을 때 ⇨ RHA 합동

㉠ 원의 중심 O에서 현 AB에 내린 수선의 발이 M이므로 $\overline{OM}\perp\overline{AB}$

∴ ∠OMA=∠OMB=90°

㉡ 두 삼각형이 서로 합동이면 대응변의 길이와 대응각의 크기가 각각 같다.

2 현의 길이에 대한 성질

(1) 한 원에서 중심으로부터 같은 거리에 있는 두 현의 길이는 같다.

⇨ $\overline{OM}=\overline{ON}$이면 $\overline{AB}=\overline{CD}$

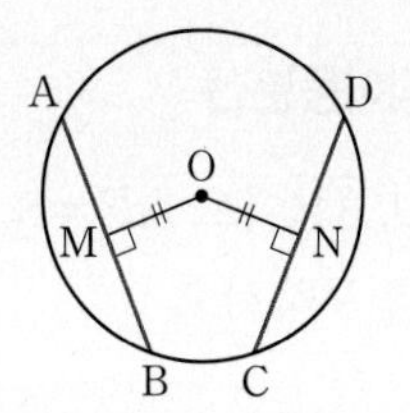

Q 조건을 보면 '중심으로부터 같은 거리에 있는 두 현'이라고 했는데, 왜 원의 중심에서 현에 수선을 그어 그 길이가 같다고 했을까?

A 점과 직선 사이의 거리는 점에서 직선에 내린 수선의 발까지의 거리이다. 여기서는 원의 중심이 점이고 현이 직선이므로 수선을 그어 거리를 표시해야 된다.

오른쪽 그림의 △OAM와 △ODN에서
∠OMA=∠OND= ① , $\overline{OA}$= ② (반지름),
$\overline{OM}=\overline{ON}$이므로
△OAM≡△ODN (RHS 합동)
∴ $\overline{AM}$= ③
이때 $\overline{AB}=2\overline{AM}$, $\overline{CD}$= ④ $\overline{DN}$이므로
$\overline{AB}=\overline{CD}$

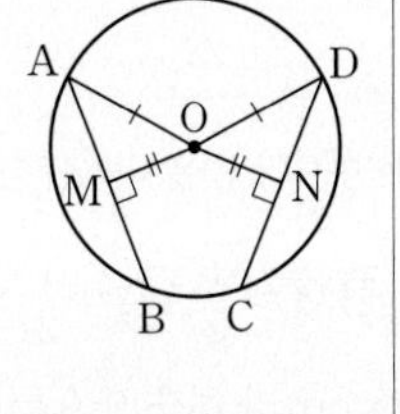

답 ① 90° ② $\overline{OD}$ ③ $\overline{DN}$ ④ 2

● 원의 중심에서 현에 내린 수선은 그 현을 이등분하므로
$\overline{AM}=\overline{BM}$, $\overline{CN}=\overline{DN}$
∴ $\overline{AB}=2\overline{AM}$, $\overline{CD}=2\overline{DN}$

(2) 한 원에서 길이가 같은 두 현은 원의 중심으로부터 같은 거리에 있다.

⇨ $\overline{AB}=\overline{CD}$이면 $\overline{OM}=\overline{ON}$

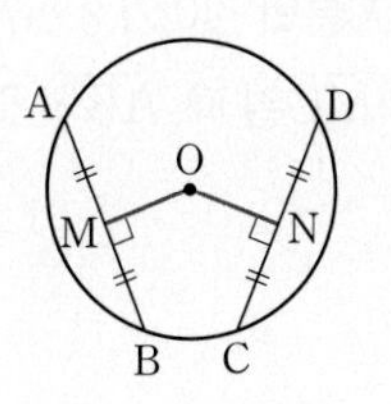

오른쪽 그림에서 $\overline{AB}\perp\overline{OM}$, $\overline{CD}\perp\overline{ON}$이므로
$\overline{AM}=\overline{BM}$, $\overline{CN}=\overline{DN}$
그런데 $\overline{AB}=\overline{CD}$이므로 $\overline{AM}$= ①
△OAM과 △ODN에서
∠OMA=∠OND=90°, $\overline{OA}=\overline{OD}$ (반지름),
$\overline{AM}$= ② 이므로
△OAM≡△ODN (RHS 합동)
∴ $\overline{OM}$= ③

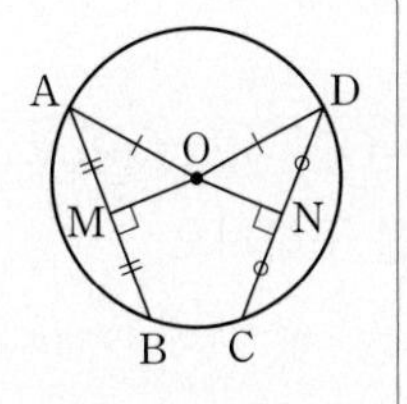

답 ① $\overline{DN}$ ② $\overline{DN}$ ③ $\overline{ON}$

● 원의 중심에서 현에 내린 수선은 그 현을 이등분한다.

● $\overline{AM}=\frac{1}{2}\overline{AB}$
$=\frac{1}{2}\overline{CD}=\overline{DN}$

- 원의 중심에서 현에 내린 수선은 그 현을 이등분한다.
- 한 원에서 중심으로부터 같은 거리에 있는 두 현의 길이는 같다.
- 한 원에서 길이가 같은 두 현은 원의 중심으로부터 같은 거리에 있다.

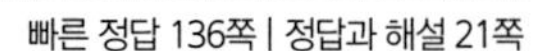
빠른 정답 136쪽 | 정답과 해설 21쪽

기본 01 원의 중심과 현의 수직이등분선

오른쪽 그림의 원 O에서 $\overline{OC}\perp\overline{AB}$이고 $\overline{AB}=8$ cm, $\overline{MC}=3$ cm일 때, 원 O의 반지름의 길이를 구하시오.

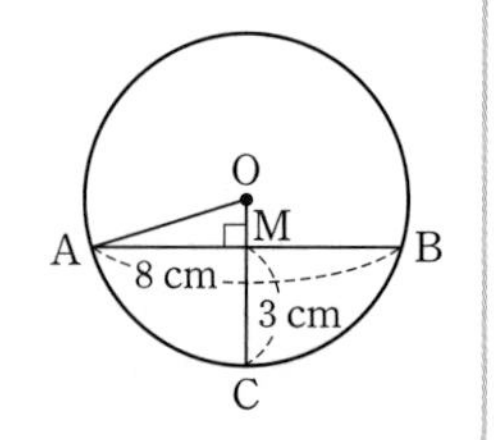

해법코드

① $\overline{OM}\perp\overline{AB}$이면 $\overline{AM}=\overline{BM}$
② $\overline{OA}=\overline{OC}=$(반지름의 길이)
③ 직각삼각형 OAM에서
$\overline{OA}^2=\overline{AM}^2+\overline{OM}^2$

셀파 원의 중심에서 현에 내린 수선은 그 현을 이등분함을 이용한다.

풀이 $\overline{OM}\perp\overline{AB}$이므로 $\overline{AM}=\overline{BM}=\frac{1}{2}\overline{AB}=\frac{1}{2}\times8=4$ (cm)
원 O의 반지름의 길이를 r cm라 하면 $\overline{OA}=\overline{OC}=r$ cm
$\therefore \overline{OM}=\overline{OC}-\overline{MC}=r-3$ (cm)
직각삼각형 OAM에서 ❶ $r^2=4^2+(r-3)^2$
$6r=25 \qquad \therefore r=\frac{25}{6}$
따라서 원 O의 반지름의 길이는 $\mathbf{\frac{25}{6}}$ **cm**이다.

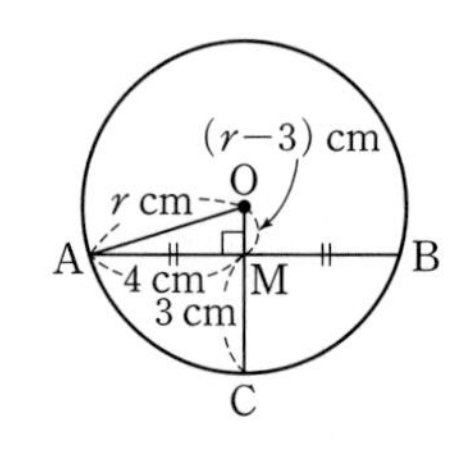

❶ $r^2=4^2+(r-3)^2$
$=16+r^2-6r+9$
$\therefore 6r=25$

확인 01 오른쪽 그림과 같이 반지름의 길이가 8 cm인 원 O에서 $\overline{OC}\perp\overline{AB}$이고 $\overline{OM}=\overline{MC}$일 때, $\overline{AB}$의 길이를 구하시오.

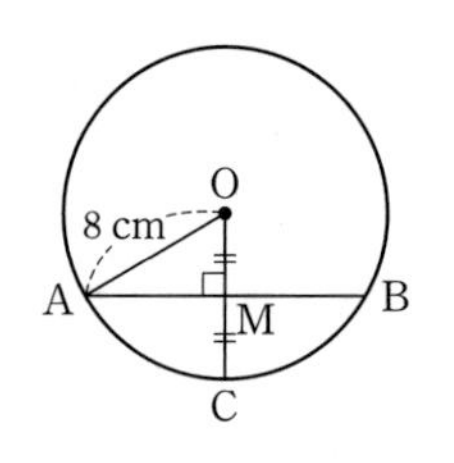

» My 셀파
$\overline{OM}=\frac{1}{2}\overline{OC}$이므로 직각삼각형 OAM에서 $\overline{AM}$의 길이를 구한다.
이때 $\overline{AB}=2\overline{AM}$이다.

기본 02 원의 중심과 현의 길이

오른쪽 그림의 원 O에서 $\overline{OM}=\overline{ON}=2$ cm이고 $\overline{OA}=3$ cm일 때, $\overline{CD}$의 길이를 구하시오.

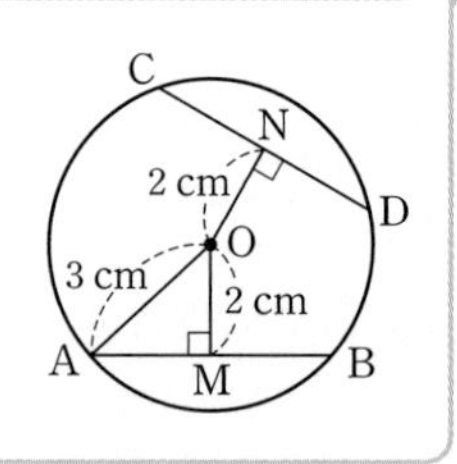

해법코드

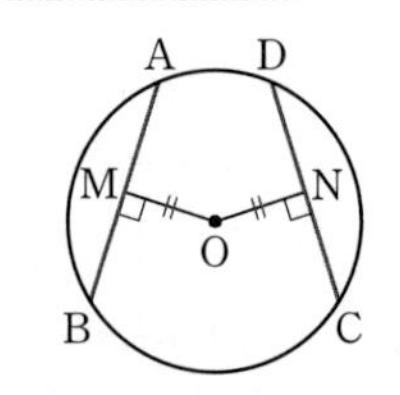

① $\overline{OM}=\overline{ON}$이면 $\overline{AB}=\overline{CD}$
② $\overline{AB}=\overline{CD}$이면 $\overline{OM}=\overline{ON}$

셀파 한 원에서 중심으로부터 같은 거리에 있는 두 현의 길이는 같음을 이용한다.

풀이 직각삼각형 OAM에서 $\overline{AM}=\sqrt{\overline{OA}^2-\overline{OM}^2}=\sqrt{3^2-2^2}=\sqrt{5}$
❶ $\overline{OM}\perp\overline{AB}$이므로 $\overline{AB}=2\overline{AM}=2\sqrt{5}$ (cm)
$\overline{OM}=\overline{ON}$이므로 $\overline{CD}=\overline{AB}=\mathbf{2\sqrt{5}}$ **(cm)**

❶ 원의 중심에서 현에 내린 수선은 그 현을 이등분하므로
$\overline{AM}=\overline{BM}=\frac{1}{2}\overline{AB}$
$\therefore \overline{AB}=2\overline{AM}$

확인 02 오른쪽 그림의 원 O에서 $\overline{OM}=\overline{ON}=3$ cm이고 $\overline{OC}=5$ cm일 때, $\overline{AB}$의 길이를 구하시오.

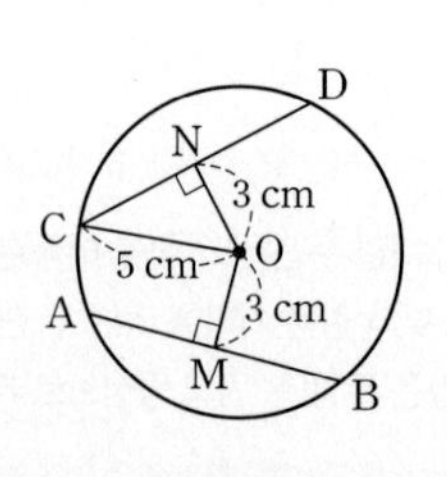

» My 셀파
직각삼각형 ONC에서 $\overline{CN}$의 길이를 구한다.
이때 $\overline{OM}=\overline{ON}$이므로 $\overline{AB}=\overline{CD}$이다.

기본 03 길이가 같은 두 현이 만드는 삼각형

해법코드

오른쪽 그림에서 $\triangle ABC$가 원 O에 내접하고 $\overline{AC}\perp\overline{OM}$, $\overline{BC}\perp\overline{ON}$이다. $\overline{OM}=\overline{ON}$이고 $\angle C=54^\circ$일 때, $\angle x$의 크기를 구하시오.

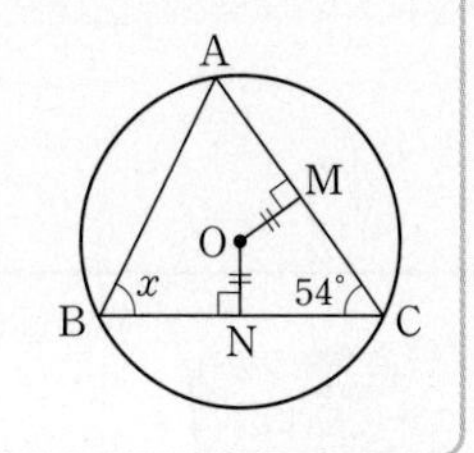

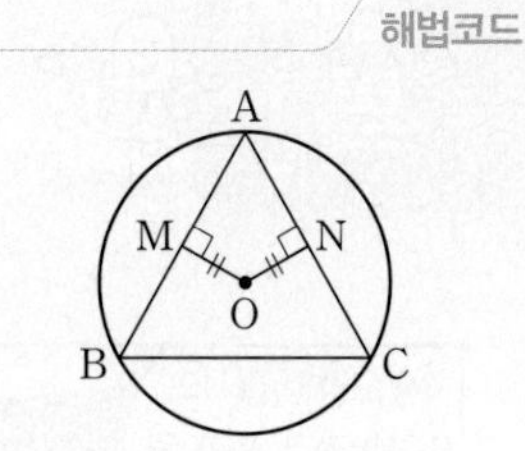

$\overline{OM}=\overline{ON}$이면 $\overline{AB}=\overline{AC}$
⇨ $\triangle ABC$는 이등변삼각형이다.
⇨ 이등변삼각형 ABC의 두 밑각의 크기는 같다. 즉 $\angle B=\angle C$

셀파 $\overline{OM}=\overline{ON}$이면 $\overline{AC}=\overline{BC}$이므로 $\triangle ABC$가 이등변삼각형임을 이용한다.

풀이 $\overline{OM}=\overline{ON}$이므로 $\overline{AC}=\overline{BC}$이다.
즉 $\triangle ABC$는 이등변삼각형이므로 $\angle A=\angle B=\angle x$
$\therefore \angle x=\frac{1}{2}\times(180^\circ-54^\circ)=\mathbf{63^\circ}$

확인 03 오른쪽 그림에서 $\triangle ABC$가 원 O에 내접하고 $\overline{AC}\perp\overline{OM}$, $\overline{BC}\perp\overline{ON}$이다. $\overline{OM}=\overline{ON}$이고 $\angle MON=106^\circ$일 때, $\angle x$의 크기를 구하시오.

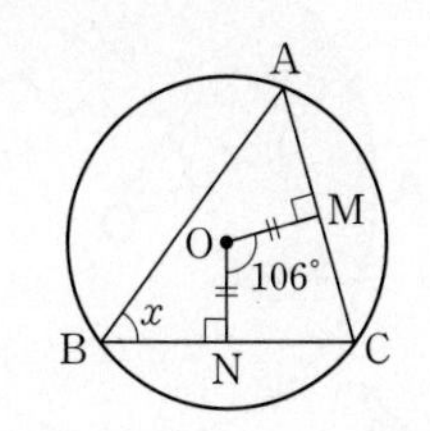

» My 셀파
$\overline{OM}=\overline{ON}$이면 $\overline{AC}=\overline{BC}$이므로 $\triangle ABC$가 이등변삼각형임을 이용한다.

3 | 원과 직선

미니 특강 현의 길이와 삼각형

기본 03에서 알 수 있듯이, 원에 내접하는 삼각형의 두 변이 원의 중심으로부터 같은 거리에 있으면 그 삼각형은 이등변삼각형이다.

'원의 중심으로부터 같은 거리에 있는 두 현의 길이는 같다.'와 이미 알고 있는 삼각형의 성질을 이용하면 다음을 알 수 있다.

(1) 원의 중심에서 두 변까지의 거리가 같을 때	(2) 원의 중심에서 세 변까지의 거리가 같을 때
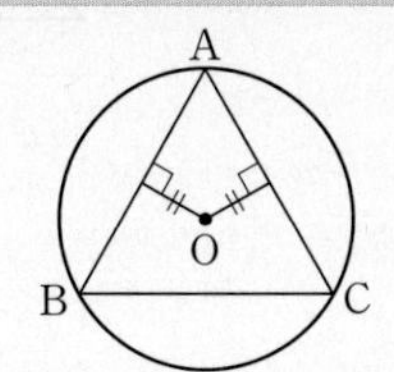	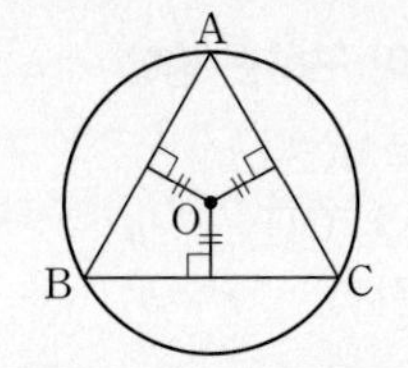
$\overline{AB}=\overline{AC}$이므로 $\triangle ABC$는 이등변삼각형이다. ⇨ $\angle B=\angle C$	$\overline{AB}=\overline{BC}=\overline{CA}$이므로 $\triangle ABC$는 정삼각형이다. ⇨ $\angle A=\angle B=\angle C=60^\circ$

다음의 경우에도 $\triangle ABC$는 정삼각형이야.

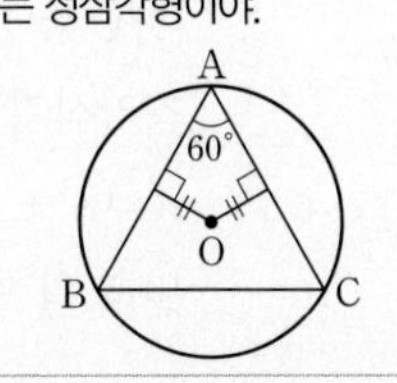

$\triangle ABC$가 이등변삼각형이므로
$\angle B=\angle C=\frac{1}{2}\times(180^\circ-60^\circ)=60^\circ$
$\angle A=\angle B=\angle C=60^\circ$이므로 $\triangle ABC$는 정삼각형이 맞네요.

참고 길이가 같은 두 현으로는 이등변삼각형을 만들 수 있고, 길이가 같은 세 현으로는 정삼각형을 만들 수 있다.

해결 원리 알아보기

셀파 특강 원의 일부분으로 원의 반지름의 길이 구하는 방법

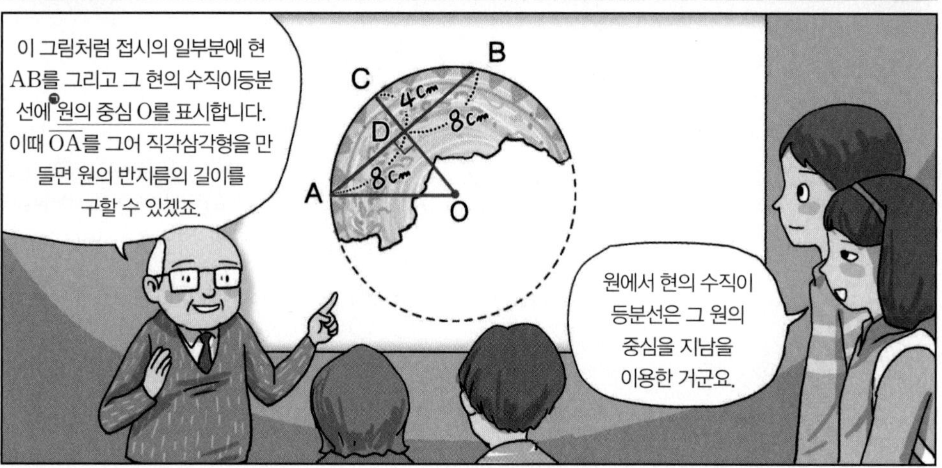

참고
(1) 원의 중심에서 현에 내린 수선은 그 현을 이등분한다.
(2) 원에서 현의 수직이등분선은 그 원의 중심을 지난다.

㉠ 주어진 호를 따라 전체 원을 대략적으로 그린 후, 원의 중심을 현의 수직이등분선 위에 표시한다.

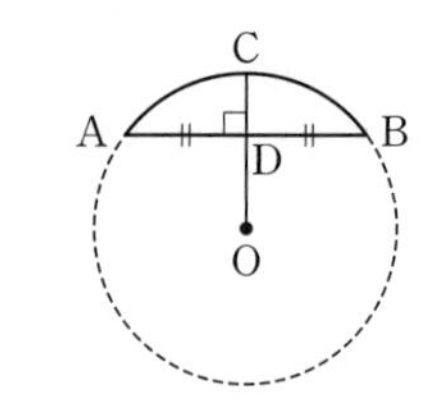

Q 어때? 원래 원 모양인 접시의 반지름의 길이를 어렵지 않게 구할 수 있지? 그럼 복원된 접시의 반지름의 길이가 정말 맞는지 확인해 볼까?

A 관장님의 설명대로 그림을 그리면 오른쪽과 같아요.
이때 반지름의 길이를 r cm라 하면
$\overline{OA}=r$ cm, ㉡$\overline{OD}=(r-4)$ cm
직각삼각형 AOD에서 ㉢피타고라스 정리를 이용하면
$r^2=8^2+(r-4)^2$, $8r=80$ $\quad\therefore r=10$
원래 원 모양인 접시의 반지름의 길이는 10 cm가 맞네요.

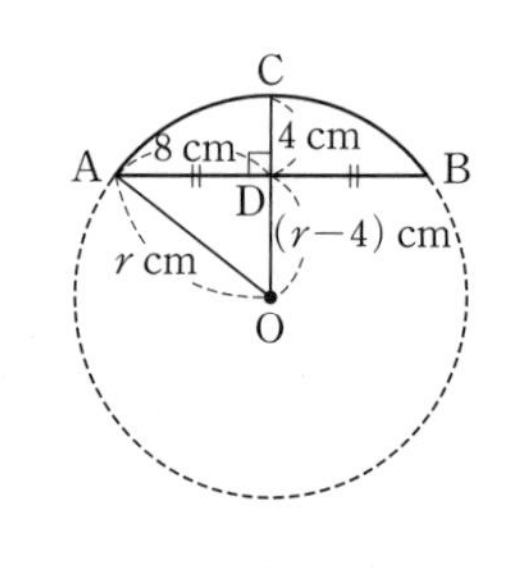

㉡ $\overline{OC}=\overline{OA}=r$ cm이므로
$\overline{OD}=\overline{OC}-\overline{CD}$
$=r-4$ (cm)

㉢ 직각삼각형의 변의 길이는 피타고라스 정리를 이용하여 구할 수 있다.

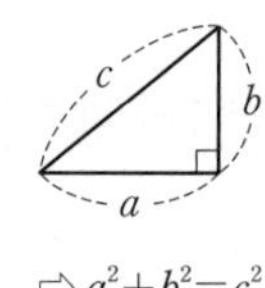

⇨ $a^2+b^2=c^2$

원의 일부분으로 원의 반지름의 길이 구하는 방법
1. 원의 중심을 찾아 반지름의 길이를 r로 놓는다.
2. $\overline{OD}$의 길이를 r를 사용하여 나타낸다. ⇨ $\overline{OD}=r-a$
3. △AOD에서 피타고라스 정리를 이용한다. ⇨ $r^2=b^2+(r-a)^2$

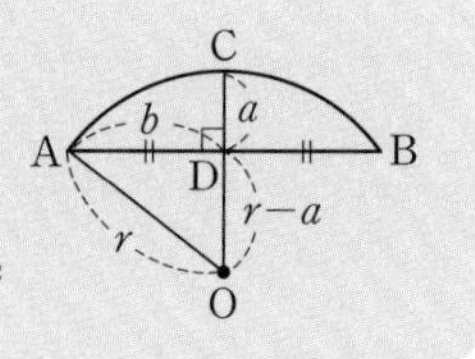

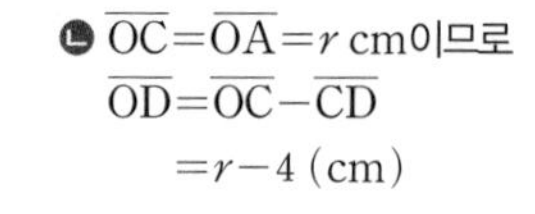

Note 원의 일부분만 보일 때는 전체 원을 대략적으로 그리고, 현을 그은 후 현의 수직이등분선 위에 원의 중심을 잡는다.

발전 04 활꼴에서 원의 반지름의 길이 구하기

오른쪽 그림에서 $\widehat{AB}$는 원의 일부분이다. $\overline{AB}\perp\overline{CD}$이고 $\overline{AD}=\overline{BD}=8$ cm, $\overline{CD}=2$ cm일 때, 이 원의 반지름의 길이를 구하시오.

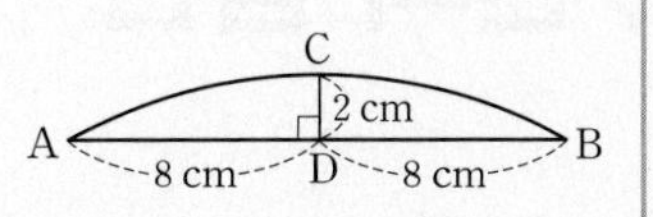

해법코드

활꼴이 주어지면 원의 중심을 찾고 원의 반지름을 빗변으로 하는 직각삼각형을 그린다.

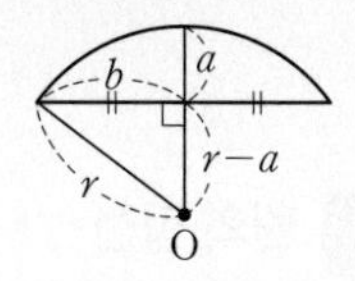

⇨ $r^2=b^2+(r-a)^2$

셀파 원에서 현의 수직이등분선은 그 원의 중심을 지남을 이용한다.

풀이 $\overline{CD}$는 현 AB의 수직이등분선이므로 원의 중심을 O라 하면 $\overline{CD}$의 연장선은 원의 중심 O를 지난다.

오른쪽 그림에서 원 O의 반지름의 길이를 r cm라 하면 $\overline{OD}=(r-2)$ cm이므로 직각삼각형 AOD에서

$r^2=8^2+(r-2)^2$

$4r=68$ $\therefore r=17$

따라서 원의 반지름의 길이는 **17 cm**이다.

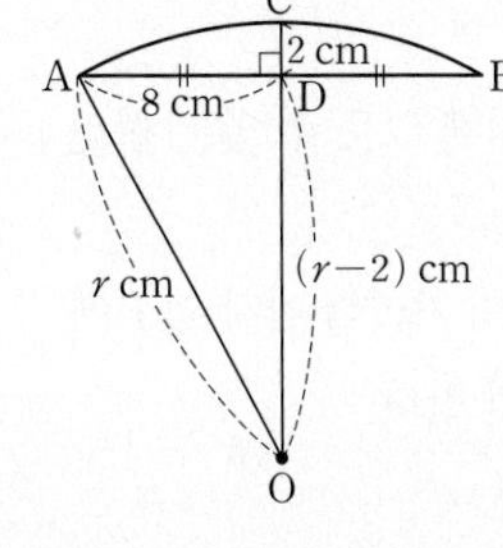

확인 04 오른쪽 그림에서 $\widehat{AB}$는 반지름의 길이가 15 cm인 원의 일부분이다. $\overline{CD}=3$ cm이고 $\overline{CD}$가 $\overline{AB}$의 수직이등분선일 때, $\overline{AB}$의 길이를 구하시오.

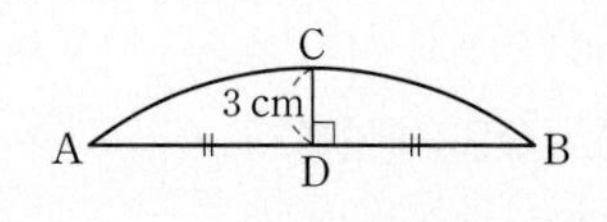

» My 셀파

현의 수직이등분선 위에서 원의 중심을 찾고 원의 반지름을 빗변으로 하는 직각삼각형을 그린다.

발전 05 원의 중심과 현의 수직이등분선 – 원을 접는 경우

오른쪽 그림과 같이 반지름의 길이가 8 cm인 원 모양의 종이를 원 위의 한 점이 원의 중심 O와 겹치도록 접었다. 이때 $\overline{AB}$의 길이를 구하시오.

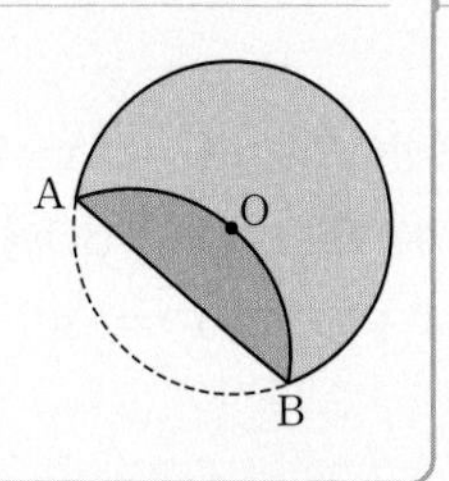

해법코드

원 위의 점이 원의 중심 O에 오도록 원의 일부분을 접었을 때

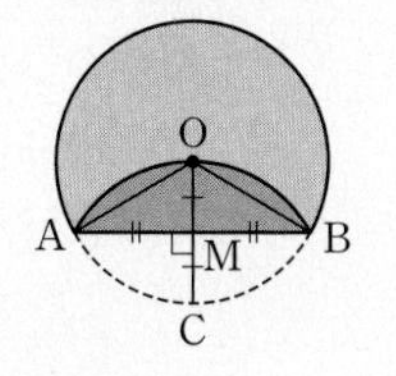

① $\overline{AM}=\overline{BM}$
② $\overline{OM}=\overline{CM}$
$=\frac{1}{2}\times$(반지름의 길이)
③ $\overline{OA}^2=\overline{AM}^2+\overline{OM}^2$

셀파 원의 중심에서 현에 수선을 그어 직각삼각형을 만든다.

풀이 오른쪽 그림과 같이 원의 중심 O에서 $\overline{AB}$에 내린 수선의 발을 M, $\overline{OM}$의 연장선이 $\widehat{AB}$와 만나는 점을 C라 하면

$\overline{OA}=\overline{OC}=8$ cm이므로

$\overline{OM}=\overline{CM}=\frac{1}{2}\overline{OC}=\frac{1}{2}\times8=4$ (cm)

직각삼각형 OAM에서 $\overline{AM}=\sqrt{8^2-4^2}=\sqrt{48}=4\sqrt{3}$ (cm)

$\therefore$ ❶ $\overline{AB}=2\overline{AM}=2\times4\sqrt{3}=$**$8\sqrt{3}$ (cm)**

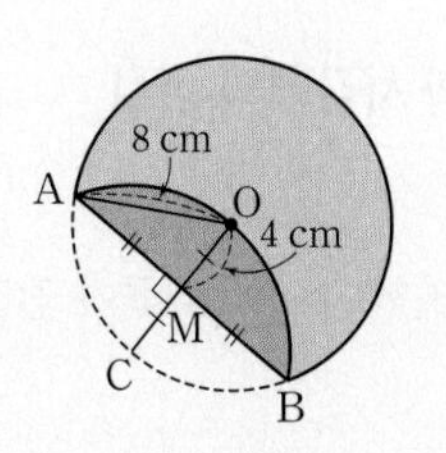

❶ $\overline{OM}\perp\overline{AB}$이므로 $\overline{AM}=\overline{BM}$

확인 05 오른쪽 그림과 같이 원 모양의 종이를 원 위의 한 점이 원의 중심 O와 겹치도록 접었다. $\overline{AB}=16$ cm일 때, 원의 반지름의 길이를 구하시오.

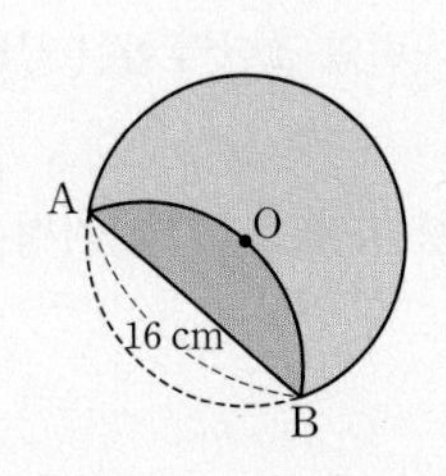

» My 셀파

원의 중심 O에서 $\overline{AB}$에 수선을 긋고 피타고라스 정리를 이용한다.

3 2. 원의 접선

1 원의 접선

(1) 접선의 길이

① 원 O 밖의 한 점 P에서 이 원에 그을 수 있는 접선은 [ ]개이다. 2

② 점 P에서 두 접점 A, B까지의 거리를 각각 점 P에서 원 O에 그은 **접선의 길이**라 한다.

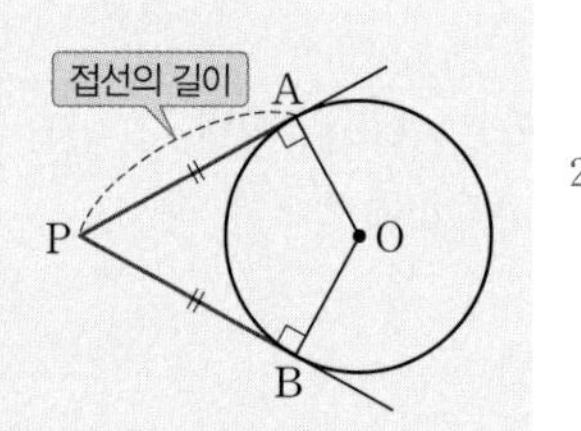

(2) 원의 접선의 성질

원 밖의 한 점에서 그 원에 그은 두 접선의 길이는 같다. ⇨ $\overline{PA}=$[ ] $\overline{PB}$

설명 △APO와 △BPO에서

∠PAO=∠PBO=90°,

$\overline{OP}$(빗변)는 공통, $\overline{OA}=\overline{OB}$ (반지름)

이므로 △APO≡△BPO ([ ] 합동) RHS

∴ $\overline{PA}=\overline{PB}$

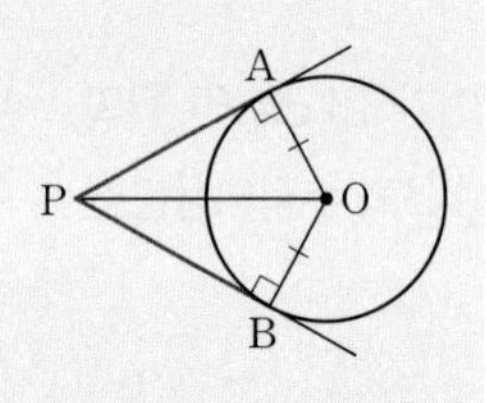

개념 다시 보기 

- **접선** 원과 한 점에서 만나는 직선
- **접점** 접선이 원과 만나는 점

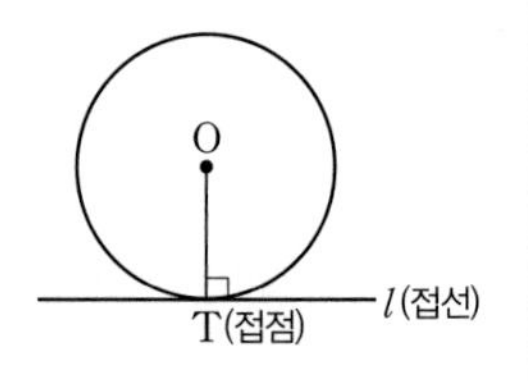

- **원의 접선과 반지름**
 원의 접선은 그 접점을 지나는 반지름과 수직이다.
 ⇨ $l\perp\overline{OT}$

보기 오른쪽 그림에서 $\overline{PA}$, $\overline{PB}$는 원 O의 접선이고 두 점 A, B는 접점일 때, x, y의 값을 각각 구하시오.

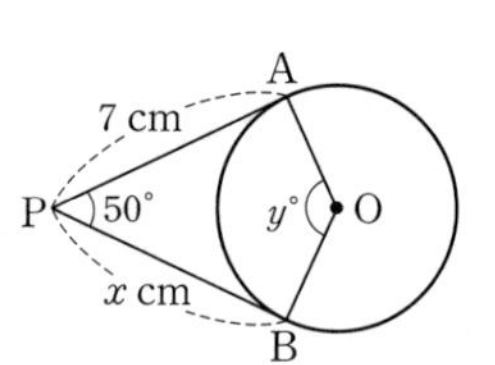

풀이 $\overline{PA}$, $\overline{PB}$가 원 O의 접선이므로 $\overline{PB}=\overline{PA}=7$ cm ∴ $\boldsymbol{x=7}$

∠PAO=∠PBO=90°이므로 □APBO에서

∠AOB=360°−(90°+90°+50°)=130° ∴ $\boldsymbol{y=130}$

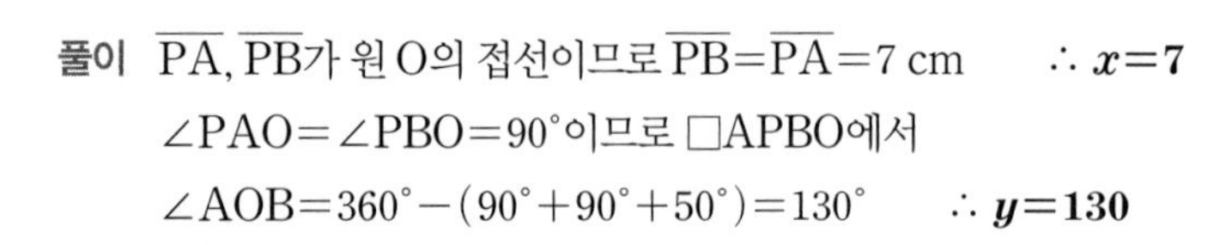

ㄱ 한 다각형의 모든 변이 원에 접할 때, 다각형은 원에 외접한다고 한다.

ㄴ △ABC에서
$\overline{AB}=x+y$, $\overline{BC}=y+z$, $\overline{CA}=z+x$
∴ (△ABC의 둘레의 길이)
$=\overline{AB}+\overline{BC}+\overline{CA}$
$=(x+y)+(y+z)+(z+x)$
$=2(x+y+z)$

2 ㄱ원에 외접하는 삼각형과 사각형의 성질

(1) 원에 외접하는 삼각형

△ABC가 원 O에 외접하고, 세 점 D, E, F가 접점일 때

❶ $\overline{AF}=\overline{AD}=x$, $\overline{BD}=\overline{BE}=y$, $\overline{CE}=\overline{CF}=z$

❷ ㄴ(△ABC의 둘레의 길이)=[ ]$(x+y+z)$ 2

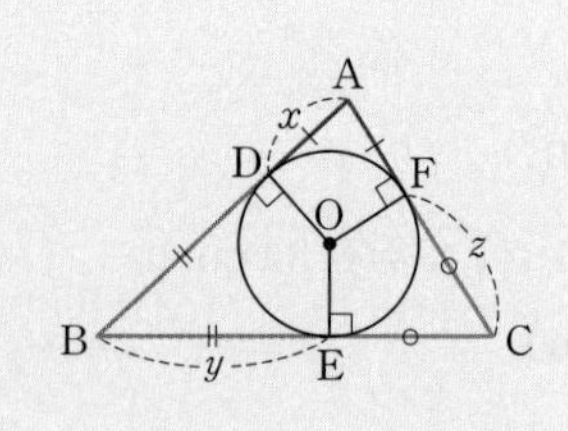

(2) 원에 외접하는 사각형

❶ 원에 외접하는 사각형의 대변의 길이의 합은 같다. (대변: 서로 마주 보는 변 ⇨ $\overline{AB}$와 $\overline{CD}$, $\overline{AD}$와 $\overline{BC}$)

⇨ $\overline{AB}+\overline{CD}=\overline{AD}+$[ ] $\overline{BC}$

❷ 사각형의 대변의 길이의 합이 같으면 그 사각형은 원에 [ ]한다. 외접

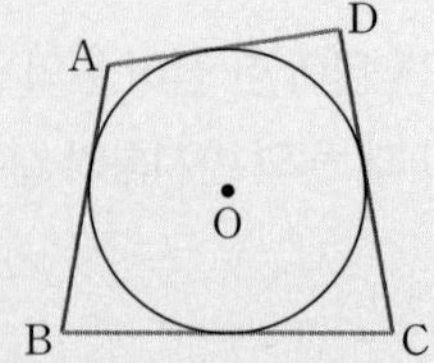

설명
(2) ❶ 원 O에 외접하는 □ABCD의 네 접점을 각각 P, Q, R, S라 하면

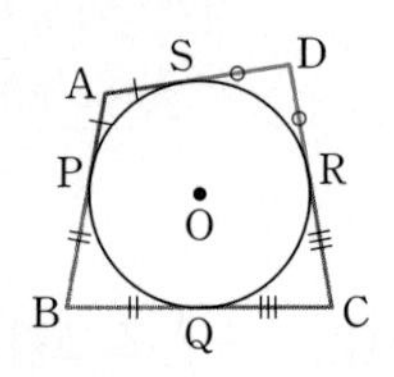

$\overline{AB}+\overline{CD}$
$=(\overline{AP}+\overline{BP})+(\overline{CR}+\overline{DR})$
$=(\overline{AS}+\overline{BQ})+(\overline{CQ}+\overline{DS})$
$=(\overline{AS}+\overline{DS})+(\overline{BQ}+\overline{CQ})$
$=\overline{AD}+\overline{BC}$

빠른 정답 136쪽 | 정답과 해설 21쪽

| 개념 체크 |

1-1 원의 접선

다음 그림에서 $\overline{PA}$, $\overline{PB}$가 원 O의 접선이고 두 점 A, B는 접점일 때, x의 값을 구하시오.

(1)
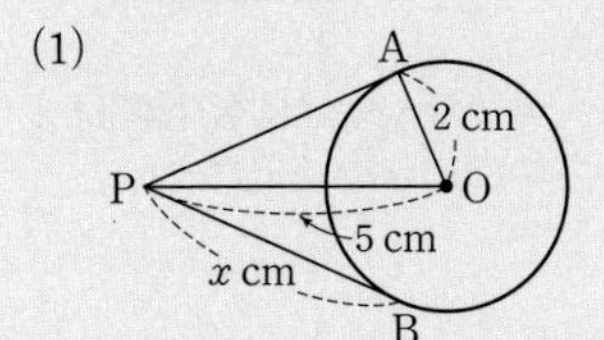

(2)
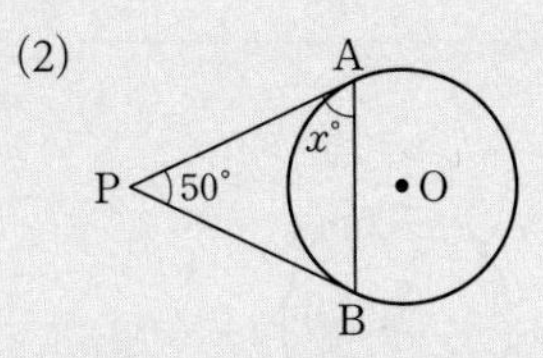

셀파 • 원의 접선은 그 접점을 지나는 반지름에 수직이다.
• 원 밖의 한 점에서 그 원에 그은 두 접선의 길이는 같다.

연구 (1) $\angle PAO=$ ☐ °이므로 $\triangle APO$에서

$\overline{PA}=\sqrt{5^2-2^2}=$ ☐ (cm)

$\therefore x=$ ☐

(2) $\overline{PA}=\overline{PB}$이므로 $\triangle PBA$는 ☐ 삼각형이다.

$\therefore \angle PAB=$ ☐ $\times(180°-50°)=$ ☐ °

$\therefore x=$ ☐

| 따라 풀기 |

1-2 다음 그림에서 $\overline{PA}$, $\overline{PB}$가 원 O의 접선이고 두 점 A, B는 접점일 때, x의 값을 구하시오.

(1)
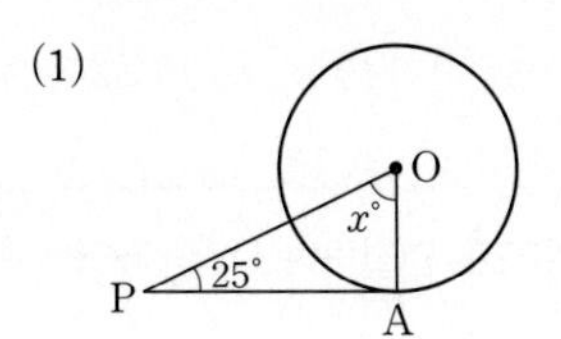

(2)
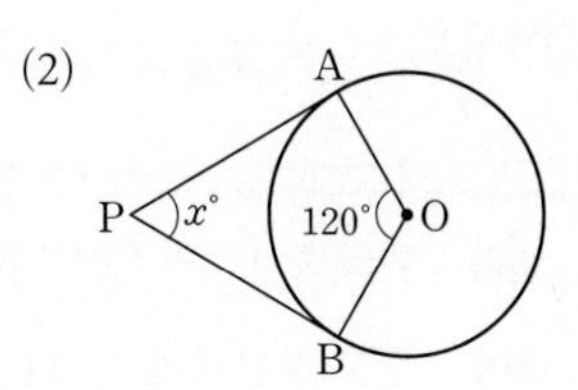

(3)
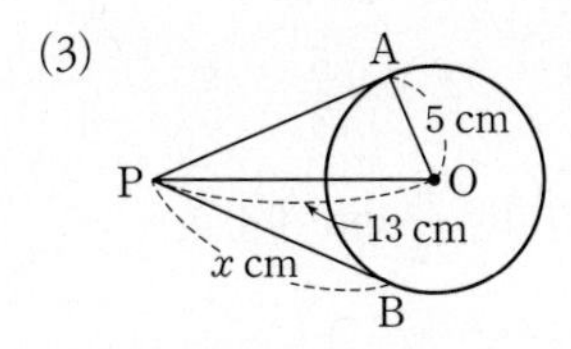

(4)
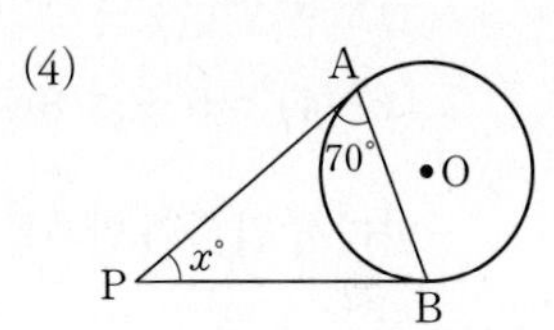

2-1 원에 외접하는 삼각형과 사각형의 성질

오른쪽 그림에서 원 O는 $\triangle ABC$의 내접원이고 점 D, E, F는 접점일 때, $\triangle ABC$의 둘레의 길이를 구하시오.

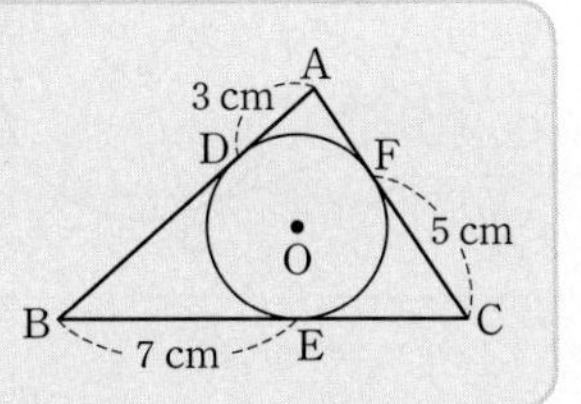

셀파 원 밖의 한 점에서 그 원에 그은 두 접선의 길이는 같다.

연구 $\overline{AF}=\overline{AD}=3$ cm, $\overline{BD}=\overline{BE}=$ ☐ cm, $\overline{CE}=\overline{CF}=$ ☐ cm

$\therefore$ ($\triangle ABC$의 둘레의 길이)

$=\overline{AB}+\overline{BC}+\overline{CA}$

$=(\overline{AD}+\overline{BD})+(\overline{BE}+\overline{CE})+(\overline{CF}+\overline{AF})$

$=$ ☐ (cm)

2-2 오른쪽 그림에서 원 O는 $\triangle ABC$의 내접원이고 세 점 D, E, F는 접점일 때, $\overline{BC}$의 길이를 구하시오.

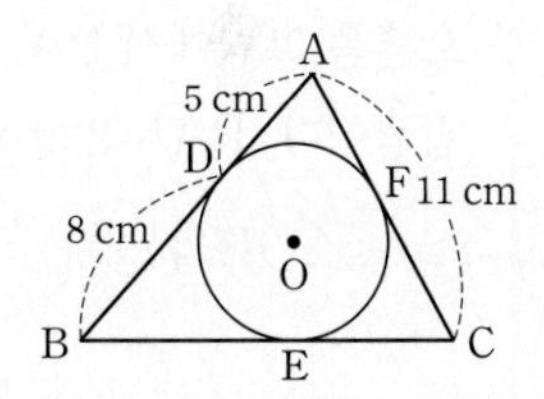

2-3 오른쪽 그림에서 □ABCD가 원 O에 외접할 때, 다음은 x의 값을 구하는 과정이다. ☐ 안에 알맞은 것을 써넣으시오.

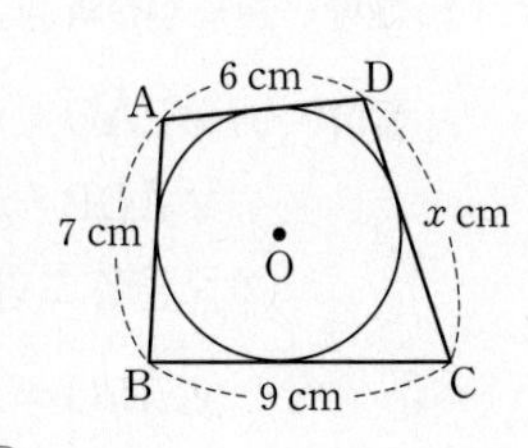

$\overline{AB}+\overline{CD}=\overline{AD}+$ ☐ 이므로

$7+x=6+$ ☐ $\qquad \therefore x=$ ☐

원의 접선에 관한 성질

❶ 원의 접선은 그 접점을 지나는 반지름과 수직이다.

❷ 원 밖의 한 점에서 그 원에 그은 두 접선의 길이는 같다.

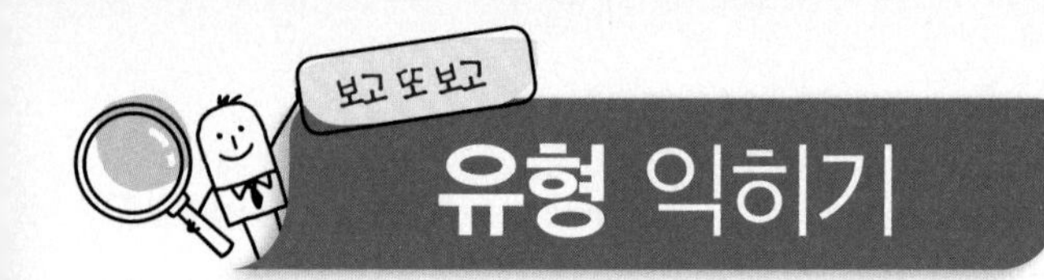

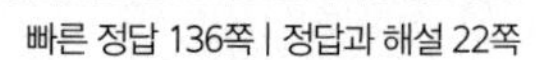

빠른 정답 136쪽 | 정답과 해설 22쪽

기본 01 원의 접선과 반지름

오른쪽 그림의 원 O에서 $\overline{PA}$는 원 O의 접선이고 점 A는 접점이다. $\overline{PA}=6$ cm, $\overline{PQ}=4$ cm일 때, 원 O의 반지름의 길이를 구하시오.

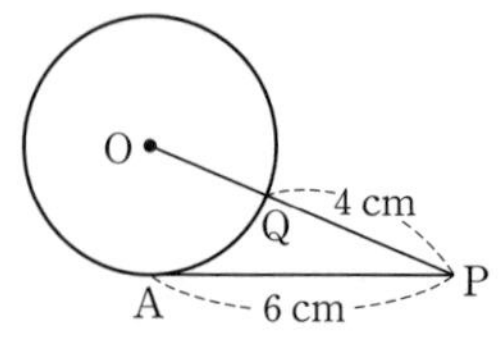

해법코드

$\overline{PA}$는 원 O의 접선이고 점 A는 접점일 때, $\overline{OA}\perp\overline{PA}$

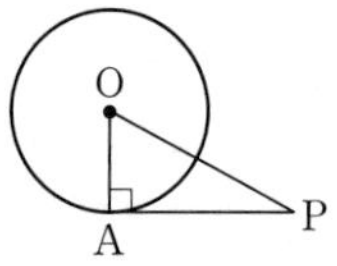

O
A
P

⇨ △OAP는 직각삼각형이다.
⇨ $\overline{OP}^2=\overline{PA}^2+\overline{OA}^2$

셀파 원의 중심 O와 접점 A를 선분으로 연결하여 직각삼각형을 만든다.

풀이 오른쪽 그림과 같이 $\overline{OA}$를 그으면 $\angle OAP=90°$
원 O의 반지름의 길이를 r cm라 하면 $\overline{OA}=\overline{OQ}=r$ cm이므로
직각삼각형 OAP에서 $\overline{OP}^2=\overline{PA}^2+\overline{OA}^2$

$(r+4)^2=6^2+r^2$, $8r=20$ $\quad\therefore r=\dfrac{5}{2}$

따라서 원 O의 반지름의 길이는 $\mathbf{\dfrac{5}{2}}$ **cm**이다.

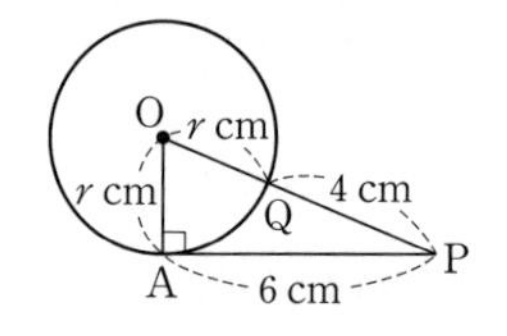

확인 01 오른쪽 그림과 같이 반지름의 길이가 5 cm인 원 O에서 $\overline{PA}$는 원 O의 접선이고 점 A는 접점이다. $\overline{PQ}=8$ cm일 때, $\overline{PA}$의 길이를 구하시오.

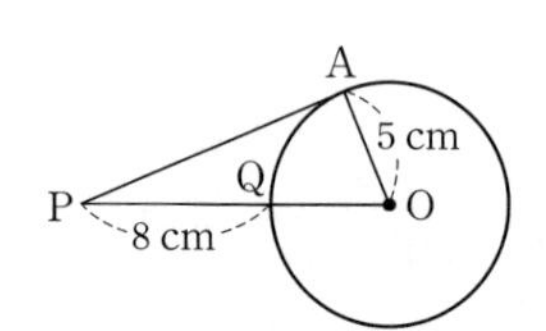

» My 셀파
$\overline{OA}\perp\overline{PA}$, 즉 $\angle PAO=90°$이므로 △APO는 직각삼각형이다.

기본 02 원의 접선의 성질 (1)

오른쪽 그림에서 $\overline{PA}$, $\overline{PB}$는 원 O의 접선이고 두 점 A, B는 접점이다. $\overline{PA}=3$ cm, $\angle P=60°$일 때, 다음을 구하시오.

(1) ∠AOB의 크기 (2) $\overline{OA}$의 길이

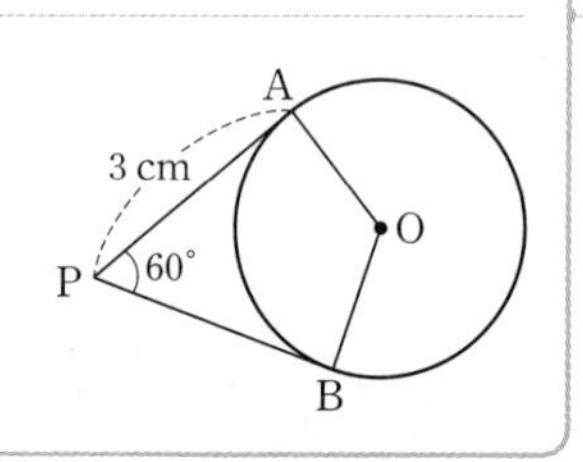

해법코드

$\overline{PA}$, $\overline{PB}$는 원 O의 접선이고 두 점 A, B는 접점일 때

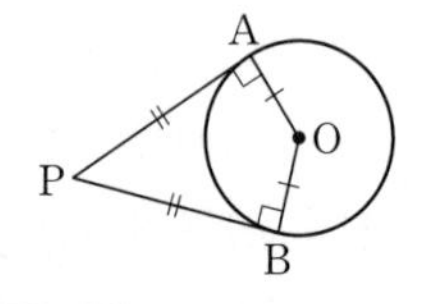

① $\overline{PA}=\overline{PB}$
② $\angle PAO=\angle PBO=90°$

셀파 원의 접선의 성질로부터 $\overline{OA}\perp\overline{PA}$, $\overline{OB}\perp\overline{PB}$, $\overline{PA}=\overline{PB}$이다.

풀이 (1) $\angle PAO=\angle PBO=90°$이므로 □APBO에서
$\angle AOB=360°-(90°+60°+90°)=\mathbf{120°}$

(2) 오른쪽 그림과 같이 $\overline{OP}$를 그으면 ㉠△PAO≡△PBO이므로
$\angle APO=\angle BPO=\dfrac{1}{2}\times 60°=30°$

따라서 △APO에서 $\overline{OA}=3\tan 30°=3\times\dfrac{\sqrt{3}}{3}=\boldsymbol{\sqrt{3}}$ **(cm)**

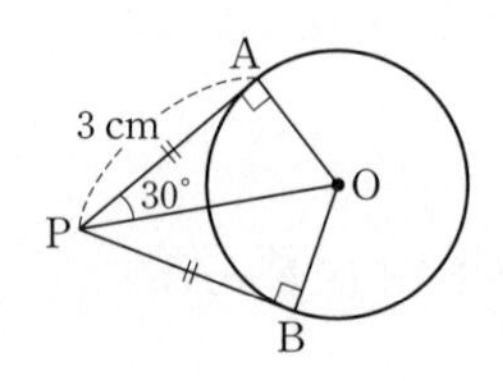

㉠ △PAO와 △PBO에서
$\angle PAO=\angle PBO=90°$,
$\overline{PA}=\overline{PB}$, $\overline{OP}$는 공통
∴ △PAO≡△PBO
(RHS 합동)

확인 02 오른쪽 그림에서 $\overline{PA}$, $\overline{PB}$는 원 O의 접선이고 두 점 A, B는 접점이다. $\overline{OA}=2\sqrt{3}$ cm, $\angle AOB=120°$일 때, $\overline{PA}$의 길이를 구하시오.

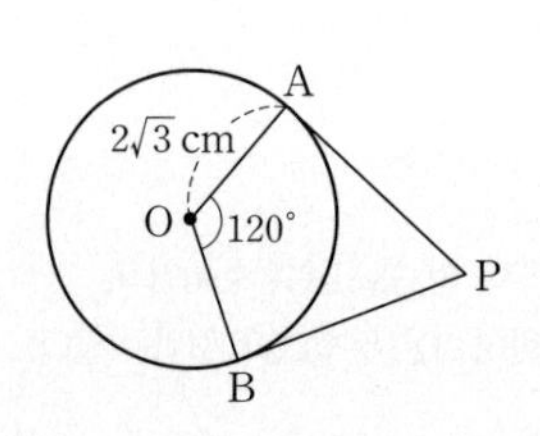

» My 셀파
그림에 직각인 각을 표시하고 길이가 같은 선분을 찾는다.

기본 03 원의 접선의 성질 (2)

오른쪽 그림에서 $\overline{AD}$, $\overline{AF}$, $\overline{BC}$는 원 O의 접선이고 세 점 D, E, F는 접점이다. $\overline{AB}=10$ cm, $\overline{BE}=2$ cm, $\overline{CE}=3$ cm일 때, $\overline{AC}$의 길이를 구하시오.

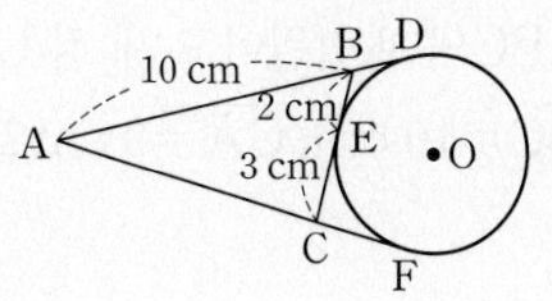

셀파 원 밖의 한 점에서 그 원에 그은 두 접선의 길이는 같음을 이용한다.

풀이 점 B에서 원 O에 그은 두 접선의 길이는 같으므로 $\overline{BD}=\overline{BE}=2$ cm
점 C에서 원 O에 그은 두 접선의 길이는 같으므로 $\overline{CF}=\overline{CE}=3$ cm
이때 점 A에서 원 O에 그은 두 접선의 길이는 같으므로
$\overline{AF}=\overline{AD}=\overline{AB}+\overline{BD}=10+2=12$ (cm)
$\therefore \overline{AC}=\overline{AF}-\overline{CF}=12-3=\mathbf{9}$ **(cm)**

해법코드

$\overline{AD}$, $\overline{AF}$, $\overline{BC}$가 원 O의 접선이고 세 점 D, E, F가 접점일 때

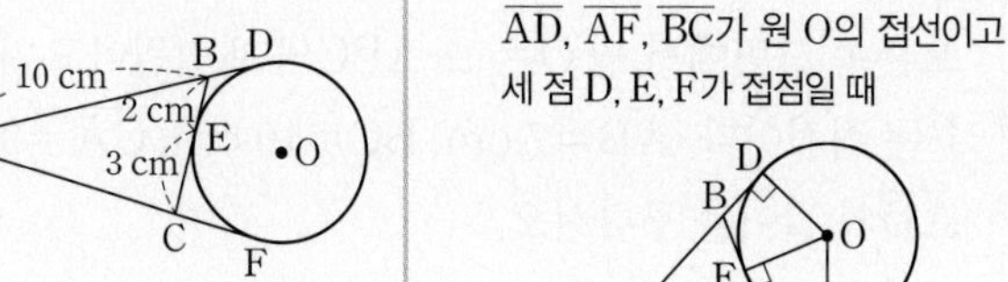

① $\overline{AD}=\overline{AF}$, $\overline{BD}=\overline{BE}$, $\overline{CE}=\overline{CF}$
② (△ABC의 둘레의 길이)
$=\overline{AB}+\overline{BC}+\overline{CA}$
$=\overline{AB}+(\overline{BE}+\overline{CE})+\overline{CA}$
$=\overline{AB}+(\overline{BD}+\overline{CF})+\overline{CA}$
$=\overline{AD}+\overline{AF}=2\overline{AD}$

확인 03 오른쪽 그림에서 $\overline{AD}$, $\overline{AF}$, $\overline{BC}$는 원 O의 접선이고 세 점 D, E, F는 접점이다. $\overline{AB}=8$ cm, $\overline{AC}=9$ cm, $\overline{BC}=7$ cm일 때, $\overline{AD}$의 길이를 구하시오.

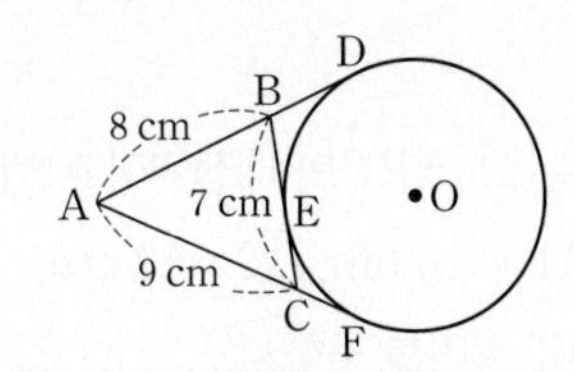

» My 셀파
$\overline{AD}=\overline{AF}$이므로
$\overline{AD}=\frac{1}{2}(\overline{AD}+\overline{AF})$

기본 04 반원에서의 접선

오른쪽 그림에서 $\overline{AB}$는 반원 O의 지름이고 $\overline{AD}$, $\overline{BC}$, $\overline{CD}$는 반원의 접선이다. $\overline{AD}=4$ cm, $\overline{BC}=9$ cm일 때, $\overline{AB}$의 길이를 구하시오. (단, 점 E는 접점이다.)

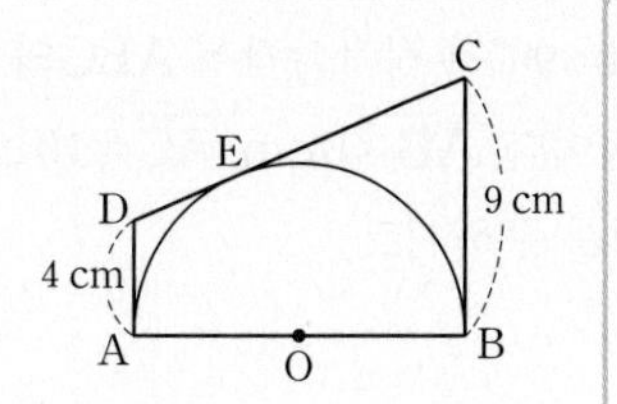

셀파 꼭짓점 D에서 $\overline{BC}$에 수선을 그어 직각삼각형을 만든다.

풀이 $\overline{CE}=\overline{CB}=9$ cm, $\overline{DE}=\overline{DA}=4$ cm이므로
$\overline{CD}=\overline{CE}+\overline{DE}=9+4=13$ (cm)
오른쪽 그림과 같이 꼭짓점 D에서 $\overline{BC}$에 내린 수선의 발을 H라 하면 $\overline{HB}=\overline{DA}=4$ cm이므로
$\overline{CH}=\overline{CB}-\overline{HB}=9-4=5$ (cm)
직각삼각형 DHC에서 $\overline{DH}=\sqrt{\overline{CD}^2-\overline{CH}^2}=\sqrt{13^2-5^2}=\sqrt{144}=12$ (cm)
$\therefore \overline{AB}=\overline{DH}=\mathbf{12}$ **(cm)**

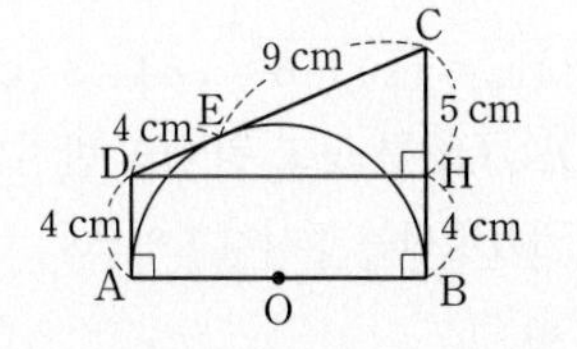

해법코드

$\overline{AD}$, $\overline{BC}$, $\overline{CD}$가 각각 점 A, B, E에서 반원 O에 접할 때, 꼭짓점 D에서 $\overline{BC}$에 내린 수선의 발을 H라 하면

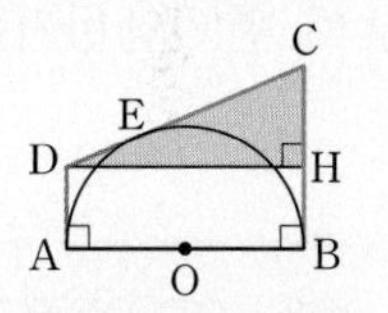

① $\overline{DA}=\overline{DE}$, $\overline{CB}=\overline{CE}$
② △DHC는 직각삼각형이다.
③ □ABHD는 직사각형이다.
⇨ $\overline{AD}=\overline{BH}$, $\overline{AB}=\overline{DH}$

확인 04 오른쪽 그림에서 $\overline{AB}$는 반원 O의 지름이고 $\overline{AD}$, $\overline{BC}$, $\overline{CD}$는 반원의 접선이다. $\overline{DE}=9$ cm, $\overline{CE}=16$ cm일 때, 반원 O의 넓이를 구하시오. (단, 점 E는 접점이다.)

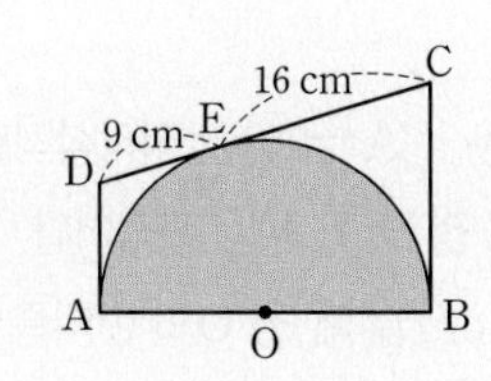

» My 셀파
(반원 O의 넓이)
$=\frac{1}{2}\times\pi\times\left(\frac{\overline{AB}}{2}\right)^2$
이때 꼭짓점 D에서 $\overline{BC}$에 내린 수선의 발을 H라 하면 $\overline{AB}=\overline{DH}$

기본 05 삼각형의 내접원

오른쪽 그림에서 원 O는 △ABC의 내접원이고 세 점 D, E, F는 접점이다. $\overline{AB}=7$ cm, $\overline{BC}=10$ cm, $\overline{CA}=9$ cm일 때, $\overline{AD}$의 길이를 구하시오.

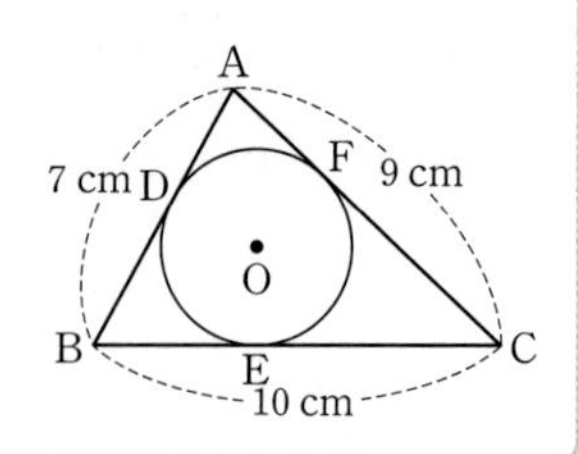

해법코드

원 O가 △ABC의 내접원이고 세 점 D, E, F는 접점일 때

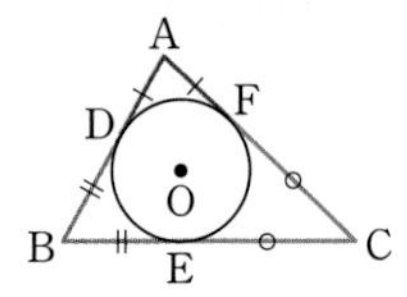

⇨ $\overline{AD}=\overline{AF}$, $\overline{BD}=\overline{BE}$, $\overline{CE}=\overline{CF}$

셀파 $\overline{AD}=x$ cm로 놓고 $\overline{AF}$, $\overline{BD}$, $\overline{BE}$, $\overline{CF}$, $\overline{CE}$를 x를 사용하여 나타낸다.

풀이 $\overline{AD}=x$ cm라 하면 $\overline{AF}=\overline{AD}=x$ cm

$\overline{BE}=\overline{BD}=(7-x)$ cm, $\overline{CE}=\overline{CF}=(9-x)$ cm

이때 ❶ $\overline{BC}=\overline{BE}+\overline{CE}$이므로 $10=(7-x)+(9-x)$

$2x=6 \qquad \therefore x=3$

따라서 $\overline{AD}$의 길이는 **3 cm**이다.

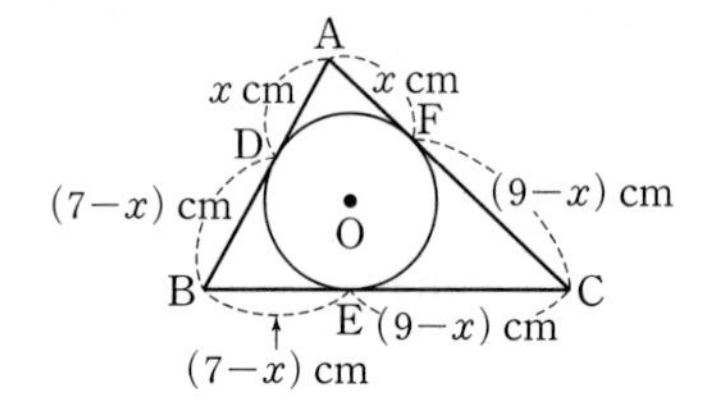

❶ x의 값을 구해야 하므로 x에 대한 등식을 세워야 한다. 이때 x항이 없어지지 않는 변의 길이를 이용한다.

● $\overline{AB}=x+(7-x)=7$
$\overline{AC}=x+(9-x)=9$
⇨ x항이 없어지므로 x의 값을 구할 수 없다.

확인 05 오른쪽 그림에서 원 O는 △ABC의 내접원이고 세 점 D, E, F는 접점이다. $\overline{AB}=10$ cm, $\overline{BC}=12$ cm, $\overline{CA}=8$ cm일 때, $\overline{BE}$의 길이를 구하시오.

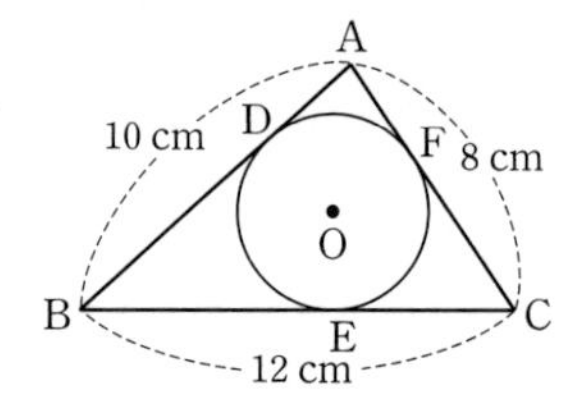

» My 셀파

$\overline{BE}=x$ cm로 놓고, 원 밖의 한 점에서 그 원에 그은 두 접선의 길이는 같음을 이용하여 나머지 선분의 길이를 x를 사용하여 나타낸다.

기본 06 직각삼각형의 내접원

오른쪽 그림에서 원 O는 ∠B=90°인 직각삼각형 ABC의 내접원이고 세 점 D, E, F는 접점이다. $\overline{AB}=6$ cm, $\overline{AC}=10$ cm일 때, 원 O의 반지름의 길이를 구하시오.

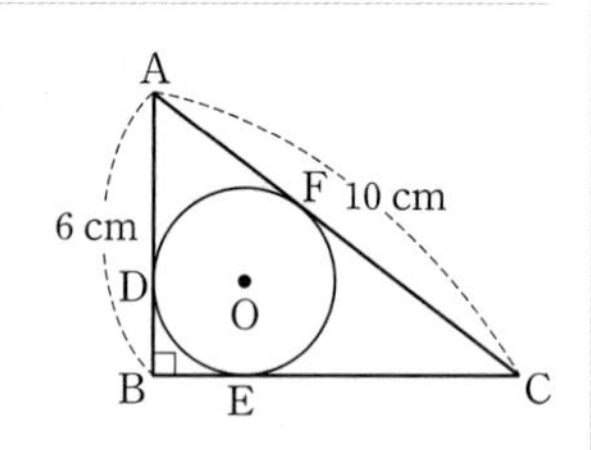

해법코드

원 O가 직각삼각형 ABC의 내접원이고 세 점 D, E, F가 접점일 때

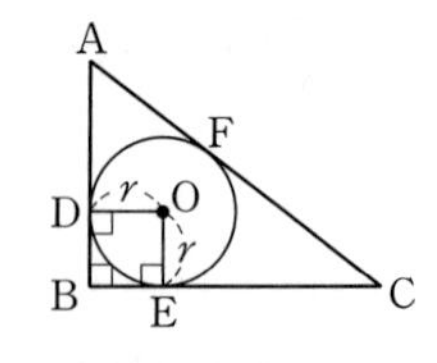

⇨ □DBEO는 한 변의 길이가 r인 정사각형이다.

셀파 $\overline{OD}$, $\overline{OE}$를 긋고, 길이가 같은 선분을 찾는다.

풀이 직각삼각형 ABC에서 $\overline{BC}=\sqrt{10^2-6^2}=\sqrt{64}=8$ (cm)

오른쪽 그림과 같이 $\overline{OD}$, $\overline{OE}$를 긋고 원 O의 반지름의 길이를 r cm라 하면 ❶ □DBEO는 정사각형이므로

$\overline{BD}=\overline{BE}=\overline{OE}=r$ cm

$\overline{AF}=\overline{AD}=(6-r)$ cm, $\overline{CF}=\overline{CE}=(8-r)$ cm

이때 $\overline{AC}=\overline{AF}+\overline{CF}$이므로 $10=(6-r)+(8-r)$

$2r=4 \qquad \therefore r=2$

따라서 원 O의 반지름의 길이는 **2 cm**이다.

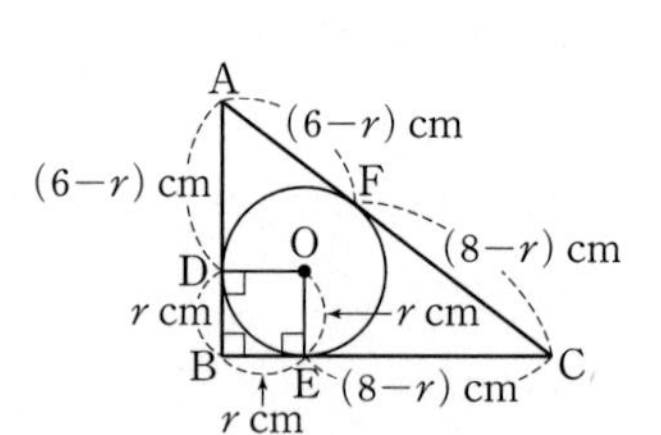

❶ 원의 접선은 그 접점을 지나는 반지름에 수직이므로
∠ODB=90°, ∠OEB=90°
또 ∠B=90°이므로
∠DOE=90°
즉 □DBEO는 네 내각의 크기가 모두 90°이므로 직사각형이다.
이때 $\overline{OD}=\overline{OE}$, 즉 이웃하는 두 변의 길이가 같으므로 □DBEO는 정사각형이다.

확인 06 오른쪽 그림에서 원 O는 ∠A=90°인 직각삼각형 ABC의 내접원이고 세 점 D, E, F는 접점이다. $\overline{BE}=5$ cm, $\overline{CE}=12$ cm일 때, 원 O의 반지름의 길이를 구하시오.

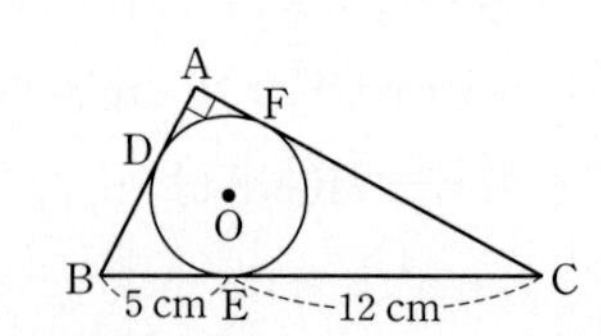

» My 셀파

$\overline{OD}$, $\overline{OF}$를 긋고, 선분의 길이를 그림에 표시한다.

기본 07 원에 외접하는 사각형의 성질

오른쪽 그림과 같이 □ABCD가 원 O에 외접한다. $\overline{AB}=7$ cm, $\overline{CD}=9$ cm이고 $\overline{AD}:\overline{BC}=1:3$일 때, $\overline{BC}$의 길이를 구하시오.

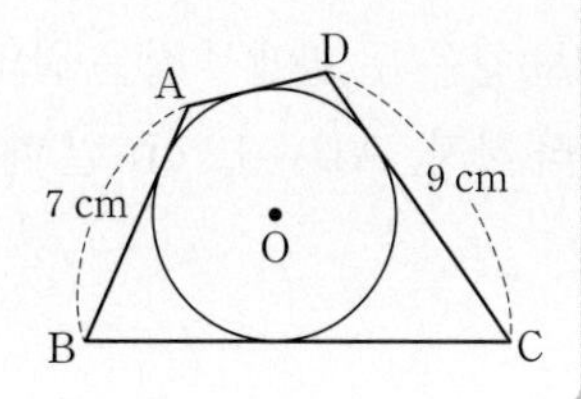

해법코드

원 O에 외접하는 사각형 ABCD에서

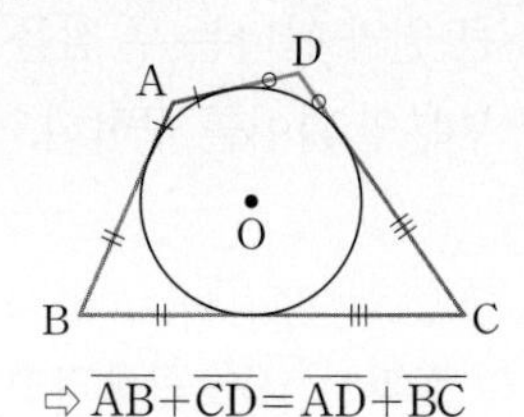

⇨ $\overline{AB}+\overline{CD}=\overline{AD}+\overline{BC}$

셀파 $\overline{AD}=x$ cm로 놓고 식을 세운다.

풀이 $\overline{AD}:\overline{BC}=1:3$이므로 $\overline{AD}=x$ cm라 하면 $\overline{BC}=3x$ cm
이때 $\overline{AB}+\overline{CD}=\overline{AD}+\overline{BC}$이므로 $7+9=x+3x$
$4x=16 \quad \therefore x=4$
따라서 $\overline{BC}$의 길이는 $3x=3\times4=$ **12 (cm)**

다른 풀이 $\overline{AD}+\overline{BC}=\overline{AB}+\overline{CD}=7+9=16$ (cm)
$\overline{AD}:\overline{BC}=1:3$이므로 $\overline{BC}=16\times\frac{3}{1+3}=12$ (cm)

확인 07 오른쪽 그림과 같이 □ABCD가 원 O에 외접할 때, x의 값을 구하시오.

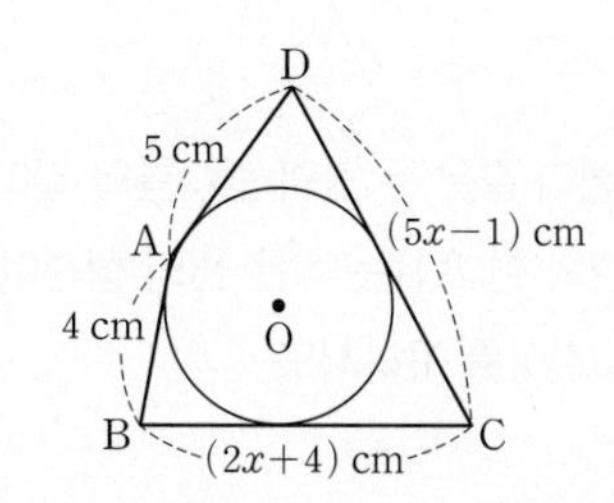

» My 셀파
원에 외접하는 사각형의 대변의 길이의 합은 같음을 이용한다.

기본 08 원에 외접하는 사각형의 성질 – 내각이 직각인 경우

오른쪽 그림과 같이 $\angle A=\angle B=90^\circ$인 사다리꼴 ABCD가 반지름의 길이가 6 cm인 원 O에 외접한다. $\overline{CD}=13$ cm일 때, $\overline{AD}$의 길이를 구하시오.

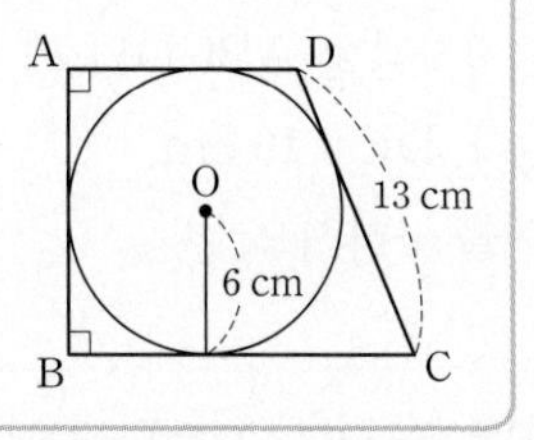

해법코드

다음 두 가지 성질을 이용한다.
❶ (원의 지름의 길이)$=\overline{AB}$
❷ $\overline{AB}+\overline{CD}=\overline{AD}+\overline{BC}$

셀파 꼭짓점 D에서 $\overline{BC}$에 수선을 긋는다.

풀이 $\overline{AB}$의 길이는 원 O의 지름의 길이와 같으므로 $\overline{AB}=2\times6=12$ (cm)
오른쪽 그림과 같이 ㉠꼭짓점 D에서 $\overline{BC}$에 내린 수선의 발을 H라 하면 △DHC에서 $\overline{CH}=\sqrt{13^2-12^2}=\sqrt{25}=5$ (cm)
$\overline{AD}+$ ㉡$\overline{BC}=\overline{AB}+\overline{CD}$이므로 $\overline{AD}+(\overline{AD}+5)=12+13$
$2\overline{AD}=20 \quad \therefore \overline{AD}=$ **10 (cm)**

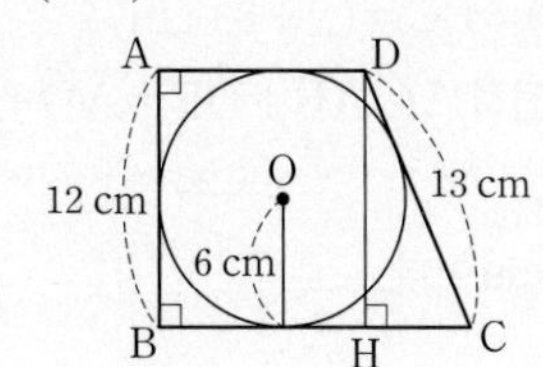

㉠ □ABHD는 네 내각의 크기가 모두 90°이므로 직사각형이다.
$\therefore \overline{AB}=\overline{DH}, \overline{AD}=\overline{BH}$

㉡ $\overline{BC}=\overline{BH}+\overline{CH}=\overline{AD}+5$

확인 08 오른쪽 그림과 같이 원 O는 사각형 ABCD의 내접원이고 점 E는 접점이다. $\angle C=90^\circ$이고 $\overline{AB}=15$ cm, $\overline{AD}=9$ cm, $\overline{BE}=11$ cm, $\overline{CD}=11$ cm일 때, 원 O의 넓이를 구하시오.

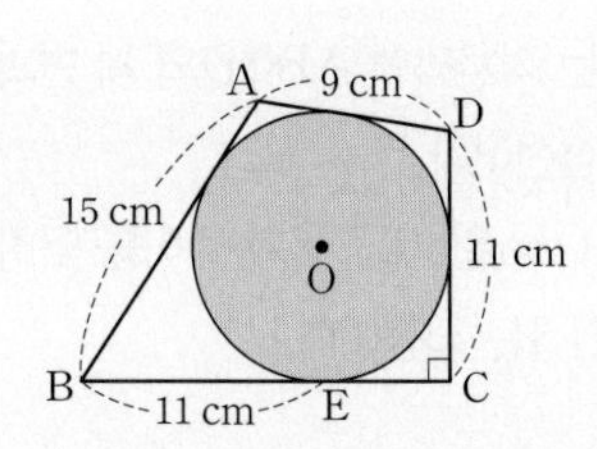

» My 셀파
$\overline{CE}=\overline{OE}=$(원 O의 반지름의 길이)임을 이용한다.

발전 09 원의 접선과 반지름 – 중심이 같은 원이 주어진 경우

오른쪽 그림과 같이 중심이 O로 같은 두 원에서 작은 원의 접선이 큰 원과 만나는 두 점을 A, B라 하자. $\overline{AB}=12$ cm일 때, 색칠한 부분의 넓이를 구하시오.

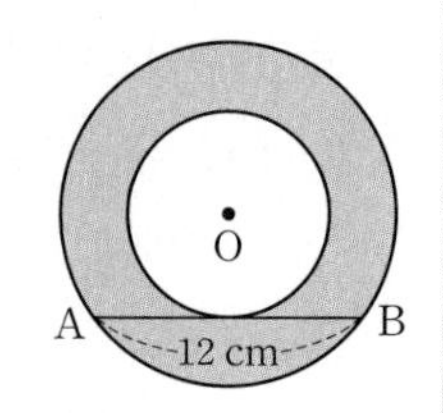

해법코드

중심이 O로 같고 반지름의 길이가 다른 두 원에서 큰 원의 현 AB가 작은 원의 접선이고 점 H가 접점일 때

① $\overline{OH}\perp\overline{AB}$ ② $\overline{AH}=\overline{BH}$
③ $\overline{OA}^2=\overline{AH}^2+\overline{OH}^2$

셀파 $\overline{AB}$는 큰 원의 현이면서 작은 원의 접선이므로 현의 성질과 접선의 성질을 함께 생각한다.

풀이 오른쪽 그림과 같이 작은 원과 현 AB의 접점을 C라 하면

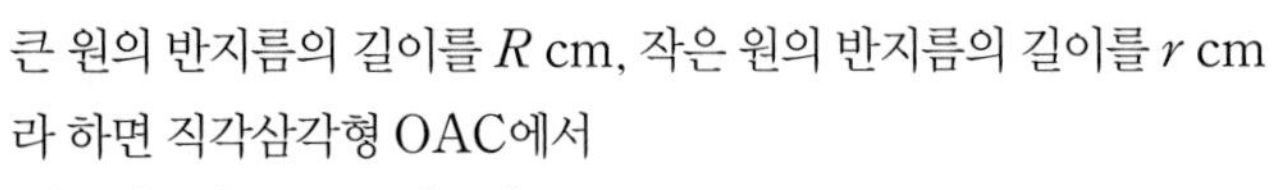

❶$\overline{OC}\perp\overline{AB}$이므로 ❷$\overline{AC}=\overline{BC}=\frac{1}{2}\overline{AB}=\frac{1}{2}\times12=6$ (cm)

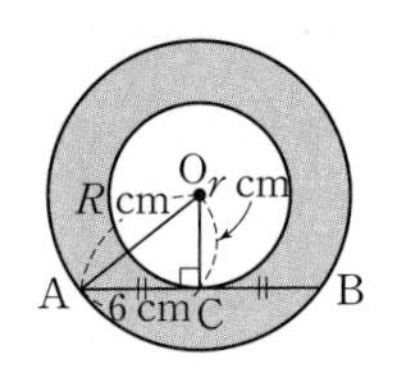

큰 원의 반지름의 길이를 R cm, 작은 원의 반지름의 길이를 r cm라 하면 직각삼각형 OAC에서

$R^2=6^2+r^2 \quad \therefore R^2-r^2=36$

$\therefore$ (색칠한 부분의 넓이)$=\pi R^2-\pi r^2=\pi(R^2-r^2)$

$=\mathbf{36\pi\ (cm^2)}$

❶ $\overline{AB}$는 작은 원의 접선이고 점 C는 그 접점이므로 $\overline{OC}\perp\overline{AB}$

❷ $\overline{AB}$는 큰 원의 현이고 $\overline{OC}\perp\overline{AB}$이므로 $\overline{AC}=\overline{BC}$

확인 09 오른쪽 그림과 같이 중심이 같은 두 원의 반지름의 길이가 각각 7 cm, 9 cm이다. 큰 원의 현 AB는 작은 원의 접선이고 점 C는 그 접점일 때, $\overline{AB}$의 길이를 구하시오.

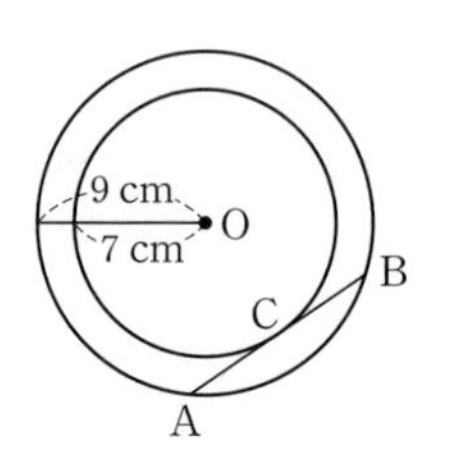

» My 셀파
$\overline{OA}$, $\overline{OC}$를 그으면 △OAC는 직각삼각형이다.

발전 10 원에 외접하는 사각형의 응용

오른쪽 그림과 같이 원 O는 직사각형 ABCD의 세 변 AD, AB, BC와 $\overline{DE}$에 접한다. $\overline{DE}=10$ cm, $\overline{DC}=6$ cm일 때, $\overline{BE}$의 길이를 구하시오.

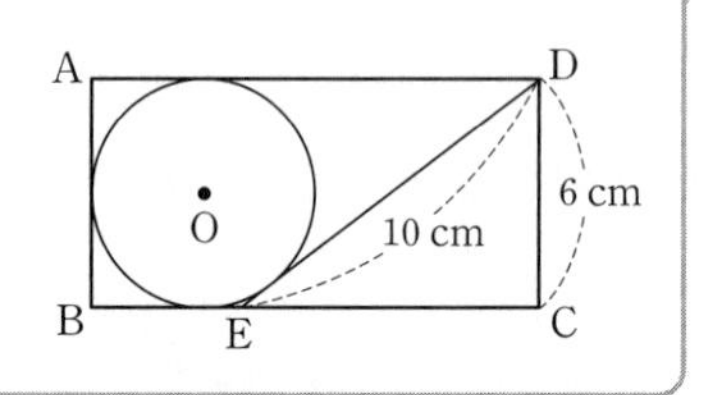

해법코드

원 O가 직사각형 ABCD의 세 변과 $\overline{DE}$에 접하고 점 F, G, H는 접점일 때

① $\overline{DE}=\overline{DH}+\overline{EH}=\overline{DF}+\overline{EG}$
② $\overline{AB}+\overline{DE}=\overline{AD}+\overline{BE}$
③ $\overline{DE}^2=\overline{CE}^2+\overline{CD}^2$

셀파 $\overline{BE}=x$ cm로 놓고 $\overline{AD}$를 x에 대한 식으로 나타낸 후, 원에 외접하는 사각형의 성질을 이용한다.

풀이 직각삼각형 DEC에서 $\overline{EC}=\sqrt{10^2-6^2}=\sqrt{64}=8$ (cm)

$\overline{BE}=x$ cm라 하면 ❶$\overline{AD}=\overline{BC}=(x+8)$ cm

□ABED가 원 O에 외접하므로 $\overline{AB}+\overline{DE}=\overline{AD}+\overline{BE}$

$6+10=(x+8)+x$, $2x=8 \quad \therefore x=4$

따라서 $\overline{BE}$의 길이는 **4 cm**이다.

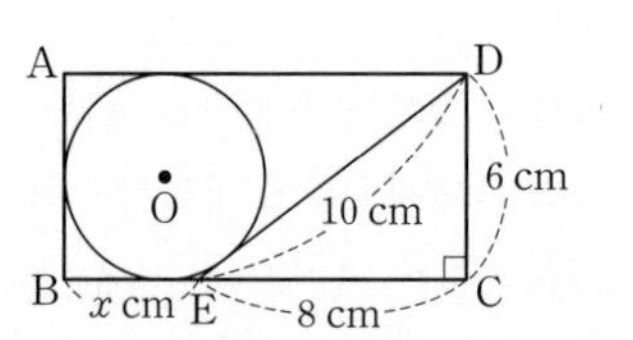

❶ □ABCD는 직사각형이므로 $\overline{AD}=\overline{BC}$, $\overline{AB}=\overline{CD}=6$ cm

확인 10 오른쪽 그림에서 원 O는 직사각형 ABCD의 세 변과 접하고 $\overline{DE}$는 원 O의 접선이다. $\overline{AD}=12$ cm, $\overline{CD}=8$ cm일 때, $\overline{DE}$의 길이를 구하시오. (단, 네 점 F, G, H, I는 접점이다.)

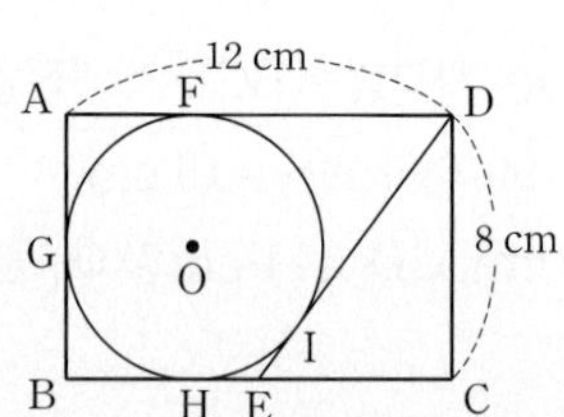
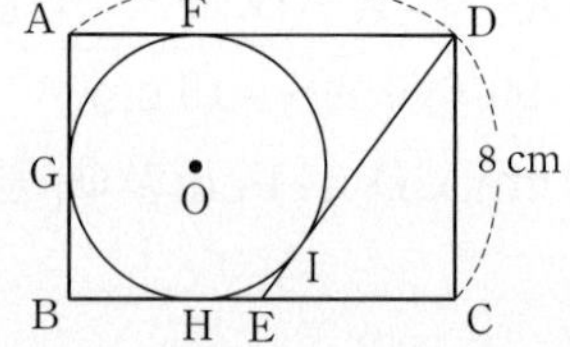

» My 셀파
$\overline{DE}=x$ cm로 놓고, 원에 외접하는 사각형의 성질을 이용한다.

실력 키우기

빠른 정답 137쪽 | 정답과 해설 24쪽

01 원의 중심과 현의 수직이등분선

오른쪽 그림의 원 O에서 $\overline{OC}\perp\overline{AB}$이다. $\overline{BM}=6$ cm, $\overline{CM}=3$ cm일 때, $\overline{OA}$의 길이를 구하시오.

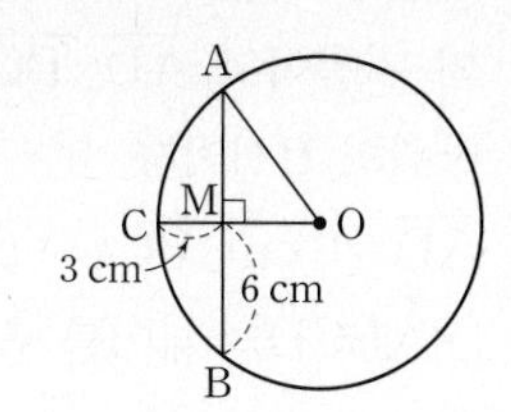

02 원의 중심과 현의 길이

서술형

오른쪽 그림의 원 O에서 $\overline{AB}=\overline{CD}$, $\overline{OM}\perp\overline{AB}$이고 $\overline{OA}=9$ cm, $\overline{OM}=7$ cm일 때, $\triangle COD$의 넓이를 구하시오.

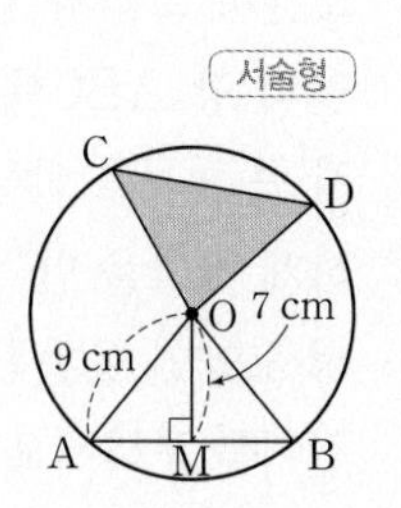

03 원의 중심과 현의 길이

오른쪽 그림의 원 O에서 $\overline{OM}\perp\overline{AB}$, $\overline{ON}\perp\overline{CD}$이고 $\overline{AM}=\overline{DN}$이다. 다음 **보기**에서 옳지 않은 것을 모두 고르시오.

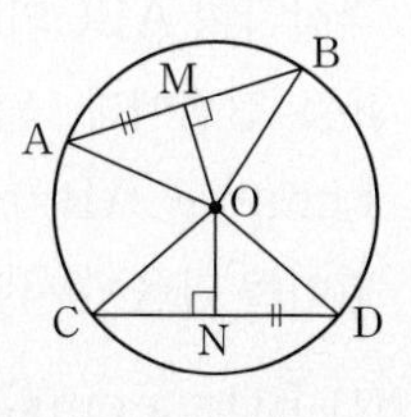

보기

ㄱ $\overline{AB}=\overline{CD}$ ㄴ $\overline{OM}=\overline{ON}$

ㄷ $\triangle OBM\equiv\triangle ODN$ ㄹ $\widehat{AB}=\widehat{CD}$

ㅁ $\angle AOC=\angle BOD$ ㅂ $\triangle OAM=\triangle OCD$

04 길이가 같은 두 현이 만드는 삼각형

다음 그림에서 $\triangle ABC$가 원 O에 내접할 때, $\angle x$의 크기를 구하시오.

(1)

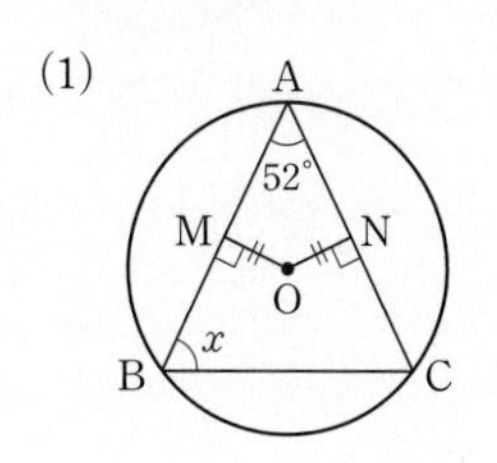

(2)

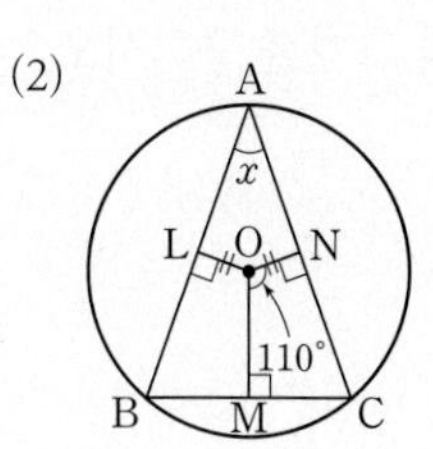

05 활꼴에서 원의 반지름의 길이 구하기

융합형

다음 그림은 땅에 묻힌 원 모양의 타이어의 일부를 나타낸 것이다. 이 타이어의 반지름의 길이를 구하시오.

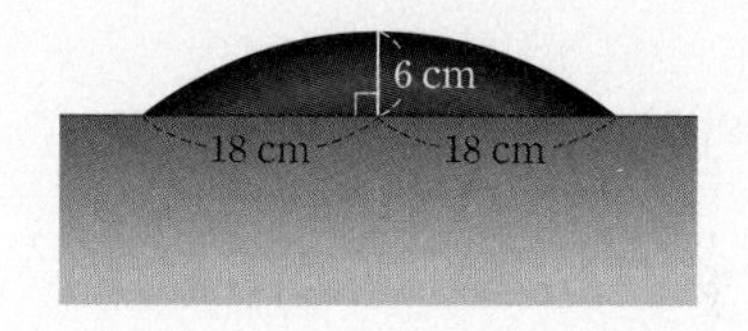

06 원의 중심과 현의 수직이등분선 – 원을 접는 경우

오른쪽 그림과 같이 원 모양의 종이를 원 위의 한 점이 원의 중심 O와 겹치도록 접었다. $\overline{AB}=18$ cm일 때, 원의 반지름의 길이를 구하시오.

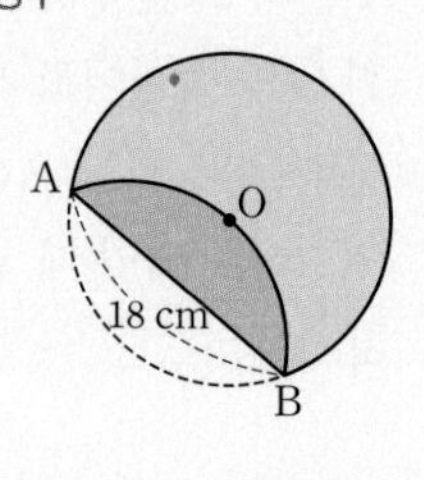

07 원의 접선의 성질 (1)

오른쪽 그림에서 $\overline{PA}$, $\overline{PB}$는 원 O의 접선이고 두 점 A, B는 접점이다. $\angle P=40°$일 때, $\angle OAB$의 크기를 구하시오.

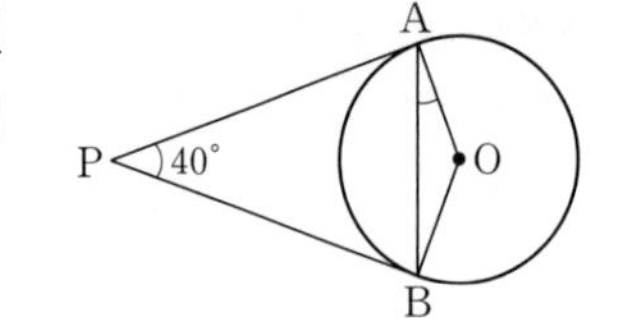

08 원의 접선의 성질 (1)

서술형

오른쪽 그림에서 $\overline{PA}$, $\overline{PB}$는 반지름의 길이가 $2\sqrt{3}$ cm인 원 O의 접선이고 두 점 A, B는 접점이다. $\angle P=60°$일 때, 다음을 구하시오.

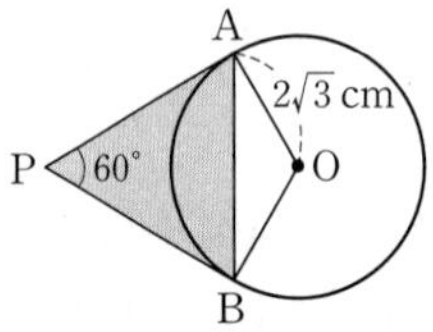

A
P
60°
$2\sqrt{3}$ cm
O
B

(1) $\overline{PA}$의 길이

(2) $\triangle APB$의 넓이

09 원의 접선의 성질 (2)

오른쪽 그림에서 $\overline{AD}$, $\overline{AF}$, $\overline{BC}$는 원 O의 접선이고 세 점 D, E, F는 접점이다. $\overline{AC}=8$ cm, $\overline{CF}=2$ cm, $\overline{BC}=6$ cm일 때, $\overline{AB}$의 길이를 구하시오.

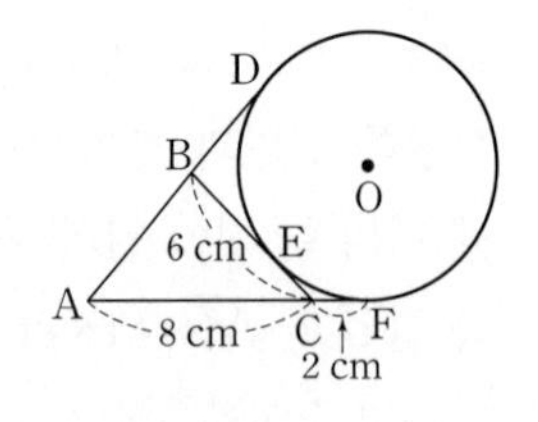

10 반원에서의 접선

오른쪽 그림에서 $\overline{AB}$는 반원 O의 지름이고 $\overline{AD}$, $\overline{BC}$, $\overline{CD}$는 반원의 접선이다. $\overline{AD}=2$ cm, $\overline{BC}=4$ cm일 때, □ABCD의 넓이를 구하시오. (단, 점 E는 접점이다.)

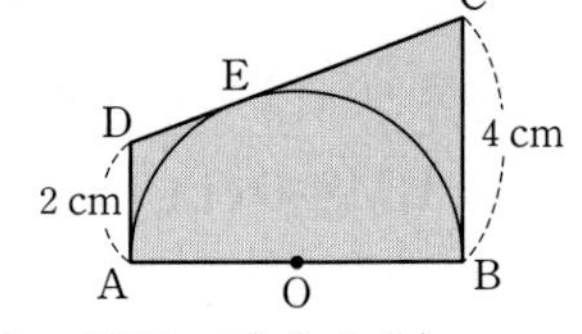

11 삼각형의 내접원

창의·융합

오른쪽 그림과 같이 삼각형 모양의 땅 ABC에 가능한 한 가장 큰 연못을 만들고, 연못에 접하게 꽃밭을 만들었을 때, 삼각형 모양인 꽃밭 DEC의 둘레의 길이를 구하시오.

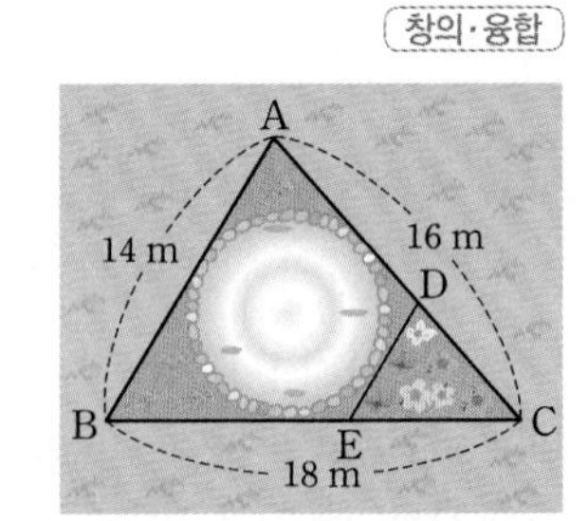

12 직각삼각형의 내접원

서술형 창의력

오른쪽 그림에서 원 O는 $\angle C=90°$인 직각삼각형 ABC의 내접원이고 세 점 D, E, F는 접점이다. 원 O의 반지름의 길이가 1 cm이고 $\overline{AB}=6$ cm일 때, $\triangle ABC$의 넓이를 다음 순서대로 구하시오.

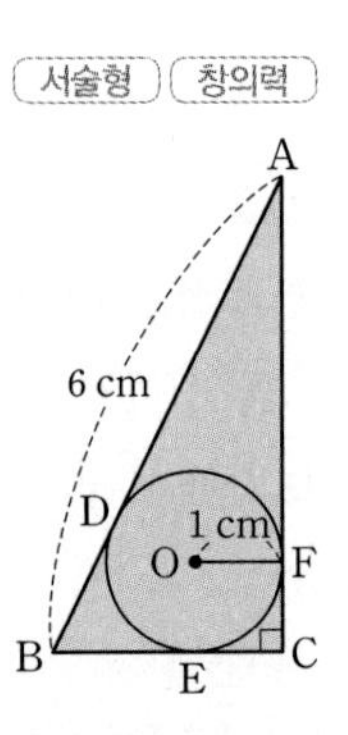

(1) $\overline{BD}=x$ cm라 할 때, $\overline{BC}$, $\overline{AC}$의 길이를 x를 사용하여 각각 나타내시오.

(2) $\overline{AB}+\overline{BC}+\overline{AC}$의 길이를 구하시오.

(3) $\triangle ABC$의 넓이를 구하시오.

13 원에 외접하는 사각형의 성질 (창의력)

다음 그림과 같이 두 원 O, O′이 사각형에 각각 내접할 때, $b-a$의 값을 구하시오.

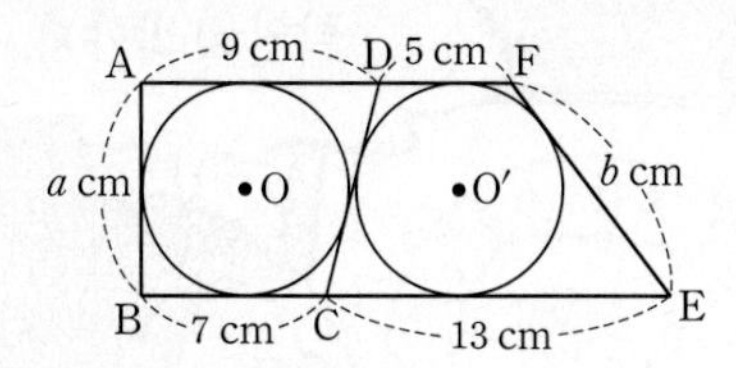

14 원에 외접하는 사각형의 성질 - 내각이 직각인 경우

오른쪽 그림과 같이 $\angle C=\angle D=90°$인 □ABCD가 원 O에 외접한다. 원 O의 반지름의 길이가 4 cm이고 $\overline{AB}=10$ cm일 때, $\overline{AD}$의 길이를 구하시오.

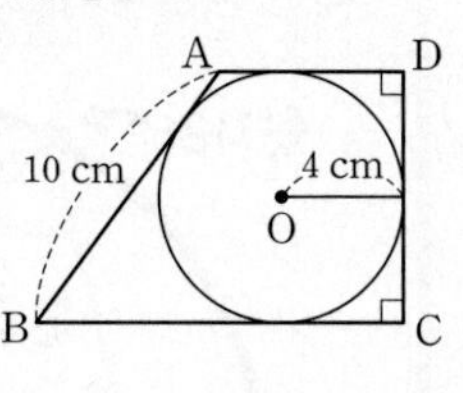

15 원의 접선과 반지름 - 중심이 같은 원이 주어진 경우

오른쪽 그림과 같이 중심이 같은 두 원의 반지름의 길이가 각각 8 cm, 15 cm이다. 큰 원의 현 AB가 작은 원의 접선일 때, $\overline{AB}$의 길이를 구하시오.

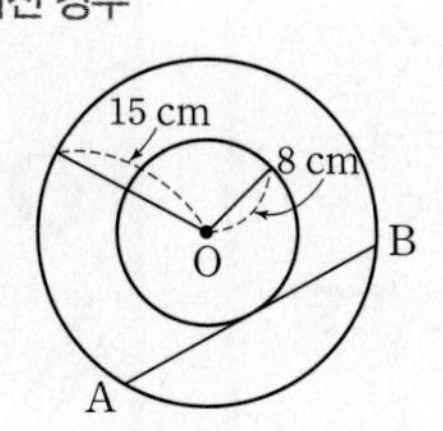

16 원에 외접하는 사각형의 응용

오른쪽 그림과 같이 반지름의 길이가 2 cm인 원 O는 직사각형 ABCD의 세 변과 $\overline{DE}$에 접하고, 네 점 P, Q, R, S는 접점이다. $\overline{DE}=5$ cm일 때, 다음을 구하시오.

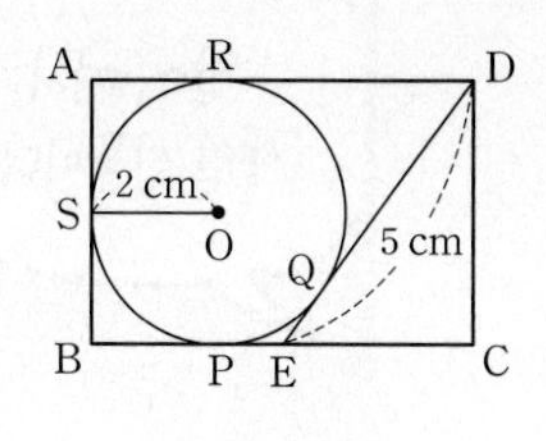

(1) $\overline{EC}$의 길이 (2) $\overline{PE}$의 길이 (3) $\overline{BE}$의 길이

17 길이가 같은 두 현이 만드는 삼각형 (서술형)

오른쪽 그림의 원 O에서 $\overline{OM}=\overline{ON}=\overline{OL}$이고 $\overline{AM}=4$ cm일 때, 다음 물음에 답하시오.

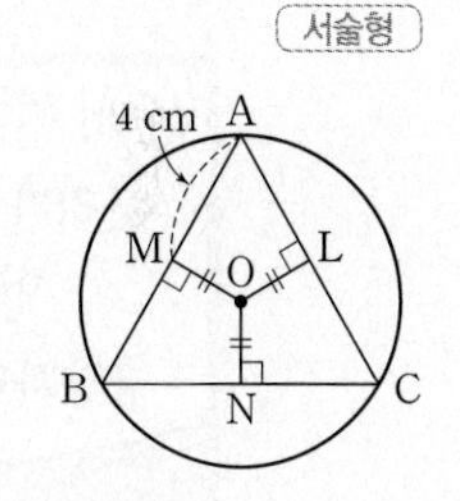

(1) △ABC는 어떤 삼각형인지 말하시오.

(2) △ABC의 넓이를 구하시오.

(3) 원 O의 반지름의 길이를 구하시오.

18 직각삼각형의 내접원 (창의·융합)

다음은 중국 금나라 말, 원나라 초기의 수학책 '측원해경'에 실린 문제이다. 읽고 답을 구하시오.

원 모양인 성의 동, 서, 남, 북에는 각각 성문이 있다. 서문을 나와 남쪽으로 480걸음 간 지점에 나무 한 그루가 서 있는데, 이 나무는 북문을 나와 동쪽으로 200걸음을 가야 비로소 보인다고 한다. 이 성의 반지름의 길이는 몇 걸음인지 구하시오.

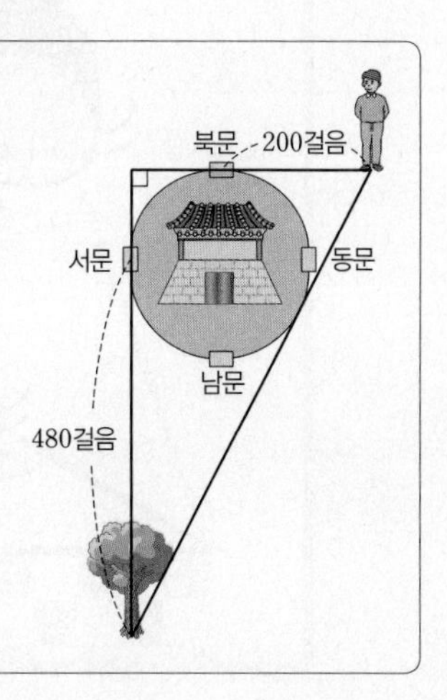

딸~, 여기
생일 선물이다.
콘서트
VTS
꺄아 악
원 모양의 공연장이네.
빨리 자리부터
확인해 봐야지.
이곳
무 대

아빠! 선물이 고맙긴 한데,
자리가 무대에서 너무
먼 거 아냐?
중앙자리면 더 좋잖아!
에이, 네가
뭘 몰라서 그래.
설명해 줄게.
흥

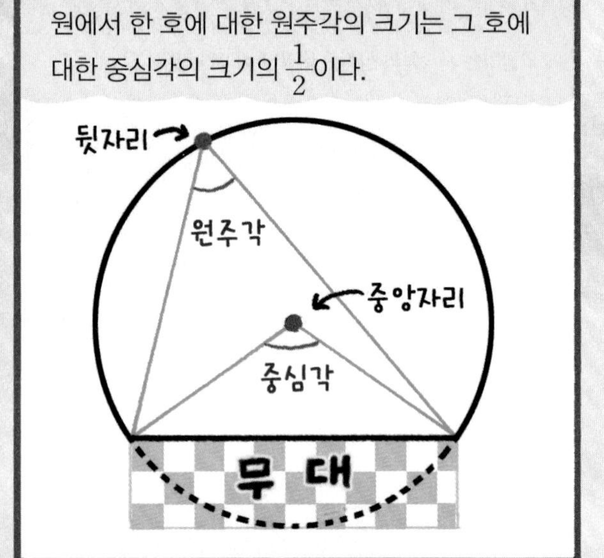
원에서 한 호에 대한 원주각의 크기는 그 호에 대한 중심각의 크기의 $\frac{1}{2}$이다.
뒷자리
원주각
중앙자리
중심각
무 대

원주에 앉은 사람은
중심에 앉은 사람보다
고개를 반만 돌려도
무대를 다 볼 수 있다는 말씀!
$\frac{a}{2}$
a

물론 티켓값도
반값이지만
아~하

Ⅱ | 원의 성질

원주각

| 개념 1 | 원주각과 중심각
| 개념 2 | 원주각의 성질
| 개념 3 | 원주각의 크기와 호의 길이

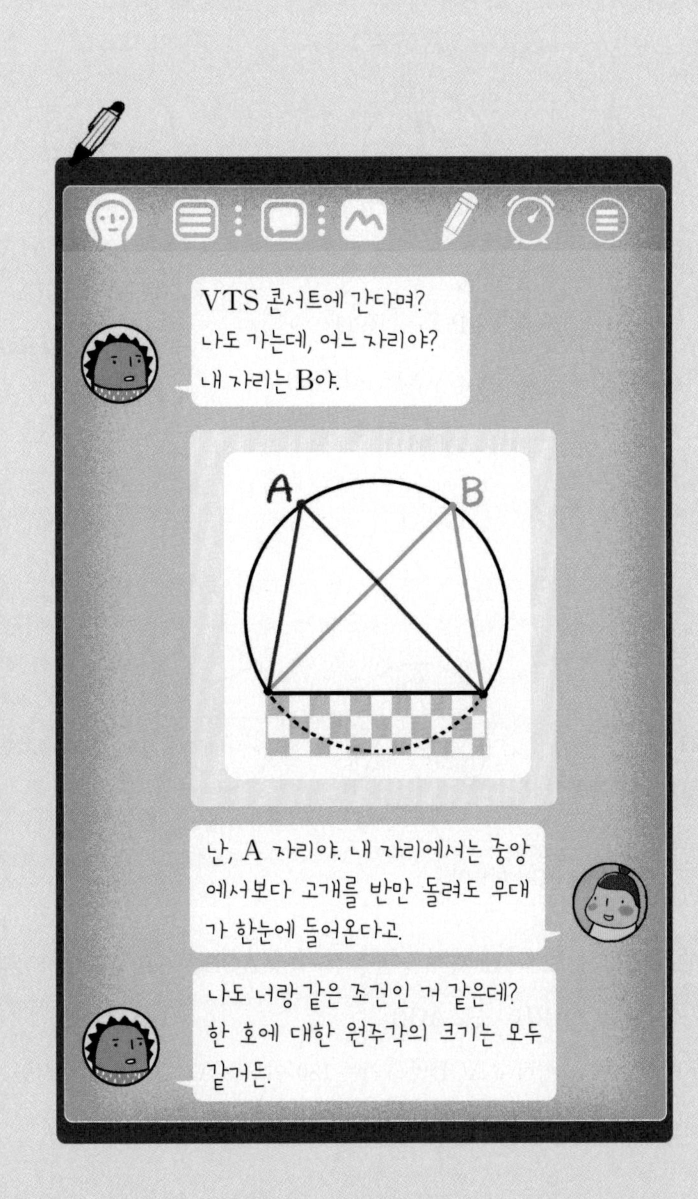

4 원주각

1 원주각과 중심각

(1) **원주각** 원 O에서 호 AB 위에 있지 [ ] 원 위의 점 P에 대하여 ∠APB를 호 AB에 대한 원주각이라 하고, 호 AB를 원주각 ∠APB에 대한 호라 한다.

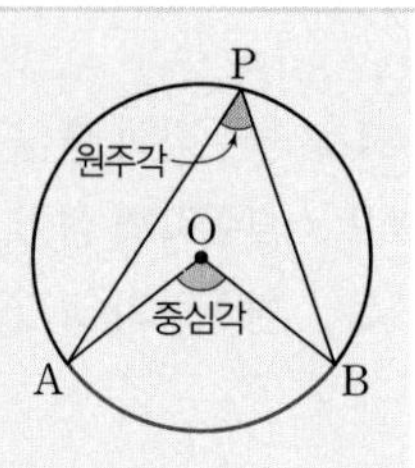

(2) **원주각과 중심각의 크기**

원에서 한 호에 대한 원주각의 크기는 그 호에 대한 중심각의 크기의 $\frac{1}{2}$이다. ⇨ ∠APB=[ ]∠AOB

않은
$\frac{1}{2}$

용어 click
- **원주각** 원주 위의 한 점에서 그은 두 현이 이루는 각
- **중심각** 두 반지름이 이루는 각

설명 (2) (ⅰ) ∠APB의 변 위에 원의 중심 O가 있는 경우

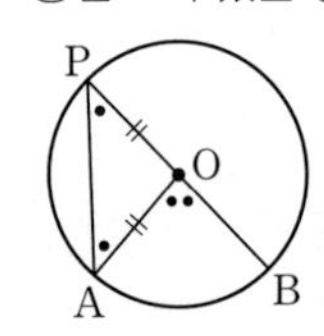

㉠ ∠OPA=∠OAP이므로
㉡ ∠AOB
=∠OPA+∠OAP
=2∠APB
∴ ∠APB=$\frac{1}{2}$∠AOB

(ⅱ) ∠APB의 내부에 원의 중심 O가 있는 경우

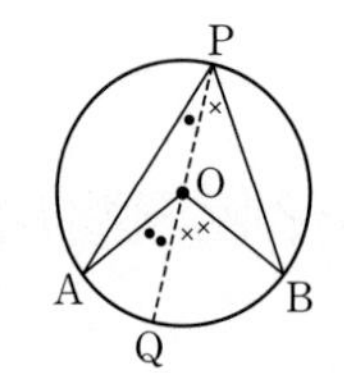

∠APB
=∠APQ+∠BPQ
=$\frac{1}{2}$(∠AOQ+∠BOQ)
=$\frac{1}{2}$∠AOB

(ⅲ) ∠APB의 외부에 원의 중심 O가 있는 경우

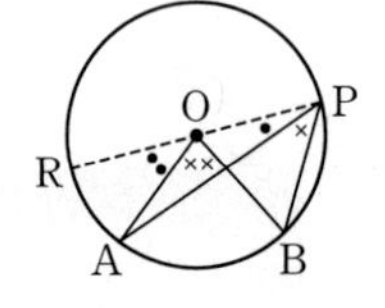

∠APB
=∠RPB−∠RPA
=$\frac{1}{2}$(∠ROB−∠ROA)
=$\frac{1}{2}$∠AOB

호 AB에 대한 중심각 ∠AOB는 하나이지만 호 AB에 대한 원주각 ∠APB는 점 P의 위치에 따라 무수히 많아.

㉠ △OPA는 $\overline{OP}=\overline{OA}$(반지름)인 이등변삼각형이다. 따라서 두 밑각의 크기가 같다.

2 원주각의 성질

(1) 원에서 한 호에 대한 원주각의 크기는 모두 같다.
⇨ ∠APB=∠AQB=[ ]

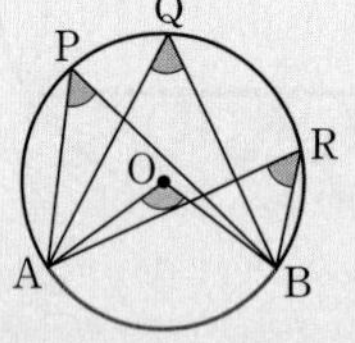

(2) 반원에 대한 원주각의 크기는 90°이다.
⇨ $\overline{AB}$가 지름이면 ∠APB=[ ]

P A O B 180°

참고 $\overset{\frown}{AB}$에 대한 원주각의 크기가 90°이면 $\overset{\frown}{AB}$는 반원이다.

∠ARB
90°

㉡ 삼각형의 외각의 성질에 의하여 성립한다.
● **삼각형의 외각의 성질**
삼각형의 한 외각의 크기는 그와 이웃하지 않는 두 내각의 크기의 합과 같다.

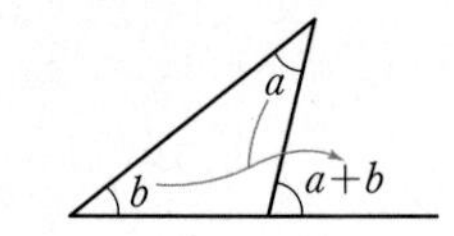

설명 (1) ∠APB, ∠AQB, ∠ARB는 모두 $\overset{\frown}{AB}$에 대한 원주각이고 ∠AOB는 $\overset{\frown}{AB}$에 대한 중심각이므로 ∠APB=∠AQB=∠ARB=$\frac{1}{2}$∠AOB

(2) 원 O에서 $\overset{\frown}{AB}$가 반원일 때, 중심각 ∠AOB의 크기는 180°이므로 $\overset{\frown}{AB}$에 대한 원주각인 ∠APB의 크기는 ∠APB=$\frac{1}{2}$∠AOB=$\frac{1}{2}$×180°=90°

빠른 정답 137쪽 | 정답과 해설 28쪽

| 개념 체크 |

1-1 원주각과 중심각

다음 그림에서 $\angle x$의 크기를 구하시오.

(1)

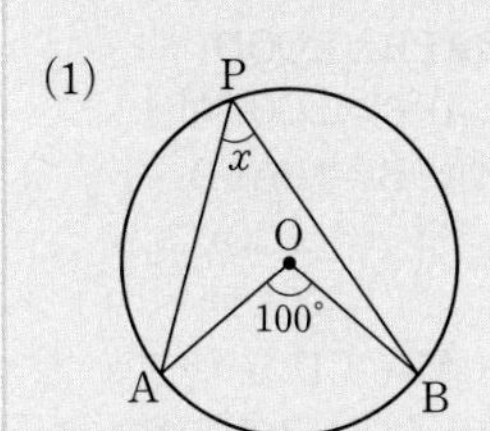

(2)

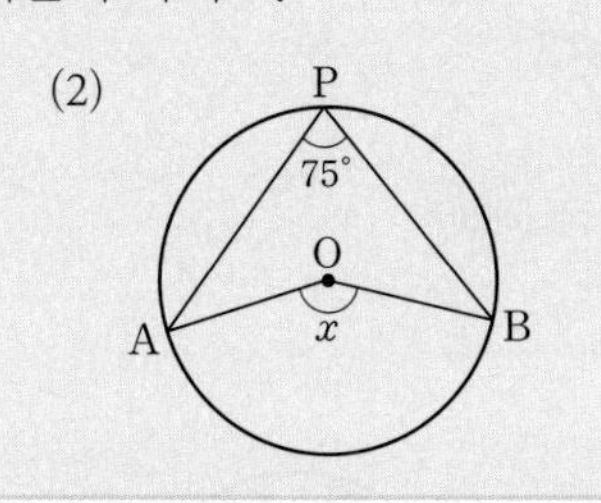

셀파 원주각의 크기 $\underset{\frac{1}{2}\text{배}}{\overset{2\text{배}}{\rightleftarrows}}$ 중심각의 크기

연구 (1) $\angle x=\square\times100^\circ=\square^\circ$

(2) $\angle\mathrm{AOB}=2\angle\mathrm{APB}$이므로

$\angle x=\square\times75^\circ=\square^\circ$

2-1 원주각의 성질

다음 그림에서 $\angle x$의 크기를 구하시오.

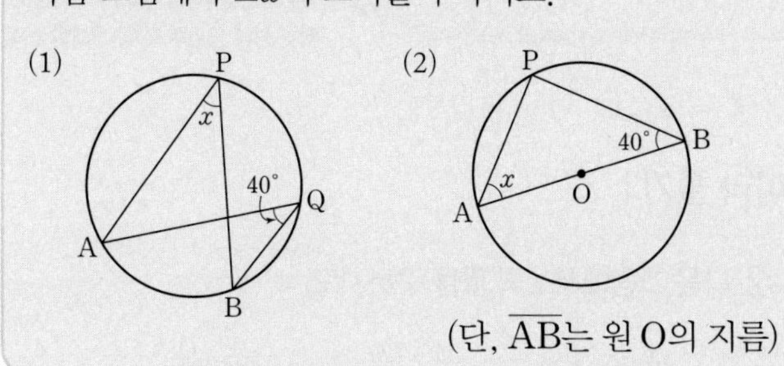

(단, $\overline{\mathrm{AB}}$는 원 O의 지름)

셀파 • 원에서 한 호에 대한 원주각의 크기는 모두 같다.
• 반원에 대한 원주각의 크기는 90°이다.

연구 (1) $\angle\mathrm{APB}$와 $\angle\mathrm{AQB}$는 모두 $\widehat{\mathrm{AB}}$에 대한 원주각이므로 그 크기가 $\square$.

$\therefore\ \angle x=\angle\mathrm{AQB}=\square^\circ$

(2) $\widehat{\mathrm{AB}}$가 반원이므로 $\widehat{\mathrm{AB}}$에 대한 원주각의 크기는 $\square^\circ$이다. 따라서 $\triangle\mathrm{ABP}$에서

$\angle x=180^\circ-(\square^\circ+40^\circ)=\square^\circ$

| 따라 풀기 |

1-2 다음 그림에서 $\angle x$의 크기를 구하시오.

(1)

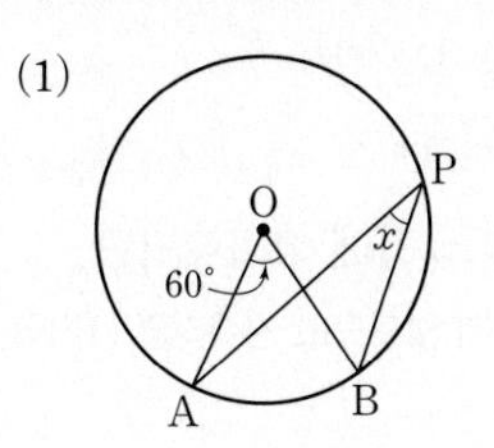

(2)

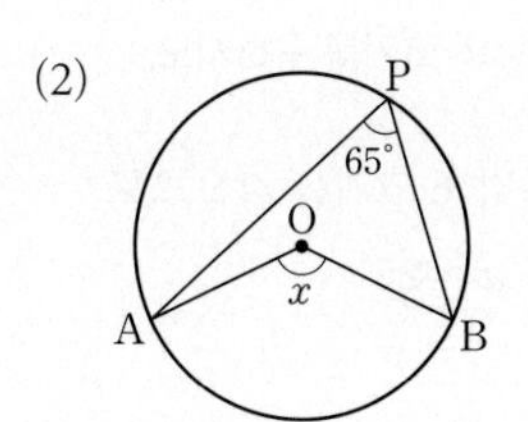

2-2 다음 그림에서 $\angle x$의 크기를 구하시오.

(1)

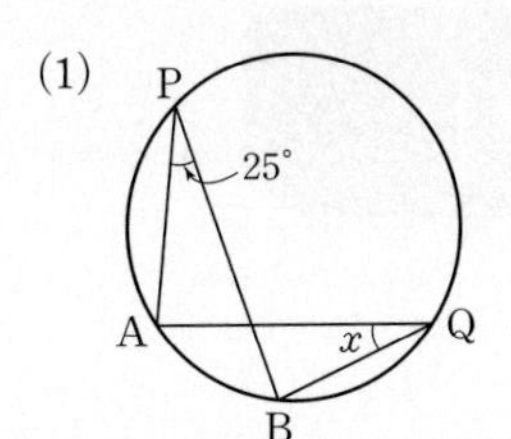

(2)

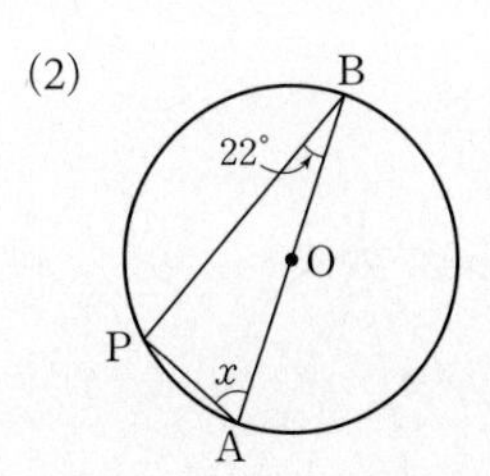

(단, $\overline{\mathrm{AB}}$는 원 O의 지름)

• (원주각의 크기)$=\frac{1}{2}\times$(중심각의 크기)
• 원에서 한 호에 대한 원주각의 크기는 모두 같다.
• 반원에 대한 원주각의 크기는 90°이다.

3 원주각의 크기와 호의 길이

한 원 또는 합동인 두 원에서

(1) 길이가 같은 호에 대한 원주각의 크기는 같다.

⇨ $\widehat{AB}=\widehat{CD}$이면 $\angle APB=$ [ ]

(2) 크기가 같은 원주각에 대한 호의 길이는 같다.

⇨ $\angle APB=\angle CQD$이면 [ ] $=\widehat{CD}$

(3) 호의 길이는 그 호에 대한 원주각의 크기에 정비례한다.

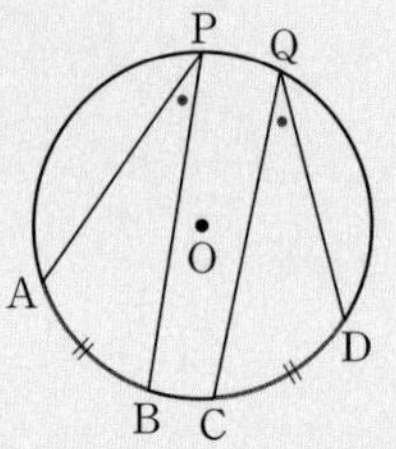

주의 중심각의 크기와 현의 길이는 정비례하지 않으므로 원주각의 크기와 현의 길이도 정비례하지 않는다.

$\angle CQD$

$\widehat{AB}$

설명

(1) $\widehat{AB}=\widehat{CD}$이면
$\angle AOB=\angle COD$ (중심각)
이때 $\angle APB=\frac{1}{2}\angle AOB$,
$\angle CQD=\frac{1}{2}\angle COD$이므로
$\angle APB=\angle CQD$

(2) $\angle APB=\angle CQD$이면
$\angle AOB=2\angle APB$
$=2\angle CQD$
$=\angle COD$
$\therefore \widehat{AB}=\widehat{CD}$

(3) 호의 길이는 그 호에 대한 중심각의 크기에 정비례하므로 호의 길이와 그 호에 대한 원주각의 크기도 정비례한다.

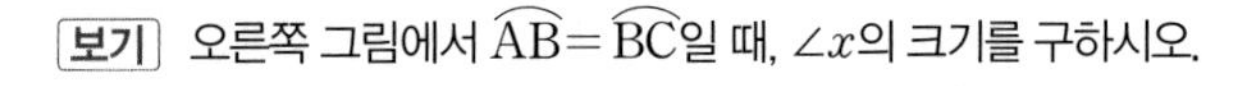

보기 오른쪽 그림에서 $\widehat{AB}=\widehat{BC}$일 때, $\angle x$의 크기를 구하시오.

풀이 길이가 같은 호에 대한 원주각의 크기는 같으므로
$\angle APB=\angle BPC$ $\quad\therefore \angle x=$ **25°**

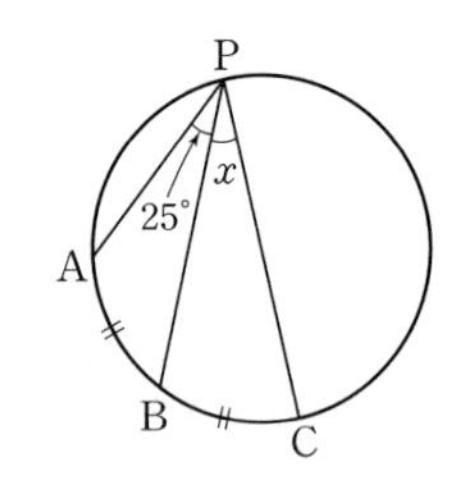

따라 풀면서 개념 익히기

빠른 정답 137쪽 | 정답과 해설 28쪽

| 개념 체크 |

3-1 원주각의 크기와 호의 길이

다음 그림에서 $\angle x$의 크기를 구하시오.

(1)

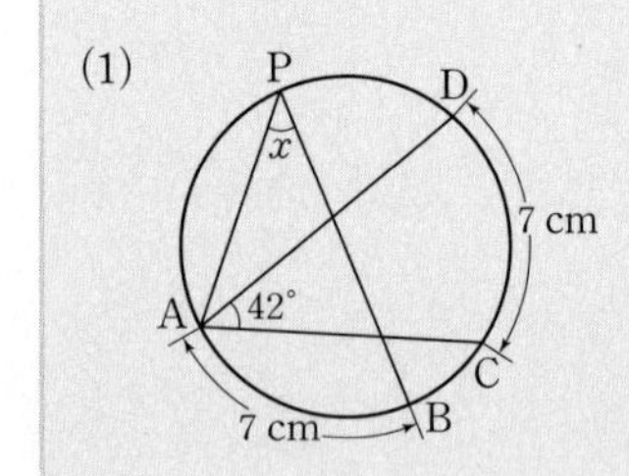

(2)

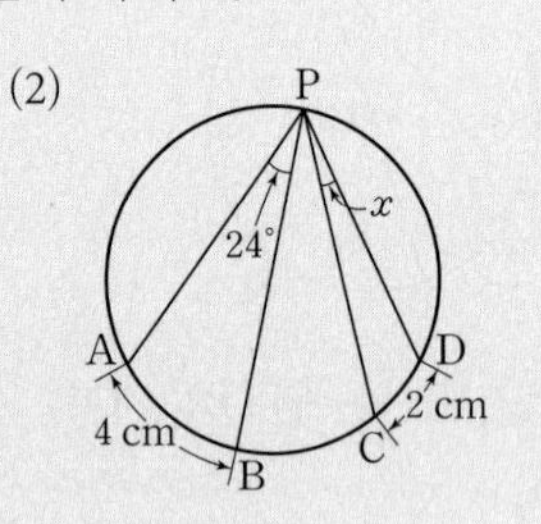

셀파
- 길이가 같은 호에 대한 원주각의 크기는 같다.
- 원주각의 크기와 호의 길이는 정비례한다.

연구 (1) $\widehat{AB}=\widehat{CD}=7$ cm이므로 $\angle APB$ [ ] $\angle CAD$ ($\widehat{AB}$에 대한 원주각, $\widehat{CD}$에 대한 원주각)
$\therefore \angle x=$ [ ]°

(2) $\angle APB : \angle CPD=\widehat{AB}$: [ ]이므로
$24° : \angle x=4 :$ [ ] $\quad\therefore \angle x=$ [ ]°

| 따라 풀기 |

3-2 다음 그림에서 x의 값을 구하시오.

(1)

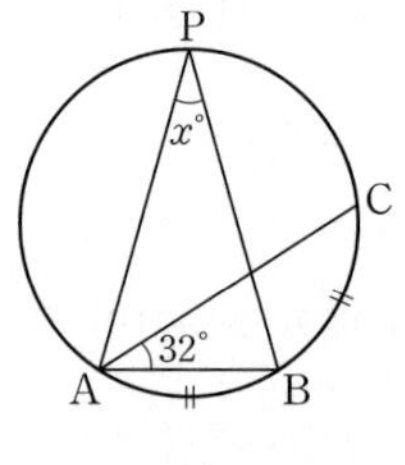

(2)

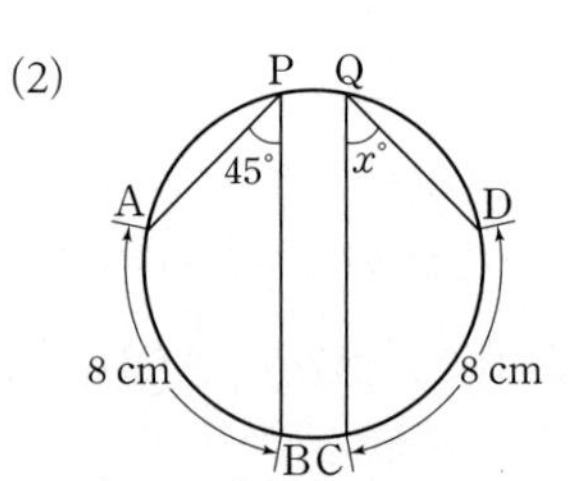

(3)

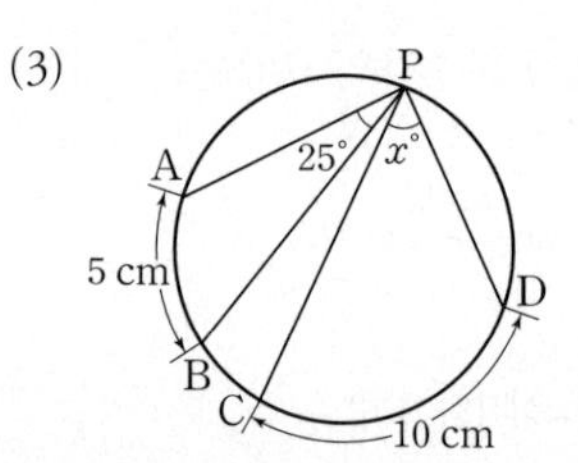

(4)

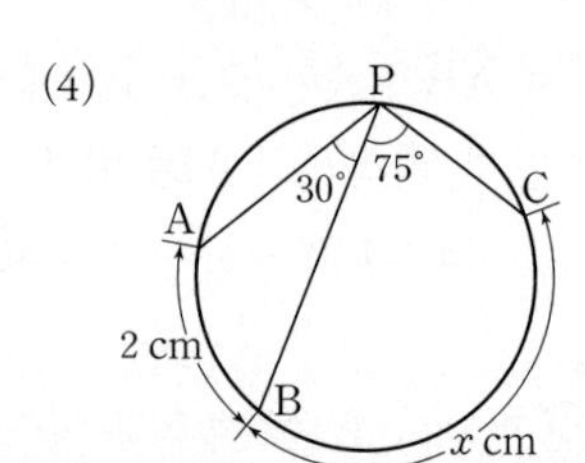

빠른 정답 137쪽 | 정답과 해설 28쪽

기본 01 원주각과 중심각의 크기

오른쪽 그림의 원 O에서 $\angle BAD=58^\circ$일 때, $\angle x+\angle y$의 크기를 구하시오.

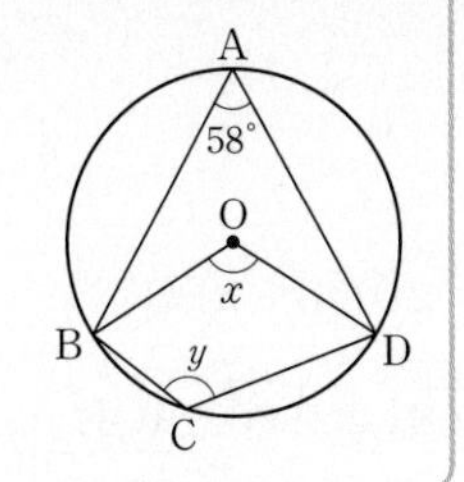

해법코드

어떤 호에 대한 원주각인지 생각해 본다.

① $\angle BAD$는 $\widehat{BCD}$에 대한 원주각이다.

② $\angle BCD$는 $\widehat{BAD}$에 대한 원주각이다.

셀파 (한 호에 대한 원주각의 크기)$=\frac{1}{2}\times$(그 호에 대한 중심각의 크기)

풀이 ㉠ $\angle x=2\angle BAD=2\times58^\circ=116^\circ$

$\widehat{BAD}$에 대한 중심각의 크기는 $360^\circ-\angle x=360^\circ-116^\circ=244^\circ$

이므로 ㉡ $\angle y=\frac{1}{2}\times244^\circ=122^\circ$

$\therefore \angle x+\angle y=116^\circ+122^\circ=$**$238^\circ$**

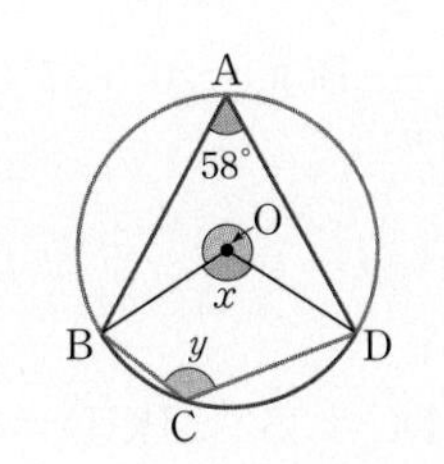

㉠ $\angle BAD$는 $\widehat{BCD}$에 대한 원주각이고 $\angle x$는 $\widehat{BCD}$에 대한 중심각이다.

㉡ $\angle y$는 $\widehat{BAD}$에 대한 원주각이다.

확인 01 오른쪽 그림의 원 O에서 $\angle BCD=130^\circ$일 때, $\angle x-\angle y$의 크기를 구하시오.

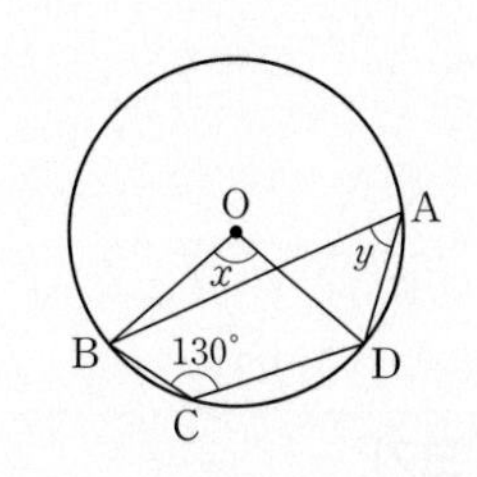

» My 셀파

어떤 호에 대한 원주각인지 찾고, 그 호에 대한 중심각을 찾는다.

기본 02 원주각과 중심각의 크기 – 접선이 주어질 경우

오른쪽 그림에서 $\overline{PA}$, $\overline{PB}$는 원 O의 접선이고 두 점 A, B는 접점이다. $\angle P=48^\circ$일 때, $\angle ACB$의 크기를 구하시오.

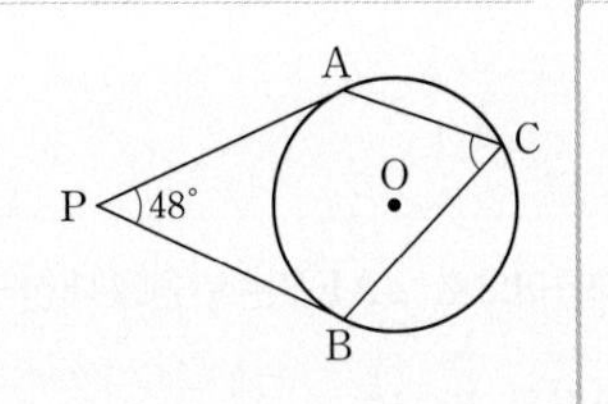

해법코드

$\overline{PA}$, $\overline{PB}$가 원 O의 접선이고 두 점 A, B가 접점일 때

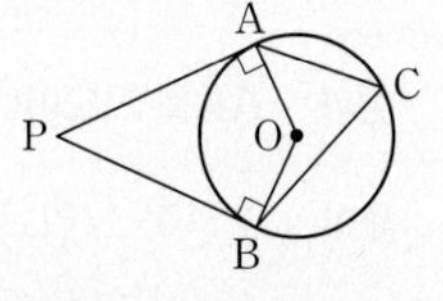

① $\angle PAO=90^\circ$, $\angle PBO=90^\circ$

② $\angle ACB=\frac{1}{2}\angle AOB$

$=\frac{1}{2}\times(180^\circ-\angle P)$

셀파 $\angle ACB$는 $\widehat{AB}$에 대한 원주각이므로 $\widehat{AB}$에 대한 중심각 $\angle AOB$의 크기를 구한다.

풀이 오른쪽 그림과 같이 ㉠ $\overline{OA}$, $\overline{OB}$를 그으면

$\angle PAO=90^\circ$, $\angle PBO=90^\circ$

$\square APBO$에서 $\angle AOB=360^\circ-(90^\circ+48^\circ+90^\circ)=132^\circ$

$\therefore \angle ACB=\frac{1}{2}\angle AOB=\frac{1}{2}\times132^\circ=$**$66^\circ$**

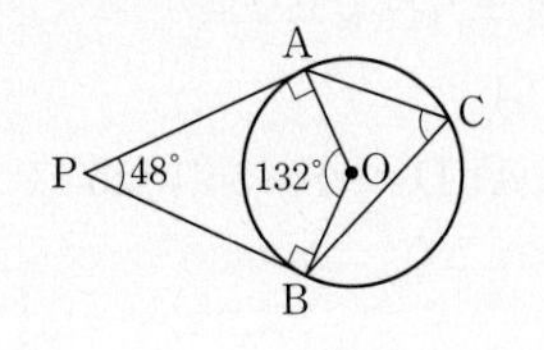

㉠ 원의 접선은 그 접점을 지나는 반지름과 수직이다.

확인 02 오른쪽 그림에서 $\overline{PA}$, $\overline{PB}$는 원 O의 접선이고 두 점 A, B는 접점이다. $\angle ACB=65^\circ$일 때, $\angle x$의 크기를 구하시오.

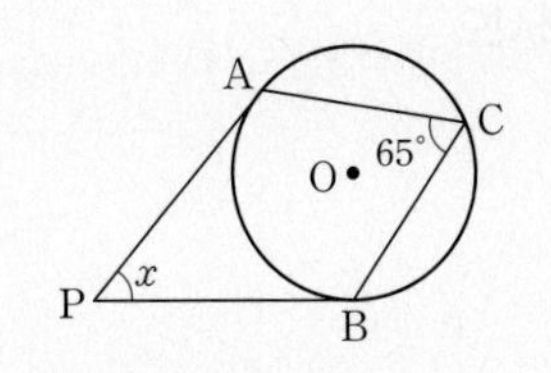

» My 셀파

$\overline{OA}$, $\overline{OB}$를 그은 후 $\widehat{AB}$에 대한 중심각의 크기를 구한다.

기본 03 원주각의 성질

오른쪽 그림의 원 O에서 $\angle APB=20^\circ$, $\angle BOC=70^\circ$일 때, $\angle AQC$의 크기를 구하시오.

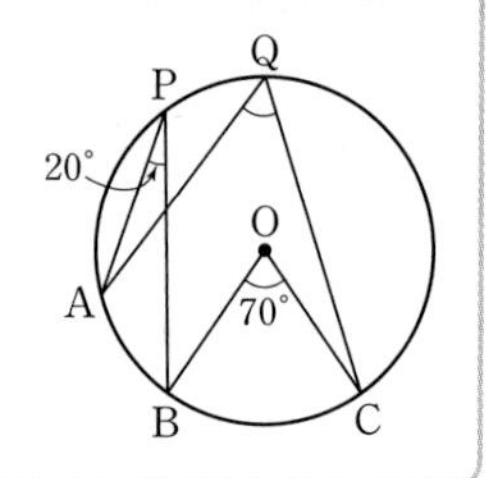

해법코드

한 호에 대한 원주각의 크기는 모두 같다.

$\Rightarrow \angle APB=\angle AQB=\angle ARB$
$=\frac{1}{2}\angle AOB$

셀파 $\overline{BQ}$를 그으면 $\angle AQC=\angle AQB+\angle BQC$

풀이 오른쪽 그림과 같이 $\overline{BQ}$를 그으면 ㉠ $\angle AQB=\angle APB=20^\circ$

$\angle BQC=\frac{1}{2}\angle BOC=\frac{1}{2}\times70^\circ=35^\circ$

$\therefore \angle AQC=\angle AQB+\angle BQC=20^\circ+35^\circ=\mathbf{55^\circ}$

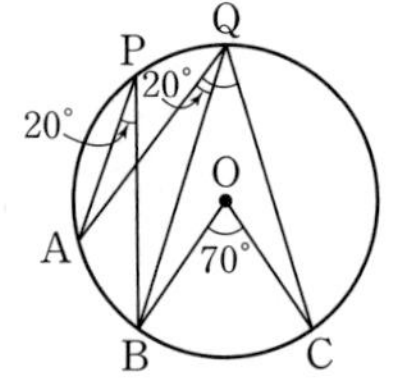

㉠ $\angle APB$, $\angle AQB$는 모두 $\widehat{AB}$에 대한 원주각이므로 그 크기가 같다.

확인 03 오른쪽 그림에서 $\angle ADC=35^\circ$, $\angle BCD=45^\circ$일 때, $\angle x+\angle y$의 크기를 구하시오.

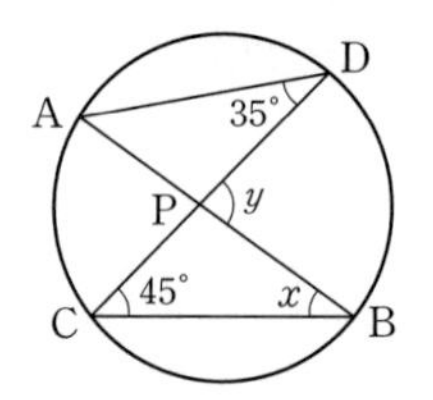

» My 셀파

한 호에 대한 원주각의 크기는 모두 같음을 이용한다.

기본 04 반원에 대한 원주각의 크기

오른쪽 그림에서 $\overline{AB}$는 원 O의 지름이고 $\angle ACD=54^\circ$일 때, $\angle x$의 크기를 구하시오.

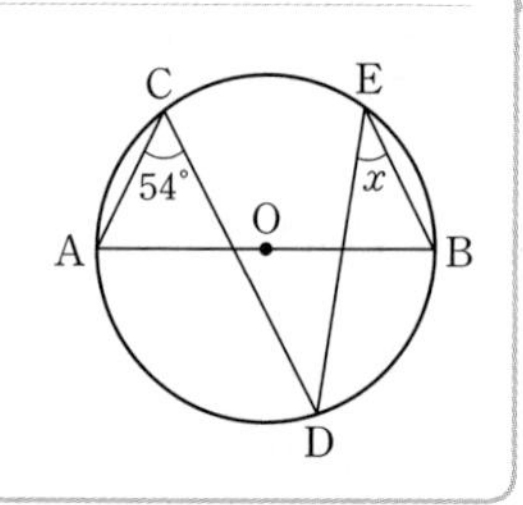

해법코드

❶ 한 호에 대한 원주각의 크기는 모두 같다.

❷ 반원에 대한 원주각의 크기는 90°이다.

셀파 $\overline{AE}$를 그으면 $\overline{AB}$가 지름이므로 $\angle AEB$는 반원에 대한 원주각이다.

풀이 오른쪽 그림과 같이 $\overline{AE}$를 그으면

$\overline{AB}$가 원 O의 지름이므로 $\angle AEB=90^\circ$

한 호에 대한 원주각의 크기는 같으므로

㉠ $\angle AED=\angle ACD=54^\circ$

$\therefore \angle x=\angle AEB-\angle AED=90^\circ-54^\circ=\mathbf{36^\circ}$

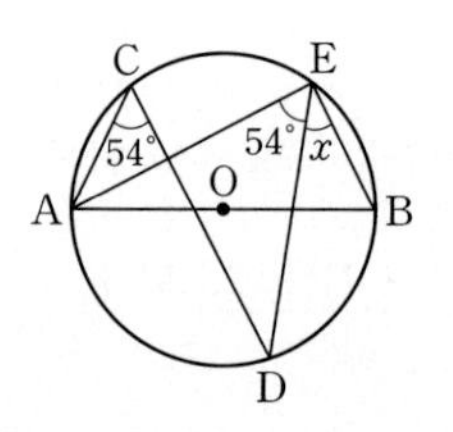

㉠ $\angle ACD$와 $\angle AED$는 모두 $\widehat{AD}$에 대한 원주각이므로 그 크기가 같다.

확인 04 오른쪽 그림에서 $\overline{AB}$는 원 O의 지름이고 $\angle CDB=56^\circ$일 때, $\angle x$의 크기를 구하시오.

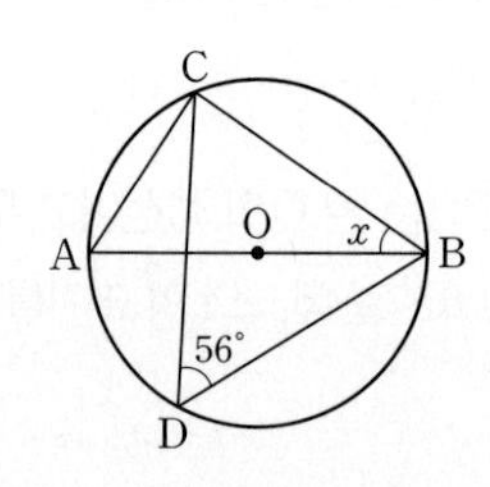

» My 셀파

원주각의 성질을 이용하여 크기가 같은 각을 그림에 표시한다. 이때 반원에 대한 원주각의 크기는 90°이다.

1 다음 그림에서 $\angle x$의 크기를 구하시오.

(1)

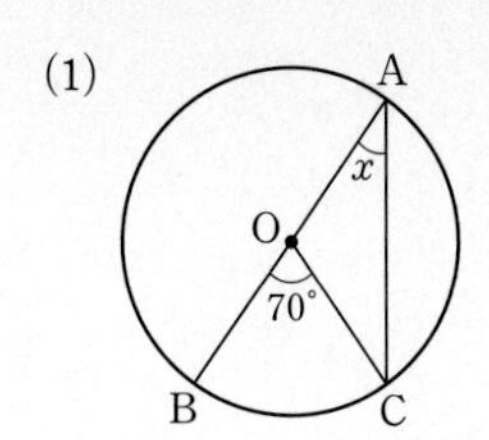

(2)

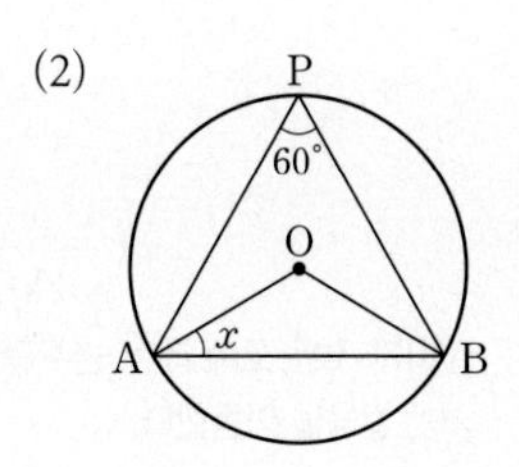

(3)

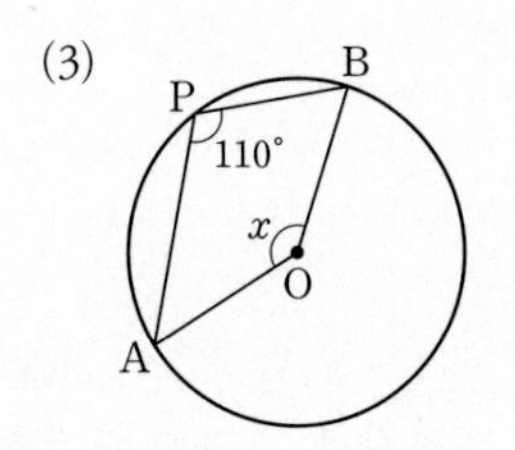

(4)

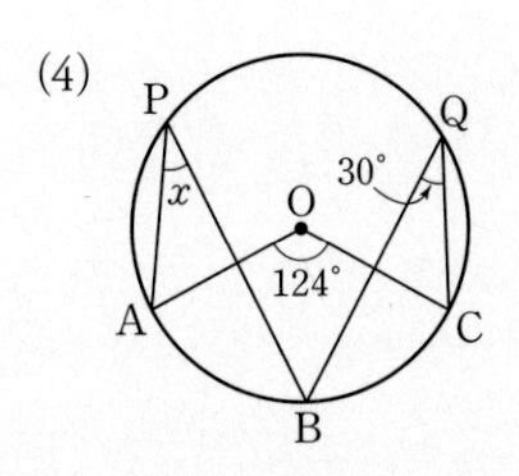

(5)

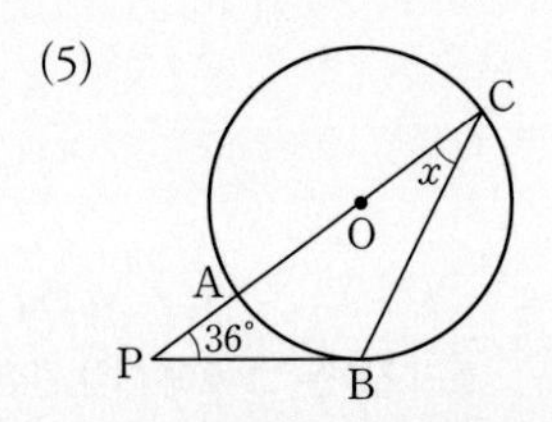

(단, $\overline{PB}$는 원 O의 접선이고 점 B는 접점이다.)

2 다음 그림에서 $\angle x$의 크기를 구하시오.

(1)

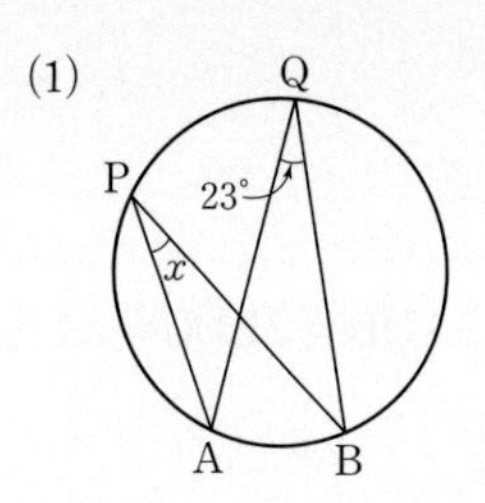

(2)

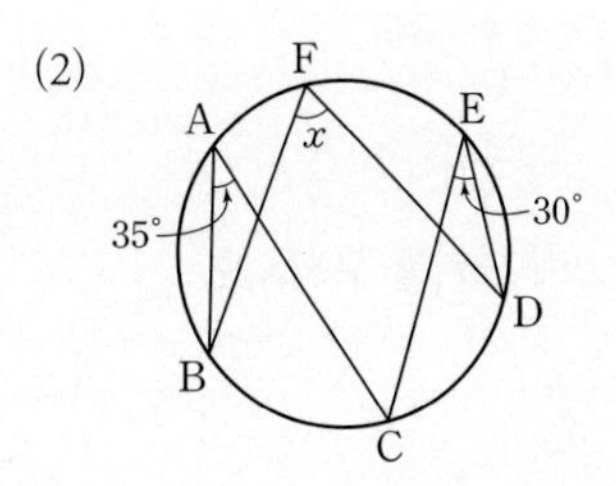

(3)

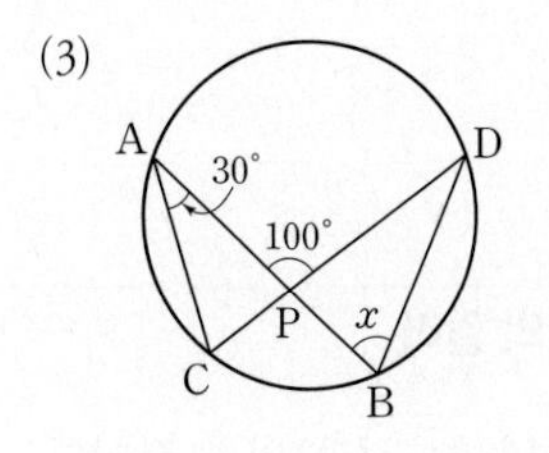

(4)

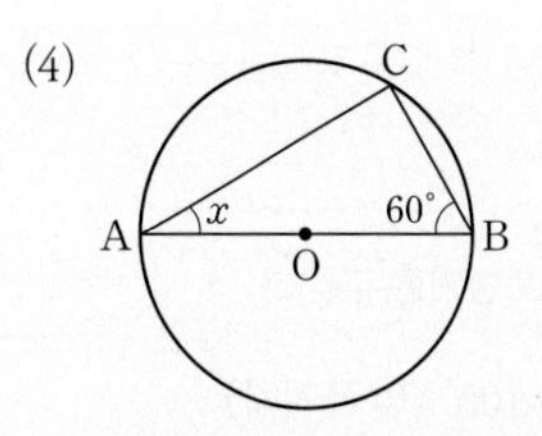

(단, $\overline{AB}$는 원 O의 지름이다.)

(5)

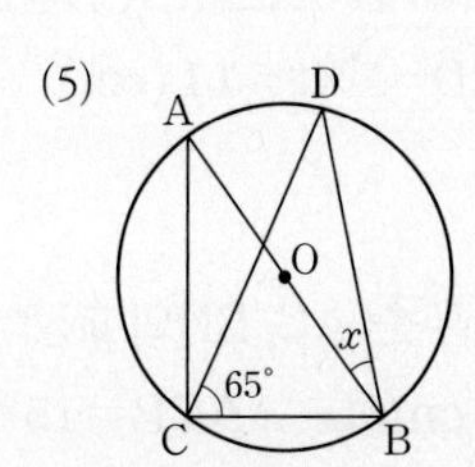

(단, $\overline{AB}$는 원 O의 지름이다.)

기본 05 길이가 같은 호에 대한 원주각의 크기

오른쪽 그림에서 $\overset{\frown}{AB}=\overset{\frown}{BC}=\overset{\frown}{CD}$이고, $\angle ACD=75°$일 때, $\angle x$의 크기를 구하시오.

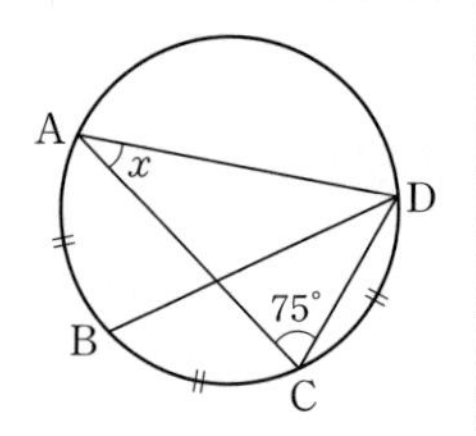

해법코드
길이가 같은 호에 대한 원주각의 크기는 같다.

셀파 $\overset{\frown}{AB}=\overset{\frown}{BC}=\overset{\frown}{CD}$이므로 $\angle ADB=\angle BDC=\angle CAD$

풀이 $\overset{\frown}{AB}=\overset{\frown}{BC}=\overset{\frown}{CD}$이므로

$\angle ADB=\angle BDC=\angle CAD=\angle x$

$\triangle ACD$에서 ㉠ $3\angle x+75°=180°$

$3\angle x=105°$　　$\therefore \angle x=\mathbf{35°}$

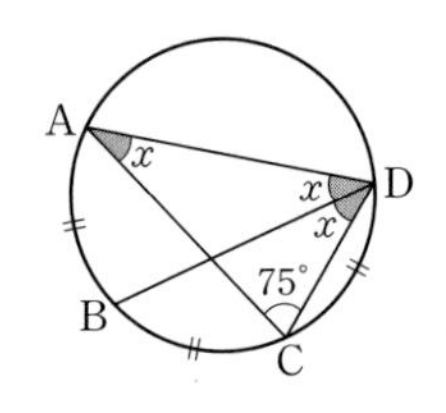

㉠ 삼각형의 세 내각의 크기의 합은 180°이다.

확인 05 다음 그림에서 $\angle x$의 크기를 구하시오.

(1)

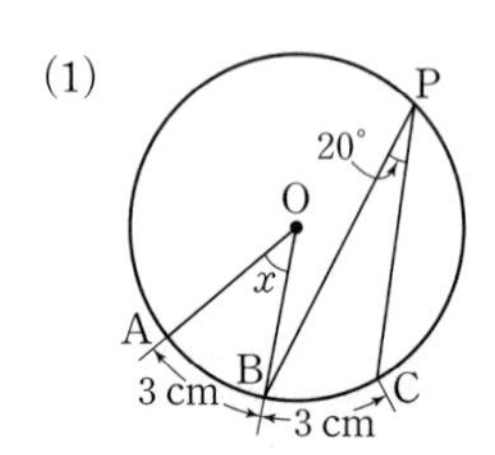

(2)

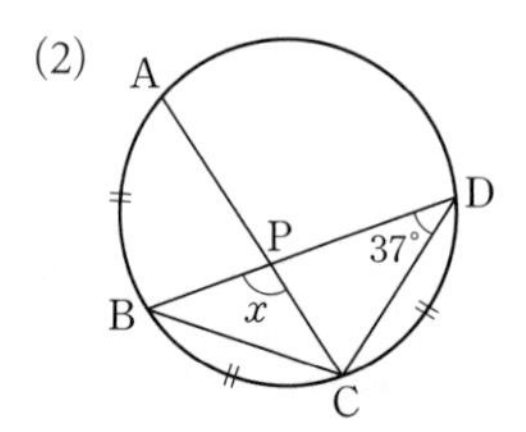

» My 셀파
길이가 같은 호에 대한 원주각의 크기는 같음을 이용한다.

기본 06 원주각의 크기와 호의 길이

오른쪽 그림에서 점 P는 두 현 AC, BD의 교점이다. $\angle ACB=25°$, $\angle APD=105°$이고 $\overset{\frown}{AB}=7$ cm일 때, $\overset{\frown}{CD}$의 길이를 구하시오.

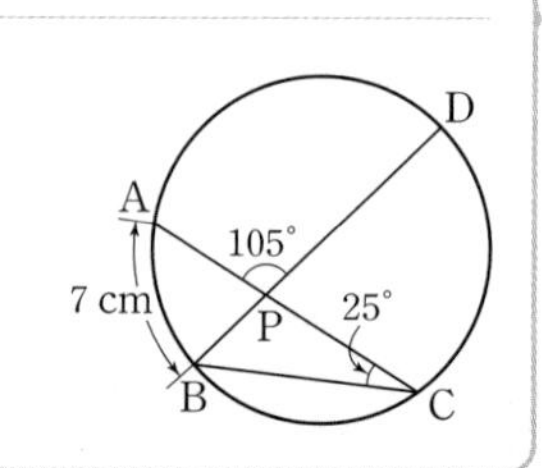

해법코드
호의 길이는 그 호에 대한 원주각의 크기에 정비례한다.
⇨ $\overset{\frown}{AB}:\overset{\frown}{CD}=\angle ACB:\angle CBD$

셀파 $\triangle PBC$에서 $\angle PBC$의 크기를 구한다.

풀이 $\angle BPC=\angle APD=105°$ (맞꼭지각)

$\triangle PBC$에서 $\angle PBC=180°-(\angle BPC+\angle PCB)$

$=180°-(105°+25°)=50°$

㉠ $\overset{\frown}{AB}:\overset{\frown}{CD}=\angle ACB:\angle CBD$이므로 $7:\overset{\frown}{CD}=25°:50°$

$7:\overset{\frown}{CD}=1:2$　　$\therefore \overset{\frown}{CD}=7\times 2=\mathbf{14\ (cm)}$

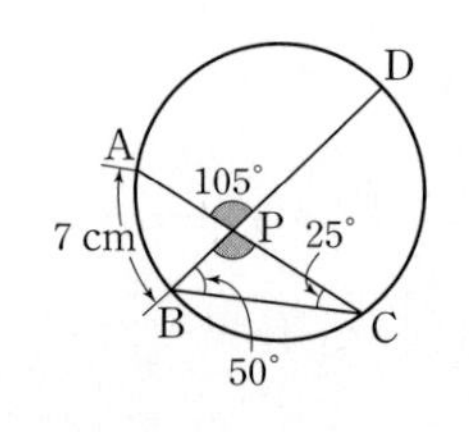

㉠ 한 원에서 원주각의 크기와 호의 길이는 정비례한다.

확인 06 오른쪽 그림에서 점 P는 두 현 AC, BD의 교점이다. $\overset{\frown}{AB}=5$ cm, $\overset{\frown}{CD}=15$ cm이고 $\angle ACB=15°$일 때, $\angle CPD$의 크기를 구하시오.

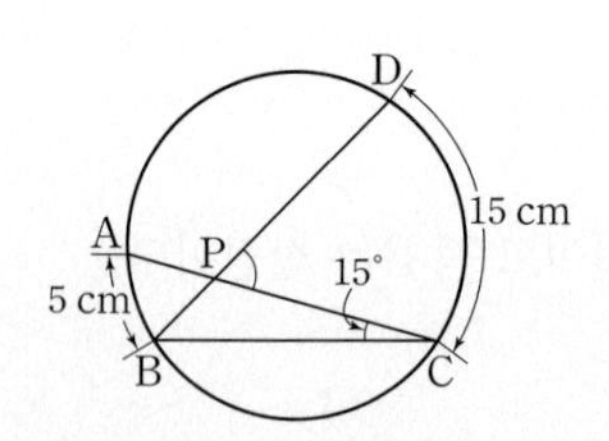

» My 셀파
호의 길이는 그 호에 대한 원주각의 크기에 정비례함을 이용한다.

해결 원리 알아보기

셀파 특강 원주각과 삼각비의 값

Q 오른쪽 그림과 같이 원 O에 내접하는 삼각형 ABC에서 $\sin A$, $\cos A$, $\tan A$의 값은 어떻게 구할까?

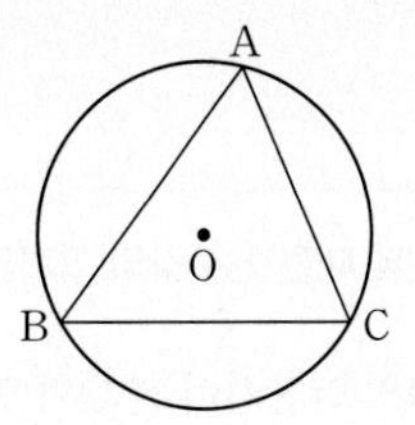

A 삼각비는 직각삼각형에서 두 변의 길이의 비이므로 직각삼각형에서만 정의된다. 따라서 ㉠ ∠A와 크기가 같은 각을 한 내각으로 갖는 직각삼각형을 만들어야 한다.

개념 다시 보기

∠A의 삼각비

① $\sin A=\frac{a}{c}$

② $\cos A=\frac{b}{c}$

③ $\tan A=\frac{a}{b}$

Q 그런 직각삼각형은 어떻게 만들까?

A 다음 두 가지 성질을 이용하면 된다.

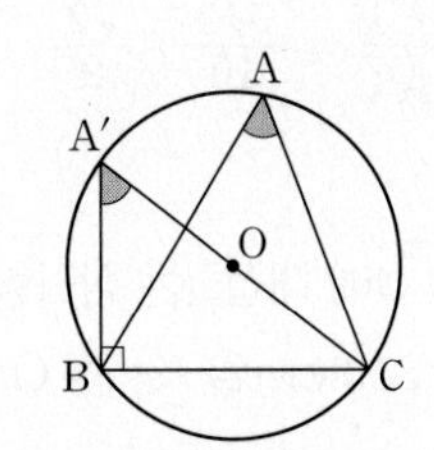

> ❶ 한 호에 대한 원주각의 크기는 같다.
> ❷ 반원에 대한 원주각의 크기는 90°이다.

즉 원의 중심 O를 지나는 $\overline{A'C}$를 그으면

㉡ ∠BAC=∠BA′C이고 ㉢ ∠A′BC=90°이므로 직각삼각형 A′BC에서 $\sin A$의 값을 구할 수 있다.

$$\Rightarrow \sin A=\sin A'=\frac{\overline{BC}}{\overline{A'C}},\ \cos A=\cos A'=\frac{\overline{A'B}}{\overline{A'C}},\ \tan A=\tan A'=\frac{\overline{BC}}{\overline{A'B}}$$

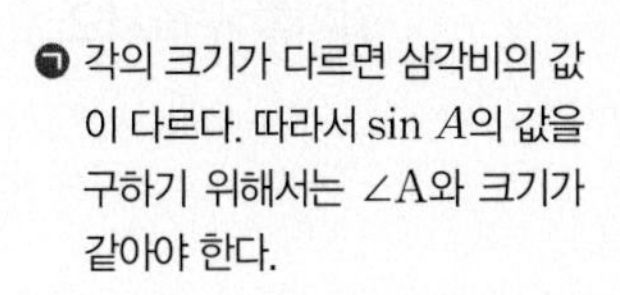

㉠ 각의 크기가 다르면 삼각비의 값이 다르다. 따라서 $\sin A$의 값을 구하기 위해서는 ∠A와 크기가 같아야 한다.

㉡ ∠BAC와 ∠BA′C는 모두 $\overparen{BC}$에 대한 원주각이므로 그 크기가 같다.

㉢ $\overline{A'C}$가 원 O의 지름이므로 ∠A′BC=90°

㉣ $\overline{A'C}$는 원 O의 지름이므로 $\overline{A'C}=2\overline{OC}=2\times5=10$

보기

오른쪽 그림과 같이 반지름의 길이가 5인 원 O에 내접하는 삼각형 ABC에서 $\overline{BC}=8$일 때, $\sin A$의 값을 구하시오.

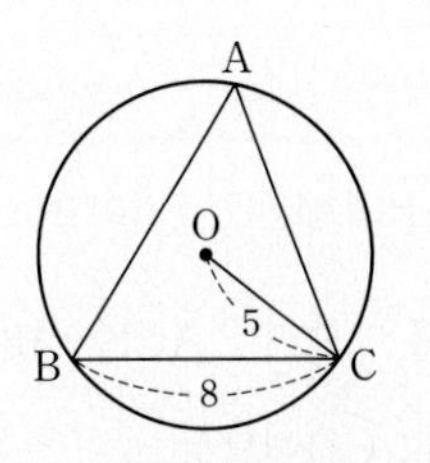

풀이 오른쪽 그림과 같이 $\overline{CO}$의 연장선이 원 O와 만나는 점을 A′이라 하면 ∠BAC=∠BA′C

$\overline{A'C}$가 원 O의 지름이므로 ∠A′BC=90°

㉣ $\overline{A'C}=10$이므로

$\sin A=\sin A'=\frac{\overline{BC}}{\overline{A'C}}=\frac{8}{10}=\mathbf{\frac{4}{5}}$

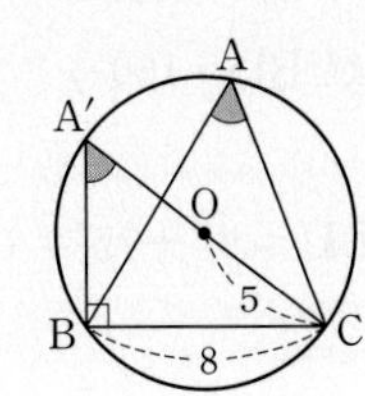

원에 내접하는 삼각형에서 삼각비의 값을 구할 때는 다음 두 가지 성질을 이용한다.

❶ 한 호에 대한 원주각의 크기는 같다. ❷ 반원에 대한 원주각의 크기는 90°이다.

발전 07 원주각과 삼각비의 값

오른쪽 그림과 같이 반지름의 길이가 5인 원 O에 내접하는 삼각형 ABC에서 $\overline{BC}=5\sqrt{2}$일 때, $\cos A$의 값을 구하시오.

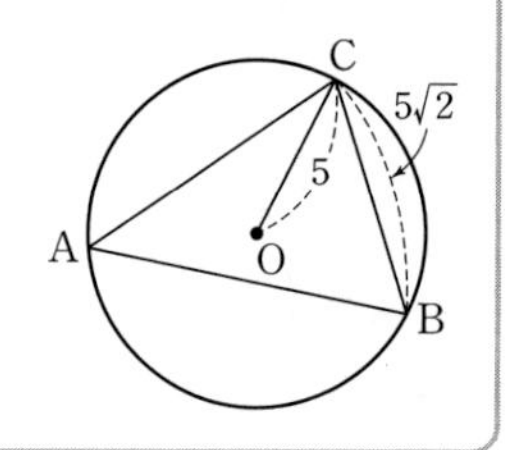

해법코드

∠A와 크기가 같은 각을 한 내각으로 갖는 직각삼각형을 그린다.
이때 다음 두 가지 성질을 이용한다.
❶ 한 호에 대한 원주각의 크기는 같다.
❷ 반원에 대한 원주각의 크기는 90°이다.

셀파 $\overline{CO}$의 연장선을 그어 반원에 대한 원주각의 크기가 90°임을 이용한다.

풀이 오른쪽 그림과 같이 $\overline{CO}$의 연장선이 원 O와 만나는 점을 A′이라 하면 $\angle BAC=\angle BA'C$

$\overline{A'C}$가 원 O의 지름이므로 $\angle A'BC=90^\circ$

㉠ $\overline{A'C}=10$이므로 $\overline{A'B}=\sqrt{10^2-(5\sqrt{2})^2}=\sqrt{50}=5\sqrt{2}$

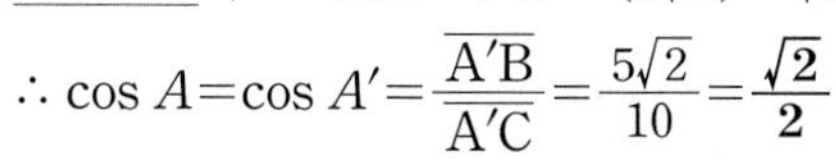

$\therefore \cos A=\cos A'=\dfrac{\overline{A'B}}{\overline{A'C}}=\dfrac{5\sqrt{2}}{10}=\mathbf{\dfrac{\sqrt{2}}{2}}$

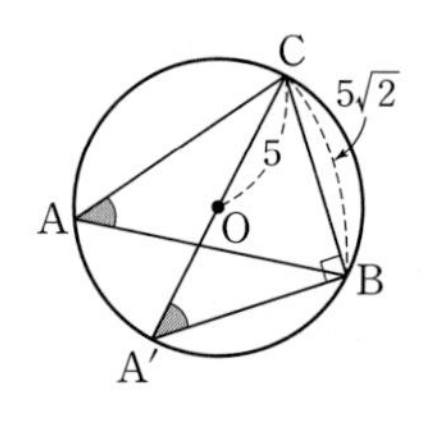

㉠ $\overline{A'C}$는 지름이므로 $\overline{A'C}=2\overline{OC}=2\times5=10$

확인 07 오른쪽 그림과 같이 원 O에 내접하는 삼각형 ABC에서 $\angle C=60^\circ$이고 $\overline{AB}=2\sqrt{3}$ cm일 때, 원 O의 반지름의 길이를 구하시오.

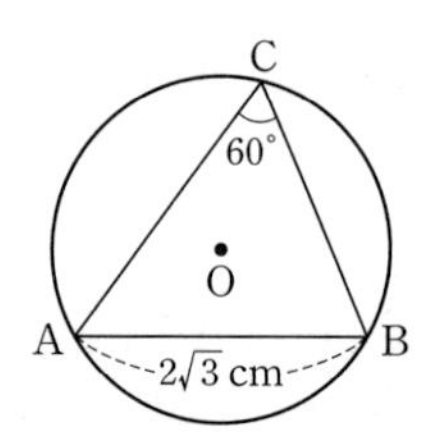

» My 셀파

∠C와 크기가 같은 각을 한 내각으로 갖는 직각삼각형을 그리면 그 직각삼각형의 빗변이 원 O의 지름이다.

발전 08 호의 길이의 비에 따른 원주각의 크기

오른쪽 그림에서 $\widehat{AB}$의 길이는 원주의 $\dfrac{1}{6}$이고 $\widehat{AB}:\widehat{CD}=2:5$일 때, $\angle x$의 크기를 구하시오.

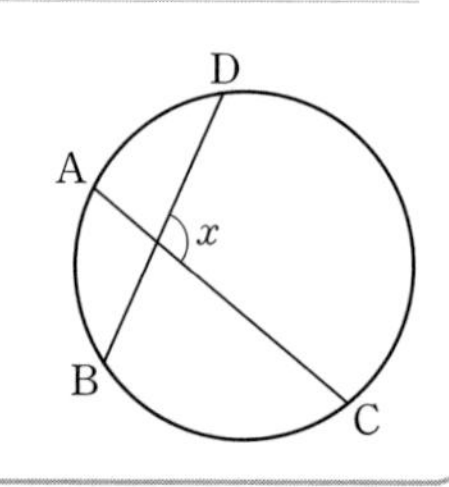

해법코드

(1) 원을 몇 개의 호로 나눌 때 나누어진 각 호에 대한 중심각의 크기의 합은 360°이고, 원주각의 크기의 합은 $\dfrac{1}{2}\times360^\circ=180^\circ$이다.

(2) $\widehat{AB}$의 길이가 원주의 $\dfrac{1}{n}$이면 $\widehat{AB}$에 대한 원주각의 크기는 $180^\circ\times\dfrac{1}{n}$

셀파 $\overline{BC}$를 그으면 ∠ACB는 $\widehat{AB}$에 대한 원주각이고 ∠CBD는 $\widehat{CD}$에 대한 원주각이다.

풀이 오른쪽 그림과 같이 $\overline{BC}$를 그으면 $\angle ACB=180^\circ\times\dfrac{1}{6}=30^\circ$

$\angle ACB:\angle CBD=\widehat{AB}:\widehat{CD}$이므로

$30^\circ:\angle CBD=2:5$, $2\angle CBD=150^\circ$

$\therefore \angle CBD=75^\circ$

$\therefore$ ㉠ $\angle x=\angle ACB+\angle CBD=30^\circ+75^\circ=\mathbf{105^\circ}$

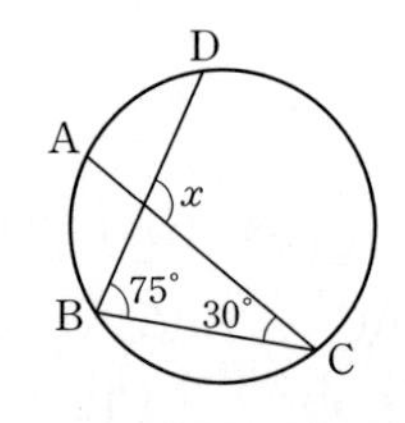

㉠ 삼각형의 한 외각의 크기는 그와 이웃하지 않는 두 내각의 크기의 합과 같다.

확인 08 오른쪽 그림에서 $\widehat{AB}:\widehat{BC}:\widehat{CA}=3:4:5$일 때, ∠A, ∠B, ∠C의 크기를 각각 구하시오.

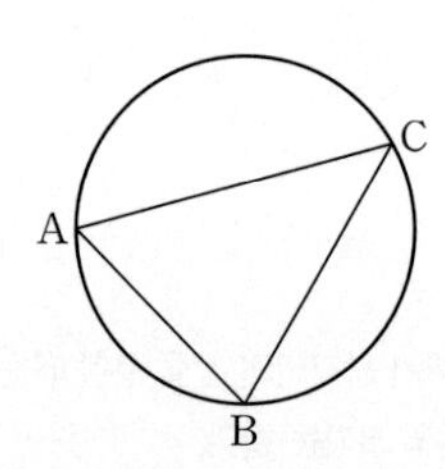

» My 셀파

$\angle ACB:\angle BAC:\angle CBA$
$=\widehat{AB}:\widehat{BC}:\widehat{CA}$
$=3:4:5$
이때 한 원에서 모든 호에 대한 원주각의 크기의 합은 180°이다.

실력 키우기

빠른 정답 137쪽 | 정답과 해설 30쪽

01 원주각

다음 중 원주각에 대한 설명으로 옳지 않은 것은?

① 반원에 대한 원주각의 크기는 $90°$이다.
② 한 호에 대한 원주각의 크기는 모두 같다.
③ 원주각의 크기와 호의 길이는 정비례한다.
④ 원주각의 크기와 현의 길이는 정비례한다.
⑤ 한 호에 대한 중심각의 크기는 그 호에 대한 원주각의 크기의 2배이다.

02 원주각과 중심각의 크기

오른쪽 그림의 원 O에서 $\angle OAP=35°$, $\angle OBP=20°$일 때, $\angle x$의 크기를 구하시오.

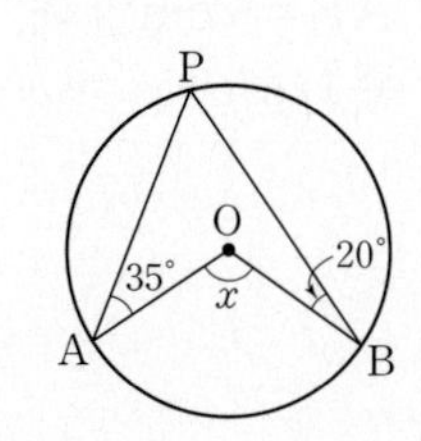

03 원주각과 중심각의 크기 (서술형)

오른쪽 그림과 같이 반지름의 길이가 4 cm인 원 O에서 $\angle APB=30°$일 때, 색칠한 부분의 넓이를 구하시오.

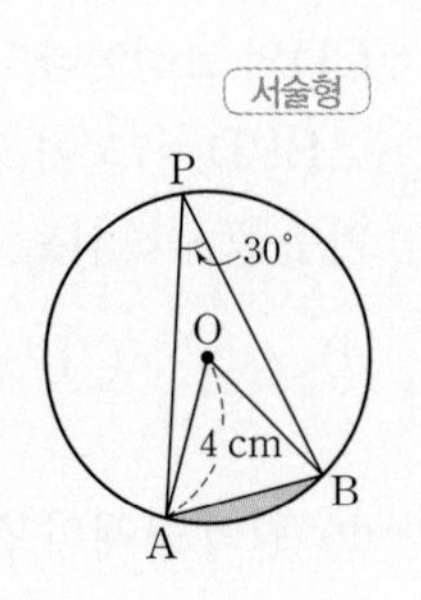

04 원주각과 중심각의 크기 – 접선이 주어진 경우

다음 그림에서 $\overline{PA}$, $\overline{PB}$는 원 O의 접선이고 두 점 A, B는 접점이다. $\angle ACB=105°$일 때, $\angle x$의 크기를 구하시오.

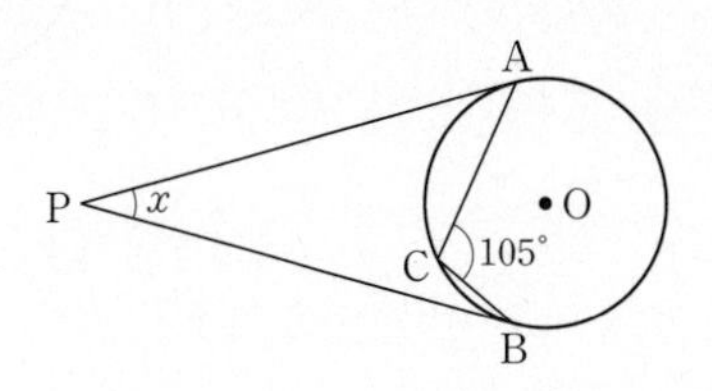

05 원주각의 성질

오른쪽 그림에서 $\angle AQB=24°$, $\angle BRC=32°$일 때, $\angle APC$의 크기를 구하시오.

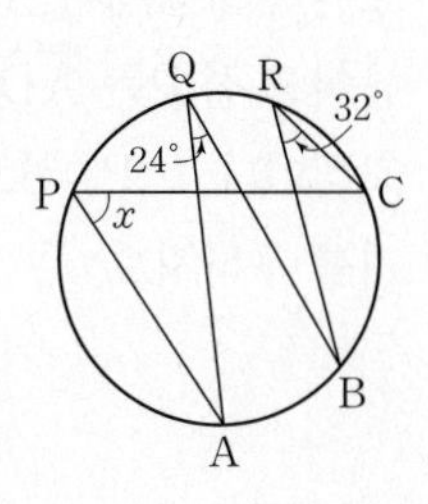

06 원주각의 성질

오른쪽 그림과 같이 두 현 AB와 CD의 연장선의 교점을 P, 두 현 AD와 BC의 교점을 Q라 하자. $\angle ABC=75°$, $\angle BAD=35°$일 때, $\angle x$의 크기를 구하시오.

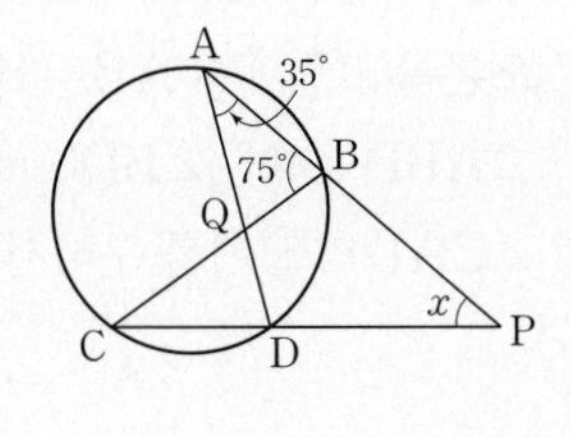

07 반원에 대한 원주각의 크기

오른쪽 그림에서 $\overline{AB}$는 원 O의 지름이고 $\angle BAD=20^\circ$일 때, $\angle x$의 크기를 구하시오.

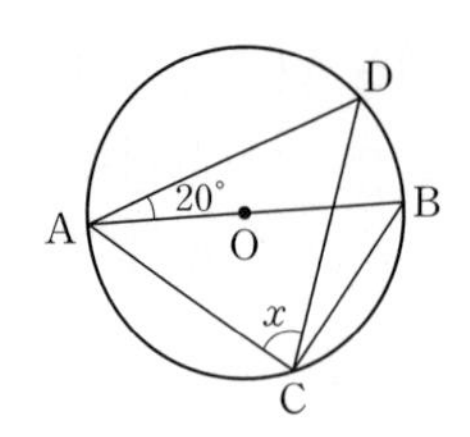

08 반원에 대한 원주각의 크기 서술형

오른쪽 그림에서 $\overline{AB}$는 반원 O의 지름이고 점 P는 $\overline{AD}$, $\overline{BC}$의 연장선의 교점이다. $\angle P=62^\circ$일 때, $\angle x$의 크기를 구하시오.

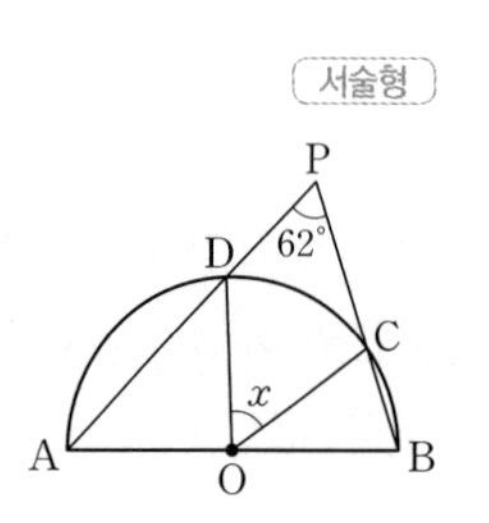

09 길이가 같은 호에 대한 원주각의 크기

오른쪽 그림에서 $\widehat{AB}=\widehat{BC}$이고 $\angle ABD=40^\circ$, $\angle BDC=43^\circ$일 때, $\angle CAD$의 크기를 구하시오.

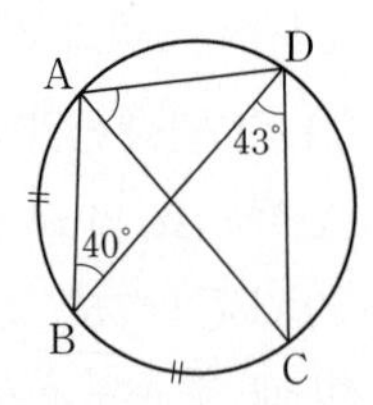

10 길이가 같은 호에 대한 원주각의 크기

오른쪽 그림에서 $\overline{AB}$는 원 O의 지름이다. $\widehat{BC}=\widehat{CD}$이고 $\angle BAC=32^\circ$일 때, $\angle x$의 크기를 구하시오.

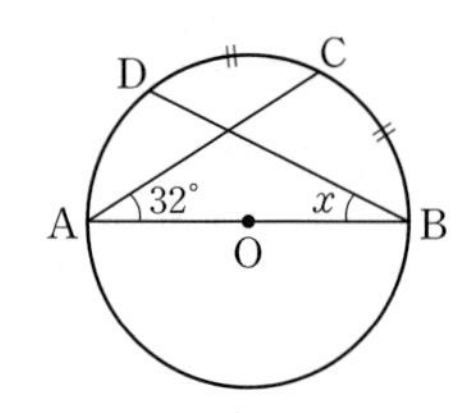

11 원주각의 크기와 호의 길이

오른쪽 그림의 원 O에서 $\angle APB=20^\circ$, $\angle AOC=100^\circ$이고 $\widehat{AB}=5$ cm일 때, $\widehat{BC}$의 길이를 구하시오.

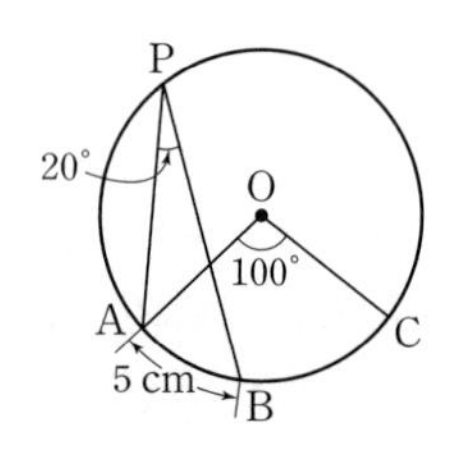

12 원주각의 크기와 호의 길이 서술형

오른쪽 그림에서 점 P는 두 현 AB, CD의 교점이다. $\angle ABC=35^\circ$, $\angle BPD=75^\circ$이고 $\widehat{BD}=8\pi$ cm일 때, 다음을 구하시오.

(1) $\angle x$의 크기

(2) 원의 둘레의 길이

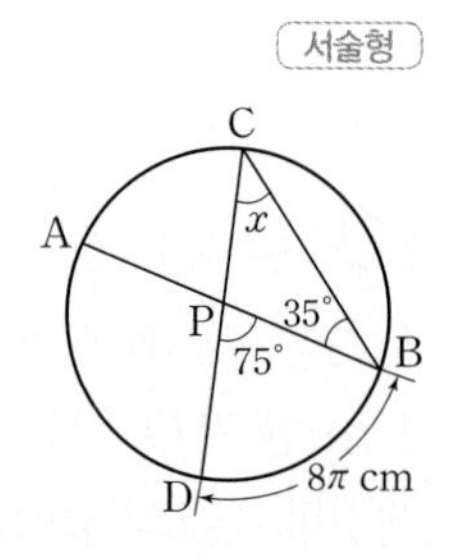

13 원주각과 삼각비의 값

오른쪽 그림과 같이 원 O에 내접하는 △ABC에서 $\tan A=\sqrt{2}$이고 $\overline{BC}=8$일 때, 원 O의 지름의 길이를 구하시오.

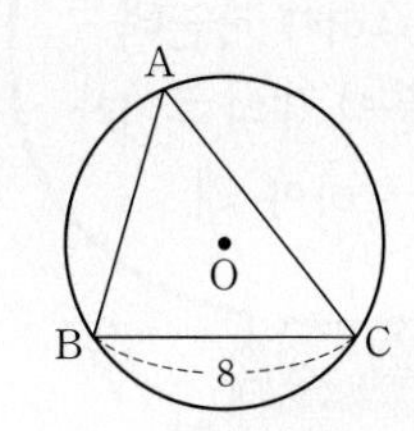

14 호의 길이의 비에 따른 원주각의 크기

오른쪽 그림에서 $\widehat{AB}:\widehat{BC}:\widehat{CD}:\widehat{DA}=3:5:5:2$일 때, $\angle x$의 크기를 구하시오.

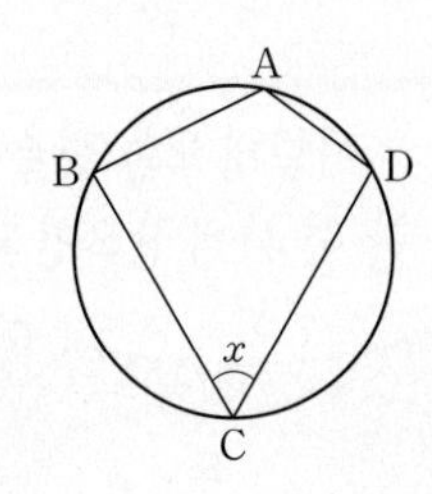

15 호의 길이의 비에 따른 원주각의 크기

다음 그림에서 $\widehat{AC}$의 길이는 원주의 $\frac{1}{4}$이고 $\widehat{BD}$의 길이는 원주의 $\frac{1}{10}$일 때, $\angle P$의 크기를 구하시오.

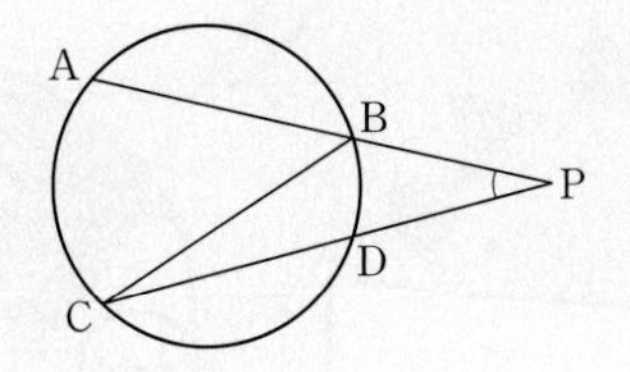

16 원주각의 크기와 호의 길이 (서술형)

오른쪽 그림에서 점 P는 두 현 AB, CD의 교점이다. $\angle APD=60^\circ$이고 $\widehat{AD}=2\pi$, $\widehat{BC}=4\pi$일 때, 원의 반지름의 길이를 다음 순서대로 구하시오.

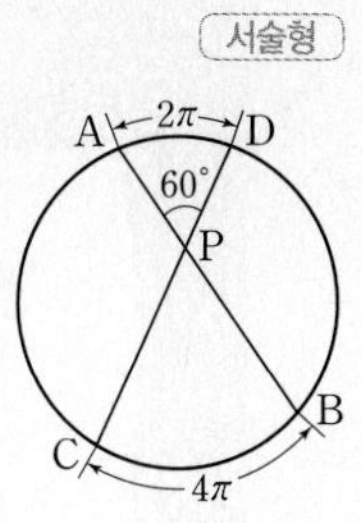

(1) $\overline{BD}$를 그었을 때, $\widehat{AD}$와 $\widehat{BC}$에 대한 원주각의 크기를 가장 간단한 자연수의 비로 나타내시오.

(2) $\widehat{AD}$에 대한 원주각의 크기를 구하시오.

(3) $\widehat{AD}$에 대한 중심각의 크기를 구하시오.

(4) 원의 반지름의 길이를 구하시오.

17 원주각과 중심각의 크기 (창의·융합)

오른쪽 그림과 같이 원 모양의 공연장의 한쪽에 무대가 있다. 공연장의 경계 위의 한 지점 A에서 무대의 양 끝 지점 B, C를 바라본 각의 크기가 45°이고 $\overline{BC}=10$ m일 때, 다음 물음에 답하시오.

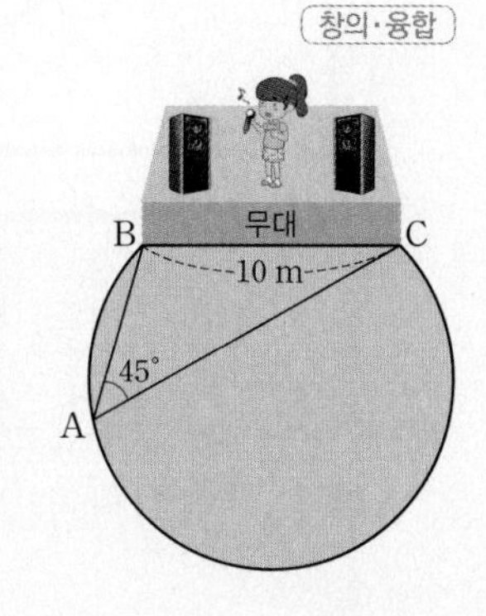

(1) 공연장의 반지름의 길이를 구하시오.

(2) 무대를 제외한 공연장의 넓이를 구하시오.

이게 무슨 그림이야?

왕관을 그려야 하는데
뾰족한 부분의 각의 크기가
모두 같아야 돼.
각도기를 써.
없어!

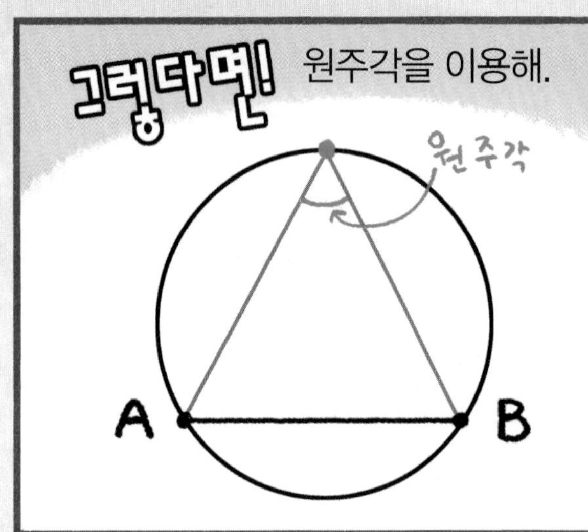
그렇다면! 원주각을 이용해.
원주각
A
B

이렇게 모든 점을
한 원 위에 잡으면 돼.
D
E
F
C
G
A
B

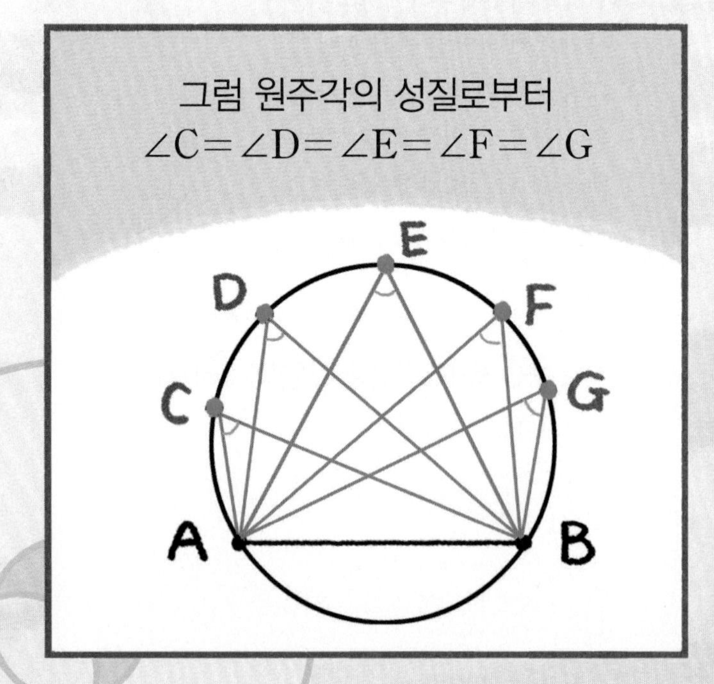
그럼 원주각의 성질로부터
∠C = ∠D = ∠E = ∠F = ∠G
E
D
F
C
G
A
B

하나만 더 부탁할게.
이런 토끼 모자도
그려 줘.
원주각을
두 개만 그리면
되잖아!!!

Ⅱ | 원의 성질

원주각의 활용

| 개념 1 | 네 점이 한 원 위에 있을 조건 – 원주각을 이용
| 개념 2 | 원에 내접하는 사각형의 성질
| 개념 3 | 사각형이 원에 내접하기 위한 조건
| 개념 4 | 원의 접선과 현이 이루는 각

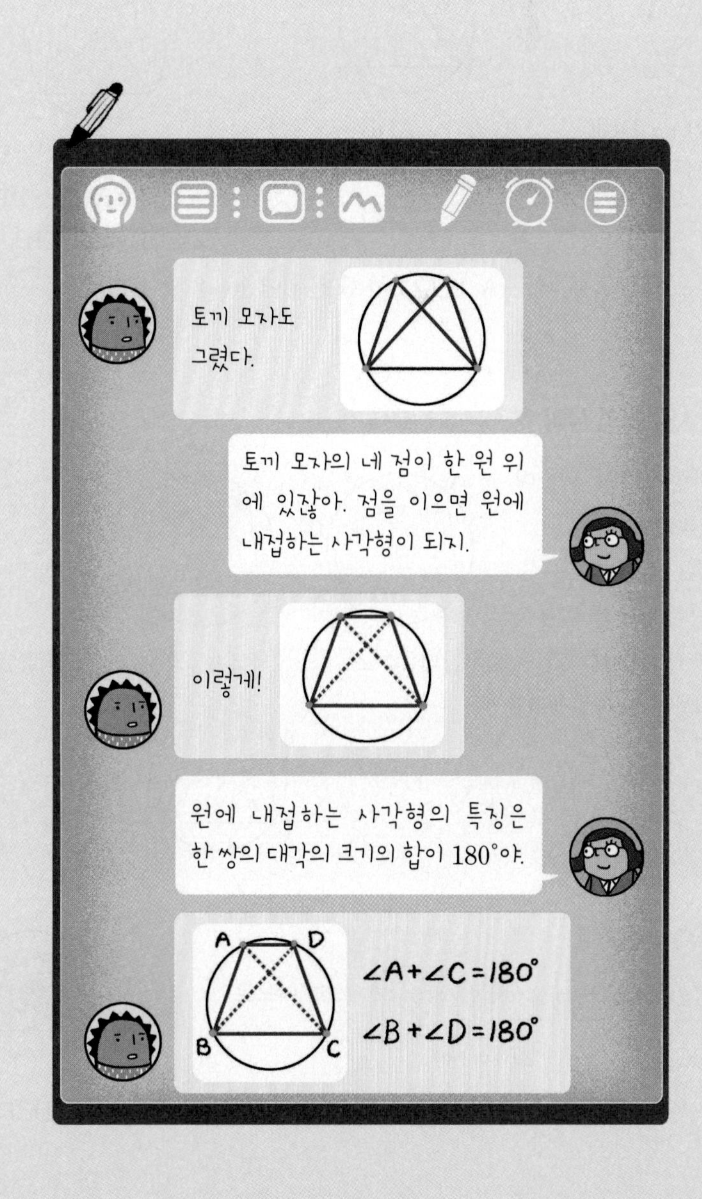

5 원주각의 활용

1 네 점이 한 원 위에 있을 조건 – 원주각을 이용

두 점 C, D가 직선 AB에 대하여 [ ] 쪽에 있을 때,
$\angle ACB = \angle ADB$
이면 네 점 A, B, C, D는 한 원 위에 있다. (→ □ABDC는 원에 내접하는 사각형이다.)

참고 네 점 A, B, C, D가 한 원 위에 있으면
$\angle ACB = \angle ADB$ ([ ]에 대한 원주각)

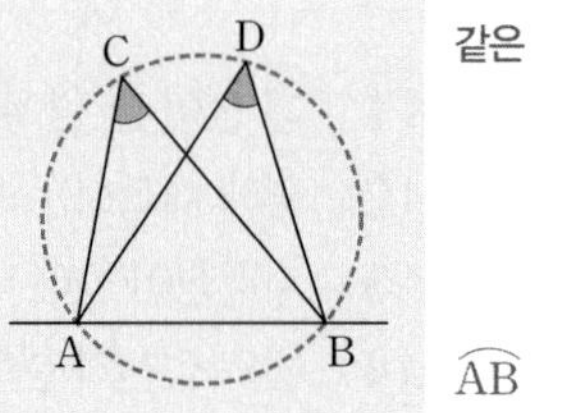

같은

$\overset{\frown}{AB}$

주의
두 점 C, D가 직선 AB에 대하여 서로 반대 쪽에 있을 때는 $\angle ACB = \angle ADB$이어도 네 점 A, B, C, D가 한 원 위에 있다고 할 수 없다.

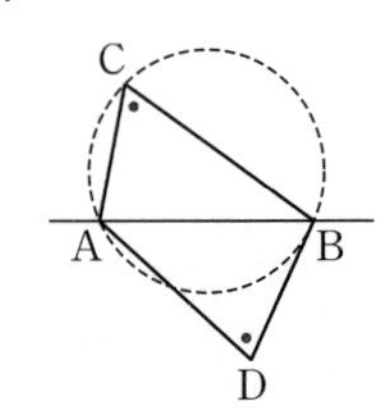

설명 (i) 점 D가 원의 내부에 있는 경우

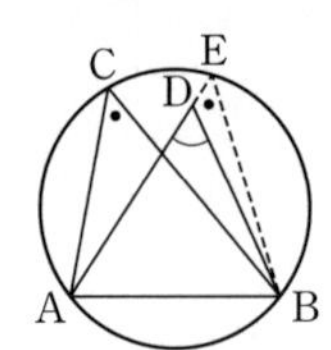

$\angle ADB = \angle AEB + \angle DBE$
$= \angle ACB + \angle DBE$
$\therefore \angle ADB > \angle ACB$

(ii) 점 D가 원 위에 있는 경우

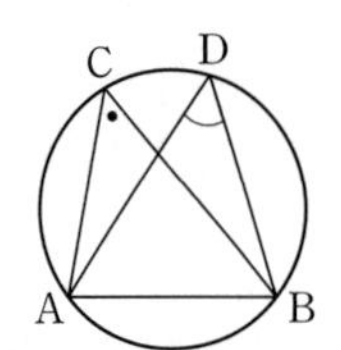

$\angle ACB$와 $\angle ADB$는 모두 $\overset{\frown}{AB}$에 대한 원주각이므로
$\angle ACB = \angle ADB$

(iii) 점 D가 원의 외부에 있는 경우

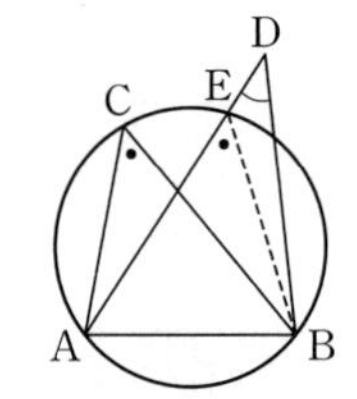

$\angle ADB = \angle AEB - \angle DBE$
$= \angle ACB - \angle DBE$
$\therefore \angle ADB < \angle ACB$

따라서 $\angle ACB = \angle ADB$일 때, 네 점 A, B, C, D가 한 원 위에 있음을 알 수 있다.

네 점 A, B, C, D가 한 원 위에 있는지 확인할 때, 삼각형은 항상 원에 내접하므로 세 점 A, B, C를 지나는 원 O 위에 점 D가 있는지 확인하면 돼.

2 원에 내접하는 사각형의 성질

(1) 원에 내접하는 사각형에서 한 쌍의 대각의 크기의 합은 180°이다.
⇨ $\angle A + \angle C = \angle B + \angle D =$ [ ]°

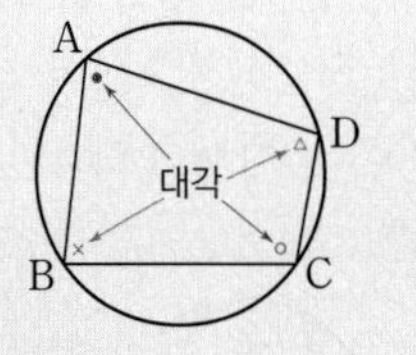

(2) 원에 내접하는 사각형에서 한 외각의 크기는 그와 이웃한 내각의 대각의 크기와 같다. ⇨ ∠[ ]$= \angle A$

180

DCE

예 오른쪽 그림에서 □ABCD가 원에 내접할 때, $\angle x$, $\angle y$의 크기를 각각 구해 보자.
⇨ $\angle x = \angle DCE = 108°$
$\angle y + 90° = 180°$ $\therefore \angle y =$ [ ]°

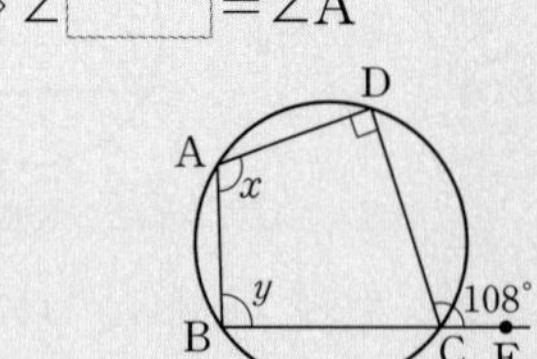

90

설명 □ABCD가 원 O에 내접할 때
(1) ㉠ $\angle BAD = \frac{1}{2}\angle a$, $\angle BCD = \frac{1}{2}\angle b$이고 $\angle a + \angle b = 360°$이므로
$\angle BAD + \angle BCD = \frac{1}{2}(\angle a + \angle b) = 180°$
(2) (1)에 의하여 $\angle A + \angle BCD = 180°$이고 $\angle BCD + \angle DCE = 180°$이므로 $\angle A = \angle DCE$

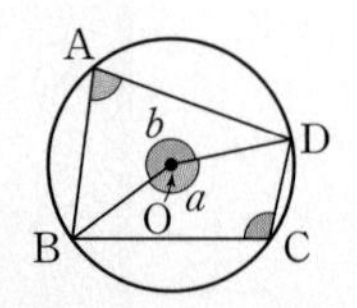

㉠ 한 호에 대한 원주각의 크기는 그 호에 대한 중심각의 크기의 $\frac{1}{2}$이다.

| 개념 체크 |

1-1 네 점이 한 원 위에 있을 조건

다음 그림에서 네 점 A, B, C, D가 한 원 위에 있도록 하는 $\angle x$의 크기를 구하시오.

(1)

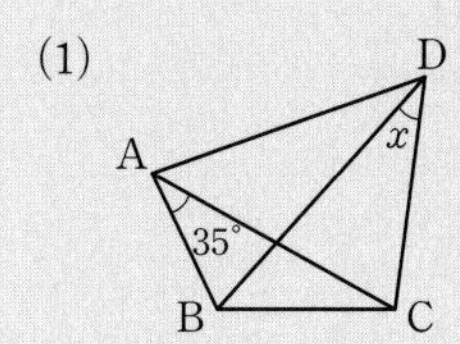

(2)

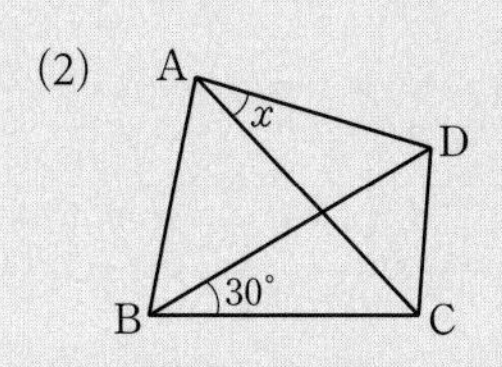

셀파 네 점이 한 원 위에 있으려면 한 선분에 대하여 같은 쪽에 있는 두 점으로 만들어진 각의 크기가 같아야 한다.

연구 (1) $\overline{BC}$에 대하여 같은 쪽에 있는 두 각 $\angle BAC$, $\angle BDC$의 크기가 같아야 하므로 $\angle x=$ □°

(2) $\overline{DC}$에 대하여 같은 쪽에 있는 두 각 $\angle DAC$, □의 크기가 같아야 하므로 $\angle x=$ □°

| 따라 풀기 |

1-2 다음 그림에서 네 점 A, B, C, D가 한 원 위에 있도록 하는 $\angle x$의 크기를 구하시오.

(1)

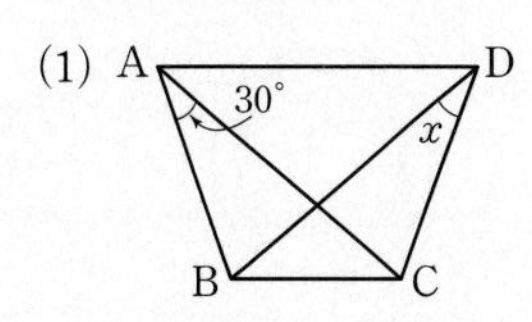

(2)

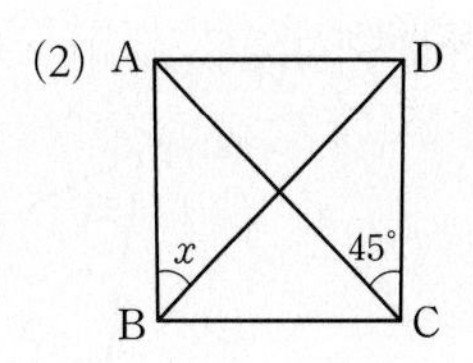

2-1 원에 내접하는 사각형의 성질

다음 그림과 같이 □ABCD가 원에 내접할 때, $\angle x$, $\angle y$의 크기를 각각 구하시오.

(1)

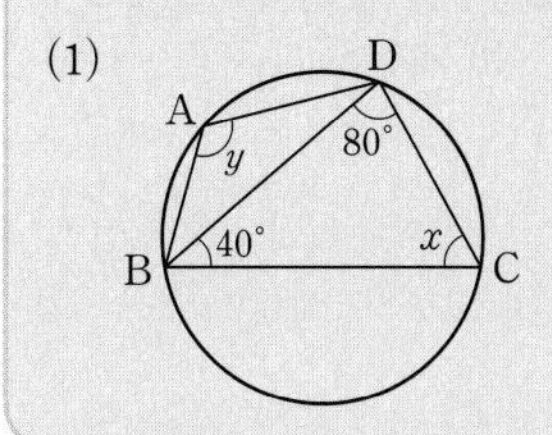

(2)

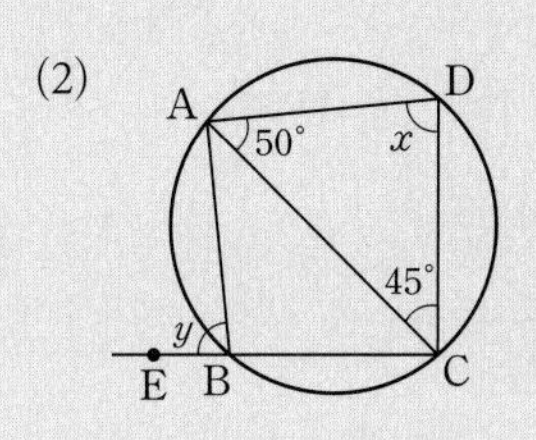

셀파 원에 내접하는 사각형에서

❶ 한 쌍의 대각의 크기의 합은 180°이다.

❷ 한 외각의 크기는 그와 이웃한 내각의 대각의 크기와 같다.

연구 (1) $\triangle DBC$에서 $\angle x=180°-(80°+40°)=$ □°

$\angle y+\angle x=$ □°이므로 $\angle y=$ □°

(2) $\triangle ACD$에서 $\angle x=180°-(50°+45°)=$ □°

$\angle ABE=\angle ADC$이므로 $\angle y=$ □°

2-2 다음 그림과 같이 □ABCD가 원에 내접할 때, $\angle x$의 크기를 구하시오.

(1) A, D, C, B; x, 108°

(2) A, D, C, B; x, 45°, 20°

(3)

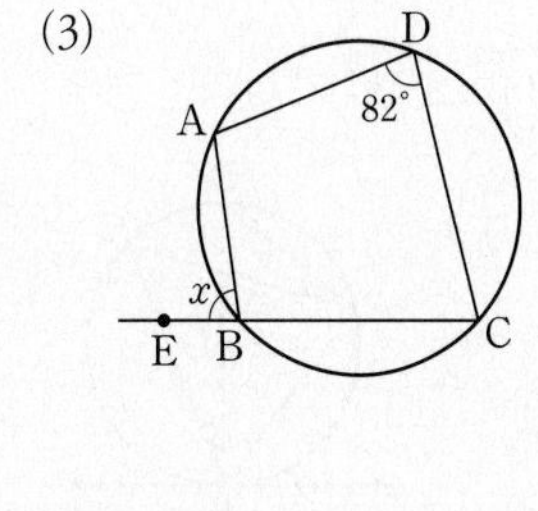

(4)

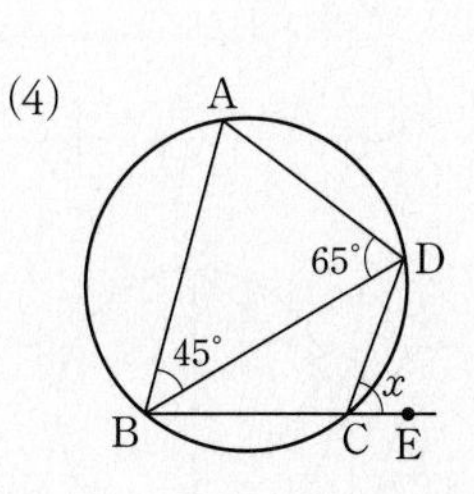

- **네 점이 한 원 위에 있을 조건**
  두 점 C, D가 직선 AB에 대하여 같은 쪽에 있을 때, $\angle ACB=\angle ADB$이면 네 점 A, B, C, D는 한 원 위에 있다.

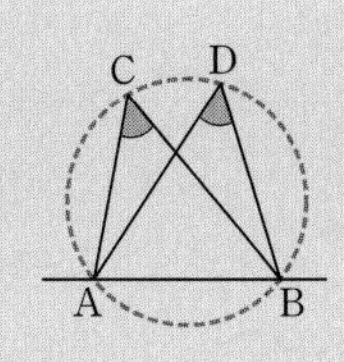

- **원에 내접하는 사각형의 성질**
  ① 한 쌍의 대각의 크기의 합은 180°이다.
  ② 한 외각의 크기는 그와 이웃한 내각의 대각의 크기와 같다.

3 사각형이 원에 내접하기 위한 조건

(1) 한 쌍의 대각의 크기의 합이 $\boxed{}$°인 사각형은 원에 내접한다. 180

(2) 한 외각의 크기가 그와 이웃한 내각의 $\boxed{}$의 크기와 같은 사각형은 원에 내접한다. 대각

참고 ㉠항상 원에 내접하는 사각형

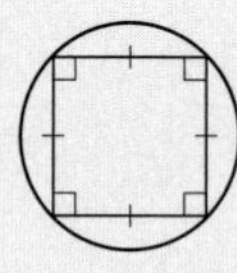
정사각형

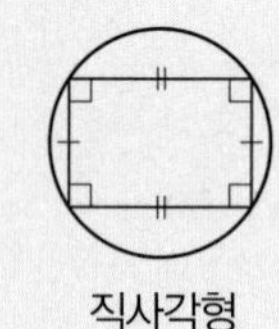
직사각형

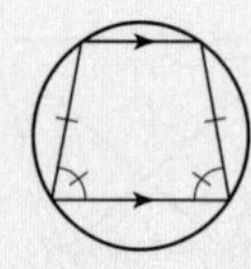
등변사다리꼴

㉠ 정사각형, 직사각형, 등변사다리꼴은 모두 한 쌍의 대각의 크기의 합이 180°이므로 항상 원에 내접한다.

보기 다음 그림의 □ABCD가 원에 내접하는지 말하시오.

(1)
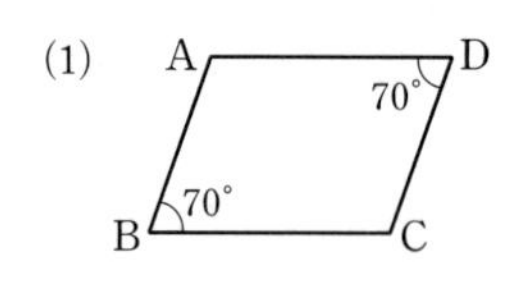

(2)
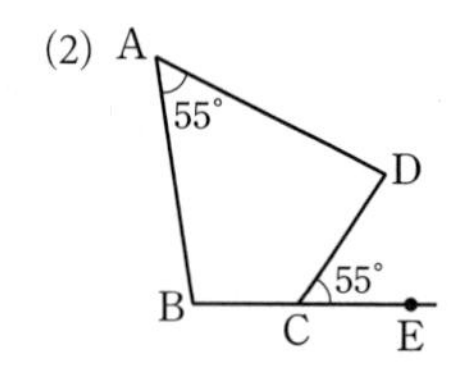

풀이 (1) $\angle B+\angle D=70°+70°=140°\neq180°$, 즉 한 쌍의 대각의 크기의 합이 180°가 아니므로 **□ABCD**는 원에 내접하지 않는다.

(2) $\angle DCE=\angle A=55°$, 즉 한 외각의 크기와 그와 이웃한 내각의 대각의 크기가 같으므로 **□ABCD**는 원에 내접한다.

4 원의 접선과 현이 이루는 각

원의 접선과 그 접점을 지나는 현이 이루는 각의 크기는 그 각의 내부에 있는 호에 대한 $\boxed{}$의 크기와 같다. 원주각

⇨ $\angle CBT=\angle CAB$

참고 접선이 되기 위한 조건

$\angle CBT=\angle CAB$이면 $\overleftrightarrow{BT}$는 원 O의 접선이다.

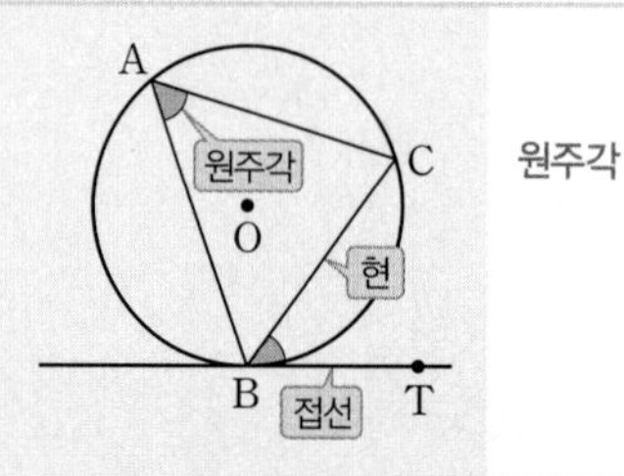

설명 (i) ∠CBT가 직각인 경우

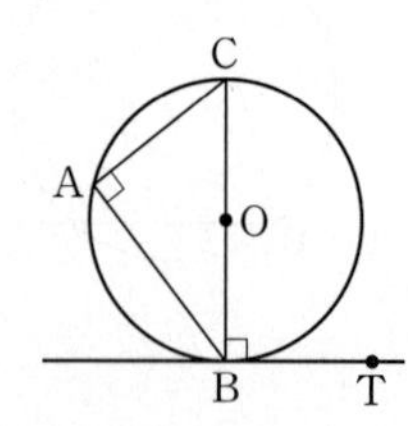

$\angle CBT=90°$이면
$\overline{BC}$는 지름이므로
㉡$\angle CAB=90°$
$\therefore \angle CBT=\angle CAB$

(ii) ∠CBT가 예각인 경우

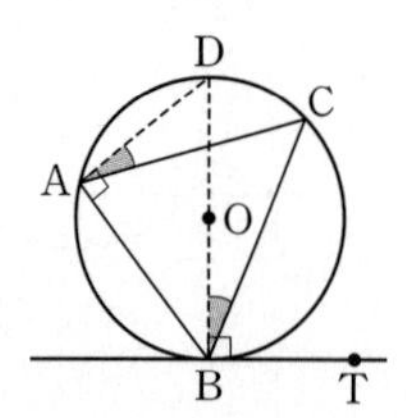

지름 BD를 그으면
$\angle DBT=\angle DAB=90°$
$\therefore \angle CBT$
$=90°-\angle DBC$
$=90°-\angle DAC$ ㉢
$=\angle CAB$

(iii) ∠CBT가 둔각인 경우

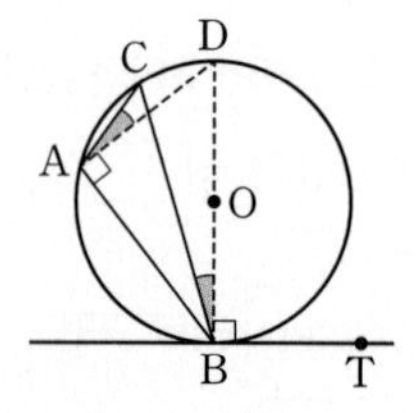

지름 BD를 그으면
$\angle DBT=\angle DAB=90°$
$\therefore \angle CBT$
$=90°+\angle CBD$
$=90°+\angle CAD$ ㉣
$=\angle CAB$

㉡ 반원에 대한 원주각의 크기는 90°이다.

㉢ 한 호에 대한 원주각의 크기는 같다. 즉 $\angle DAC=\angle DBC$ ($\overset{\frown}{DC}$에 대한 원주각)

㉣ $\angle CAD=\angle CBD$ ($\overset{\frown}{CD}$에 대한 원주각)

| 개념 체크 |

3-1 사각형이 원에 내접하기 위한 조건

다음 **보기**에서 □ABCD가 원에 내접하는 것을 모두 고르시오.

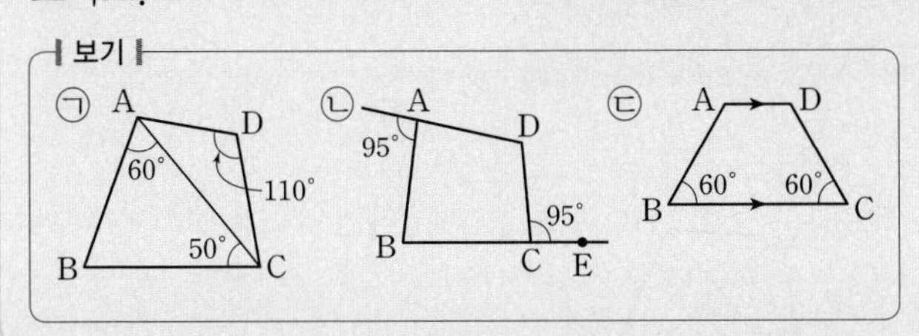

셀파 사각형에서 한 쌍의 대각의 크기의 합이 180°이거나 한 외각의 크기가 그와 이웃한 내각의 대각의 크기와 같으면 원에 내접한다.

연구 ㉠ △ABC에서 $\angle B = 180° - (60° + 50°) = 70°$
$\angle B + \angle D = 180°$이므로 □ABCD는 원에 ☐.
㉡ ∠DCE ☐ ∠BAD이므로
□ABCD는 원에 ☐.
㉢ $\overline{AD} /\!/ \overline{BC}$이므로 ∠A= ☐°
∠A+∠C= ☐°이므로 □ABCD는 원에 ☐.

4-1 원의 접선과 현이 이루는 각

오른쪽 그림에서 직선 BT는 원 O의 접선이고 점 B는 접점일 때, ∠x의 크기를 구하시오.

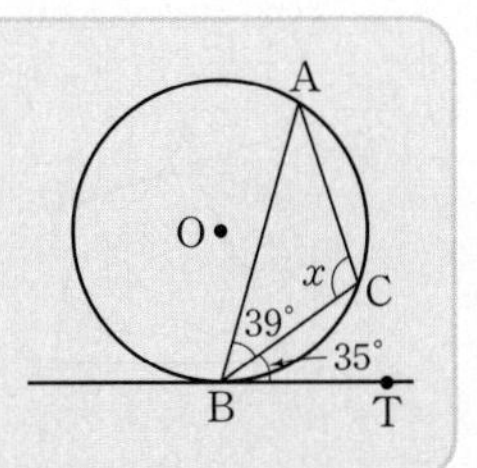

셀파 원의 접선과 그 접점을 지나는 현이 이루는 각의 크기는 그 각의 내부에 있는 호에 대한 원주각의 크기와 같다.

연구 ∠CAB= ☐°이므로 △ABC에서
$\angle x = 180° - (☐° + 39°) = ☐°$

| 따라 풀기 |

3-2 다음 그림의 □ABCD가 원에 내접하면 ○표, 내접하지 않으면 ×표를 ( ) 안에 써넣으시오.

(1)
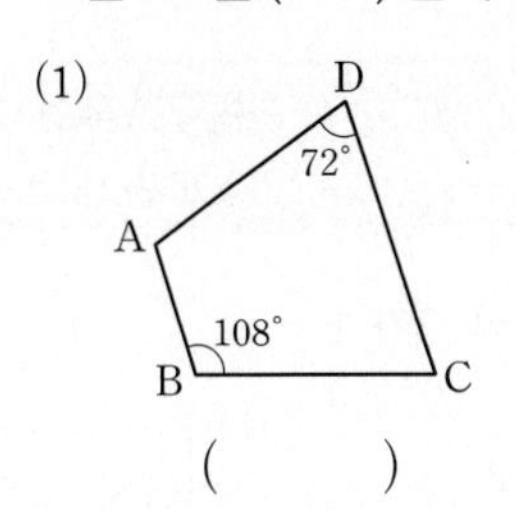

( )

(2)
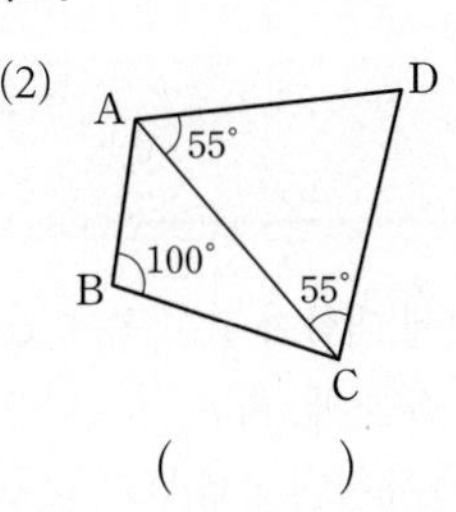

( )

(3)
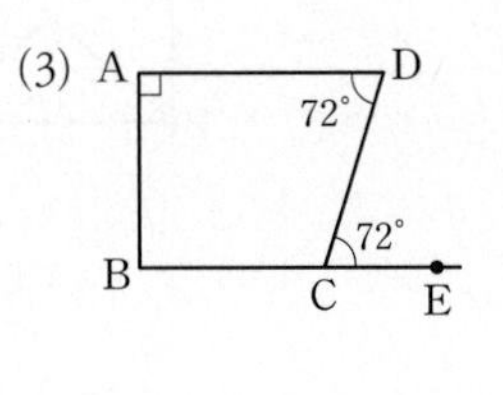

( )

(4)
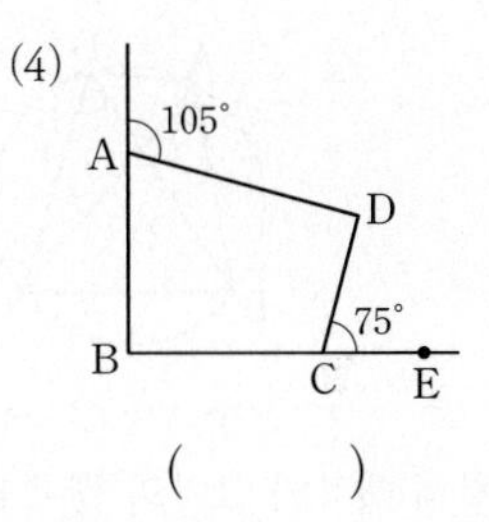

( )

4-2 다음 그림에서 직선 BT는 원 O의 접선이고 점 B는 접점일 때, ∠x의 크기를 구하시오.

(1)
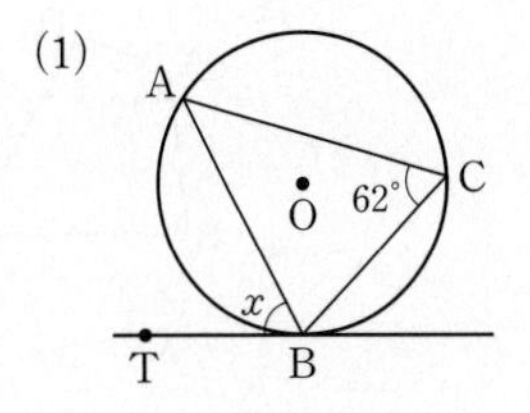

(2)
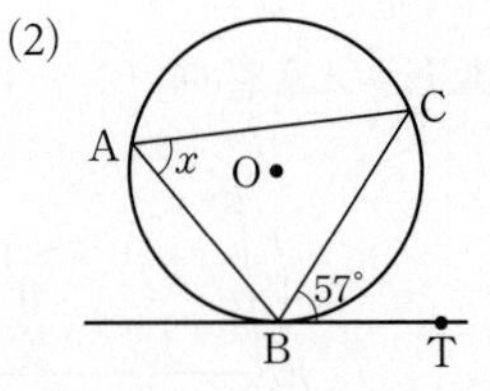

(3)
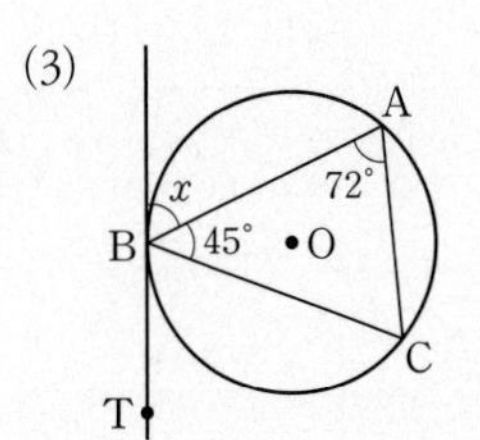

(4)
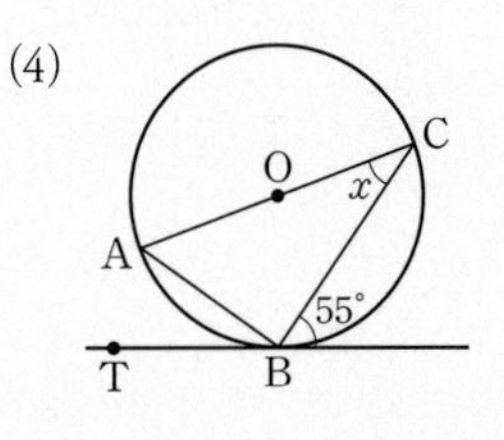

- 사각형이 원에 내접하기 위한 조건
  ① 한 쌍의 대각의 크기의 합이 180°인 사각형은 원에 내접한다.
  ② 한 외각의 크기가 그와 이웃한 내각의 대각의 크기와 같은 사각형은 원에 내접한다.
- 원의 접선과 현이 이루는 각
  오른쪽 그림에서 $\overleftrightarrow{PQ}$는 원 O의 접선이고 점 B는 접점일 때
  ⇨ ∠ABP=∠ACB, ∠CBQ=∠CAB

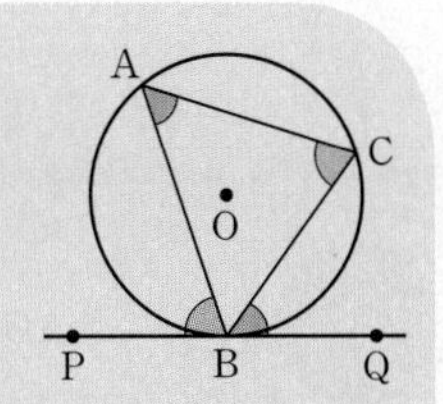

사각형이 원에 내접하기 위한 조건

앞에서 ㉠네 점이 한 원 위에 있을 조건과 사각형이 원에 내접하기 위한 조건 2가지를 배웠다.
이것으로 우리가 배운 사각형이 원에 내접하기 위한 조건은 모두 3가지! 한 번 더 정리하고 가자.

조건	다음 □ABCD가 원에 내접하면 ○표, 내접하지 않으면 ×표를 하시오.
1. 한 변에 대하여 같은 쪽에 있는 두 각의 크기가 서로 같을 때, 즉 $\overline{BC}$에 대하여 $\angle BAC=\angle BDC$일 때 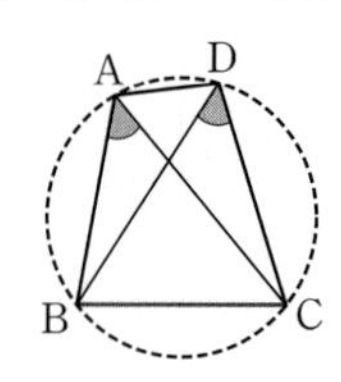	(1) A, D, B, C, 50°, 50° ( ) (2) 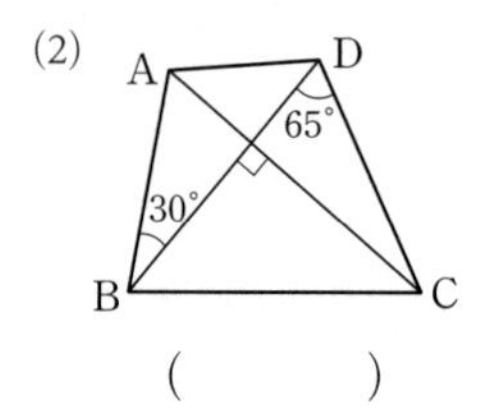 ( )
2. 한 쌍의 대각의 크기의 합이 180°일 때, 즉 $\angle A+\angle C=180^\circ$ 또는 $\angle B+\angle D=180^\circ$일 때 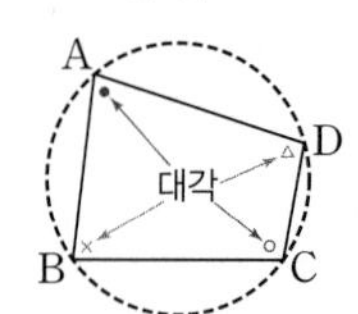	(3) A, D, B, C, 130°, 60° ( ) (4) 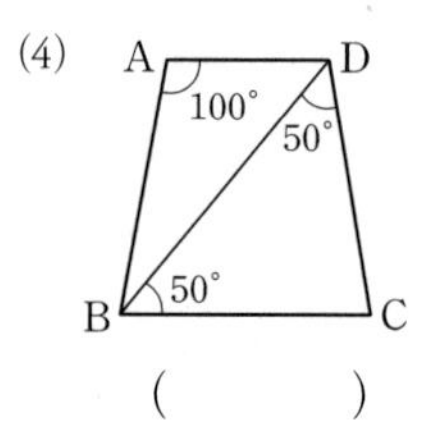 ( )
3. 한 외각의 크기가 그와 이웃한 내각의 대각의 크기와 같을 때, 즉 $\angle DCE=\angle A$일 때 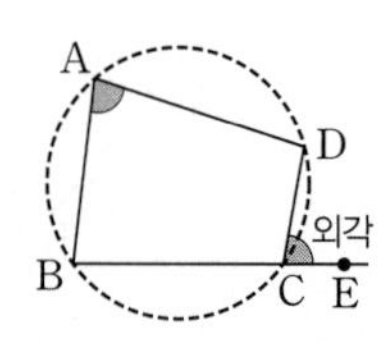	(5) A, D, B, C, 120°, 120° ( ) (6) 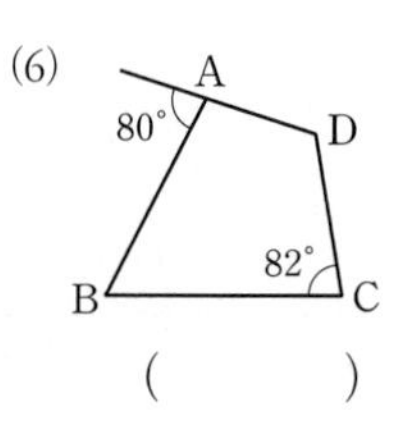 ( )

답 (1) ○ (2) × (3) × (4) ○ (5) ○ (6) ×

㉠ 네 점이 한 원 위에 있으면 그 네 점을 꼭짓점으로 하는 사각형은 원에 내접한다. 즉 네 점이 한 원 위에 있을 조건이 바로 사각형이 원에 내접하기 위한 조건이다.

참고
직선 l이 원 O의 접선이 되기 위한 조건 2가지

①
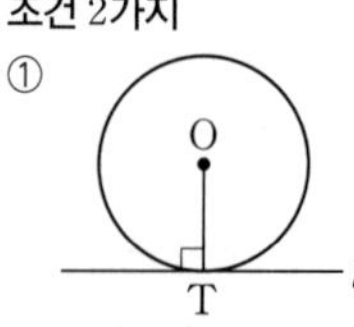
⇨ $\overline{OT}\perp l$

②
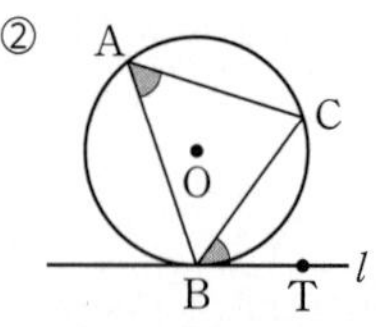
⇨ $\angle CBT=\angle CAB$

□ABCD가 원에 내접하는지 확인할 때, 각의 크기가 주어지면 위의 조건 3가지 중 한 가지에 해당하는지 확인한다.

기본 01 네 점이 한 원 위에 있을 조건

해법코드

다음 중 네 점 A, B, C, D가 한 원 위에 있는 것을 모두 고르면? (정답 2개)

①
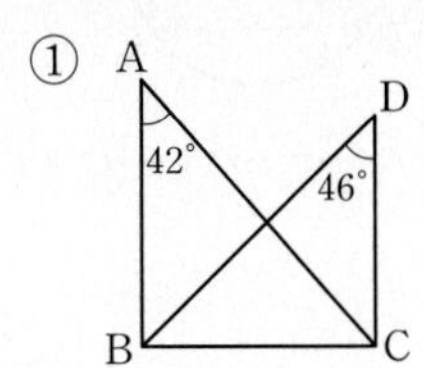

②
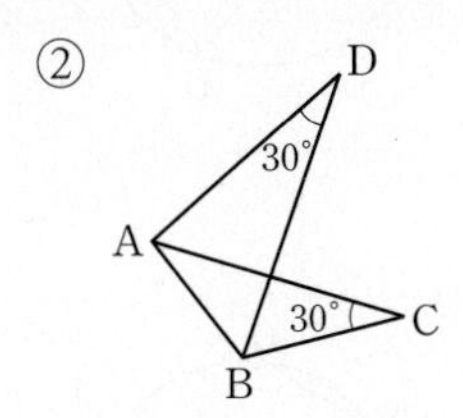

③
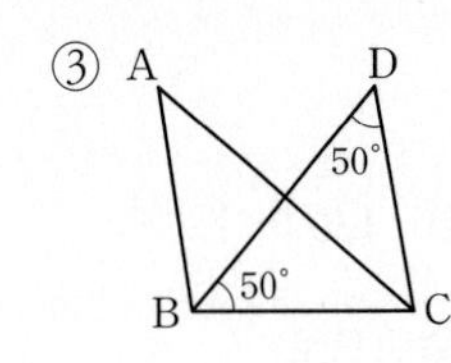

④
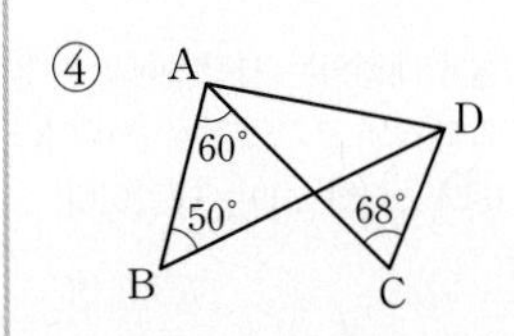

⑤
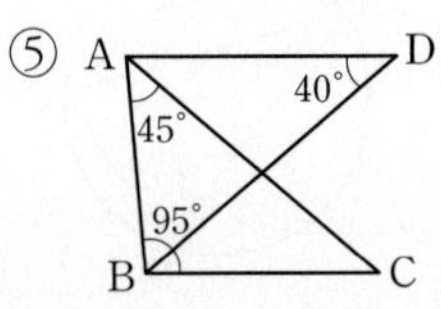

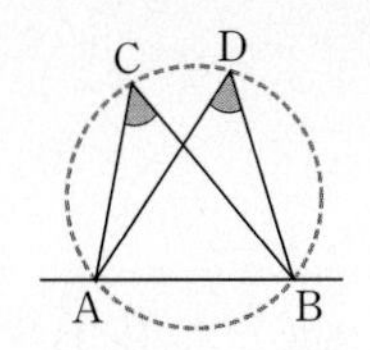

$\angle ACB=\angle ADB$이면
네 점 A, B, C, D는 한 원 위에 있다.

셀파 한 선분을 기준으로 같은 쪽에 있는 두 각의 크기가 같은지 확인한다.

풀이 ① $\overline{BC}$에 대하여 $\angle BAC \neq \angle BDC$이므로 네 점 A, B, C, D는 한 원 위에 있지 않다.

② $\overline{AB}$에 대하여 $\angle ADB=\angle ACB=30^\circ$이므로 네 점 A, B, C, D는 한 원 위에 있다.

③ 어떤 선분에 대해서도 같은 쪽에 있는 두 각의 크기가 같은지 알 수 없다.
즉 네 점 A, B, C, D가 한 원 위에 있다고 할 수 없다.

④ $\overline{AD}$에 대하여 $\angle ABD \neq \angle ACD$이므로 네 점 A, B, C, D는 한 원 위에 있지 않다.

⑤ $\triangle ABC$에서 $\angle ACB=180^\circ-(45^\circ+95^\circ)=40^\circ$
즉 $\overline{AB}$에 대하여 $\angle ADB=\angle ACB=40^\circ$이므로
네 점 A, B, C, D는 한 원 위에 있다.

따라서 네 점 A, B, C, D가 한 원 위에 있는 것은 ②, ⑤이다.

기준이 될 수 있는 선분은 $\overline{AB}$, $\overline{BC}$, $\overline{CD}$, $\overline{AD}$ 이렇게 4개야.

맞아. 그중 한 선분을 기준으로 같은 쪽에 있는 두 각의 크기를 모두 알 수 있다면 네 점 A, B, C, D가 한 원 위에 있는지 없는지 확실히 알 수 있어.

그런데 ③처럼 한 선분에 대하여 두 각 중 한 각의 크기를 알 수 없다면 다른 선분에 대해서도 생각해 봐야 돼. 혹시 알아? 다른 선분에 대해서는 두 각의 크기를 모두 알 수 있을지.

확인 01 다음 중 네 점 A, B, C, D가 한 원 위에 있지 않은 것은?

①
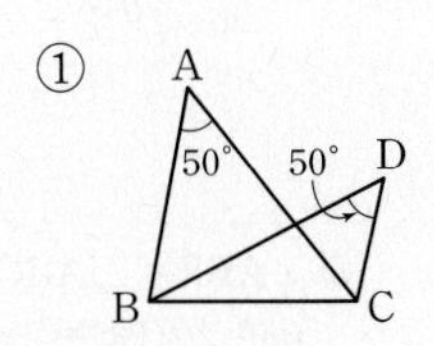

②
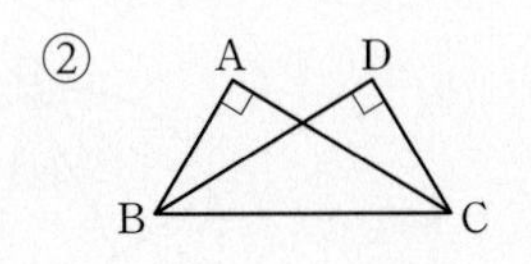

③
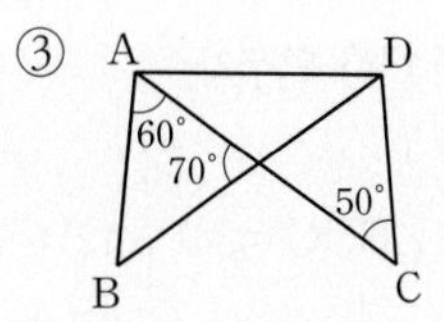

④
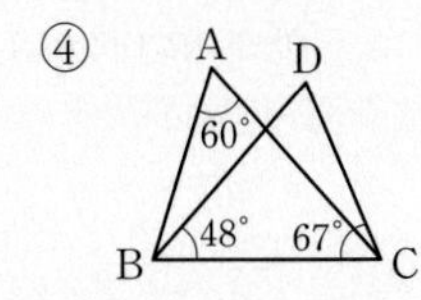

⑤
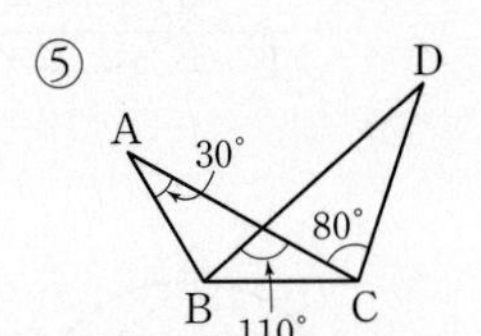

» My 셀파
1 기준이 되는 선분을 찾는다.
2 그 선분에 대하여 같은 쪽에 있는 두 각의 크기가 같은지 확인한다.
같지 않다면 네 점은 한 원 위에 있지 않다.

기본 02 원에 내접하는 사각형의 성질 (1)

오른쪽 그림과 같이 원에 내접하는 □ABCD에서 $\overline{AB}=\overline{AC}$이고 $\angle BAC=36°$일 때, $\angle ADC$의 크기를 구하시오.

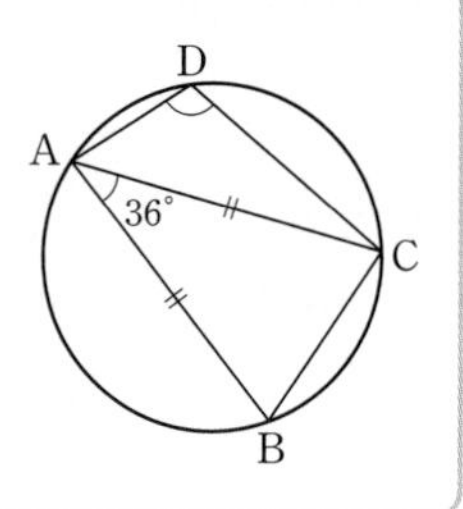

해법코드

원에 내접하는 사각형에서 한 쌍의 대각의 크기의 합은 180°이다.

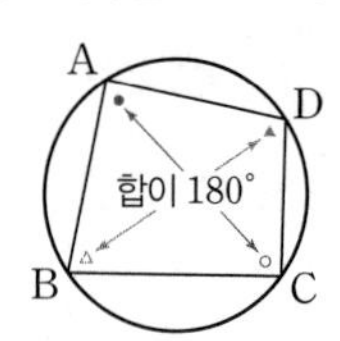

⇨ $\angle A+\angle C=\angle B+\angle D=180°$

셀파 □ABCD가 원에 내접하므로 $\angle B+\angle D=180°$이다.

풀이 △ABC는 $\overline{AB}=\overline{AC}$인 이등변삼각형이므로

$\angle B=\angle ACB=\frac{1}{2}\times(180°-36°)=72°$

□ABCD가 원에 내접하므로 ㉠ $\angle B+\angle D=180°$

$72°+\angle D=180°$ ∴ $\angle D=$**108°**

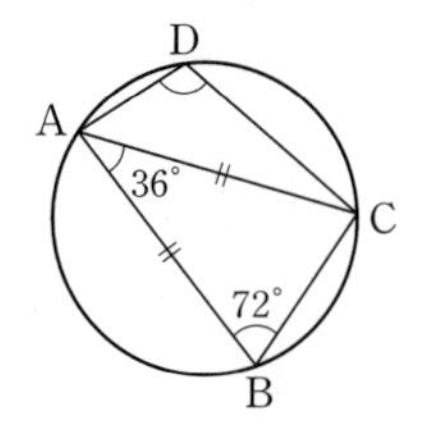

㉠ 원에 내접하는 사각형에서 한 쌍의 대각의 크기의 합은 180°이다. 이때 $\angle B$와 $\angle D$는 대각이다.

확인 02 오른쪽 그림과 같이 □ABCD가 원 O에 내접하고 $\angle DBC=28°$일 때, $\angle x$의 크기를 구하시오.

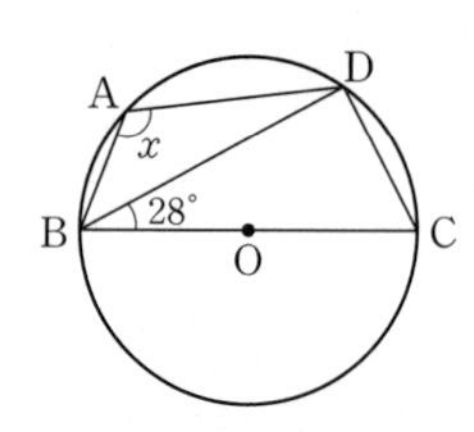

» My 셀파

반원에 대한 원주각의 크기가 90°임을 이용하여 $\angle C$의 크기를 구한다. 이때 $\angle A+\angle C=180°$이다.

기본 03 원에 내접하는 사각형의 성질 (2)

오른쪽 그림과 같이 □ABCD가 원에 내접하고 $\angle BAC=42°$, $\angle ADB=34°$일 때, $\angle ABE$의 크기를 구하시오.

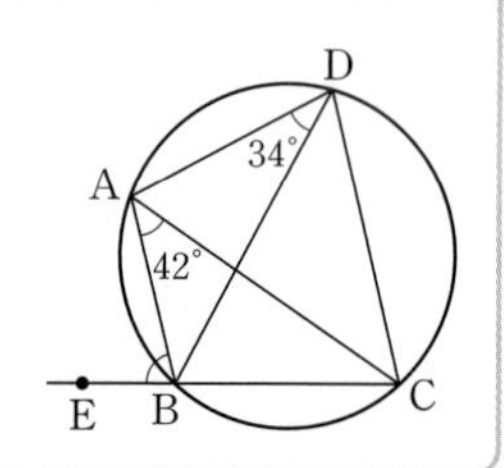

해법코드

원에 내접하는 사각형에서 한 외각의 크기는 그와 이웃한 내각의 대각의 크기와 같다.

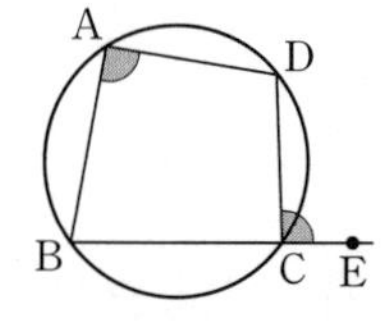

⇨ $\angle DCE=\angle A$

셀파 □ABCD가 원에 내접하므로 $\angle ABE=\angle ADC$이다.

풀이 $\angle BDC=\angle BAC=42°$ ($\overset{\frown}{BC}$에 대한 원주각)

□ABCD가 원에 내접하므로

㉠ $\angle ABE=\angle ADC=\angle ADB+\angle BDC=34°+42°=$**76°**

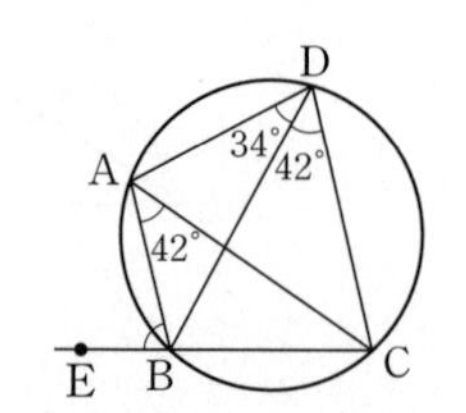

㉠ $\angle ABE$는 □ABCD의 한 외각이고 $\angle ADC$는 그 외각과 이웃한 내각의 대각이다.

확인 03 오른쪽 그림과 같이 □ABCD가 원 O에 내접하고 $\angle BOD=160°$일 때, $\angle x$의 크기를 구하시오.

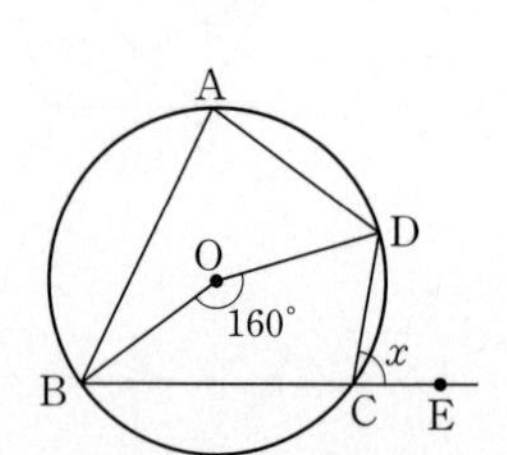

» My 셀파

□ABCD가 원에 내접하므로 $\angle DCE=\angle A$이다.

기본 04 원에 내접하는 다각형

해법코드

오른쪽 그림과 같이 오각형 ABCDE가 원 O에 내접하고 $\angle C=108^\circ$, $\angle EOD=96^\circ$일 때, $\angle x$의 크기를 구하시오.

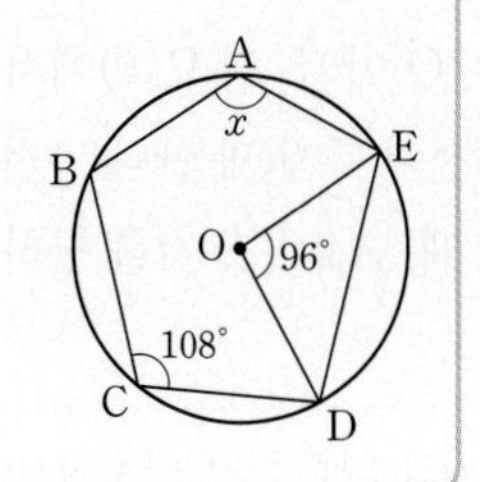

원에 내접하는 오각형에서 보조선을 그으면 원에 내접하는 사각형과 삼각형이 생긴다.

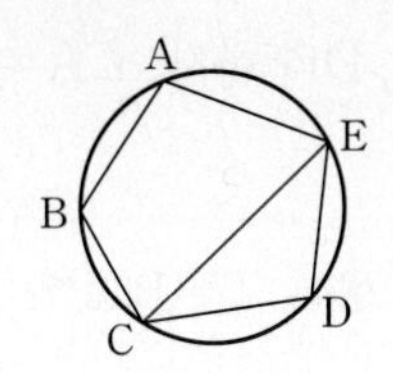

셀파 보조선을 그어 원에 내접하는 사각형을 만든다.

풀이 오른쪽 그림과 같이 $\overline{CE}$를 그으면

$\angle ECD=\frac{1}{2}\angle EOD=\frac{1}{2}\times 96^\circ=48^\circ$

$\therefore \angle BCE=\angle BCD-\angle ECD=108^\circ-48^\circ=60^\circ$

□ABCE가 원 O에 내접하므로 $\angle A+\angle BCE=180^\circ$

$\angle x+60^\circ=180^\circ$ $\quad\therefore \angle x=\mathbf{120^\circ}$

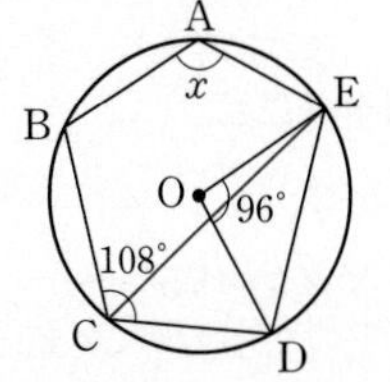

㉠ $\angle ECD$는 $\overset{\frown}{ED}$에 대한 원주각이고, $\angle EOD$는 $\overset{\frown}{ED}$에 대한 중심각이다.

확인 04 오른쪽 그림과 같이 오각형 ABCDE가 원 O에 내접하고 $\angle A=114^\circ$, $\angle D=98^\circ$일 때, $\angle x$의 크기를 구하시오.

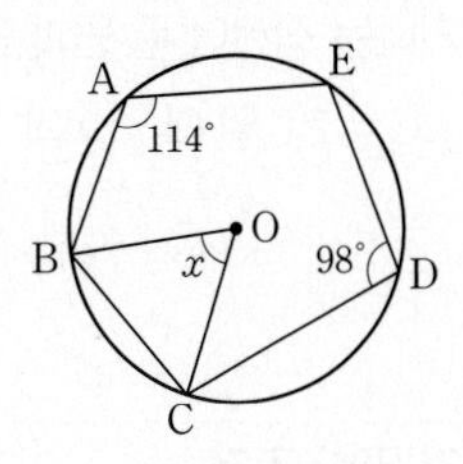

» My 셀파

$\overline{AC}$를 긋고 다음을 생각한다.
① 원에 내접하는 사각형의 성질
② 원주각과 중심각 사이의 관계

기본 05 원에 내접하는 사각형과 삼각형의 외각의 성질

해법코드

오른쪽 그림과 같이 □ABCD가 원에 내접하고 $\angle P=27^\circ$, $\angle Q=43^\circ$일 때, $\angle x$의 크기를 구하시오.

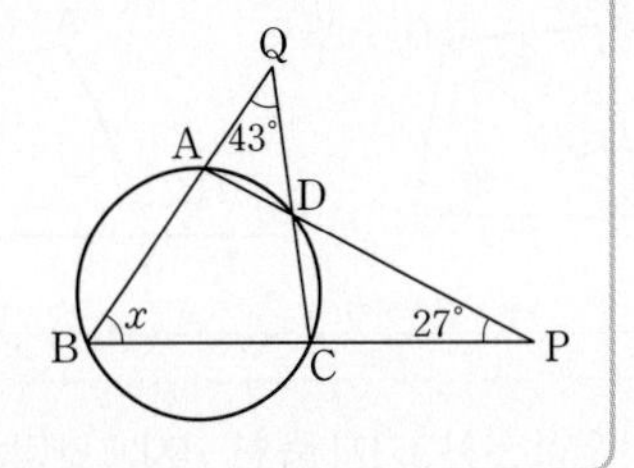

① □ABCD가 원에 내접하므로 $\angle CDP=\angle B$
② △QBC에서 외각의 성질에 의하여 $\angle QCP=\angle B+\angle Q$

셀파 원에 내접하는 사각형에서 한 외각의 크기는 그와 이웃한 내각의 대각의 크기와 같다.

풀이 □ABCD가 원에 내접하므로 $\angle CDP=\angle B=\angle x$

△QBC에서 $\angle QCP=\angle x+43^\circ$

△DCP에서 $\angle x+(\angle x+43^\circ)+27^\circ=180^\circ$

$2\angle x=110^\circ$ $\quad\therefore \angle x=\mathbf{55^\circ}$

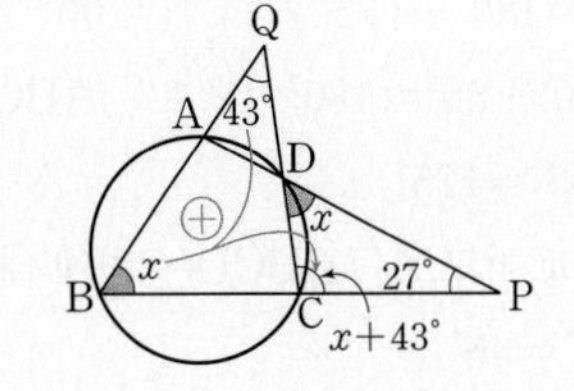

㉠ □ABCD가 원에 내접하므로 한 외각의 크기는 그와 이웃한 내각의 대각의 크기와 같다.

㉡ 삼각형에서 한 외각의 크기는 그와 이웃하지 않는 두 내각의 크기의 합과 같다.

확인 05 오른쪽 그림과 같이 □ABCD가 원에 내접하고 $\angle B=61^\circ$, $\angle P=22^\circ$일 때, $\angle x$의 크기를 구하시오.

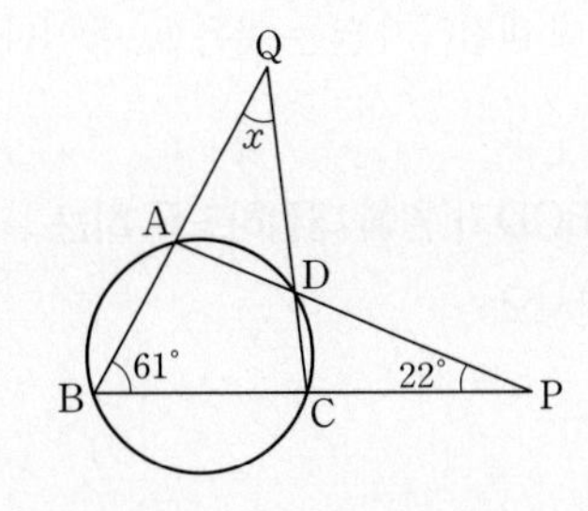

» My 셀파

△ABP에서
$\angle QAP=\angle B+\angle P$
□ABCD가 원에 내접하므로
$\angle ADQ=\angle B$

기본 06 두 원에서 원에 내접하는 사각형

오른쪽 그림과 같이 두 원 O, O′이 두 점 P, Q에서 만날 때, 두 점 P, Q를 각각 지나는 직선이 두 원과 만나는 점을 A, B, C, D라 하자. $\angle A=105°$일 때, $\angle x$의 크기를 구하시오.

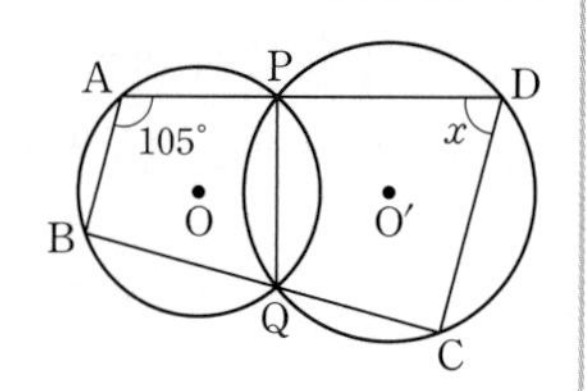

해법코드

원에 내접하는 두 사각형 ABQP, PQCD에서
① $\angle A=\angle PQC$
② $\angle PQC+\angle D=180°$

셀파 □ABQP와 □PQCD에서 원에 내접하는 사각형의 성질을 이용한다.

풀이 □ABQP가 원 O에 내접하므로
ㄱ $\angle PQC=\angle A=105°$
□PQCD가 원 O′에 내접하므로
ㄴ $\angle PQC+\angle D=180°$
$105°+\angle x=180°$ $\therefore \angle x=$**75°**

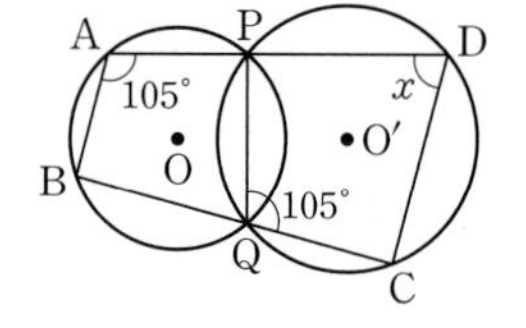

ㄱ 원에 내접하는 사각형 ABQP의 한 외각인 ∠PQC의 크기는 그와 이웃한 내각의 대각인 ∠A의 크기와 같다.

ㄴ 원에 내접하는 사각형에서 한 쌍의 대각의 크기의 합은 180°이다.

확인 06 오른쪽 그림과 같이 두 원 O, O′이 두 점 P, Q에서 만날 때, 두 점 P, Q를 각각 지나는 직선이 두 원과 만나는 점을 A, B, C, D라 하자. $\angle C=74°$일 때, $\angle x$의 크기를 구하시오.

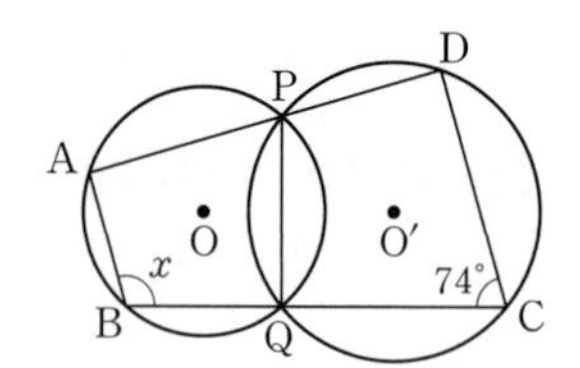

» My 셀파
□ABQP와 □PQCD에서 원에 내접하는 사각형의 성질을 이용한다.

기본 07 사각형이 원에 내접하기 위한 조건

다음 **보기**에서 □ABCD가 원에 내접하지 않는 것을 모두 고르시오.

보기

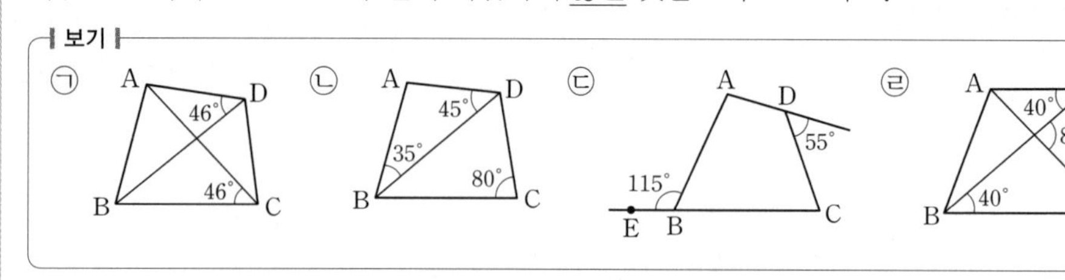

해법코드

사각형이 원에 내접하기 위한 조건
① 한 선분에 대하여 같은 쪽에 있는 두 각의 크기가 같을 때
② 한 쌍의 대각의 크기의 합이 180° 일 때
③ 한 외각의 크기가 그와 이웃한 내각의 대각의 크기와 같을 때

셀파 사각형이 원에 내접하기 위한 조건 3가지 중 한 가지에 해당하는지 확인한다.

풀이 ㉠ $\angle ADB=\angle ACB=46°$이므로 □ABCD는 원에 내접한다.
㉡ △ABD에서 $\angle A=180°-(35°+45°)=100°$
즉 $\angle A+\angle C=100°+80°=180°$이므로 □ABCD는 원에 내접한다.
㉢ $\angle ADC=180°-55°=125°$
즉 $\angle ABE\neq\angle ADC$이므로 □ABCD는 원에 내접하지 않는다.
㉣ ㄱ $\angle ACB=85°-40°=45°$
즉 $\angle ADB\neq\angle ACB$이므로 □ABCD는 원에 내접하지 않는다.
따라서 □ABCD가 원에 내접하지 않는 것은 ㉢, ㉣이다.

ㄱ 삼각형에서 한 외각의 크기는 그와 이웃하지 않는 두 내각의 크기의 합과 같다.

확인 07 오른쪽 그림에서 □ABCD가 원에 내접하도록 하는 ∠ABP의 크기를 구하시오.

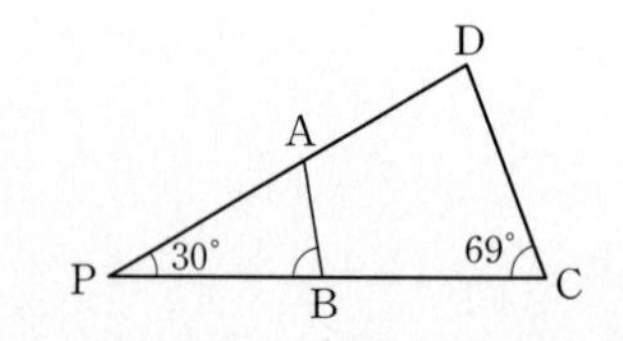

» My 셀파
□ABCD가 원에 내접하려면 $\angle ABP=\angle D$이어야 한다.

기본 08 원의 접선과 현이 이루는 각

해법코드

오른쪽 그림에서 $\triangle ABC$는 원 O에 내접하고 직선 BQ는 원 O의 접선, 점 B는 접점이다. $\angle BOC=112°$일 때, $\angle CBQ$의 크기를 구하시오.

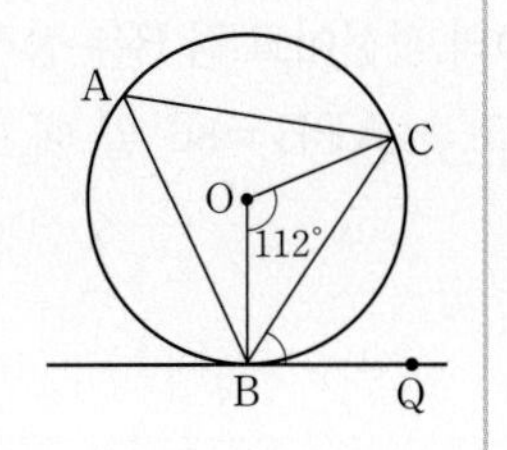

직선 PQ가 원 위의 점 B에서의 접선일 때

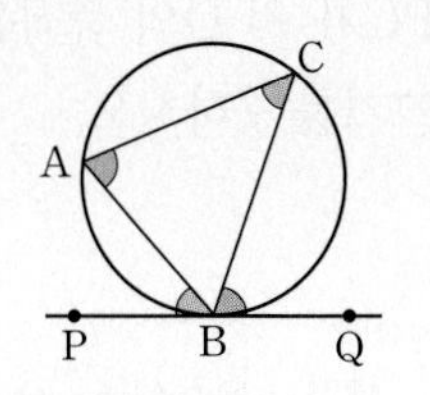

⇨ $\angle ABP=\angle ACB$
$\angle CBQ=\angle CAB$

셀파 원의 접선과 현이 이루는 각의 성질로부터 $\angle CBQ=\angle CAB$이다.

풀이 한 호에 대한 원주각의 크기는 중심각의 크기의 $\frac{1}{2}$이므로

$\angle CAB=\frac{1}{2}\angle COB=\frac{1}{2}\times 112°=56°$

원의 접선과 현이 이루는 각의 성질로부터 $\angle CBQ=\angle CAB=$**56°**

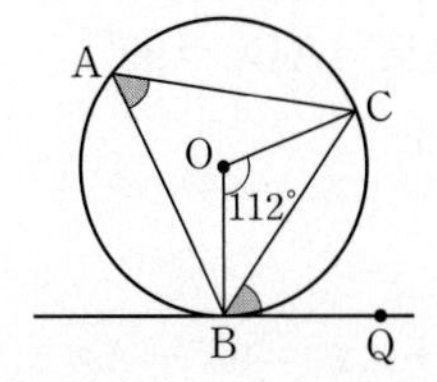

다른 풀이 $\overline{OB}=\overline{OC}$이므로 $\angle OBC=\frac{1}{2}\times(180°-112°)=34°$

$\angle OBQ=90°$이므로 $\angle CBQ=\angle OBQ-\angle OBC=90°-34°=56°$

확인 08 오른쪽 그림에서 $\triangle ABC$는 원 O에 내접하고 직선 PB는 원 O의 접선, 점 B는 접점이다. $\angle AOB=146°$일 때, $\angle ABP$의 크기를 구하시오.

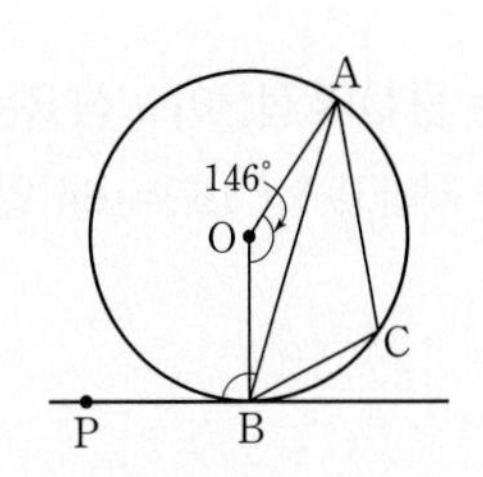

» My 셀파
$\angle ABP=\angle ACB$이므로 $\angle ACB$의 크기를 구한다.

기본 09 원의 접선과 현이 이루는 각의 활용 – 원에 내접하는 사각형

해법코드

오른쪽 그림에서 □ABCD는 원에 내접하고 직선 AT는 원의 접선, 점 A는 접점이다. $\angle DAT=40°$, $\angle BDA=57°$일 때, $\angle x$의 크기를 구하시오.

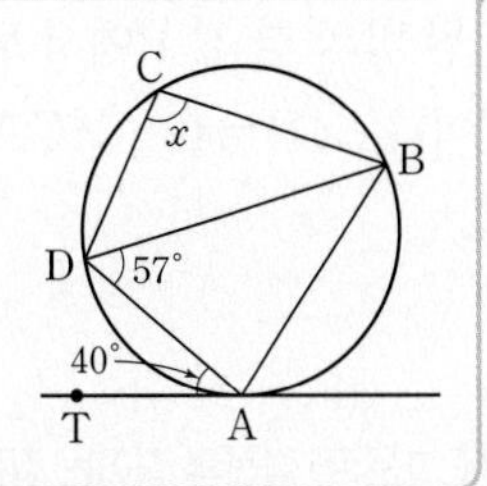

① □ABCD가 원에 내접하므로
$\angle BCD+\angle DAB=180°$
$\angle CDA+\angle CBA=180°$
② 원의 접선과 현이 이루는 각의 성질로부터 $\angle DAT=\angle DBA$

셀파 원의 접선과 현이 이루는 각의 성질과 원에 내접하는 사각형의 성질을 이용한다.

풀이 원의 접선과 현이 이루는 각의 성질로부터 $\angle DBA=\angle DAT=40°$

$\triangle ABD$에서 $\angle DAB=180°-(57°+40°)=83°$

□ABCD가 원에 내접하므로 $\angle BCD+\angle DAB=180°$

$\angle x+83°=180°$ $\quad\therefore \angle x=$**97°**

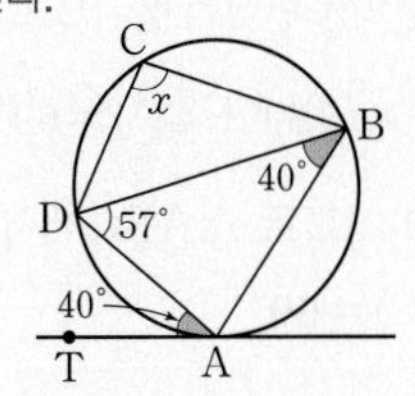

확인 09 오른쪽 그림에서 □ABCD는 원에 내접하고 $\overline{PC}$는 원의 접선, 점 C는 접점이다. $\angle BAC=30°$, $\angle D=100°$일 때, $\angle x$의 크기를 구하시오.

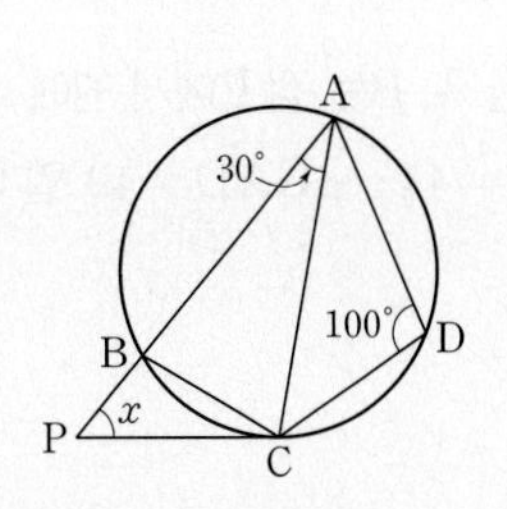

» My 셀파
$\angle BCP=\angle BAC$인 것과 $\angle ABC+\angle ADC=180°$임을 이용한다.

기본 10 원의 접선과 현이 이루는 각의 활용 – 할선이 원의 중심을 지날 때

오른쪽 그림에서 $\overrightarrow{PQ}$는 원 O의 접선이고 점 B는 접점이다. $\overline{PC}$가 원 O의 중심을 지나고 $\angle APB=36^\circ$일 때, $\angle x$의 크기를 구하시오.

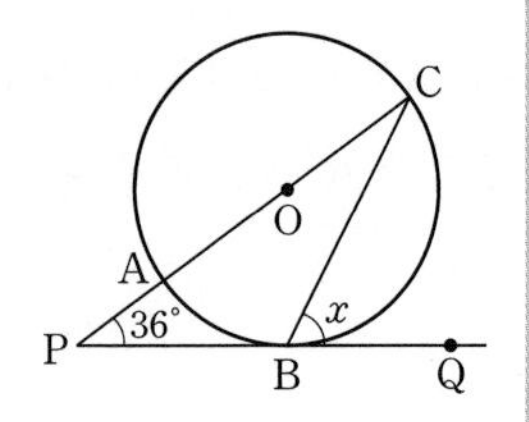

해법코드

$\overline{AB}$를 그으면

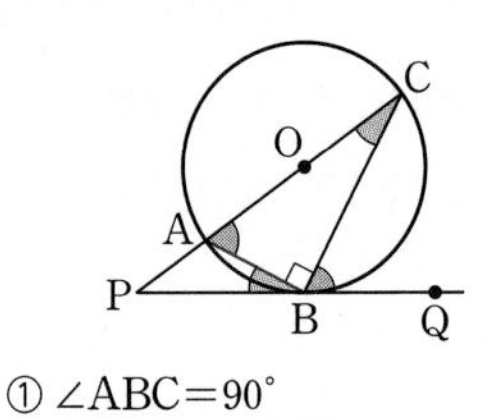

① $\angle ABC=90^\circ$
② $\angle ABP=\angle ACB$
$\angle CBQ=\angle CAB$

셀파 보조선을 그어 원의 접선과 현이 이루는 각과 크기가 같은 원주각을 찾는다.

풀이 오른쪽 그림과 같이 $\overline{AB}$를 그으면
$\overline{AC}$가 원 O의 지름이므로 $\angle ABC=90^\circ$
$\angle CAB=\angle CBQ=\angle x$
$\angle PBQ=180^\circ$이므로 (평각이다.)
$\angle ABP=180^\circ-(90^\circ+\angle x)=90^\circ-\angle x$
$\triangle APB$에서 ㉠ $\angle x=36^\circ+(90^\circ-\angle x)$
$2\angle x=126^\circ$ $\quad\therefore \angle x=$ **63°**

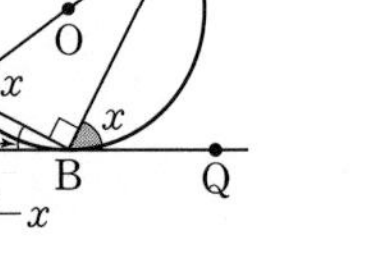

㉠ 삼각형의 외각의 성질에서
$\angle CAB=\angle P+\angle ABP$
$\therefore \angle x=36^\circ+(90^\circ-\angle x)$

확인 10 오른쪽 그림에서 $\overrightarrow{PQ}$는 원 O의 접선이고 점 B는 접점이다. $\overline{PC}$가 원 O의 중심을 지나고 $\angle CBQ=66^\circ$일 때, $\angle x$의 크기를 구하시오.

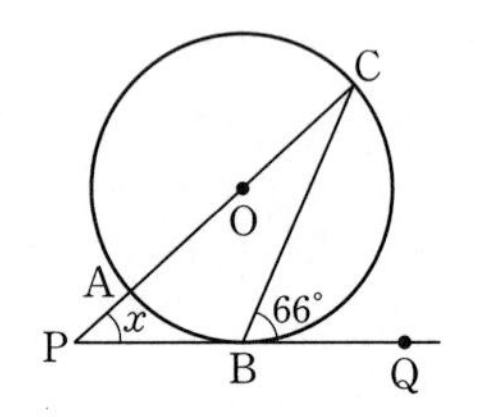

» My 셀파
$\overline{AB}$를 그으면 $\angle ABC=90^\circ$,
$\angle CAB=\angle CBQ=66^\circ$

기본 11 원 밖의 한 점에서 그은 두 접선과 현이 이루는 각의 활용

오른쪽 그림에서 $\overrightarrow{PA}$, $\overrightarrow{PB}$는 원 밖의 한 점 P에서 원에 그은 접선이고 두 점 A, B는 접점이다. $\angle P=42^\circ$, $\angle CAB=51^\circ$일 때, $\angle x$의 크기를 구하시오.

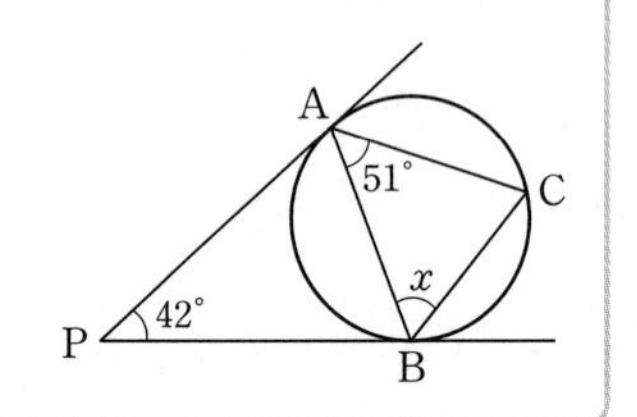

해법코드

$\overrightarrow{PA}$, $\overrightarrow{PB}$가 접선이고 두 점 A, B가 접점일 때

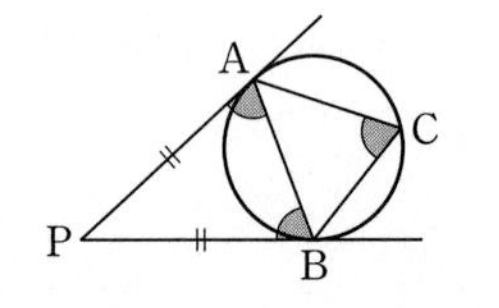

① $\triangle PBA$는 $\overline{PA}=\overline{PB}$인 이등변삼각형이다.
② $\angle PAB=\angle PBA=\angle ACB$

셀파 원 밖의 한 점에서 그 원에 그은 두 접선의 길이는 같음을 이용한다.

풀이 $\triangle PBA$는 $\overline{PA}=\overline{PB}$인 이등변삼각형이므로
$\angle PAB=\angle PBA=\frac{1}{2}\times(180^\circ-42^\circ)=69^\circ$
$\angle ACB=\angle ABP=69^\circ$이므로 $\triangle ABC$에서
$\angle x=180^\circ-(51^\circ+69^\circ)=$ **60°**

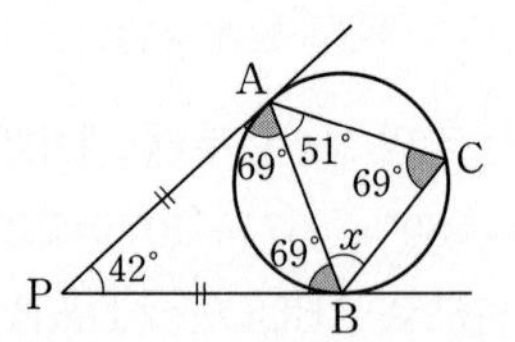

확인 11 오른쪽 그림에서 두 점 A, B는 점 P에서 원에 그은 두 접선의 접점이다. $\angle P=44^\circ$, $\angle CAD=49^\circ$일 때, $\angle x$의 크기를 구하시오.

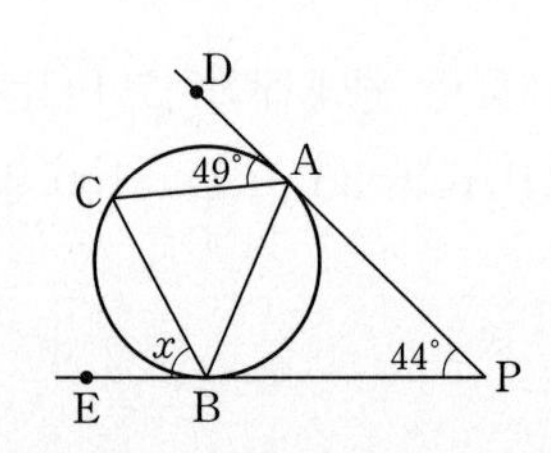

» My 셀파
원의 접선의 성질과 원의 접선과 현이 이루는 각의 성질을 이용한다.

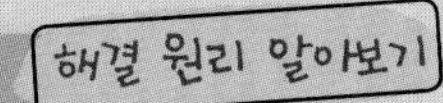

두 원에서 접선과 현이 이루는 각

Q **오른쪽 그림과 같이 두 원이 외부에서 접할 때, 직선 PQ는 두 원 O, O′에 공통으로 접하는 직선이고 점 T는 접점이다. ∠BAT=62°일 때, ∠DCT의 크기는 어떻게 구할까?**

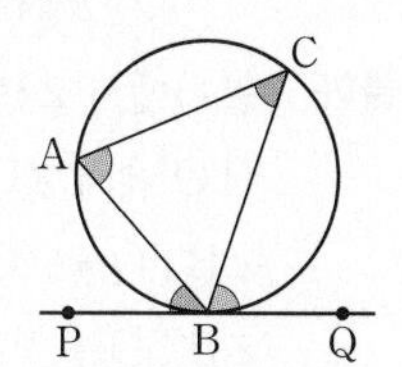

A 직선에 접하는 원이 많다고 어렵게 생각할 필요는 없다.
각각의 원에서 접선과 현이 이루는 각의 성질을 생각해 보면 된다.

1 원 O에서

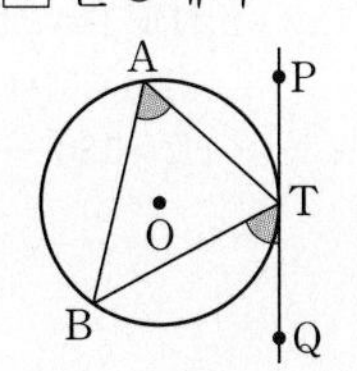

접선과 현이 이루는 각의 성질로부터
∠BTQ=∠BAT

2 원 O′에서

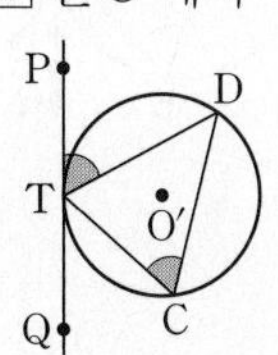

접선과 현이 이루는 각의 성질로부터
∠DTP=∠DCT

3

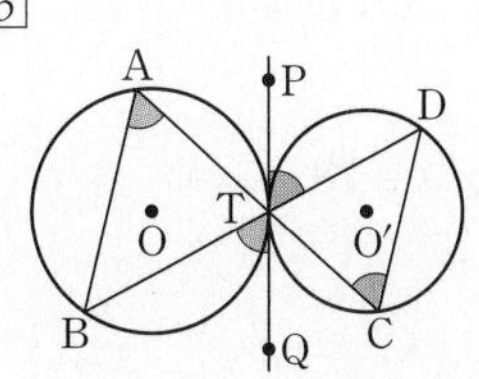

∠BTQ=∠DTP(맞꼭지각)
∴ ∠DCT=∠BAT=62°

개념 다시 보기

원의 접선과 현이 이루는 각
$\overleftrightarrow{PQ}$가 원의 접선이고 점 B가 접점일 때

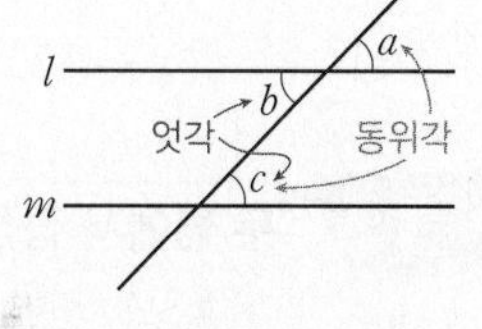

⇨ ∠CBQ=∠CAB
∠ABP=∠ACB

Q **위의 내용으로부터 알 수 있는 성질은 무엇일까?**

A 답은 '두 현 AB, CD가 서로 평행하다.'는 것이다.
오른쪽 그림에서 두 현 AB, CD와 $\overline{AC}$로 이루어지는 도형을 관찰해 보면 ∠BAC=∠DCA=62°임을 알 수 있다.
즉 엇각의 크기가 같으므로 $\overline{AB}$ // $\overline{CD}$이다.

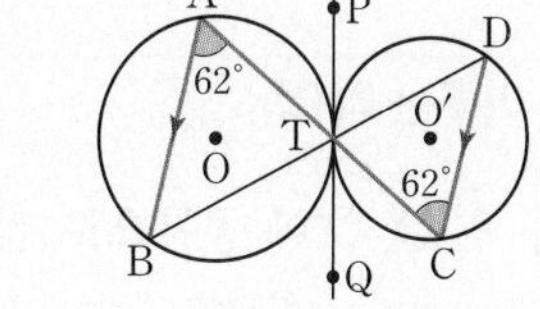
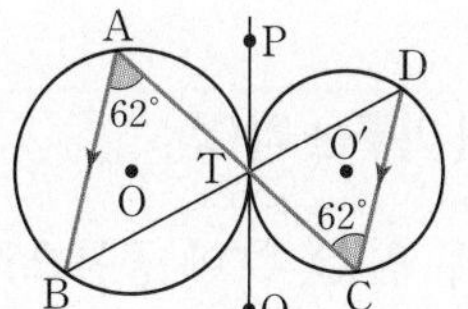

참고 **두 직선이 평행할 조건**
한 평면 위에서 두 직선 l, m이 다른 한 직선 n과 만날 때

① 동위각의 크기가 같으면 두 직선 l, m은 평행하다.
⇨ $\angle a=\angle c$이면 l // m
② 엇각의 크기가 같으면 두 직선 l, m은 평행하다.
⇨ $\angle b=\angle c$이면 l // m

Q **오른쪽 그림과 같이 두 원 O, O′이 공통으로 접하는 직선 PQ에 대하여 같은 방향에 있을 때도 위의 성질이 성립할까?**

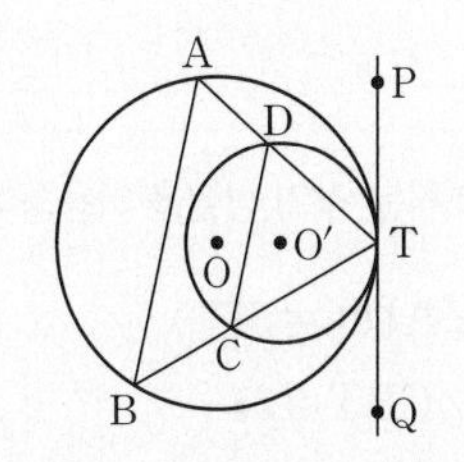

A 답은 'yes'.

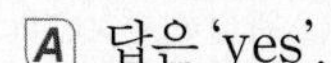

원 O에서 접선과 현이 이루는 각의 성질로부터
∠ATP=∠ABT
원 O′에서 접선과 현이 이루는 각의 성질로부터
∠DTP=∠DCT
∴ ∠ABT=∠DCT
즉 동위각의 크기가 같으므로 $\overline{AB}$ // $\overline{CD}$이다.

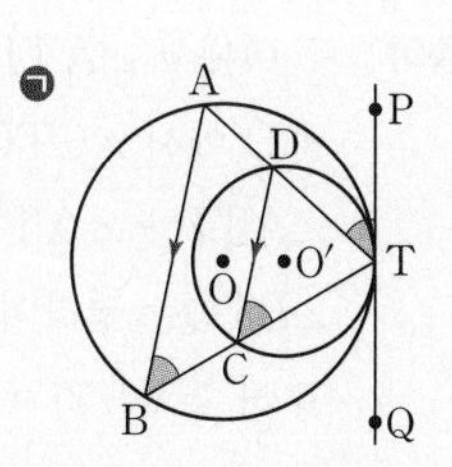

두 원과 공통으로 접하는 직선이 주어졌을 때는 원의 접선과 현이 이루는 각의 성질을 이용하여 크기가 같은 각을 찾는다.

발전 12 두 원에서 접선과 현이 이루는 각 (1)

오른쪽 그림에서 직선 PQ는 두 원 O, O′에 공통으로 접하는 직선이고 점 T는 접점이다. $\angle BAT=42°$, $\angle CDT=60°$일 때, $\angle x$의 크기를 구하시오.

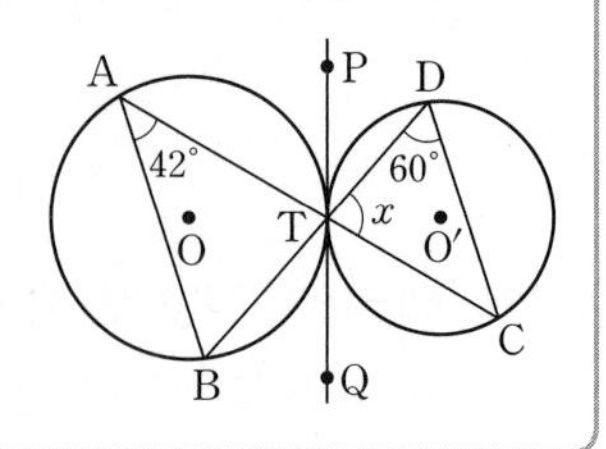

해법코드

원의 접선과 현이 이루는 각의 성질을 이용하여 크기가 같은 각을 찾는다.

① 원 O에서 $\angle BTQ=\angle BAT$
② 원 O′에서 $\angle CTQ=\angle CDT$

셀파 각 원에서 접선과 현이 이루는 각의 성질을 이용하여 크기가 같은 각을 그림에 표시해 본다.

풀이 원 O에서 $\angle BTQ=\angle BAT=42°$
원 O′에서 $\angle CTQ=\angle CDT=60°$
$\angle BTQ+\angle CTQ+\angle DTC=\angle BTD$에서
$\angle BTD$는 평각이므로
$42°+60°+\angle x=180°$ $\therefore \angle x=$**78°**

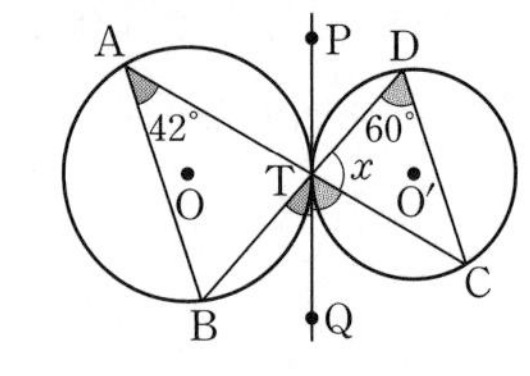

다른 풀이 $\overline{AB}/\!/\overline{CD}$이므로
$\angle DCT=\angle BAT=42°$ (엇각)
$\triangle DTC$에서
$\angle x=180°-(60°+42°)=78°$

확인 12 오른쪽 그림에서 직선 PQ는 두 원 O, O′에 공통으로 접하는 직선이고 점 T는 접점이다. $\angle ABT=59°$, $\angle ATB=42°$일 때, $\angle x$의 크기를 구하시오.

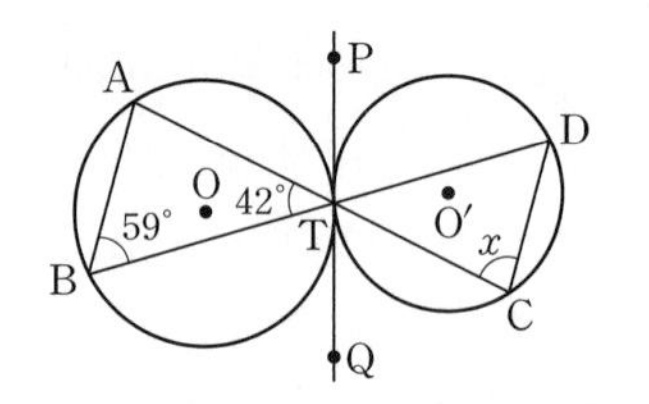

» My 셀파
각 원에서 접선과 현이 이루는 각의 성질을 이용하여 크기가 같은 각을 그림에 표시해 본다.

발전 13 두 원에서 접선과 현이 이루는 각 (2)

오른쪽 그림에서 직선 PQ는 두 원 O, O′에 공통으로 접하는 직선이고 점 T는 접점이다. $\angle ADT=57°$, $\angle CBT=55°$일 때, $\angle x$의 크기를 구하시오.

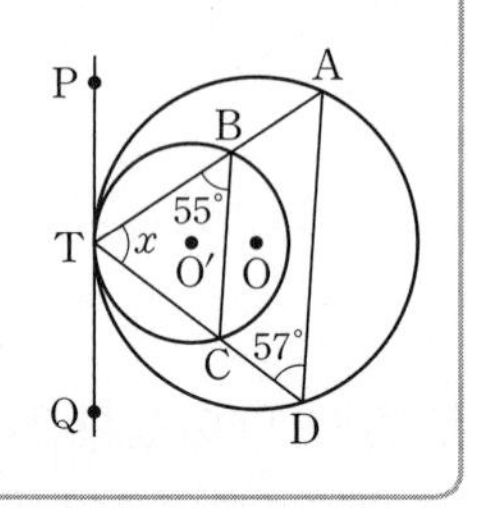

해법코드

원의 접선과 현이 이루는 각의 성질을 이용하여 크기가 같은 각을 찾는다.

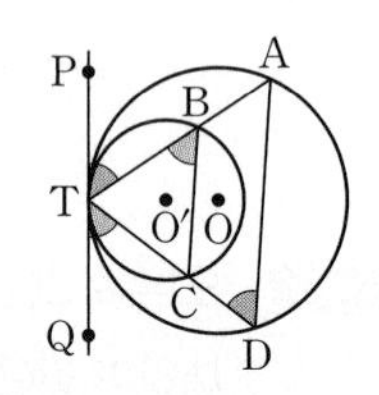

① 원 O에서 $\angle ATP=\angle ADT$
② 원 O′에서 $\angle CTQ=\angle CBT$

셀파 각 원에서 접선과 현이 이루는 각의 성질을 이용하여 크기가 같은 각을 그림에 표시해 본다.

풀이 원 O에서 $\angle ATP=\angle ADT=57°$
원 O′에서 $\angle CTQ=\angle CBT=55°$
$\angle ATP+\angle ATD+\angle DTQ=\angle PTQ$에서
$\angle PTQ$는 평각이므로
$57°+\angle x+55°=180°$ $\therefore \angle x=$**68°**

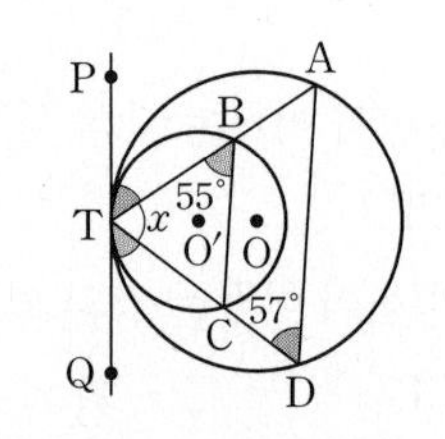

다른 풀이 $\overline{AD}/\!/\overline{BC}$이므로
$\angle BCT=\angle ADT=57°$ (동위각)
$\triangle BTC$에서
$\angle x=180°-(55°+57°)=68°$

확인 13 오른쪽 그림에서 직선 PQ는 두 원 O, O′에 공통으로 접하는 직선이고 점 T는 접점이다. $\angle ABT=55°$, $\angle ADC=112°$일 때, $\angle x$의 크기를 구하시오.

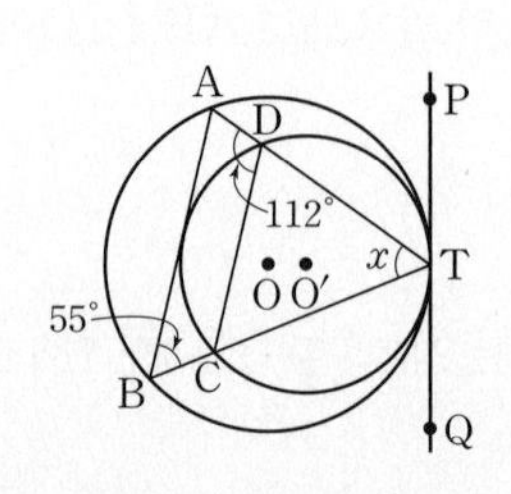

» My 셀파
각 원에서 접선과 현이 이루는 각의 성질을 이용하여 크기가 같은 각을 그림에 표시해 본다.

실력 키우기

빠른 정답 138쪽 | 정답과 해설 36쪽

01 네 점이 한 원 위에 있을 조건

다음 내용에서 잘못된 부분을 찾아 바르게 고치시오.

> 오른쪽 그림에서
> $\angle BAC = \angle ACD$이므로 네 점
> A, B, C, D는 한 원 위에 있다.

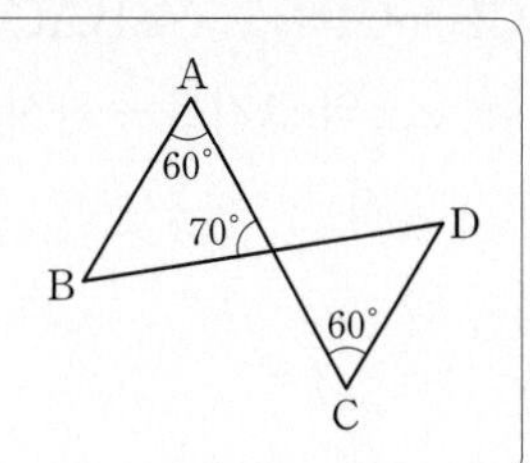

02 네 점이 한 원 위에 있을 조건

오른쪽 그림에서
$\angle APB = 50°$, $\angle DBP = 20°$이다.
네 점 A, B, C, D가 한 원 위에 있을 때, $\angle x$의 크기를 구하시오.

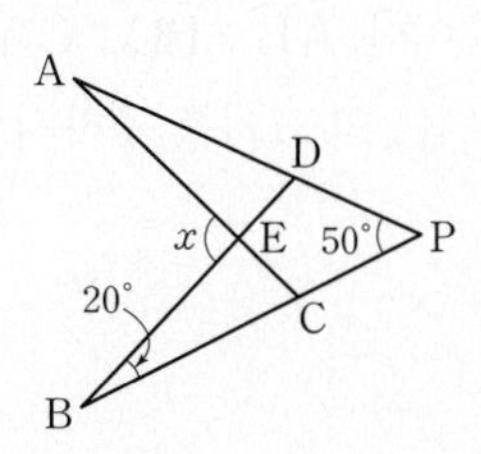

03 원에 내접하는 사각형의 성질 (1) 서술형

오른쪽 그림과 같이 □ABCD와 □ABCE가 원에 내접할 때, $\angle x + \angle y$의 크기를 구하시오.

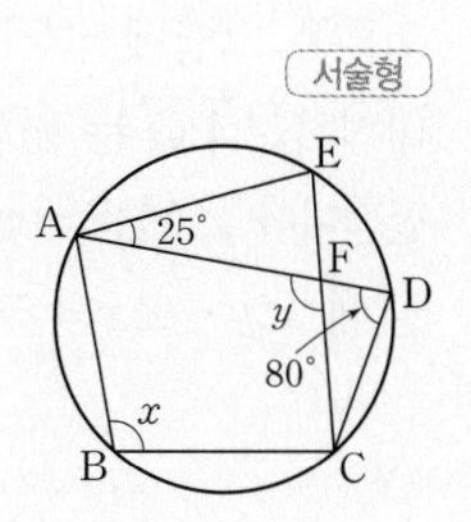

04 원에 내접하는 사각형의 성질 (2)

오른쪽 그림과 같이 □ABCD가 원 O에 내접하고 $\angle OBC = 20°$, $\angle DAC = 30°$일 때, $\angle x$의 크기를 구하시오.

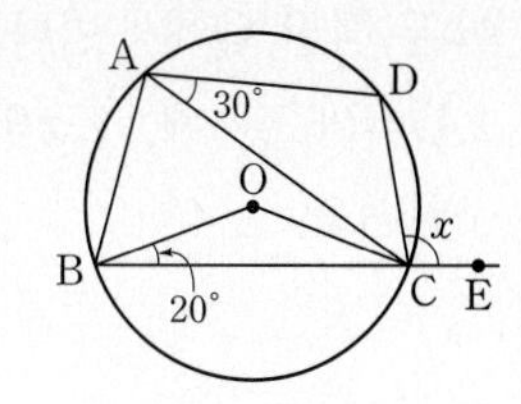

05 원에 내접하는 다각형

오른쪽 그림과 같이 육각형 ABCDEF가 원에 내접하고 $\angle B = 114°$, $\angle D = 121°$일 때, $\angle x$의 크기를 구하시오.

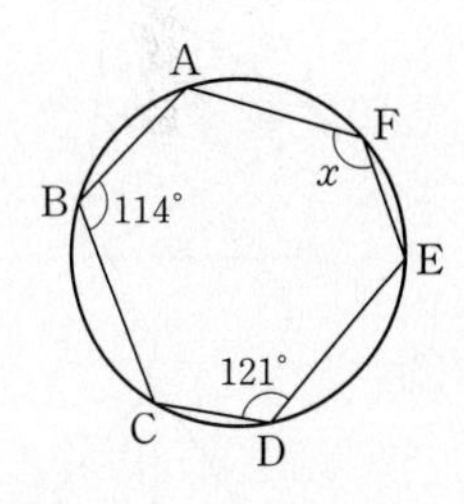

06 원에 내접하는 사각형과 삼각형의 외각의 성질

오른쪽 그림과 같이 □ABCD가 원에 내접하고 $\angle ADC = 125°$, $\angle Q = 38°$일 때, $\angle x$의 크기를 구하시오.

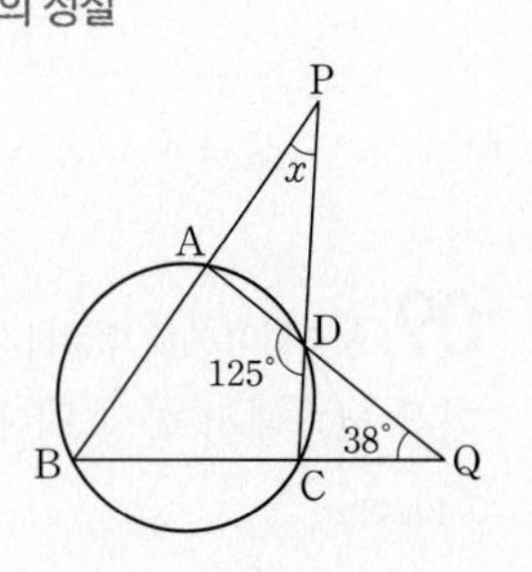

07 두 원에서 원에 내접하는 사각형 (서술형)

오른쪽 그림과 같이 두 원 O, O′이 두 점 P, Q에서 만나고 $\angle D=96^\circ$일 때, $\angle x$의 크기를 구하시오.

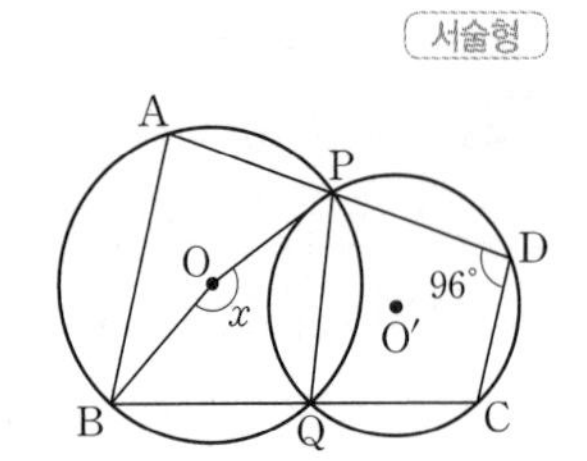

08 사각형이 원에 내접하기 위한 조건

다음 중 □ABCD가 원에 내접하지 않는 것을 모두 고르면? (정답 2개)

①
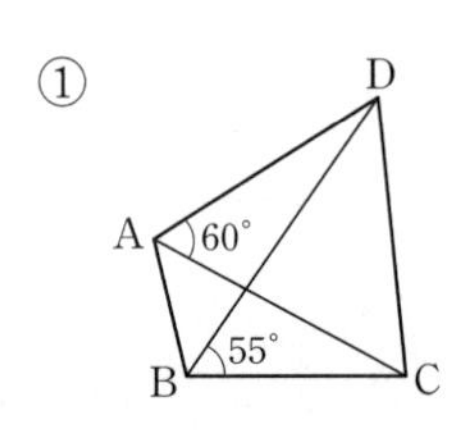

②
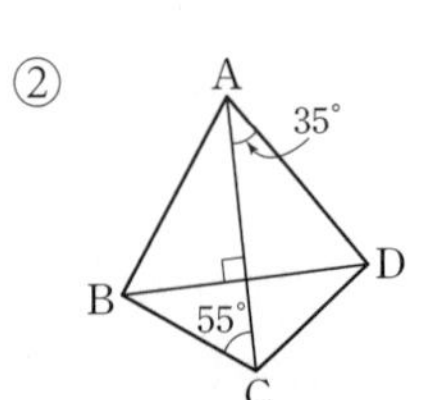

③
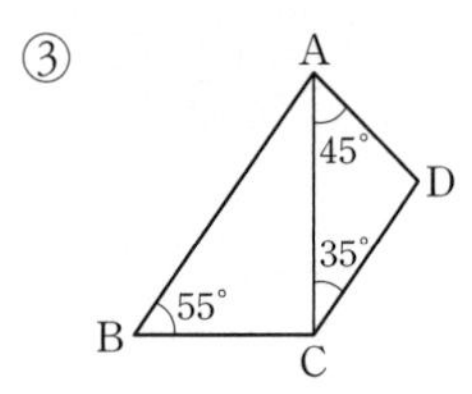

④
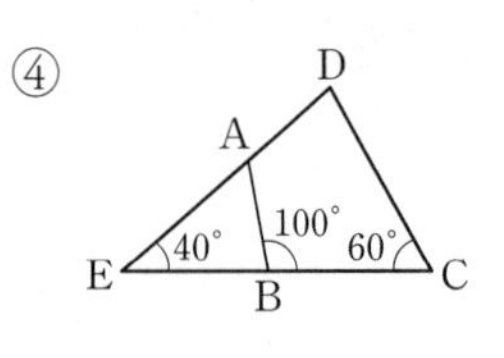

⑤
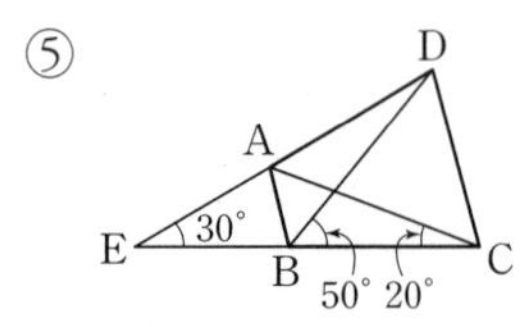

09 사각형이 원에 내접하기 위한 조건

다음 **보기**에서 항상 원에 내접하는 사각형을 모두 고르시오.

보기

ㄱ. 사다리꼴 ㄴ. 등변사다리꼴 ㄷ. 평행사변형
ㄹ. 직사각형 ㅁ. 마름모 ㅂ. 정사각형

10 원의 접선과 현이 이루는 각

오른쪽 그림에서 $\overline{BP}$는 원의 접선이고 점 B는 접점이다. $\overline{CB}=\overline{CP}$이고 $\angle BAC=36^\circ$일 때, $\angle x$의 크기를 구하시오.

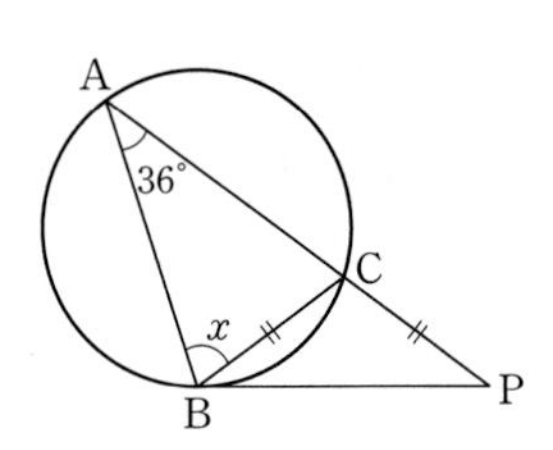

11 원의 접선과 현이 이루는 각 (융합형)

오른쪽 그림에서 $\overleftrightarrow{BP}$는 세 점 A, B, C를 지나는 원의 접선이고 점 B는 접점이다. $\widehat{AB}:\widehat{BC}:\widehat{CA}=5:8:7$일 때, $\angle x$의 크기를 구하시오.

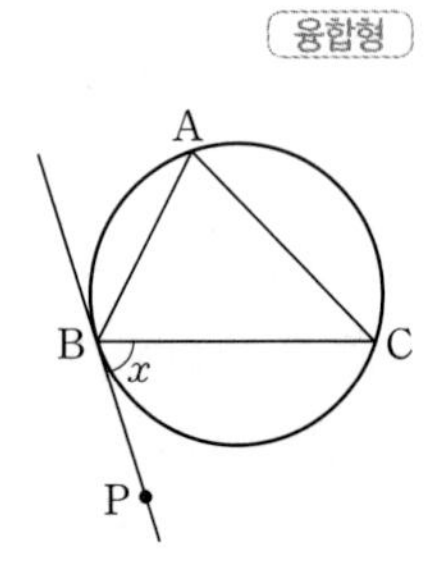

12 원의 접선과 현이 이루는 각의 활용 – 원에 내접하는 사각형 (서술형)

오른쪽 그림에서 □ABCD는 원에 내접하고 $\overleftrightarrow{PQ}$는 원의 접선, 점 B는 접점이다. $\angle ABP=40^\circ$, $\angle CBQ=25^\circ$일 때, $\angle y-\angle x$의 크기를 구하시오.

13 원의 접선과 현이 이루는 각의 활용 – 할선이 원의 중심을 지날 때

오른쪽 그림에서 $\overline{PA}$는 원 O의 접선이고 점 A는 접점이다. $\overline{PB}$가 원 O의 중심을 지나고 $\angle CBA=28°$일 때, $\angle x$의 크기를 구하시오.

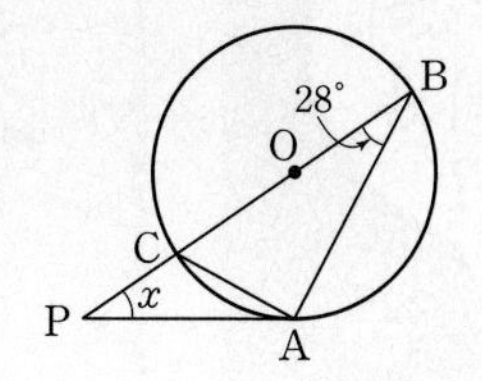

14 원 밖의 한 점에서 그은 두 접선과 현이 이루는 각의 활용 (서술형)

오른쪽 그림에서 원 O는 △ABC의 내접원이면서 △PQR의 외접원이다. $\angle A=70°$, $\angle QPR=60°$일 때, $\angle x+\angle y$의 크기를 구하시오.

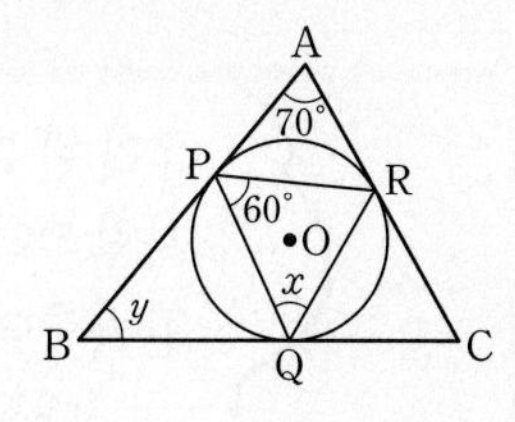

15 두 원에서 접선과 현이 이루는 각

다음 그림에서 $\overleftrightarrow{PQ}$는 두 원 O, O′에 공통으로 접하는 직선이고 점 T는 접점일 때, 다음 중 옳지 않은 것은?

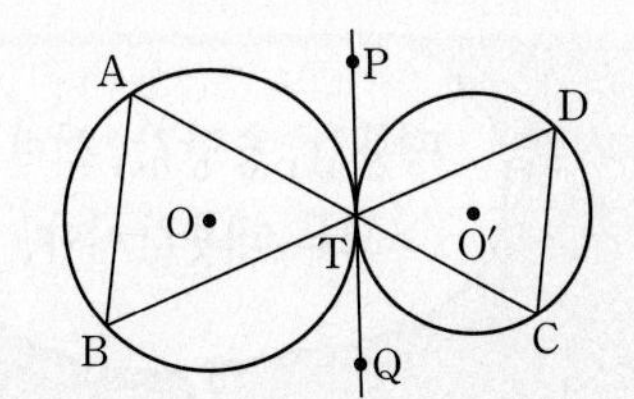

① $\angle BTQ=\angle DTP$
② $\angle BAT=\angle BTQ$
③ $\angle BAT=\angle DCT$
④ $\angle DCT=\angle ABT$
⑤ $\overline{AB}/\!/\overline{CD}$

16 원에 내접하는 사각형의 성질과 원의 접선과 현이 이루는 각

다음 그림에서 두 원 O, O′은 두 점 C, D에서 만나고 $\overleftrightarrow{PT}$는 점 P를 접점으로 하는 원 O′의 접선이다. $\angle A=80°$, $\angle B=65°$일 때, $\angle x$의 크기를 구하시오.

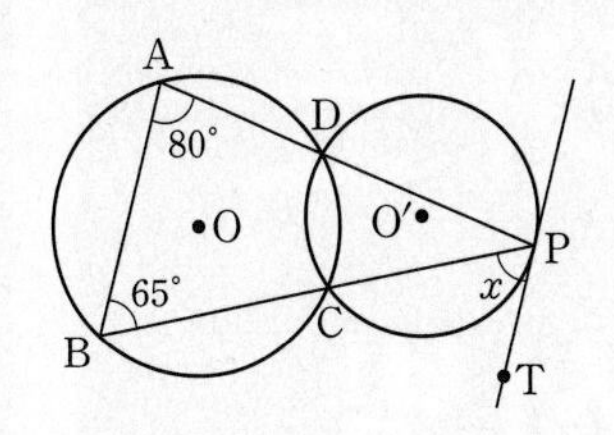

17 사각형이 원에 내접하기 위한 조건 (창의력)

오른쪽 그림과 같이 점 O가 △ABC의 세 수선의 교점일 때, 다음 중 원에 내접하는 사각형이 아닌 것은?

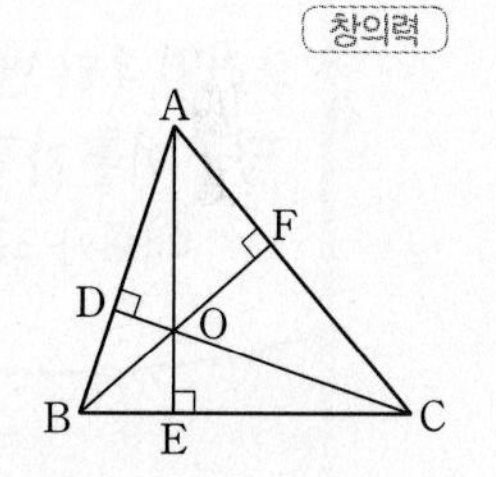

① □ADOF
② □DBEO
③ □DBCF
④ □DBEF
⑤ □ADEC

18 원의 접선과 현이 이루는 각 (창의·융합)

유리와 철이가 오른쪽 그림과 같은 원 모양의 호수를 T 지점에서 출발하여 시계 반대 방향으로 돌고 있다. 유리가 500 m를 이동하여 A 지점에 처음으로 도착하였을 때, 철이는 B 지점에 처음으로 도착하였다. $\angle ATB=\angle BTP$일 때, 철이가 이동한 거리를 구하시오.

(단, 점 P는 호수에 접하는 직선 산책로 위의 점이다.)

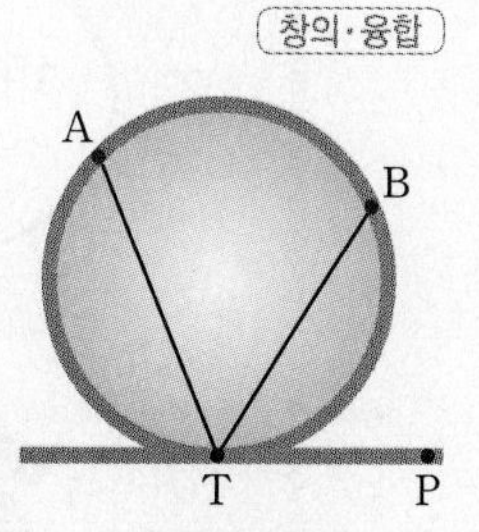

우리반
대표
선발

우선 기준을 세워야겠어. 어떤 기준으로 우리 반 대표를 뽑을까?

키!!!

그러면 우리 반 25명의 평균 키를 가진 사람이 대표가 되자.
(평균) = (모두의 키의 합) / 25

우리 반 25명을 키가 작은 사람부터 차례로 세워서 한가운데에 있는 사람이 대표가 되자.
중앙값
13번째

170 cm인 친구들이 제일 많으니까 우리 중에 대표가 나와야지.
최빈값

평균값, 중앙값, 최빈값 모두 대푯값이야!

III | 통계

대푯값

| 개념 1 | 대푯값과 평균
| 개념 2 | 중앙값
| 개념 3 | 최빈값

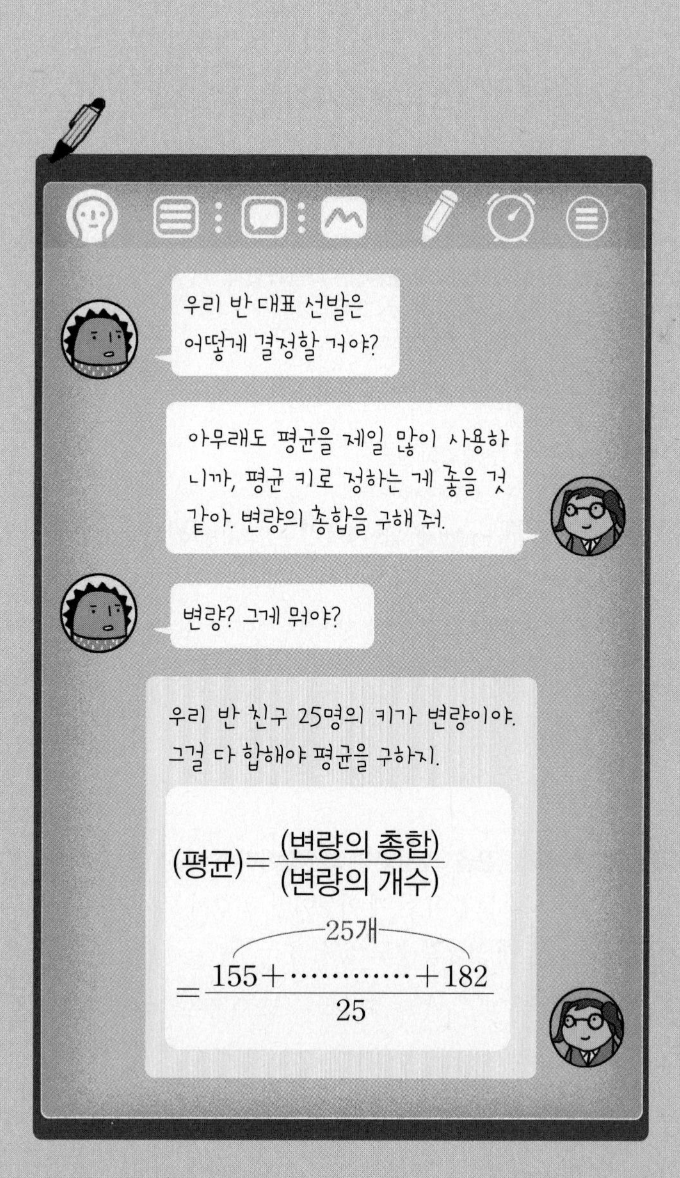

6 대푯값

1 대푯값과 평균

(1) **대푯값** 자료 전체의 특징을 대표적으로 나타내는 값

참고 대푯값에는 평균, 중앙값, 최빈값 등이 있으며, 이 중 ☐이 가장 많이 사용된다. 평균

(2) **평균** 변량의 총합을 변량의 ☐로 나눈 값 개수

⇨ $(\text{평균})=\dfrac{(\text{변량의 총합})}{(\text{변량의 개수})}$

예 6개의 변량 3, 5, 7, 9, 11, 13에서

$(\text{평균})=\dfrac{3+5+7+9+11+13}{6}=\dfrac{48}{6}=\square$ 8

● 변량: 자료를 수량으로 나타낸 것

2 중앙값

자료의 변량을 작은 값부터 크기순으로 나열하였을 때, 한가운데에 있는 값을 그 자료의 **중앙값**이라 한다.

(1) 변량의 개수가 홀수이면 한가운데에 있는 값이 중앙값이다.

(2) 변량의 개수가 짝수이면 한가운데에 있는 두 값의 ☐이 중앙값이다. 평균

참고 n개의 변량을 작은 값부터 크기순으로 나열하였을 때, 중앙값은 다음과 같다.

(1) n이 홀수이면 ⇨ $\dfrac{n+1}{2}$번째 값

예 2, 4, 6, 8, 10의 중앙값 ⇨ $\dfrac{5+1}{2}=3$(번째) 값인 ☐ 6

(중앙: 6, 변량의 개수가 5이다.)

(2) n이 짝수이면 ⇨ $\dfrac{n}{2}$번째 값과 $\left(\dfrac{n}{2}+1\right)$번째 값의 평균

예 1, 2, 4, 6, 8, 9의 중앙값 ⇨ $\dfrac{6}{2}=3$(번째) 값인 4와 $\dfrac{6}{2}+1=4$(번째) 값인 6의 평균

(중앙: 4, 6, 변량의 개수가 6이다.)

⇨ $\dfrac{4+6}{\square}=5$ 2

용어 click
- **중앙값** 가운데 중(中), 가운데 앙(央)으로, 자료의 변량을 작은 값부터 크기순으로 나열하였을 때 한가운데에 있는 값을 뜻한다.
- **최빈값** 가장 최(最), 자주 빈(頻)으로, 가장 자주 나타나는 값을 뜻한다.

3 최빈값

자료의 변량 중에서 가장 많이 나타나는 값을 그 자료의 **최빈값**이라 한다.

이때 자료의 변량 중에서 가장 많이 나오는 값이 한 개 이상이면 그 값이 모두 최빈값이다. 즉 자료에 따라 최빈값은 ☐ 개 이상일 수도 있다. 두

예 1, 2, 2, 2, 3, 4의 최빈값은 2이다. (3개)

1, 2, 2, 3, 3, 4의 최빈값은 2와 ☐이다. (2개, 2개) 3

● 최빈값은 '가장 좋아하는 음식', '가장 많이 팔린 책' 등과 같이 자료가 수량으로 주어지지 않는 경우에도 사용할 수 있다.

주의
최빈값은 한 개일 수도 있고, 여러 개일 수도 있다.

빠른 정답 138쪽 | 정답과 해설 40쪽

| 개념 체크 |

1-1 대푯값 – 평균

다음 자료의 평균을 구하시오.

92, 86, 87, 91, 84

셀파 $(\text{평균})=\frac{(\text{변량의 총합})}{(\text{변량의 개수})}$

연구 $(\text{평균})=\frac{92+86+87+91+84}{\square}=\square$

2-1 대푯값 – 중앙값

다음 자료의 중앙값을 구하시오.

(1) 12, 17, 13, 16, 15, 17, 11

(2) 3, 5, 8, 7, 19, 25, 16, 92

셀파 중앙값은 자료의 변량을 작은 값부터 크기순으로 나열하였을 때, 한가운데에 있는 값이다.

연구 (1) 자료의 변량을 작은 값부터 크기순으로 나열하면
11, 12, 13, 15, 16, 17, 17
이므로 중앙값은 □번째 값인 □이다.

(2) 자료의 변량을 작은 값부터 크기순으로 나열하면
3, 5, 7, 8, 16, 19, 25, 92
이므로 중앙값은 4번째와 □번째 값의 평균인 □이다.

3-1 대푯값 – 최빈값

다음 자료의 최빈값을 구하시오.

67, 72, 67, 68, 74, 70, 71, 69, 65, 74

셀파 최빈값은 자료의 변량 중에서 가장 많이 나타나는 값이다.

연구 자료의 변량을 작은 값부터 크기순으로 나열하면
65, 67, □, 68, 69, 70, 71, 72, 74, 74
이므로 최빈값은 □, 74이다.

| 따라 풀기 |

1-2 다음 자료의 평균을 구하시오.

(1) 9, 3, 5, 4, 6

(2) 4, 7, 4, 10, 12, 5

2-2 다음 자료의 중앙값을 구하시오.

(1) 72, 71, 64, 92, 84, 96, 43

(2) 34, 39, 57, 43, 23, 37

3-2 다음 자료의 최빈값을 구하시오.

(1) 4, 6, 2, 7, 6, 5, 6

(2) 19, 17, 13, 14, 14, 17, 19, 18, 19, 14

- **중앙값** 자료의 변량을 작은 값부터 크기순으로 나열하였을 때
  ① 변량의 개수가 홀수이면 ⇨ 한가운데에 있는 값 ② 변량의 개수가 짝수이면 ⇨ 한가운데에 있는 두 값의 평균
- **최빈값** 자료의 변량 중에서 가장 많이 나타나는 값으로, 자료에 따라 2개 이상일 수도 있다.

적절한 대푯값 찾기

Q 다음은 어느 회사 직원 10명의 월급을 조사하여 나타낸 것이다.
이 자료의 대푯값으로 평균, 중앙값 중 어떤 것이 더 적절할까?

(단위: 만 원)

200	235	250	220	210
900	230	205	125	235

작은 값부터 크기순으로 →

(단위: 만 원)

125	200	205	210	220
230	235	235	250	900

A $(\text{평균})=\frac{200+235+250+220+210+900+230+205+125+235}{10}$

$=\frac{2810}{10}=281(\text{만 원})$

$(\text{중앙값})=\frac{220+230}{2}=\frac{450}{2}=225(\text{만 원})$

이 경우에는 중앙값 225만 원을 대푯값으로 하는 것이 더 적절하겠어.

직원 대부분의 월급이 200~250만 원이므로 평균 281만 원은 이 회사 직원들의 월급을 대표할 수 없어.

㉠ 예를 들어 자료 0, 1, 2, 3, 4, 20에서 평균 5는 대푯값으로 적절하지 않다.
변량 20이 다른 값과 비교할 때 지나치게 큰 값이기 때문이다.
● 이 경우에는 중앙값인 $\frac{2+3}{2}=2.5$가 대푯값으로 적절하다.

Q 그렇다면 대푯값으로 평균, 중앙값, 최빈값 중 어느 것을 사용하는 것이 좋을까?

A 자료에 따라 판단해야 한다. 자료의 성격과 조사 목적에 따라 평균, 중앙값, 최빈값 중 가장 적절한 대푯값이 있을 것이다.
다음을 참고하여 자료의 특성에 따라 적절한 대푯값을 잘 선택하도록 하자.

	평균	중앙값	최빈값
장점	여러 집단에 대한 자료의 특성을 비교하기에 편리하다.	자료 중 너무 크거나 너무 작은 값이 있을 때, 다른 대푯값보다 자료의 특성을 더 잘 나타낸다.	자료를 수로 나타내지 못하는 경우, 즉 스포츠 종목, 상품 선호도 등을 조사할 때 주로 사용한다.
단점	㉠자료 중 너무 크거나 너무 작은 값이 있으면 평균은 이 값에 영향을 많이 받으므로 대푯값으로 적절하지 않다.	㉡자료의 크기 순서만 고려하므로 자료의 특성을 나타내지 못하는 경우도 있다.	자료에 따라 최빈값이 2개 이상인 경우도 있다. 또 ㉢변량의 개수가 작으면 자료 전체의 특징을 잘 나타내지 못한다.

㉡ 예를 들어 자료 0, 0, 1, 10, 32, 33, 36에서 중앙값 10은 대푯값으로 적절하지 않다.
● 이 경우에는 평균인 $\frac{112}{7}=16$이 대푯값으로 적절하다.

㉢ 예를 들어 자료 1, 2, 3, 4, 7, 7에서 최빈값 7은 대푯값으로 적절하지 않다.
● 이 경우에는 평균인 $\frac{24}{6}=4$ 또는 중앙값인 $\frac{3+4}{2}=3.5$가 대푯값으로 적절하다.

주어진 자료에 따라 그 자료를 대표하는 대푯값으로 어느 것이 더 적절한지 판단하도록 한다.

빠른 정답 138쪽 | 정답과 해설 40쪽

기본 01 평균

다음은 어느 중학교 3학년 학생 20명의 수학 여행 만족도 점수를 조사하여 나타낸 표이다. 수학 여행 만족도 점수의 평균을 구하시오.

점수(점)	6	7	8	9	10	합계
학생 수(명)	1	3	5	9	2	20

해법코드

$(\text{평균})=\dfrac{(\text{변량의 총합})}{(\text{변량의 개수})}$

셀파 문제에서 변량은 점수이고, 변량의 개수는 총학생 수이다.
이때 (점수의 총합)=(각 점수)×(각 점수에 해당하는 학생 수)이다.

풀이 $(\text{평균})=\dfrac{6\times1+7\times3+8\times5+9\times9+10\times2}{20}=\dfrac{168}{20}=\mathbf{8.4}$**(점)**

대푯값은 변량과 같은 단위를 써. 변량에 단위가 있다면 대푯값에도 반드시 그 단위를 써야 해.

확인 01 다음은 한별이가 일주일 동안 받은 스티커의 개수를 조사하여 나타낸 표이다. 일주일 동안 받은 스티커의 개수의 평균을 구하시오.

요일	월	화	수	목	금	토	일
개수(개)	4	3	5	9	3	4	7

» My 셀파

$(\text{평균})=\dfrac{(\text{변량의 총합})}{(\text{변량의 개수})}$임을 이용하여 식을 세운다.

기본 02 중앙값

다음 자료는 A 동호회와 B 동호회 회원들의 나이를 조사하여 나타낸 것이다. A 동호회의 중앙값을 x세, B 동호회의 중앙값을 y세라 할 때, $x+y$의 값을 구하시오.

(단위: 세)

[A 동호회] 22, 28, 24, 23, 27, 22, 28, 25, 29
[B 동호회] 22, 27, 33, 24, 25, 40, 29, 26, 35, 30

해법코드

n개의 변량을 작은 값부터 크기순으로 나열하였을 때
(i) 변량의 개수 n이 홀수이면 중앙값은 $\dfrac{n+1}{2}$번째 변량
(ii) 변량의 개수 n이 짝수이면 중앙값은 $\dfrac{n}{2}$번째 변량과 $\left(\dfrac{n}{2}+1\right)$번째 변량의 평균

셀파 주어진 자료의 변량을 작은 값부터 크기순으로 나열한다.

풀이 A 동호회의 변량을 작은 값부터 크기순으로 나열하면
22, 22, 23, 24, 25, 27, 28, 28, 29
이므로 ㉠중앙값은 25세이다.
B 동호회의 변량을 작은 값부터 크기순으로 나열하면
22, 24, 25, 26, 27, 29, 30, 33, 35, 40
이므로 ㉡중앙값은 $\dfrac{27+29}{2}=\dfrac{56}{2}=28$(세)
따라서 $x=25$, $y=28$이므로 $x+y=25+28=\mathbf{53}$

㉠ 변량의 개수가 9로 홀수이므로 중앙값은 $\dfrac{9+1}{2}=5$(번째) 값인 25세이다.

㉡ 변량의 개수가 10으로 짝수이므로 중앙값은 $\dfrac{10}{2}=5$(번째) 값인 27과 $\dfrac{10}{2}+1=6$(번째) 값인 29의 평균이다.

확인 02 다음 자료의 중앙값을 구하시오.

(1) 6, 13, 8, 6, 2, 11, 19
(2) 13, 30, 15, 36, 23, 27

» My 셀파

자료의 변량을 작은 값부터 크기순으로 나열하였을 때, 한가운데에 있는 값이 중앙값이다.

기본 03 최빈값

다음은 송이네 반 학생 10명이 어제 하루 동안 받은 문자 메시지의 개수를 조사하여 나타낸 것이다. 이 자료의 최빈값을 구하시오.

(단위: 개)

5, 3, 7, 8, 6, 4, 7, 8, 6, 8

해법코드

최빈값은 자료의 변량 중에서 가장 많이 나타나는 값으로, 자료에 따라 두 개 이상일 수도 있다.

셀파 주어진 자료를 작은 값부터 크기순으로 나열한 후, 각 변량이 나타나는 횟수를 센다.

풀이 자료의 변량을 작은 값부터 크기순으로 나열하면

3, 4, 5, 6, 6, 7, 7, 8, 8, 8

8이 3번으로 가장 많이 나타나므로 최빈값은 **8개**이다.

확인 03 1. 다음은 어느 야구팀 타자들이 한 주 동안 친 안타 수이다. 이 자료의 최빈값을 구하시오.

(단위: 개)

4, 7, 3, 5, 7, 3, 7, 3, 2

2. 다음은 우리 반 학생들이 가입한 동아리를 조사하여 나타낸 표이다. 이 자료의 최빈값을 구하시오.

동아리	야구반	문학반	수학반	토론반	발명반
학생 수(명)	5	7	3	4	5

» My 셀파

1. 자료의 변량 중에서 가장 많이 나타나는 값이 최빈값이다.

2. 학생 수가 가장 많은 동아리가 최빈값이다.

● 최빈값은 숫자로 나타낼 수 없는 자료일 때에도 구할 수 있다.

기본 04 평균이 주어졌을 때, 변량 구하기

다음은 준수네 반 학생 10명이 일주일 동안 TV를 시청한 시간을 조사하여 나타낸 것이다. 일주일 동안 TV를 시청한 시간의 평균이 6시간일 때, x의 값을 구하시오.

(단위: 시간)

4, 2, 5, 6, 7, 9, x, 3, 6, 4

해법코드

$(\text{평균})=\dfrac{(\text{변량의 총합})}{(\text{변량의 개수})}$
임을 이용하여 식을 세운다.

셀파 $(\text{TV 시청 시간의 평균})=\dfrac{(\text{TV 시청 시간의 총합})}{(\text{학생 수})}$

풀이 10명이 일주일 동안 TV를 시청한 시간의 평균이 6시간이므로

$\dfrac{4+2+5+6+7+9+x+3+6+4}{10}=6$에서 $\dfrac{x+46}{10}=6$

$x+46=60 \qquad \therefore x=\mathbf{14}$

확인 04 다음은 지원이네 반 학생 8명이 일주일 동안 운동한 시간을 조사하여 나타낸 것이다. 일주일 동안 운동한 시간의 평균이 6시간일 때, x의 값을 구하시오.

(단위: 시간)

x, 2, 8, 6, 12, 1, 4, 10

» My 셀파

$(\text{운동한 시간의 평균})=\dfrac{(\text{운동한 시간의 총합})}{(\text{학생 수})}$

기본 05 중앙값이 주어졌을 때, 변량 구하기

다음은 8개의 변량을 작은 값부터 크기순으로 나열한 것이다. 중앙값이 8일 때, x의 값을 구하시오.

5, 6, 6, 7, x, 9, 9, 11

셀파 변량의 개수가 짝수이므로 중앙값은 한가운데에 있는 두 변량의 평균이다.

풀이 변량의 개수가 8로 짝수이므로 중앙값은 $\frac{8}{2}=4$(번째) 값인 7과 $\frac{8}{2}+1=5$(번째) 값인 x의 평균이다.

이때 중앙값이 8이므로 $\frac{7+x}{2}=8$

$7+x=16$ $\quad\therefore x=\mathbf{9}$

해법코드

중앙값이 주어질 때

1 n개의 변량을 작은 값부터 크기순으로 나열한다.

2 n이 홀수일 때와 짝수일 때에 따라 문제의 조건에 맞게 식을 세운다.

(i) n이 홀수: $\frac{n+1}{2}$번째 값이 중앙값이다.

(ii) n이 짝수: $\frac{n}{2}$번째 값과 $\left(\frac{n}{2}+1\right)$번째 값의 평균이 중앙값이다.

확인 05 다음은 6개의 변량을 크기순으로 나열한 것이다. 중앙값이 5.5일 때, x의 값을 구하시오.

2, 3, 5, x, 6, 8

» My 셀파

변량의 개수가 6으로 짝수이므로 중앙값은 $\frac{6}{2}=3$(번째) 값과 $\frac{6}{2}+1=4$(번째) 값의 평균이다.

기본 06 평균과 최빈값이 같을 때, 변량 구하기

다음은 학생 7명의 평균 수면 시간을 조사하여 나타낸 것이다. 이 자료의 평균과 최빈값이 서로 같을 때, x의 값을 구하시오.

(단위: 시간)

10, 7, 8, x, 7, 5, 7

셀파 최빈값을 먼저 구한다.

풀이 x를 제외한 자료에서 7은 3번 나타나고, 나머지 변량은 모두 1번씩 나타나므로 최빈값은 ㉠x의 값에 관계없이 7시간이다.

따라서 평균 수면 시간의 ㉡평균이 7시간이므로 $\frac{10+7+8+x+7+5+7}{7}=7$

$\frac{x+44}{7}=7$, $x+44=49$ $\quad\therefore x=\mathbf{5}$

해법코드

평균과 최빈값이 같을 때

1 최빈값을 구한다.

2 (평균)=(최빈값)임을 이용하여 x의 값을 구한다.

㉠ x의 값이 5, 8, 10 중 어느 하나이어도 최빈값은 바뀌지 않는다.

㉡ 문제에서 평균과 최빈값이 같다고 주어졌다.

확인 06 오른쪽은 승원이가 5회에 걸쳐 치른 과학 시험 점수이다. 과학 시험 점수의 평균과 최빈값이 같을 때, x의 값을 구하시오.

(단위: 점)

86, 75, 84, x, 91

» My 셀파

x를 제외한 자료에서 변량이 모두 1번씩 나타나므로 최빈값은 x점이다.

발전 07 변화된 변량의 평균

3개의 변량 a, b, c의 평균이 10일 때, 변량 $4a-5, 4b-5, 4c-5$의 평균을 구하시오.

셀파 주어진 변량에 대한 평균을 식으로 나타낸다.

풀이 3개의 변량 a, b, c의 평균이 10이므로 $\frac{a+b+c}{3}=10$

따라서 변량 $4a-5, 4b-5, 4c-5$의 평균은

$\frac{(4a-5)+(4b-5)+(4c-5)}{3}=\frac{4(a+b+c)-15}{3}$

$=4\times\frac{a+b+c}{3}-5=4\times10-5=\mathbf{35}$

각 변량을 4배한 후 5씩을 뺐더니 변화된 평균도 원래 평균의 4배에서 5를 뺀 값이네.

해법코드

1 3개의 변량 a, b, c의 평균에 대한 식을 세운다.

2 변량 $4a-5, 4b-5, 4c-5$의 평균을 구하는 식에 1을 대입한다.

확인 07 4개의 변량 a, b, c, d의 평균이 8일 때, 변량 $5a+2, 5b+2, 5c+2, 5d+2$의 평균을 구하시오.

» My 셀파

$\frac{a+b+c+d}{4}=8$임을 이용한다.

발전 08 적절한 대푯값 고르기

다음은 어느 가게에서 판매된 바지의 허리둘레를 조사하여 나타낸 것이다. 물음에 답하시오.

(단위: 인치)

29, 31, 27, 26, 29, 25, 29, 28, 29, 27

(1) 평균과 최빈값을 구하시오.

(2) 이 가게에서 신상품을 팔기 위해 가장 많이 준비해야 할 바지의 허리둘레를 조사한다고 할 때, 평균과 최빈값 중 대푯값으로 더 적절한 것을 말하시오.

해법코드

평균과 최빈값의 장점과 단점을 파악한다.

- **평균**: 여러 집단에 대한 자료의 특성을 비교하기에 편리하지만 극단적인 값에 영향을 받는다.
- **최빈값**: 선호도를 조사할 때 주로 사용한다.

셀파 허리둘레가 29인치인 바지가 가장 많이 팔렸다.

풀이 (1) **(평균)**$=\frac{29+31+27+26+29+25+29+28+29+27}{10}=\frac{280}{10}=$**28(인치)**

자료의 변량을 작은 값부터 크기순으로 나열하면

25, 26, 27, 27, 28, 29, 29, 29, 29, 31

29가 4번으로 가장 많이 나타나므로 **(최빈값)=29인치**

(2) 가장 많이 팔린 바지의 허리둘레를 가장 많이 준비해야 하므로

최빈값인 29인치를 대푯값으로 사용하는 것이 더 적절하다.

상품의 선호도 조사는 대푯값으로 평균이나 중앙값보다 가장 많이 나타나는 값인 최빈값이 더 적절하다.

확인 08 다음은 전구 5개의 수명을 측정하여 나타낸 것이다. 물음에 답하시오.

(단위: 시간)

1100, 1080, 1120, 1070, 30

(1) 평균과 중앙값을 구하시오.

(2) 평균과 중앙값 중 이 자료의 대푯값으로 더 적절한 것을 말하시오.

» My 셀파

주어진 변량 중 30은 다른 값들과 달리 지나치게 작은 값이다.

중 1 과정 복습

미니 특강 줄기와 잎 그림

(1) **줄기와 잎 그림** 줄기와 잎을 이용하여 자료를 나타낸 그림

(2) **줄기와 잎 그림을 그리는 방법**

1 변량을 줄기와 잎으로 구분한다.

2 세로선을 긋고, 세로선의 왼쪽에 줄기에 해당하는 수를 크기순으로 세로로 쓴다.

3 세로선의 오른쪽에 각 줄기에 해당하는 잎을 가로로 쓴다.

이때 중복된 변량은 중복된 횟수만큼 모두 나타낸다.

● 잎을 반드시 크기순으로 나열할 필요는 없지만, 크기순으로 나열하면 자료의 분포 상태를 파악하기 편리하다.

〈자료〉

동호회 회원의 나이 (단위: 세)

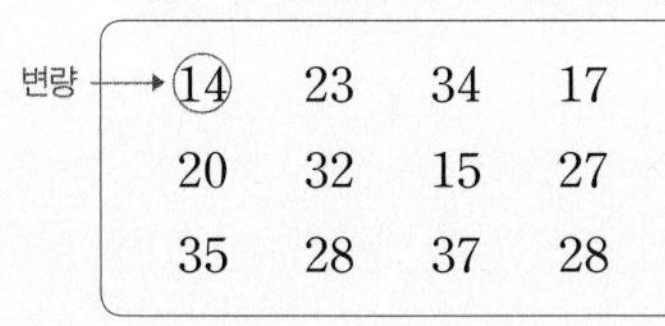

14	23	34	17
20	32	15	27
35	28	37	28

⇨

〈줄기와 잎 그림〉

→ 줄기가 1이고 잎이 4일 때, 14세임을 뜻한다.

동호회 회원의 나이 (1|4는 14세)

줄기	잎
1	4 5 7
2	0 3 7 8 8
3	2 4 5 7

십의 자리 숫자 / 일의 자리 숫자

발전 09 줄기와 잎 그림에서 중앙값과 최빈값

오른쪽은 어느 중학교 3학년 학생들의 오래매달리기 기록을 조사하여 나타낸 줄기와 잎 그림이다. 이 자료에 대하여 다음을 구하시오.

(1) 중앙값 (2) 최빈값

(0|4는 4초)

줄기	잎
0	4 5 7 8 8 9 9
1	0 0 1 2 5 7 7 7 8
2	3 5 6 6

해법코드

① 변량의 개수는 줄기와 잎 그림에서 잎의 개수와 같다.

② 십의 자리 숫자를 줄기, 일의 자리 숫자를 잎으로 하는 줄기와 잎 그림에서 줄기가 a, 잎이 b인 변량 ⇨ $10a+b$

셀파 변량의 개수는 줄기와 잎 그림에서 잎의 개수와 같다.

풀이 (1) 전체 잎의 개수가 $7+9+4=20$이므로 변량의 개수는 20이다.

이때 줄기와 잎 그림에서 변량은 크기순으로 나열되어 있으므로

중앙값은 $\frac{20}{2}=10$(번째) 값인 11과 $\frac{20}{2}+1=11$(번째) 값인 12의 평균이다.

따라서 중앙값은 $\frac{11+12}{2}=\frac{23}{2}=$**11.5(초)**

(2) 오래매달리기 기록이 17초인 학생이 3명으로 가장 많으므로 최빈값은 **17초**이다.

확인 09 오른쪽은 어느 합창단 단원들의 나이를 조사하여 나타낸 줄기와 잎 그림이다. 이 자료의 중앙값과 최빈값을 구하시오.

(2|0은 20세)

줄기	잎
2	0 1 3 4
3	1 1 3 7 7 7 9
4	3 5 6 8 9
5	0 2

» My 셀파

자료의 변량을 작은 값부터 크기순으로 나열하였을 때, 한가운데에 있는 값이 중앙값이고 가장 많이 나타나는 값이 최빈값이다.

이때 줄기와 잎 그림에서 줄기는 십의 자리 숫자를, 잎은 일의 자리 숫자를 나타낸다.

실력 키우기

01 대푯값

다음 대푯값에 대한 설명 중 옳지 않은 것을 모두 고르면? (정답 2개)

① 대푯값에는 평균, 중앙값, 최빈값 등이 있다.
② 대푯값으로 평균이 가장 적당하다.
③ 평균은 너무 작거나 너무 큰 값에 영향을 받는다.
④ 중앙값은 반드시 자료 안에 있는 값이다.
⑤ 최빈값은 여러 개 존재할 수도 있다.

02 적절한 대푯값 고르기

오른쪽은 외국인 60명이 좋아하는 한국 음식을 조사하여 나타낸 표이다. 다음 중 대푯값으로 가장 적절한 것은?

음식	도수(명)
삼겹살	8
불고기	15
갈비찜	16
비빔밥	21
합계	60

① 평균 ② 중앙값
③ 최빈값 ④ 분산
⑤ 표준편차

03 적절한 대푯값 고르기

다음 자료 중에서 대푯값으로 평균이 적절하지 않은 것은?

① 40, 50, 60, 50, 40, 50
② 10, 12, 11, 9, 8, 4
③ 7, 8, 5, 6, 6, 7
④ 20, 30, 40, 50, 300, 20
⑤ 15, 15, 20, 18, 15, 17

04 평균, 중앙값, 최빈값 (서술형)

다음 자료는 지훈이네 반 학생 10명이 지난 한 달 동안 읽은 책의 수를 조사하여 나타낸 것이다. 이 자료의 평균을 a권, 중앙값을 b권, 최빈값을 c권이라 할 때, $a+b+c$의 값을 구하시오.

(단위: 권)

5, 4, 3, 1, 1, 6, 6, 1, 4, 2

05 평균, 중앙값, 최빈값

아래는 A, B 두 사람이 양궁 경기에서 활쏘기를 5회 실시하여 얻은 점수를 조사하여 나타낸 표이다. 다음 설명 중 옳지 않은 것은?

(단위: 점)

	1회	2회	3회	4회	5회
A	9	8	5	10	8
B	3	8	5	7	7

① A의 점수의 중앙값과 최빈값은 같다.
② B의 점수의 중앙값은 최빈값보다 낮다.
③ A의 점수의 평균이 B의 점수의 평균보다 높다.
④ A의 점수의 최빈값이 B의 점수의 최빈값보다 높다.
⑤ A의 점수의 중앙값이 B의 점수의 중앙값보다 높다.

06 평균이 주어졌을 때, 변량 구하기

우빈이가 4번의 시험에서 받은 영어 점수가 차례로 84점, 87점, 92점, 91점이었다. 5번째 시험에서 몇 점을 받아야 평균 점수가 90점이 되는지 구하시오.

07 중앙값이 주어졌을 때, 변량 구하기

다음 두 조건을 모두 만족하는 두 자연수 a, b에 대하여 a, b의 값을 각각 구하시오. (단, $a<b$)

조건

(가) 5개의 변량 3, 4, a, b, 12의 중앙값은 7이다.

(나) 4개의 변량 5, 12, a, b의 중앙값은 9이다.

08 평균과 최빈값이 같을 때, 변량 구하기 서술형

다음 자료의 평균과 최빈값이 모두 0일 때, 이 자료의 중앙값을 구하시오. (단, $a>b$)

$-5,\quad 6,\quad -2,\quad 5,\quad a,\quad b,\quad 0$

09 변화된 변량의 평균

4개의 변량 a, b, c, d의 평균이 12일 때, 변량 $3a-5$, $3b-5$, $3c-5$, $3d-5$의 평균을 구하시오.

10 줄기와 잎 그림에서 중앙값과 최빈값 서술형

오른쪽은 지영이네 반 학생들의 윗몸일으키기 기록을 조사하여 나타낸 줄기와 잎 그림이다. 중앙값을 a회, 최빈값을 b회라 할 때, $a+b$의 값을 구하시오.

(0|4는 4회)

줄기	잎
0	4 9
1	2 4 4 8
2	1 2 5
3	7

11 여러 가지 자료에서 대푯값 구하기

오른쪽은 A, B 지역의 하루 중 최고 기온을 15일 동안 조사하여 나타낸 꺾은선그래프이다. 다음 **보기**에서 옳은 것을 모두 고르시오.

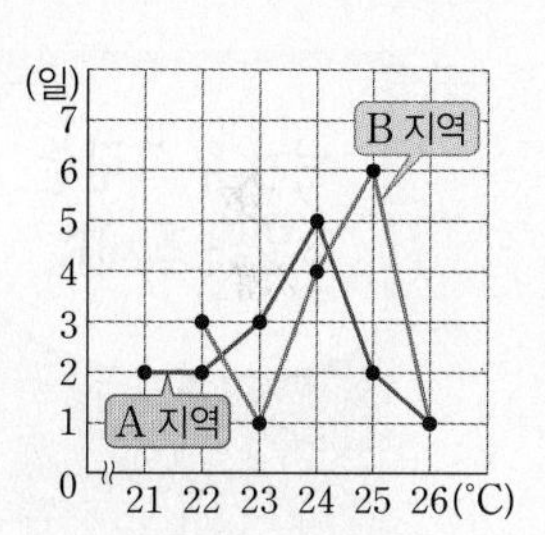

보기

㉠ 두 지역의 하루 중 최고 기온의 중앙값은 같다.

㉡ A 지역의 하루 중 최고 기온의 최빈값은 24 ℃이다.

㉢ B 지역의 하루 중 최고 기온의 중앙값과 최빈값은 서로 같다.

12 대푯값 창의·융합

A 농구팀 선수 9명의 키의 평균은 190 cm이었다. 이 팀에서 한 명의 선수가 다른 팀으로 가고, 다른 팀에서 한 명의 선수가 온 후에 키의 평균이 191 cm가 되었다. 새로 온 선수의 키는 다른 팀으로 간 선수의 키보다 몇 cm만큼 더 큰지 구하시오.

여러분,
기뻐하세요.
이번에 치른 수학 평가에서 우리 반이 평균 80점으로 4반과 공동 1등입니다.
와~
와~

와, 대단하다.
역시 우리 반 수학 실력이 최고라니까.
짱 짱
그런데!!!

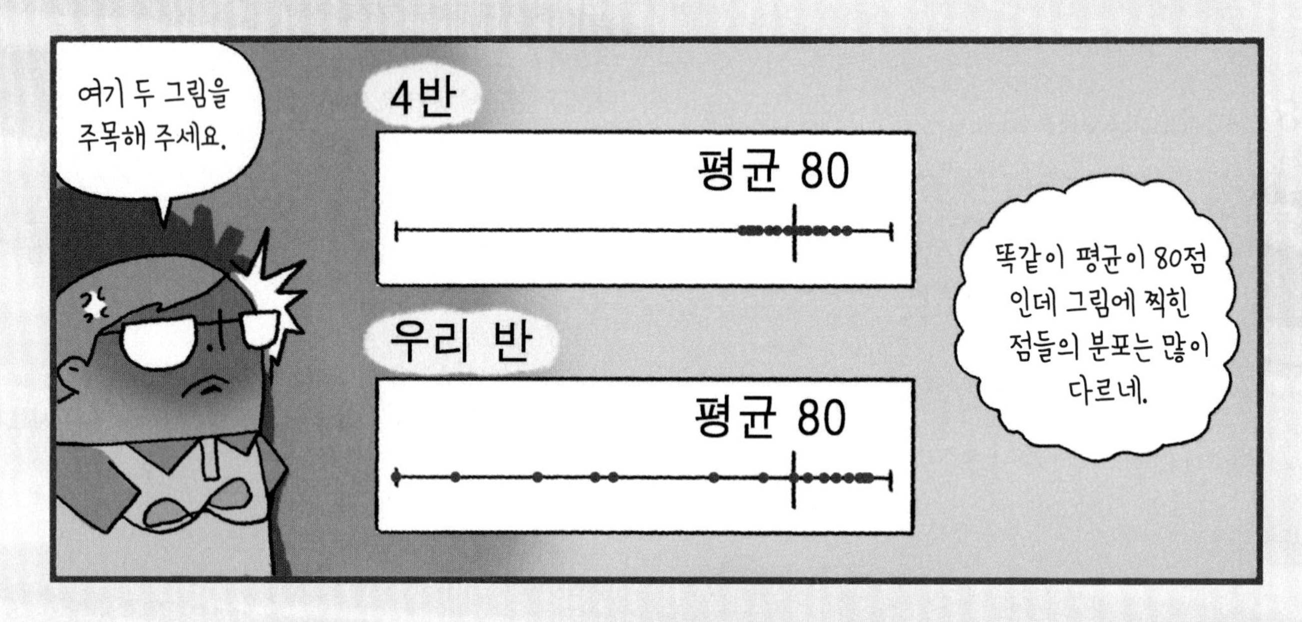
여기 두 그림을 주목해 주세요.
4반
평균 80
우리 반
평균 80
똑같이 평균이 80점인데 그림에 찍힌 점들의 분포는 많이 다르네.

이 그림에서 점들은 바로 여러분 개개인의 점수입니다.
특히 우리 반에만 평균 80에서 가장 먼 0에 점 하나가 찍혀 있네요.
평균 80
0

답을 밀려 썼을 수도 있잖아.
누군지 궁금해하지 말자.
누구야?
누굴까?
사사삭

Ⅲ | 통계

산포도

| 개념 1 | 산포도
| 개념 2 | 편차
| 개념 3 | 분산과 표준편차

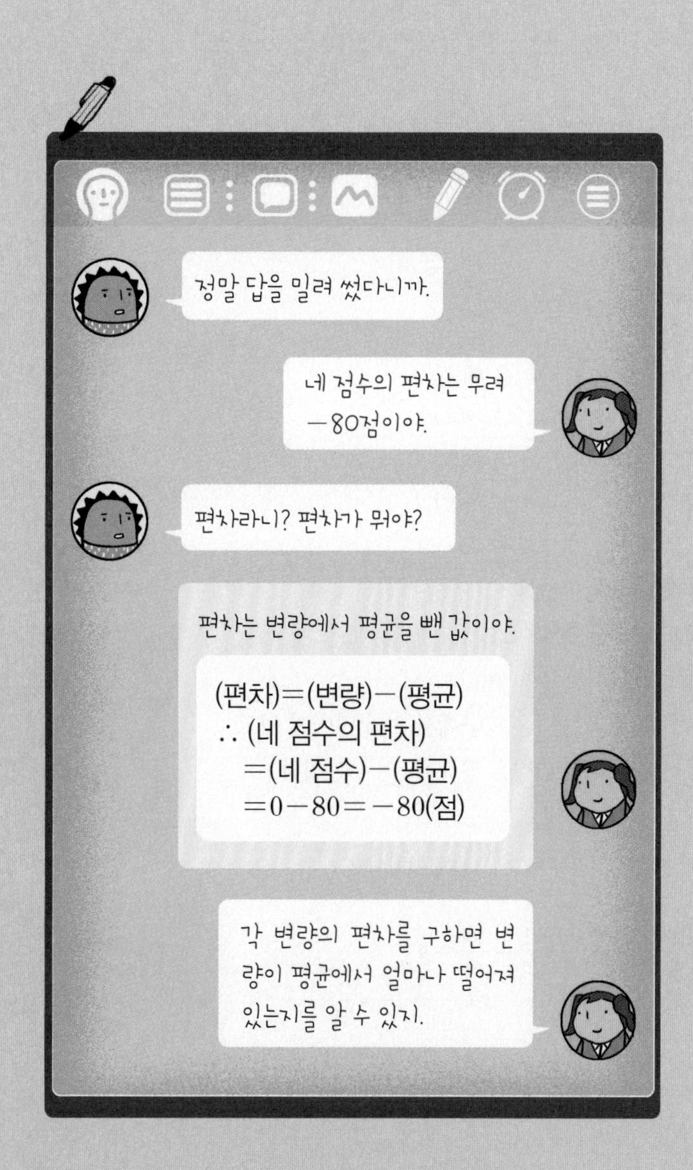

7 산포도

1 산포도

변량이 흩어져 있는 정도를 하나의 수로 나타낸 값을 **산포도**라 한다.

① 변량이 대푯값에 가까이 모여 있으면 산포도가 작다.

② 변량이 대푯값에서 멀리 흩어져 있으면 산포도가 [ ]. 크다

참고 산포도에는 여러 가지가 있으나 분산과 [ ]가 가장 많이 쓰인다. 표준편차

용어 click

- **산포도** 흩어지다 산(散), 펴다 포(布), 정도 도(度)로, 자료가 흩어져서 퍼진 정도를 뜻한다.
- **편차** 치우치다 편(偏), 견주다 차(差)로, 평균을 중심으로 치우친 정도를 뜻한다.

보기 다음 그림은 학생 5명의 수학 점수와 영어 점수를 각각 조사하여 수직선 위에 점으로 나타낸 것이다. 점수의 산포도가 더 큰 과목을 말하시오. (단, 수학 점수와 영어 점수의 평균은 모두 80점이다.)

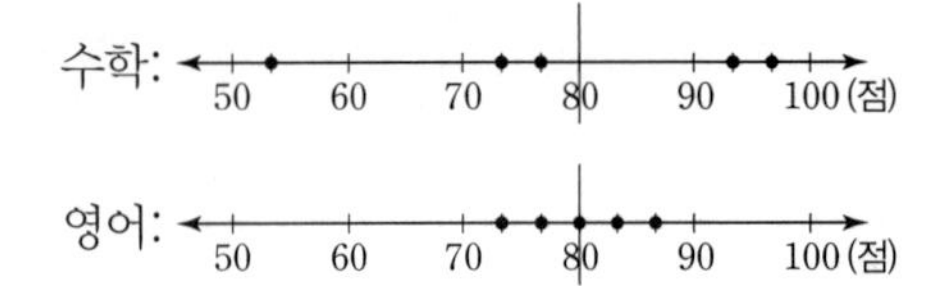

풀이 수학 점수가 영어 점수보다 평균 80점에서 더 멀리 흩어져 있다.
따라서 산포도가 더 큰 과목은 수학이다.

대푯값으로는 자료의 중심 위치를 알 수 있지만 자료의 분포 상태는 모르지. 그래서 산포도를 이용하여 자료가 흩어진 정도를 알아보는 거야.

2 편차

(1) **편차** 어떤 자료의 각 변량에서 [ ]을 뺀 값 평균

⇨ (편차)=(변량)−(평균) ← 편차를 구하려면 평균을 먼저 구한다.

예 자료 8, 5, 9, 6에서 ㉠(평균)=7이고, 각 변량의 편차는
$8-7=1,\ 5-7=-2,\ 9-[\ ]=2,\ 6-7=-1$ 7

(2) **편차의 성질**

① ㉡편차의 총합은 항상 0이다.

② 평균보다 큰 변량의 편차는 양수이고,
평균보다 작은 변량의 편차는 [ ]이다. 음수

③ 편차의 절댓값이 클수록 그 변량은 평균에서 멀리 떨어져 있고,
편차의 절댓값이 작을수록 그 변량은 평균에 [ ] 있다. 가까이

㉠ $\frac{8+5+9+6}{4}=\frac{28}{4}=7$

㉡ n개의 변량 $x_1, x_2, \cdots, x_n$의 평균을 M이라 하면
$x_1+x_2+\cdots+x_n=nM$
이때 각 변량의 편차는
$x_1-M, x_2-M, \cdots, x_n-M$
∴ (편차의 총합)
$=(x_1-M)+(x_2-M)+\cdots+(x_n-M)$
$=(x_1+x_2+\cdots+x_n)-nM$
$=nM-nM=0$

보기 자료 2, 9, 3, 4, 5, 1의 편차를 각각 구하고, 그 합을 구하시오.

풀이 (평균)$=\frac{2+9+3+4+5+1}{6}=\frac{24}{6}=4$

변량	2	9	3	4	5	1	합계
편차	$2-4$ $=-2$	$9-4$ $=5$	$3-4$ $=-1$	$4-4$ $=0$	$5-4$ $=1$	$1-4$ $=-3$	0

→ (변량)−(평균)

$-2+5+(-1)+0+1+(-3)=0$

빠른 정답 139쪽 | 정답과 해설 44쪽

| 개념 체크 |

1-1 산포도

다음은 두 학생 A, B의 4회에 걸친 봉사활동 시간을 조사하여 나타낸 막대그래프이다. 봉사활동 시간의 산포도가 더 큰 학생을 말하시오.

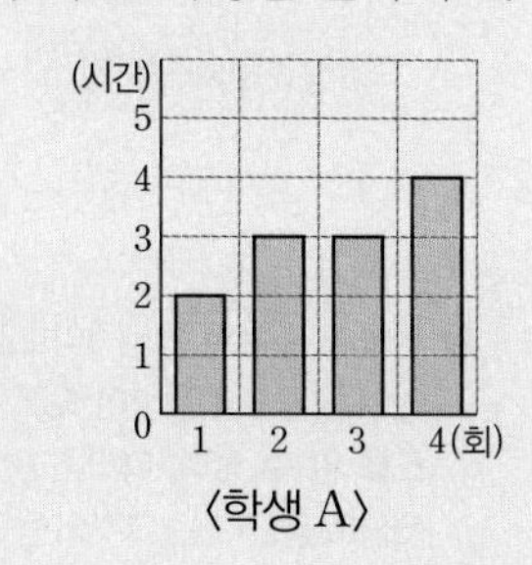

〈학생 A〉

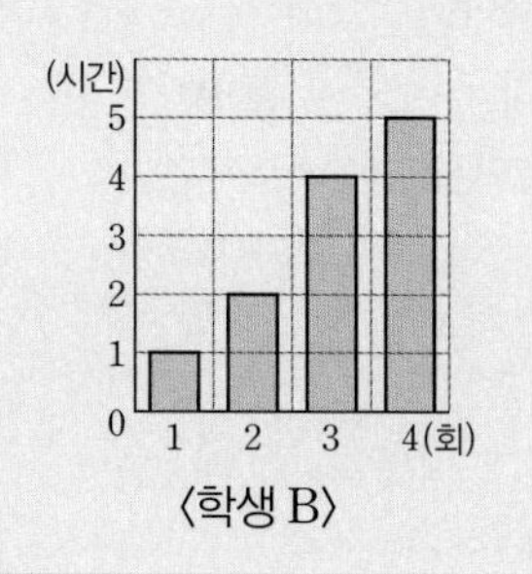

〈학생 B〉

셀파 평균을 구하여 변량이 평균에서 떨어져 있는 정도를 따져 본다.

연구 두 학생 A, B의 봉사활동 시간의 평균을 각각 구하면 모두 3시간으로 같다.
이때 학생 □의 봉사활동 시간이 학생 □의 봉사활동 시간보다 평균에서 더 멀리 흩어져 있으므로 봉사활동 시간의 산포도가 더 큰 학생은 □이다.

2-1 편차

다음은 학생 4명을 대상으로 1분 동안의 맥박 수를 조사하여 나타낸 표이다. 물음에 답하시오.

학생	A	B	C	D
맥박 수(회)	83	93	71	77

(1) 평균을 구하시오.
(2) 각 변량의 편차를 구하고, 그 합을 구하시오.

셀파 (편차)=(변량)−(평균)

연구 (1) (평균)$=\dfrac{83+93+71+77}{4}=81$(회)

(2)

학생	A	B	C	D	합계
편차(회)	2	□	-10	□	□

| 따라 풀기 |

1-2 다음은 두 학생 A, B의 통학 시간을 5일 동안 조사하여 나타낸 막대그래프이다. 물음에 답하시오.

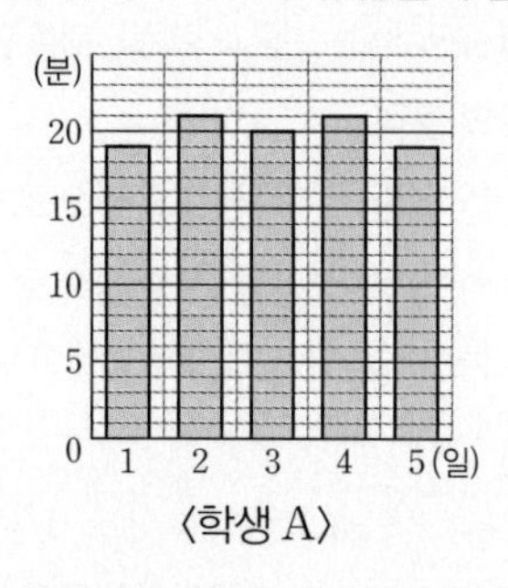

〈학생 A〉

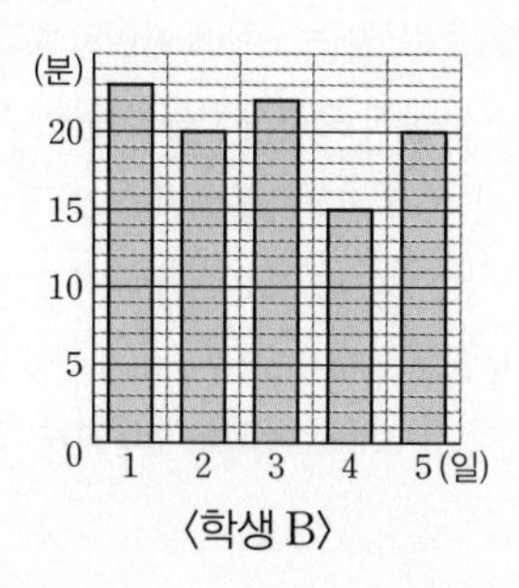

〈학생 B〉

(1) 두 학생 A, B의 통학 시간의 평균을 각각 구하시오.

(2) 통학 시간의 산포도가 더 작은 학생을 말하시오.

2-2 5개의 변량 25, 26, 27, 28, 29에 대하여 다음 물음에 답하시오.

(1) 평균을 구하시오.

(2) 각 변량의 편차를 구하여 아래 표의 빈칸을 채우시오.

변량	25	26	27	28	29
편차					

(3) (2)에서 구한 편차의 합을 구하시오.

- **산포도** 변량이 흩어져 있는 정도를 하나의 수로 나타낸 값
  ⇨ 변량이 대푯값에 가까이 있을수록 산포도는 작아지고, 대푯값에서 멀리 떨어져 있을수록 산포도는 커진다.
- **편차** (편차)=(변량)−(평균)으로, 편차의 총합은 항상 0이다.

3 분산과 표준편차 ← 평균을 중심으로 변량이 흩어져 있는 정도를 나타낸다.

(1) **분산** 편차의 □의 총합을 변량의 개수로 나눈 값, 즉 ㉠편차의 제곱의 평균 — 제곱

⇨ $(\text{분산})=\dfrac{\{(\text{편차})^2\text{의 총합}\}}{(\text{변량의 개수})}$

(2) **표준편차** 분산의 음이 아닌 □ ⇨ $(\text{표준편차})=\sqrt{(\text{분산})}$ — 제곱근

주의 분산에는 단위를 붙이지 않고, 표준편차에는 변량과 같은 단위를 쓴다.

(3) **분산과 표준편차를 이용한 자료의 분석**

① 분산과 표준편차가 작다. ⇨ 변량이 평균을 중심으로 가까이 모여 있다.

② 분산과 표준편차가 크다. ⇨ 변량이 평균을 중심으로 멀리 □있다. — 흩어져

참고 분산과 표준편차가 작을수록 변량이 평균을 중심으로 가까이 모여 있으므로 자료의 분포 상태가 더 고르다고 할 수 있다.

참고 분산과 표준편차를 구하는 순서

평균 구하기 ⇩ 편차 구하기 ⇩ 분산 구하기 ⇩ 표준편차 구하기

㉠ 편차의 총합은 항상 0이므로 편차의 평균도 항상 0이 되어 산포도를 알 수 없다. 따라서 편차의 제곱의 평균 또는 그것의 음이 아닌 제곱근을 산포도로 사용한다.

보기 편차가 $-3, -1, 0, 1, 3$인 자료의 분산과 표준편차를 구하시오.

풀이 $(\text{분산})=\dfrac{(-3)^2+(-1)^2+0^2+1^2+3^2}{5}=\dfrac{20}{5}=\mathbf{4}$

$(\text{표준편차})=\sqrt{(\text{분산})}=\sqrt{4}=\mathbf{2}$

빠른 정답 139쪽 | 정답과 해설 45쪽

| 개념 체크 |

3-1 분산과 표준편차

다음은 남학생 5명의 몸무게를 조사하여 나타낸 것이다. 몸무게의 분산과 표준편차를 구하시오.

(단위: kg)

66, 62, 65, 69, 63

셀파 '평균 ⇨ 편차 ⇨ 분산 ⇨ 표준편차'의 순서로 구한다.

연구 [1] $(\text{평균})=\dfrac{66+62+65+69+63}{5}=65\ (\text{kg})$

[2]

몸무게(kg)	66	62	65	69	63
편차(kg)	1	□	0	□	−2

[3] $(\text{분산})=\dfrac{1^2+(\square)^2+0^2+\square^2+(-2)^2}{5}=\square$

[4] $(\text{표준편차})=\square\ (\text{kg})$

| 따라 풀기 |

3-2 다음은 학생 5명의 영어 점수를 조사하여 나타낸 표이다. 이 자료에 대하여 물음에 답하시오.

학생	A	B	C	D	E
점수(점)	73	82	69	81	90

(1) 평균을 구하시오.

(2) 각 변량의 편차를 구하시오.

(3) 분산을 구하시오.

(4) 표준편차를 구하시오.

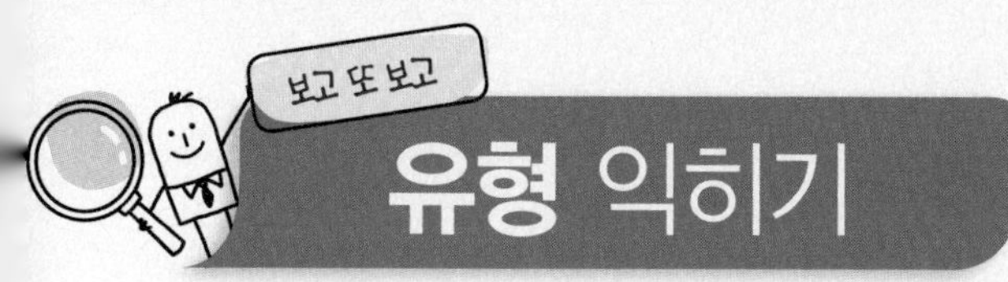

빠른 정답 139쪽 | 정답과 해설 45쪽

기본 01 산포도

다음 **보기**에서 옳은 것을 모두 고르시오.

| 보기 |

㉠ 편차의 총합은 항상 0이다.
㉡ 평균보다 큰 변량의 편차는 양수이다.
㉢ 자료에서 각 변량이 평균 가까이에 집중되어 있을수록 산포도가 크다.
㉣ 표준편차가 클수록 자료의 각 변량은 평균에 더 가까이 모여 있다.

해법코드

(1) (편차)=(변량)−(평균)
(2) 편차의 총합은 항상 0이다.
(3) 산포도가 작다. ⇨ 변량이 평균에 가까이 모여 있다.
산포도가 크다. ⇨ 변량이 평균에서 멀리 흩어져 있다.
(4) 분산과 표준편차가 산포도로 많이 쓰인다.

셀파 산포도, 편차, 표준편차의 뜻을 기억한다.

풀이 ㉡ (편차)=(변량)−(평균)이므로 (변량)>(평균)이면 편차는 양수이다.
㉢ 자료에서 각 변량이 평균에 가까이 집중되어 있을수록 산포도가 작다.
㉣ 표준편차가 클수록 자료의 각 변량은 평균에서 멀리 흩어져 있다.
따라서 옳은 것은 ㉠, ㉡이다.

❶ 표준편차는 산포도이므로 변량이 대푯값에서 멀리 흩어져 있으면 표준편차가 크다.

확인 01 다음 설명 중 옳지 않은 것을 모두 고르면? (정답 2개)

① 자료에서 각 변량이 평균에서 멀리 흩어져 있을수록 산포도가 크다.
② (편차)>0이면 평균이 변량보다 크다.
③ 편차의 절댓값이 클수록 그 변량은 평균에서 멀리 떨어져 있다.
④ 편차의 평균으로 산포도를 알 수 있다.
⑤ 분산은 산포도이다.

» My 셀파
(편차)=(변량)−(평균)이고, 편차의 총합은 항상 0임을 이용한다.

7 | 산포도

기본 02 편차를 이용하여 변량 구하기

오른쪽은 5명의 학생의 과학 점수의 편차를 나타낸 표이다. 다음 물음에 답하시오.

학생	A	B	C	D	E
편차(점)	-2	-5	3	x	2

(1) x의 값을 구하시오.
(2) 5명의 과학 점수의 평균이 80점일 때, 학생 D의 과학 점수를 구하시오.

해법코드

1 편차의 총합은 항상 0임을 이용하여 변량의 편차를 구한다.
2 (편차)=(변량)−(평균)임을 이용하여 변량을 구한다.

셀파 편차의 총합은 항상 0임을 이용하여 x의 값을 구한다.

풀이 (1) 편차의 총합은 0이므로 $-2+(-5)+3+x+2=0$
$-2+x=0$ $\quad\therefore x=\mathbf{2}$
(2) (편차)=(변량)−(평균)이므로 2=(D의 과학 점수)−80
∴ (D의 과학 점수)=**82(점)**

참고
(편차)=(변량)−(평균)에서
(변량)=(평균)+(편차)

확인 02 야구 선수 5명의 홈런 수의 평균이 13개이고 편차가 오른쪽 표와 같을 때, 선수 A의 홈런 수를 구하시오.

선수	A	B	C	D	E
편차(개)		-5	-2	3	1

» My 셀파
편차의 총합은 항상 0임을 이용하여 A의 편차를 먼저 구한다.

기본 03 분산과 표준편차

다음은 학생 7명의 일주일 동안의 운동 시간을 조사하여 나타낸 것이다. 운동 시간의 분산과 표준편차를 구하시오.

(단위: 시간)

2, 5, 3, 1, 4, 6, 7

해법코드

(1) (분산) $=\frac{\{(\text{편차})^2\text{의 총합}\}}{(\text{변량의 개수})}$

(2) (표준편차) $=\sqrt{(\text{분산})}$

셀파 '평균 ⇨ 편차 ⇨ 분산 ⇨ 표준편차'의 순서로 구한다.

풀이 (평균) $=\frac{2+5+3+1+4+6+7}{7}=\frac{28}{7}=4$(시간)

이때 (편차) = (변량) − (평균)이므로 각 변량의 편차는 다음과 같다.

변량(시간)	2	5	3	1	4	6	7
편차(시간)	−2	1	−1	−3	0	2	3

$\therefore$ **(분산)** $=\frac{(-2)^2+1^2+(-1)^2+(-3)^2+0^2+2^2+3^2}{7}=\frac{28}{7}=\mathbf{4}$

(표준편차) $=\sqrt{(\text{분산})}=\sqrt{4}=\mathbf{2}$**(시간)**

확인 03 다음은 지원이네 학교 5개 학급에서 안경을 낀 학생 수의 편차를 나타낸 것이다. 안경을 낀 학생 수의 표준편차를 구하시오.

(단위: 명)

-3, x, -1, 1, 0

» My 셀파

편차의 총합은 항상 0임을 이용하여 x의 값을 먼저 구한다.

기본 04 평균과 분산을 이용한 식의 값 구하기

변량 8, x, y, 12의 평균이 9이고 분산이 5일 때, x^2+y^2의 값을 구하시오.

해법코드

• (평균) $=\frac{(\text{변량의 총합})}{(\text{변량의 개수})}$

• (분산) $=\frac{\{(\text{편차})^2\text{의 총합}\}}{(\text{변량의 개수})}$

셀파 평균과 분산을 이용하여 x, y에 대한 두 식을 세워 본다.

풀이 평균이 9이므로 $\frac{8+x+y+12}{4}=9$

$x+y+20=36$ $\quad\therefore x+y=16$ ······ ㉠

이때 ❶변량 8, x, y, 12의 편차는 차례대로 -1, $x-9$, $y-9$, 3이고

분산이 5이므로 $\frac{(-1)^2+(x-9)^2+(y-9)^2+3^2}{4}=5$

❷$(x-9)^2+(y-9)^2+10=20$

$x^2+y^2-18(x+y)=-152$ ······ ㉡

㉠을 ㉡에 대입하면 $x^2+y^2-18\times16=-152$

$\therefore x^2+y^2=\mathbf{136}$

❶ (편차) = (변량) − (평균)

❷ $(x-9)^2+(y-9)^2+10=20$ 에서 $x^2-18x+81+y^2-18y+81=10$

확인 04 변량 4, 10, x, y, 5의 평균이 6이고 분산이 7일 때, x^2+y^2의 값을 구하시오.

» My 셀파

평균과 분산을 이용하여 x, y에 대한 두 식을 세워 본다.

기본 05 자료의 분석

오른쪽은 A, B 두 반의 수학 점수의 평균과 표준편차를 조사하여 나타낸 표이다. 다음 중 옳은 것은?

	A반	B반
평균(점)	74	70
표준편차(점)	8.4	4.2

① A반 점수의 총합이 B반 점수의 총합보다 높다.
② A, B 두 반의 점수의 분포를 비교할 수 없다.
③ B반의 점수가 A반의 점수보다 더 고르다.
④ A반의 점수가 B반의 점수보다 평균에 더 가까이 모여 있다.
⑤ A반의 1등이 B반의 1등보다 점수가 높다.

해법코드

(1) 분산과 표준편차가 작을수록
⇨ 변량이 평균을 중심으로 가까이 모여 있다.
⇨ 자료의 분포 상태가 고르다.
(2) 분산과 표준편차가 클수록
⇨ 변량이 평균을 중심으로 멀리 흩어져 있다.
⇨ 자료의 분포 상태가 고르지 않다.

셀파 두 반의 성적의 분포 상태를 비교할 때는 표준편차를 이용한다.

풀이 ① A, B 두 반의 학생 수를 모르므로 어느 반의 ㉠점수의 총합이 더 높은지 알 수 없다.
② 표준편차가 주어졌으므로 A, B 두 반의 점수의 분포를 비교할 수 있다.
③ B반의 표준편차가 A반의 표준편차보다 작으므로 B반의 점수가 A반의 점수보다 더 고르다.
④ B반의 표준편차가 A반의 표준편차보다 작으므로 B반의 점수가 A반의 점수보다 평균에 더 가까이 모여 있다.
⑤ A, B 두 반의 1등의 점수는 알 수 없다.
따라서 옳은 것은 ③이다.

㉠ (평균) $=\frac{\text{(점수의 총합)}}{\text{(학생 수)}}$ 이므로 학생 수를 알아야 점수의 총합을 알 수 있다.

확인 05 **1.** 다음은 어느 중학교 다섯 반의 미술 점수의 평균과 표준편차를 조사하여 나타낸 표이다. 다섯 반 중 미술 점수가 가장 고른 반을 구하시오.

	1반	2반	3반	4반	5반
평균(점)	74	72	72	71	72
표준편차(점)	4.3	5.8	6.9	7.2	8.4

» My 셀파

1. 점수가 고르다.
⇨ 자료의 변량이 평균을 중심으로 가까이 모여 있다.
⇨ 표준편차가 작다.

2. 다음은 세 반의 50 m 달리기 기록의 평균과 표준편차를 조사하여 나타낸 표이다. **보기**에서 옳은 것을 고르시오. (단, 각 반의 학생 수는 모두 같다.)

	1반	2반	3반
평균(초)	7.5	8	7.3
표준편차(초)	1.6	2	1.4

보기
㉠ 50 m 달리기 기록이 가장 좋은 반은 2반이다.
㉡ 50 m 달리기 기록이 가장 좋은 학생은 3반에 있다.
㉢ 50 m 달리기 기록이 가장 고른 반은 3반이다.

2. 달리기 기록이 좋다.
⇨ 달리기가 빠르다.

발전 06 변화된 변량의 분산과 표준편차

4개의 변량 a, b, c, d의 평균이 8이고 표준편차가 3일 때, 변량 $2a+1$, $2b+1$, $2c+1$, $2d+1$의 평균과 분산을 각각 구하시오.

해법코드

1. 4개의 변량 a, b, c, d의 평균과 분산에 대한 식을 세운다.
2. 변량 $2a+1$, $2b+1$, $2c+1$, $2d+1$의 평균과 분산을 구하는 식에 1을 대입한다.

셀파 평균과 분산을 각각 식으로 나타낸다.

풀이 4개의 변량 a, b, c, d의 평균이 8이므로 $\frac{a+b+c+d}{4}=8$

표준편차가 3, 즉 분산이 $3^2=9$이므로 $\frac{(a-8)^2+(b-8)^2+(c-8)^2+(d-8)^2}{4}=9$

따라서 변량 $2a+1$, $2b+1$, $2c+1$, $2d+1$에 대하여

$$(\text{평균})=\frac{(2a+1)+(2b+1)+(2c+1)+(2d+1)}{4}$$
$$=\frac{2(a+b+c+d)+4}{4}=2\times8+1=\mathbf{17}$$
$$(\text{분산})=\frac{(2a+1-17)^2+(2b+1-17)^2+(2c+1-17)^2+(2d+1-17)^2}{4}$$
$$=\frac{(2a-16)^2+(2b-16)^2+(2c-16)^2+(2d-16)^2}{4}$$
$$=\frac{2^2\{(a-8)^2+(b-8)^2+(c-8)^2+(d-8)^2\}}{4}=2^2\times9=\mathbf{36}$$

확인 06 3개의 변량 a, b, c의 평균이 10이고 표준편차가 2일 때, 변량 $-2a+1$, $-2b+1$, $-2c+1$의 평균, 분산, 표준편차를 각각 구하시오.

» My 셀파

평균과 분산을 각각 식으로 나타낸다.

미니 특강 변화된 변량의 평균과 분산, 표준편차

Q **n개의 변량 $x_1, x_2, x_3, \cdots, x_n$의 평균이 m, 표준편차가 s일 때, 변량 ax_1+b, $ax_2+b, ax_3+b, \cdots, ax_n+b$의 평균, 분산, 표준편차는 각각 어떻게 구할까?**

A 변량 $x_1, x_2, x_3, \cdots, x_n$의 평균이 m, 표준편차가 s이므로

$$\frac{x_1+x_2+\cdots+x_n}{n}=m,\ \frac{(x_1-m)^2+(x_2-m)^2+\cdots+(x_n-m)^2}{n}=s^2$$

따라서 변량 $ax_1+b, ax_2+b, \cdots, ax_n+b$에 대하여

$$(\text{평균})=\frac{(ax_1+b)+(ax_2+b)+\cdots+(ax_n+b)}{n}$$
$$=\frac{a(x_1+x_2+\cdots+x_n)+bn}{n}=am+b$$
$$(\text{분산})=\frac{\{ax_1+b-(am+b)\}^2+\{ax_2+b-(am+b)\}^2+\cdots+\{ax_n+b-(am+b)\}^2}{n}$$
$$=\frac{a^2\{(x_1-m)^2+(x_2-m)^2+\cdots+(x_n-m)^2\}}{n}=a^2s^2$$
$$(\text{표준편차})=\sqrt{a^2s^2}=|a|s\ (\because s\geq0)$$

주어진 변량에 상수 a를 곱하고 상수 b를 더하면 분산은 a^2배, 표준편차는 $|a|$배가 되네.

더한 상수 b는 변화된 변량의 분산이나 표준편차에 영향을 미치지 않아.

발전 07 두 집단 전체의 분산과 표준편차

해법코드

$(\text{분산})=\dfrac{\{(\text{편차})^2\text{의 총합}\}}{(\text{변량의 개수})}$

⇨ $\{(\text{편차})^2$의 총합$\}$
$=(\text{분산})\times(\text{변량의 개수})$

어느 반의 남학생과 여학생의 미술 실기 점수의 분산이 오른쪽 표와 같다. 남학생과 여학생의 평균이 같을 때, 전체 학생의 미술 실기 점수의 분산을 구하시오.

	남학생	여학생
학생 수(명)	4	2
분산	4	16

셀파 $(\text{전체 분산})=\dfrac{\{\text{남학생의 }(\text{편차})^2\text{의 총합}\}+\{\text{여학생의 }(\text{편차})^2\text{의 총합}\}}{(\text{전체 학생 수})}$

풀이 남학생 4명의 분산이 4이므로 남학생의 $(\text{편차})^2$의 총합은 $4\times4=16$

여학생 2명의 분산이 16이므로 여학생의 $(\text{편차})^2$의 총합은 $16\times2=32$

이때 남학생과 여학생의 평균이 같으므로 전체 학생의 미술 실기 점수의 분산은

$$\frac{\{\text{남학생의 }(\text{편차})^2\text{의 총합}\}+\{\text{여학생의 }(\text{편차})^2\text{의 총합}\}}{(\text{전체 학생 수})}$$

$$=\frac{16+32}{4+2}=\frac{48}{6}=8$$

Lecture 예를 들어 두 집단 A, B의 평균이 모두 m으로 같으면 ㉠두 집단 A, B를 합한 전체 평균도 m이 된다. 이 경우 A, B 각 집단에서 편차를 구할 때도 평균 m이 기준이 되고, 전체 집단에서 편차를 구할 때도 평균 m이 기준이 된다. 즉 ㉡전체 집단에서 분산을 구할 때, A 집단에서 구한 분산과 B 집단에서 구한 분산을 그대로 이용할 수 있다.

따라서 평균이 같은 두 집단 A, B의 도수, 분산이 오른쪽 표와 같을 때, 전체 분산은 다음과 같이 구한다.

	A	B
도수	a	b
분산	V_1	V_2

$(\text{전체 분산})=\dfrac{aV_1+bV_2}{a+b}$ ...... ㉠

그러나 두 집단의 평균이 다르다면 ㉠을 이용할 수 없다.

예를 들어 A 집단의 변량이 2, 8이면 평균은 5이고, ㉢분산은 9이다. 또 B 집단의 변량이 5, 9이면 평균은 7이고 ㉣분산은 4이다. 이때 평균이 다른 두 집단에서 ㉠을 이용하면

$(\text{전체 분산})=\dfrac{2\times9+2\times4}{2+2}=\dfrac{26}{4}=6.5$ ...... ㉡

그런데 전체 변량 2, 8, 5, 9의 평균과 분산을 각각 구해 보면 ㉤(전체 평균)$=6$

$(\text{전체 분산})=\dfrac{(2-6)^2+(8-6)^2+(5-6)^2+(9-6)^2}{4}=\dfrac{30}{4}=7.5$ ...... ㉢

즉 ㉡에서 구한 분산과 다르다. 따라서 각 집단의 분산에서 전체 분산을 구할 때는 각 집단의 평균이 모두 같을 때만 ㉠을 사용한다. 만약 각 집단의 평균이 다르다면 ㉢처럼 전체 변량과 전체 평균을 이용하여 분산을 구한다.

㉠

	A	B
도수	a	b
평균	m	m

(전체 평균)
$=\dfrac{(\text{A의 총합})+(\text{B의 총합})}{(\text{도수의 총합})}$
$=\dfrac{am+bm}{a+b}=\dfrac{m(a+b)}{a+b}$
$=m$

㉡ 분산을 구하려면 $(\text{편차})^2$의 총합을 구해야 한다. 이때 A 집단, B 집단, 전체 집단 모두 $\{(\text{변량})-m\}^2$을 이용하여 $(\text{편차})^2$의 총합을 구한다.

㉢ $\dfrac{(2-5)^2+(8-5)^2}{2}=\dfrac{18}{2}=9$

㉣ $\dfrac{(5-7)^2+(9-7)^2}{2}=\dfrac{8}{2}=4$

㉤ $\dfrac{2+8+5+9}{4}=\dfrac{24}{4}=6$

확인 07 오른쪽은 A, B 두 모둠 학생들의 수면 시간의 분산을 조사하여 나타낸 표이다. 두 모둠의 평균이 같을 때, 전체 학생의 수면 시간의 분산을 구하시오.

	A 모둠	B 모둠
학생 수(명)	7	8
분산	16	25

» My 셀파
$\{(\text{편차})^2$의 총합$\}$
$=(\text{분산})\times(\text{변량의 개수})$
임을 이용하여 전체 학생의 $(\text{편차})^2$의 총합을 구한다.

7 | 산포도

실력 키우기

01 산포도

다음 설명 중 옳은 것은?

① 편차의 총합은 항상 1이다.
② 평균보다 작은 변량의 편차는 양수이다.
③ 분산은 편차의 제곱의 평균이다.
④ 표준편차는 분산의 제곱근이다.
⑤ 편차의 절댓값이 작을수록 산포도는 크다.

02 편차 (서술형)

다음은 학생 6명의 키와 그 키의 편차를 나타낸 표이다. $a+b$의 값을 구하시오.

학생	A	B	C	D	E	F
키(cm)	164	165	155	b	167	163
편차(cm)	2	a	-7	-4	5	1

03 편차

아래 표는 학생 6명의 수학 점수의 편차를 나타낸 것이다. 다음 중 옳지 않은 것은?

학생	A	B	C	D	E	F
편차(점)	3	x	0	-2	1	-1

① x의 값은 -1이다.
② C의 점수가 학생 6명의 수학 점수의 평균이다.
③ 점수가 가장 높은 학생은 A이다.
④ A와 B의 점수 차는 2점이다.
⑤ D의 점수는 평균보다 낮다.

04 분산과 표준편차

다음은 학생 10명의 키의 편차와 도수를 나타낸 것이다. 키의 분산을 구하시오.

편차(cm)	-3	-2	0	1	2	3
도수(명)	2	1	2	3	1	1

05 분산과 표준편차

다음 자료의 평균이 8일 때, 표준편차를 구하시오.

7, 8, 5, x, 6

06 평균과 분산을 이용한 식의 값 구하기 (서술형) (융합형)

다음 자료의 평균이 5이고 분산이 6일 때, ab의 값을 구하려고 한다. 물음에 답하시오.

1, 4, 8, a, b

(1) $a+b$의 값을 구하시오.

(2) a^2+b^2의 값을 구하시오.

(3) ab의 값을 구하시오.

07 자료의 분석

아래는 다섯 반 학생들의 1학기 중간고사 수학 점수의 평균과 표준편차를 나타낸 표이다. 다음 중 옳은 것은?

	1반	2반	3반	4반	5반
평균(점)	76	75	81	68	79
표준편차(점)	5.2	4.1	6.6	3.5	7.2

① 1반의 학생 수가 2반의 학생 수보다 더 많다.
② 2반의 점수 분포보다 5반의 점수 분포가 더 고르다.
③ 수학 점수가 가장 높은 학생은 3반에 있다.
④ 수학 점수가 90점 이상인 학생은 2반보다 3반에 더 많다.
⑤ 수학 점수가 가장 고른 반은 4반이다.

08 자료의 분석

다음 자료 중 표준편차가 가장 큰 것은?

① 3, 5, 3, 5, 3, 5　② 3, 5, 3, 5, 4, 4
③ 1, 5, 1, 5, 1, 5　④ 1, 5, 1, 5, 3, 3
⑤ 2, 2, 2, 2, 2, 2

09 변화된 변량의 분산과 표준편차

4개의 변량 a, b, c, d의 평균이 7이고 표준편차가 3일 때, 변량 $3a-6, 3b-6, 3c-6, 3d-6$의 표준편차를 구하시오.

10 두 집단 전체의 분산과 표준편차

오른쪽 표는 A반과 B반의 던지기 기록의 평균과 표준편차를 나타낸 것이다. A, B 두 반 전체 학생의 던지기 기록의 분산을 구하시오.

	A반	B반
학생 수(명)	20	15
평균(m)	24	24
표준편차(m)	$\sqrt{10}$	$\sqrt{3}$

11 분산과 표준편차 (창의력)

다음 표는 학생 5명이 본 수학 쪽지 시험 점수에서 성하의 점수를 뺀 값을 나타낸 것이다. 물음에 답하시오.

학생	승호	아라	성하	고은	준서
(점수)−(성하의 점수)	−8	−5	0	1	2

(1) 학생 5명의 점수의 평균은 성하의 점수보다 얼마나 높거나 낮은지 구하시오.

(2) 각 학생의 점수의 편차를 구하시오.

(3) 학생 5명이 본 수학 쪽지 시험 점수의 분산을 구하시오.

12 자료의 분석 (서술형) (창의·융합)

다음은 A, B 두 사람이 다트판에 7발의 다트를 던진 결과이다. 물음에 답하시오.

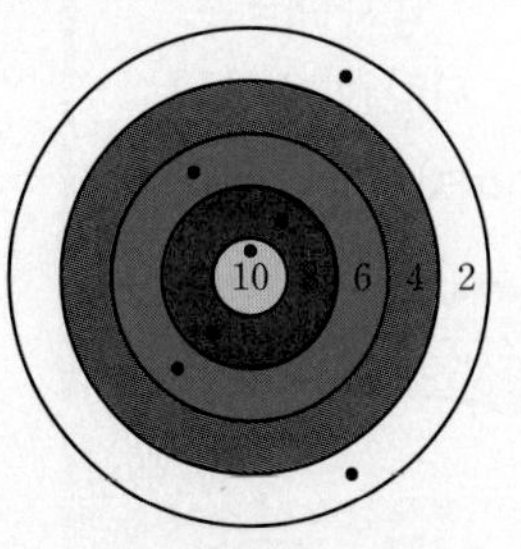

〈A의 다트 결과〉

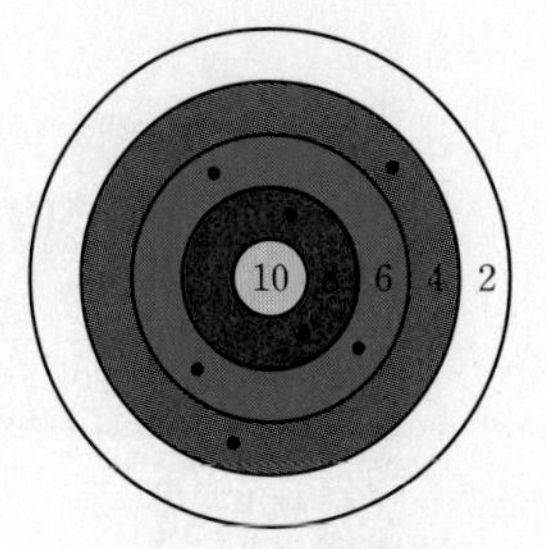

〈B의 다트 결과〉

(1) A의 다트 점수의 평균과 표준편차를 각각 구하시오.

(2) B의 다트 점수의 평균과 표준편차를 각각 구하시오.

(3) A, B 두 사람 중에서 다트 점수가 더 고르게 분포되어 있는 사람은 누구인지 말하시오.

아~함
자도 자도 졸립네~~
너
살쪄서 그래!

뭐야? 그렇다면 조사해 보자.
몸무게와 수면 시간의 관계를!
어떻게?

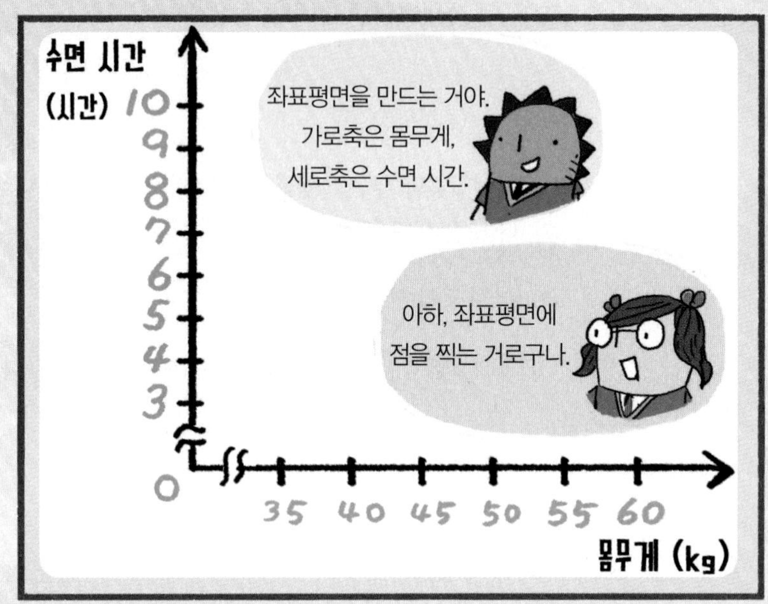
수면 시간
(시간)
좌표평면을 만드는 거야.
가로축은 몸무게,
세로축은 수면 시간.
아하, 좌표평면에
점을 찍는 거로구나.
몸무게 (kg)

남자애들은 내가
조사할 테니, 여자애들은
네가 맡아줘.
알았어.

남자애들은
이렇게 나왔어.
여자애들은 어때?

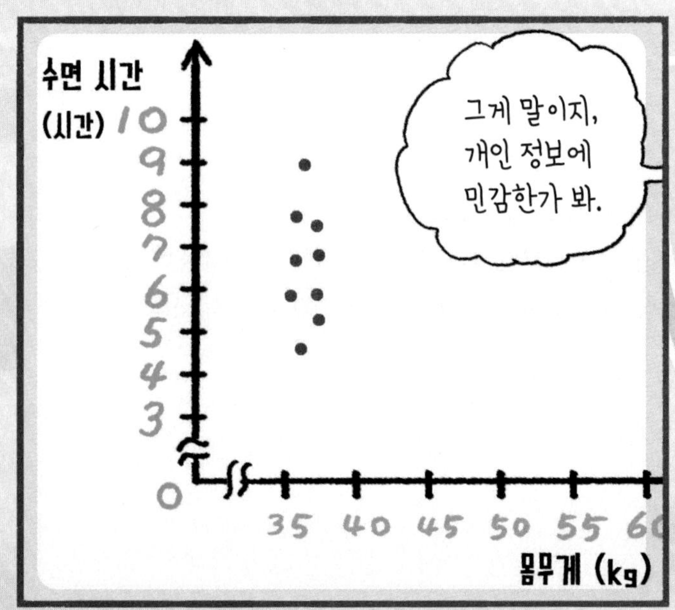
수면 시간
(시간)
그게 말이지,
개인 정보에
민감한가 봐.
몸무게 (kg)

Ⅲ | 통계

산점도와 상관관계

| 개념 1 | 산점도

| 개념 2 | 상관관계

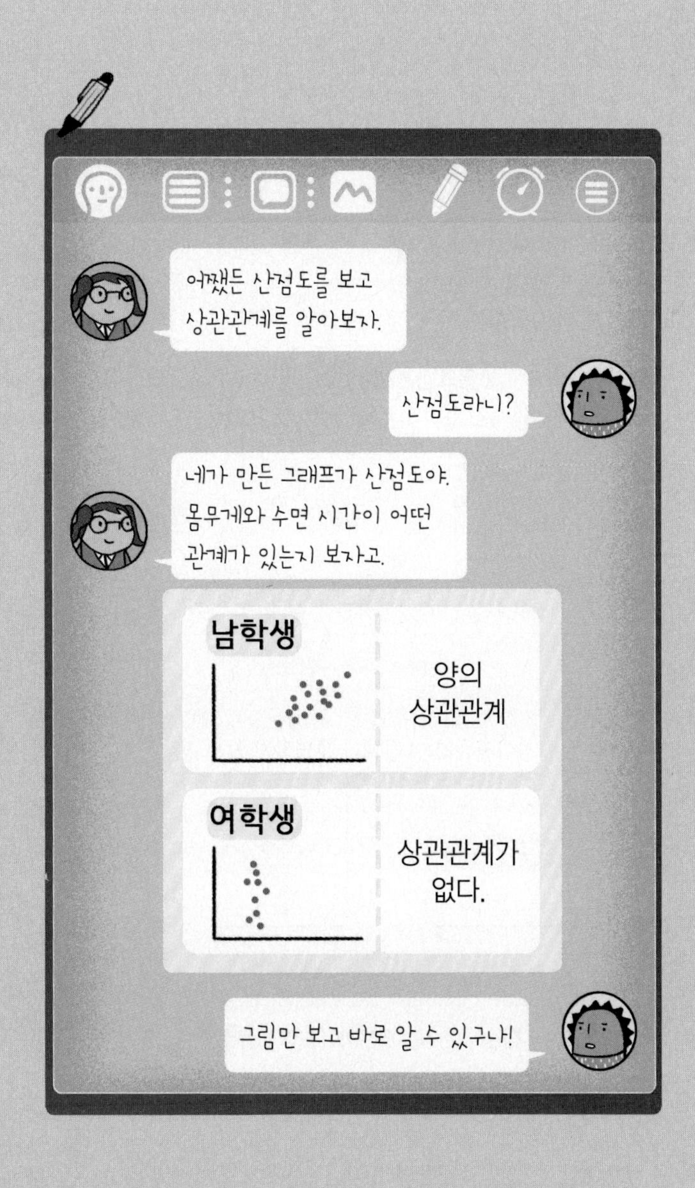

8 산점도와 상관관계

1 산점도

산점도 두 변량 x, y의 순서쌍 (x, y)를 좌표로 하는 ☐을 좌표평면 위에 나타낸 그래프 점

예 아래는 5명의 학생의 키와 몸무게를 조사하여 나타낸 표이다. 키를 x cm, 몸무게를 y kg이라 할 때, x, y의 산점도는 다음과 같다.

[자료] —순서쌍 (x, y)로 나타낸다.→ [순서쌍] —좌표평면 위에 나타낸다.→ [산점도]

학생	키(cm)	몸무게(kg)
A	150	45
B	165	55
C	160	50
D	170	60
E	165	60

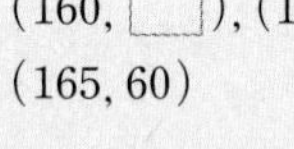

$(150, 45)$, $(165, 55)$, $(160, ☐)$, $(170, 60)$, $(165, 60)$ 50

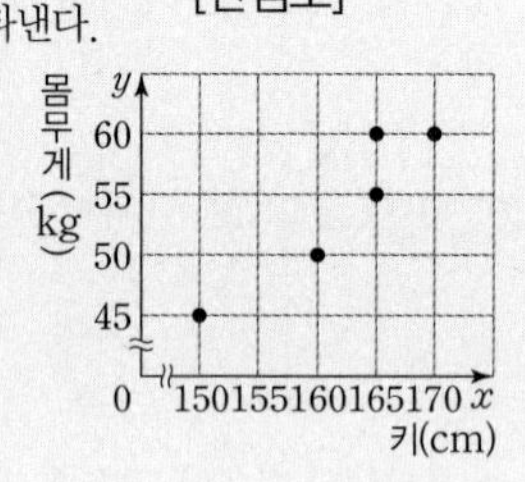

용어 click
산점도 흩어질 산(散), 점 점(點), 그림 도(圖)로, 흩어져 있는 점으로 나타낸 그림을 뜻한다.

대체로 키가 큰 학생들이 몸무게가 많이 나가는 경향이 있음을 알 수 있네.

2 상관관계

(1) **상관관계** 두 변량 x, y 사이에 어떤 관계가 있을 때, 이 관계를 상관관계라 하고, 두 변량 x와 y 사이에 상관관계가 있다고 한다.

(2) **상관관계의 종류** 두 변량 x, y에 대하여

① 양의 상관관계	② 음의 상관관계
x의 값이 커질 때, y의 값도 대체로 커지는 관계	x의 값이 커질 때, y의 값은 대체로 ☐지는 관계

작아

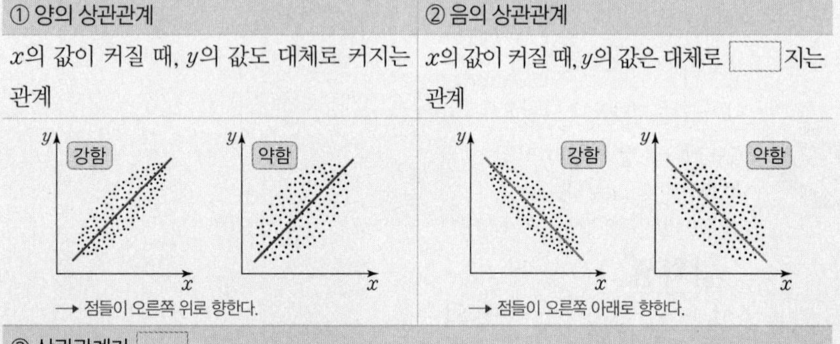

③ 상관관계가 ☐. 없다

x의 값이 커짐에 따라 y의 값이 커지는지 작아지는지 그 관계가 분명하지 않은 경우

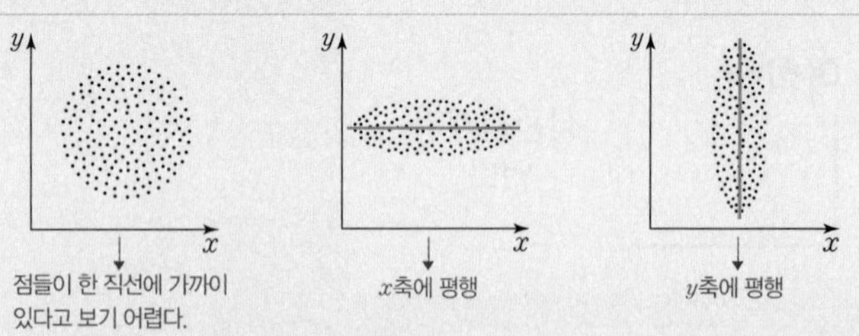

참고 양 또는 음의 상관관계가 있는 산점도에서 점들이 한 직선에 가까이 모여 있을수록 상관관계가 강하다고 하고, 흩어져 있을수록 상관관계가 ☐하다고 한다. 약

개념 다시 보기
직선의 기울기
- x의 값이 증가할 때, y의 값도 증가하면 기울기는 양수이다.

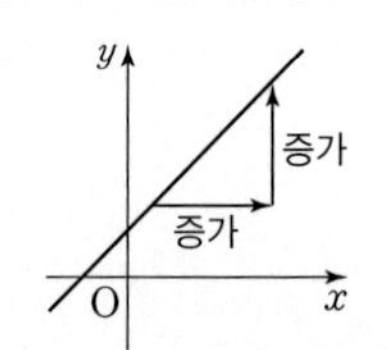

- x의 값이 증가할 때, y의 값은 감소하면 기울기는 음수이다.

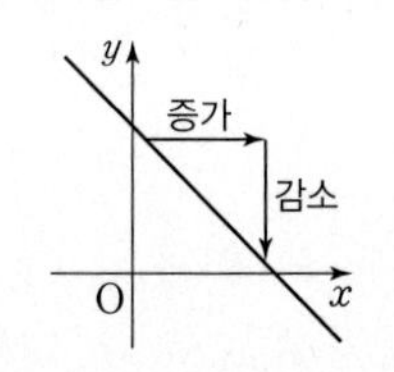

빠른 정답 140쪽 | 정답과 해설 50쪽

| 개념 체크 |

1-1 산점도

A, B, C, D, E의 5개 도시에서 서울까지의 거리 x km와 서울까지 자동차로 가는 데 걸리는 시간 y시간이 다음 표와 같다고 할 때, x, y의 산점도를 그리시오.

도시	A	B	C	D	E
x(km)	100	50	300	200	350
y(시간)	1.5	0.5	3	2	3.5

셀파 순서쌍 (x, y)를 좌표로 하는 점을 좌표평면 위에 나타낸다.

연구 순서쌍 (x, y)를 좌표로 하는 점을 좌표평면 위에 나타내면 오른쪽 그림과 같다.

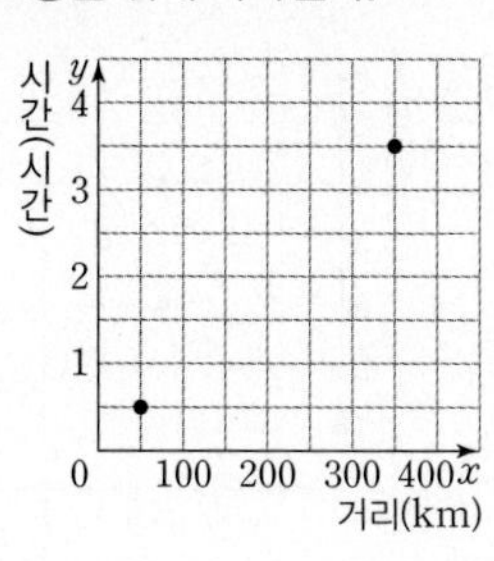

2-1 상관관계

다음 산점도를 보고, x와 y 사이에는 어떤 상관관계가 있는지 말하시오.

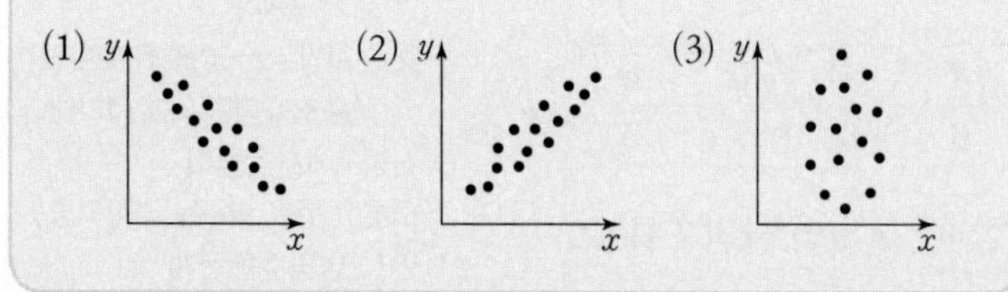

셀파 산점도에서 점들이 오른쪽 위로 향하면 양의 상관관계가 있고, 오른쪽 아래로 향하면 음의 상관관계가 있다.

연구 (1) x의 값이 커질 때, y의 값은 대체로 작아지므로 x와 y 사이에는 ☐의 상관관계가 있다.

(2) x의 값이 커질 때, y의 값도 대체로 ☐지므로 x와 y 사이에는 ☐의 상관관계가 있다.

(3) x의 값이 커짐에 따라 y의 값이 커지는지 작아지는지 그 관계가 분명하지 않으므로 x와 y 사이에는 상관관계가 ☐.

| 따라 풀기 |

1-2

다음은 학생 8명의 턱걸이 횟수와 몸무게를 조사하여 나타낸 표이다. 턱걸이 횟수를 x회, 몸무게를 y kg이라 할 때, 물음에 답하시오.

턱걸이 횟수(회)	7	2	6	4	2	1	4	5
몸무게(kg)	52	61	52	55	67	73	61	64

(1) 두 변량 x, y를 순서쌍 (x, y)로 나타내시오.

(2) x, y의 산점도를 그리시오.

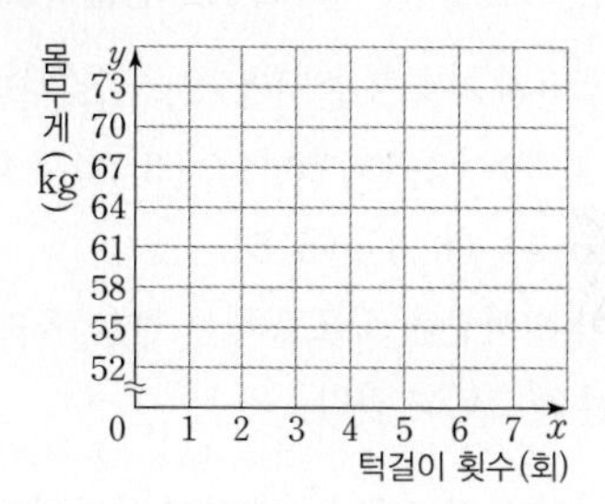

2-2

다음 〈그림 1〉은 어느 반 학생들의 지능지수와 성적을 조사하여 나타낸 산점도이고, 〈그림 2〉는 산의 높이와 기온을 조사하여 나타낸 산점도이다. 물음에 답하시오.

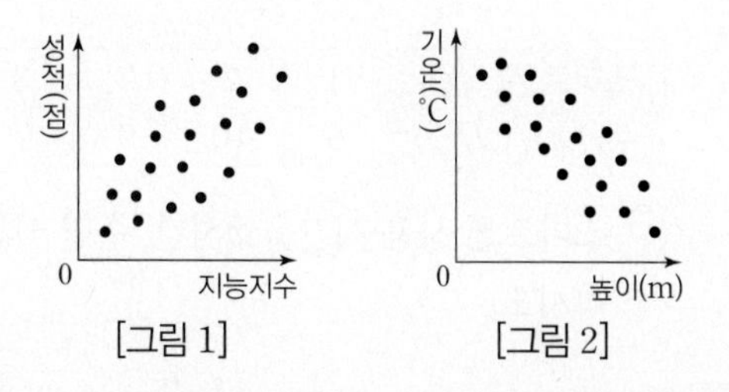

[그림 1] [그림 2]

(1) 지능지수와 성적 사이에는 어떤 상관관계가 있는지 말하시오.

(2) 산의 높이와 기온 사이에는 어떤 상관관계가 있는지 말하시오.

- **산점도** 두 변량 x, y의 순서쌍 (x, y)를 좌표로 하는 점을 좌표평면 위에 나타낸 그래프
- **상관관계** 두 변량 x, y 사이에 x의 값이 커짐에 따라 y의 값이 커지거나 작아지는 경향이 있을 때, 두 변량 x, y 사이에 상관관계가 있다고 한다.

빠른 정답 140쪽 | 정답과 해설 50쪽

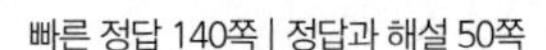

기본 01 산점도와 상관관계

다음은 어느 농구 경기에서 농구 선수 10명이 넣은 2점 슛과 3점 슛의 개수를 조사하여 나타낸 표이다. 물음에 답하시오.

	A	B	C	D	E	F	G	H	I	J
2점 슛(개)	1	2	0	3	4	4	3	6	6	5
3점 슛(개)	0	1	1	3	2	4	5	4	3	5

(1) 2점 슛의 개수를 x개, 3점 슛의 개수를 y개라 할 때, x, y의 산점도를 그리시오.

(2) 2점 슛과 3점 슛 사이에는 어떤 상관관계가 있는지 말하시오.

셀파 주어진 자료를 순서쌍 (x, y)로 만들어 그 순서쌍을 좌표로 하는 점을 좌표평면 위에 나타낸다.

풀이 (1) 주어진 자료를 순서쌍 (x, y)로 나타내면

$(1, 0)$, $(2, 1)$, $(0, 1)$, $(3, 3)$, $(4, 2)$, $(4, 4)$, $(3, 5)$, $(6, 4)$, $(6, 3)$, $(5, 5)$

이 순서쌍을 좌표로 하는 점을 좌표평면 위에 나타내면 오른쪽 그림과 같다.

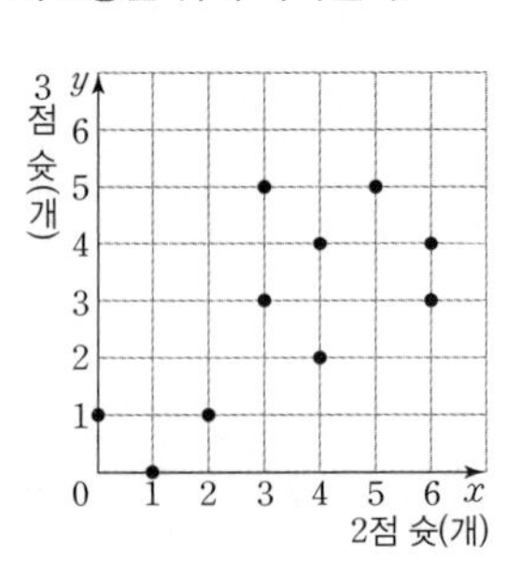

(2) (1)의 산점도에서 x의 값이 커짐에 따라 y의 값도 대체로 커지므로 x와 y 사이에는 양의 상관관계가 있다.

즉 2점 슛과 3점 슛 사이에는 **양의 상관관계**가 있다.

해법코드

• **산점도 그리기**
표로 주어진 두 변량 중 한 변량을 x, 다른 변량을 y라 하고 모든 자료를 순서쌍 (x, y)로 만들어 그 순서쌍을 좌표로 하는 점을 좌표평면 위에 나타낸다.

• **상관관계의 종류**
두 변량 x, y에 대하여 x의 값이 커짐에 따라
① y의 값도 대체로 커지는 관계
⇨ 양의 상관관계
② y의 값이 대체로 작아지는 관계
⇨ 음의 상관관계
③ y의 값이 커지는지 작아지는지 그 관계가 분명하지 않은 경우
⇨ 상관관계가 없다.

확인 01

다음은 선호네 반 학생 10명의 하루 동안의 스마트폰 사용 시간과 수면 시간을 조사하여 나타낸 표이다. 물음에 답하시오.

스마트폰(시간)	1	2	2	3	3	4	4	5	5	6
수면 시간(시간)	9	10	9	7	8	7	6	6	7	5

(1) 스마트폰 사용 시간을 x시간, 수면 시간을 y시간이라 할 때, x, y의 산점도를 그리시오.

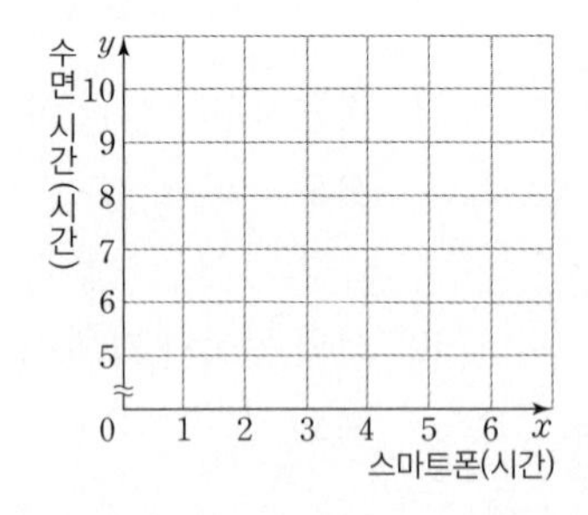

(2) 스마트폰 사용 시간과 수면 시간 사이에는 어떤 상관관계가 있는지 말하시오.

» My 셀파

(1) 1 주어진 자료를 순서쌍 (x, y)로 나타낸다.
2 순서쌍 (x, y)를 좌표로 하는 점을 좌표평면 위에 나타낸다.

(2) 산점도에서 점들이
오른쪽 위로 향하는 경향이 있으면 ⇨ 양의 상관관계
오른쪽 아래로 향하는 경향이 있으면 ⇨ 음의 상관관계

기본 02 상관관계

다음 중 두 변량의 산점도를 그린 것이 오른쪽 그림과 같이 나타나는 것을 모두 고르면? (정답 2개)

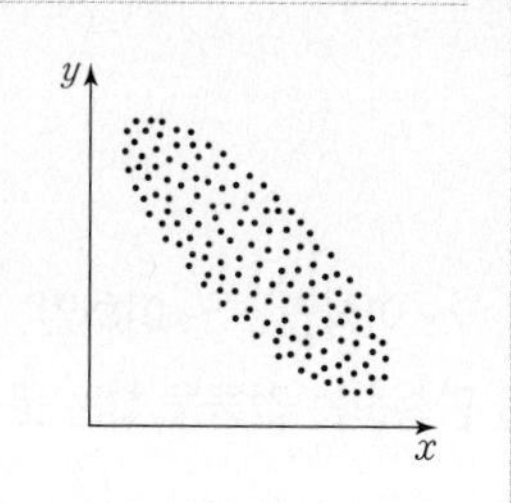

① 자동차의 속력과 소요 시간
② 가방의 무게와 성적
③ 사람의 키와 지능지수
④ 교통량과 매연의 양
⑤ 겨울철 기온과 난방비

해법코드

두 변량 x, y에 대하여
(1) 양의 상관관계: x의 값이 커짐에 따라 y의 값도 대체로 커지는 관계
(2) 음의 상관관계: x의 값이 커짐에 따라 y의 값은 대체로 작아지는 관계
(3) 상관관계가 없다: x의 값이 커짐에 따라 y의 값이 커지는지 작아지는지 그 관계가 분명하지 않은 경우

셀파 주어진 산점도는 음의 상관관계를 나타낸다.

풀이 주어진 산점도는 x의 값이 커짐에 따라 y의 값이 대체로 작아지므로 음의 상관관계를 나타낸다.
① 자동차의 속력이 빨라질수록 대체로 소요 시간이 적게 걸리므로 음의 상관관계가 있다.
② 가방의 무게와 성적 사이에는 상관관계가 없다.
③ 사람의 키와 지능지수 사이에는 상관관계가 없다.
④ 교통량이 많아질수록 대체로 매연의 양도 많아지므로 양의 상관관계가 있다.
⑤ 겨울철 기온이 높아질수록 대체로 난방비가 적게 나오므로 음의 상관관계가 있다.
따라서 두 변량의 산점도를 그린 것이 주어진 그림과 같이 나타나는 것은 ①, ⑤이다.

확인 02

1. 다음은 5개 집단의 수학 성적과 영어 성적에 대한 산점도이다. 수학 성적이 좋을수록 영어 성적도 좋은 경향이 가장 뚜렷한 집단은? (단, x는 수학 성적, y는 영어 성적이다.)

①
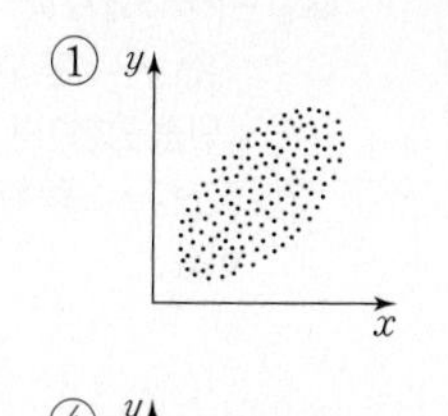

②
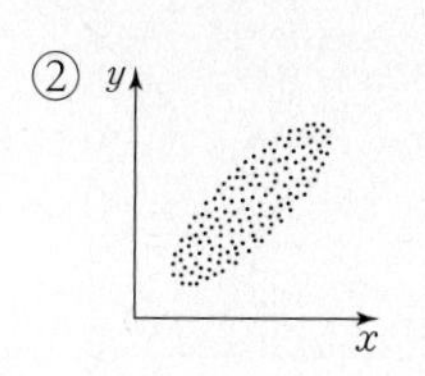

③
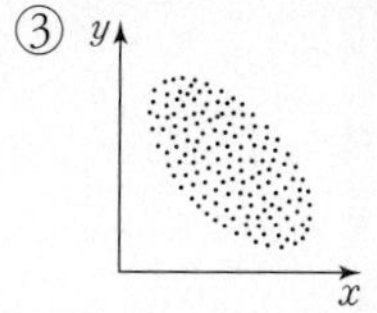

④

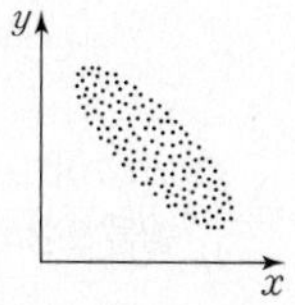

⑤

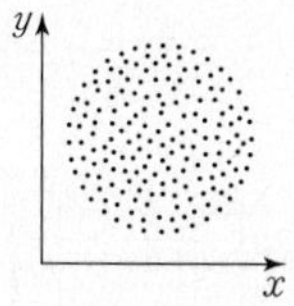

» My 셀파
1. 양 또는 음의 상관관계가 있는 산점도에서 점들이 한 직선에 가까이 모여 있을수록 상관관계가 강하다고 하고, 흩어져 있을수록 상관관계가 약하다고 한다.

2. 다음 중 두 변량에 대한 상관관계가 나머지 넷과 다른 하나는?

① 도시의 인구 수와 학교 수
② 여름철 기온과 전력 소비량
③ 키와 발의 크기
④ 물건의 가격과 소비량
⑤ 몸무게와 허리둘레

2. 두 변량 중 한 변량이 커짐에 따라 다른 변량이 대체로 커지는지 작아지는지를 확인한다.

해결 원리 알아보기

셀파 특강

산점도 분석하는 방법

Q 산점도가 주어졌을 때, '~ 이상인', '~ 이하인', '~와 같은', '~보다 높은', '~보다 낮은'과 같은 특별한 조건을 만족하는 값들을 찾는 문제는 어떻게 해결할까?

A 다음과 같이 주어진 조건에 맞게 기준선을 긋고 생각하면 쉽게 답을 구할 수 있다. 이때 '~ 이상', '~ 이하'는 기준선 위의 점을 포함하고, '~ 초과', '~ 미만'은 기준선 위의 점을 포함하지 않는다.

('~ 초과', '~ 미만' → '~보다 높은', '~보다 낮은')

① x의 값이 a 이상(초과) 또는 a 이하(미만)일 때	② y의 값이 b 이상(초과) 또는 b 이하(미만)일 때	③ ㉠두 변량을 비교할 때
직선 $x=a$를 기준선으로 긋는다.	직선 $y=b$를 기준선으로 긋는다.	직선 $y=x$를 기준선으로 긋는다.

$x=a$, $x<a$, $x>a$

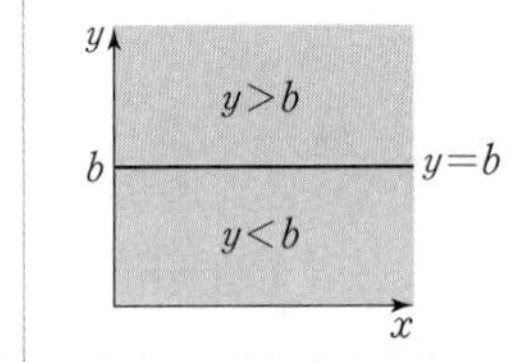

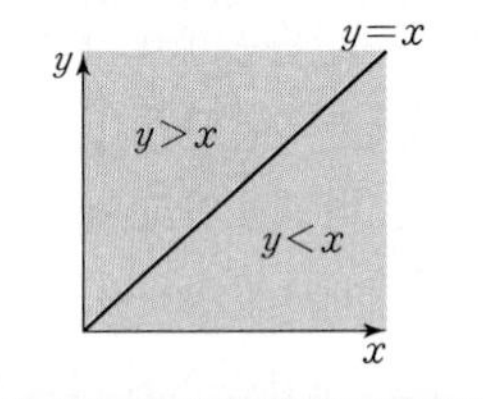

④ 두 변량의 합, 즉 $x+y$의 값이 a 이상(초과) 또는 a 이하(미만)일 때	⑤ 두 변량의 차, 즉 $\lvert x-y \rvert$의 값이 a 이상(초과) 또는 a 이하(미만)일 때
직선 $x+y=a$, 즉 $y=-x+a$를 기준선으로 긋는다.	직선 ㉡$x-y=a$와 직선 ㉢$y-x=a$를 기준선으로 긋는다.

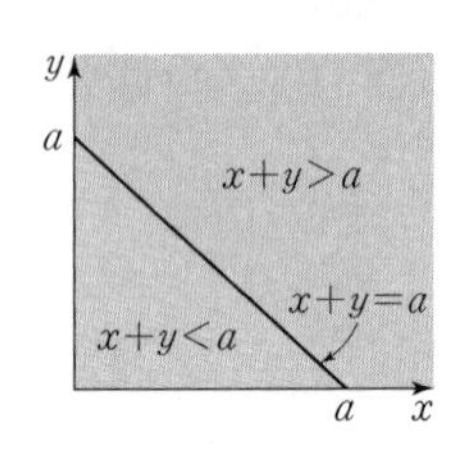

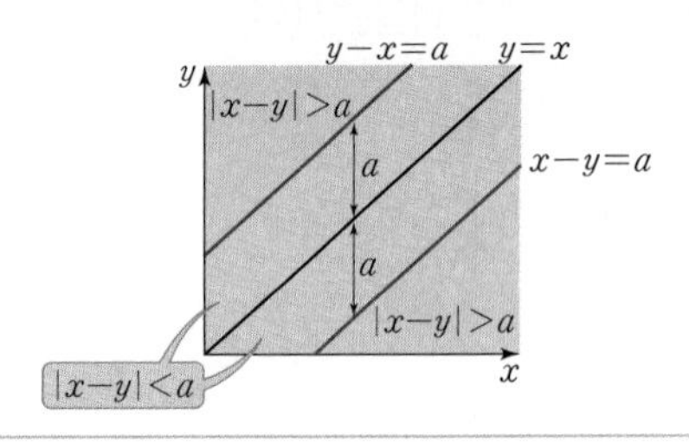

㉠ 두 변량 x, y에 대하여 x와 y의 대소 비교 문제
- x와 y가 같다. ⇨ $x=y$
- x가 y보다 크다. ⇨ $x>y$
- x가 y보다 작다. ⇨ $x<y$

㉡ $x-y=a$에서 $y=x-a$
⇨ 직선 $y=x$를 y축의 방향으로 $-a$만큼 평행이동
⇨ 직선 $y=x$를 아래로 a만큼 평행이동

㉢ $y-x=a$에서 $y=x+a$
⇨ 직선 $y=x$를 y축의 방향으로 a만큼 평행이동
⇨ 직선 $y=x$를 위로 a만큼 평행이동

예 오른쪽 그림에 대하여 다음을 구해 보자.

(1) x좌표가 7보다 큰 점의 개수
⇨ ㉣$x>7$이므로 직선 $x=7$을 기준선으로 하고, 기준선의 오른쪽 부분에 속하는 점은 $(8, 6), (8, 7), (9, 8), (9, 9)$의 4개

(2) (x좌표)≥(y좌표)인 점의 개수
⇨ ㉤$y \le x$이므로 직선 $y=x$를 기준선으로 하고, 기준선의 아래쪽 부분과 그 경계에 속하는 점은 $(4, 3), (4, 4), (5, 5), (6, 6), (7, 5), (8, 6), (8, 7), (9, 8), (9, 9)$의 9개

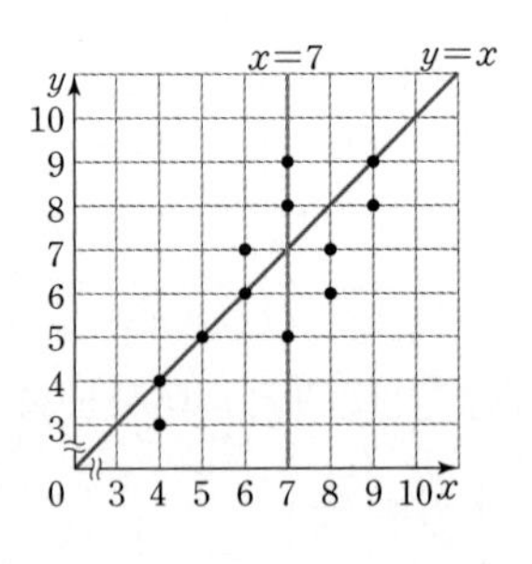

㉣ $x>7$이므로 기준선 $x=7$ 위의 점을 포함하지 않는다.

㉤ $y \le x$이므로 기준선 $y=x$ 위의 점을 포함한다.

산점도에서 변량에 대한 특별한 조건이 주어졌을 때는 대각선 또는 세로축, 가로축에 각각 평행한 기준선을 그어서 생각하면 편리하다.

기본 03 산점도 분석 (1)

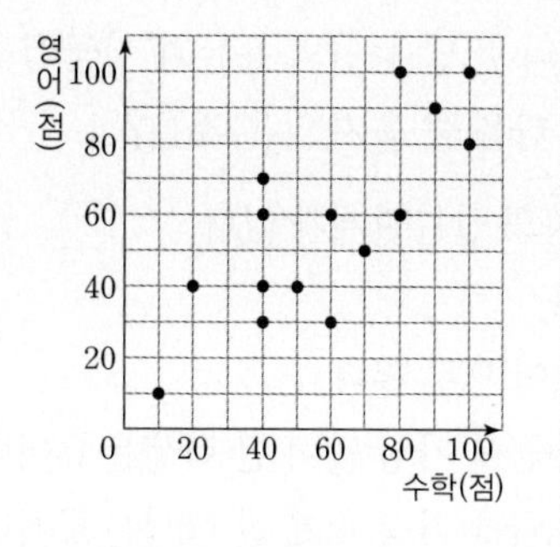

오른쪽은 효은이네 반 학생 15명의 수학 점수와 영어 점수를 조사하여 나타낸 산점도이다. 다음 물음에 답하시오.

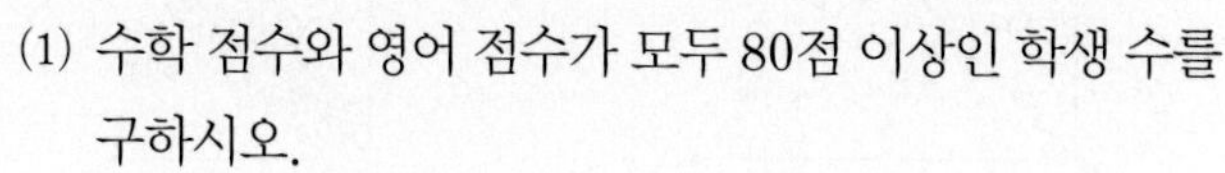

(1) 수학 점수와 영어 점수가 모두 80점 이상인 학생 수를 구하시오.

(2) 수학 점수와 영어 점수가 같은 학생 수를 구하시오.

(3) 수학 점수가 80점 이상인 학생들의 영어 점수의 평균을 구하시오.

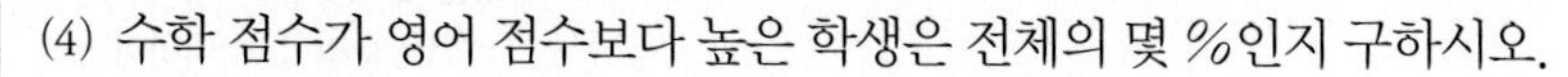

(4) 수학 점수가 영어 점수보다 높은 학생은 전체의 몇 %인지 구하시오.

해법코드

주어진 조건에 따라 다음과 같이 기준이 되는 보조선을 그으면 산점도를 쉽게 이해할 수 있다.

① 이상, 이하의 문제

⇨ 가로선 또는 세로선을 긋는다.

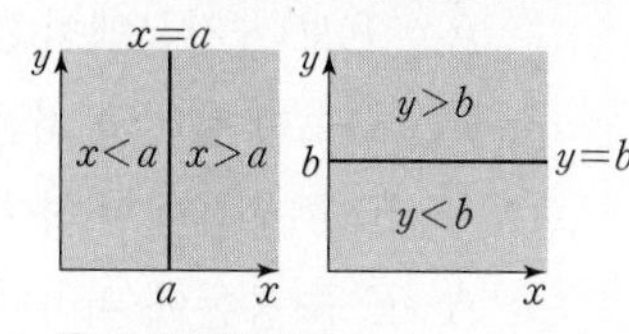

② 두 변량의 비교

⇨ 대각선을 긋는다.

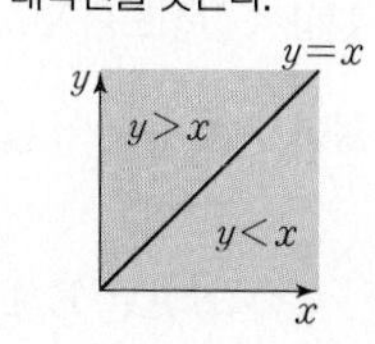

셀파 산점도에서 두 변량의 비교 ⇨ 대각선을 그어 생각한다.

풀이 수학 점수를 x점, 영어 점수를 y점이라 하자.

(1) 수학 점수와 영어 점수가 모두 80점 이상이므로

$x\geq 80,\ y\geq 80$

오른쪽 그림과 같이 두 직선 $x=80$, $y=80$을 그으면 구하는 학생 수는 색칠한 부분과 그 경계에 속하는 점의 개수와 같으므로 **4명**이다.

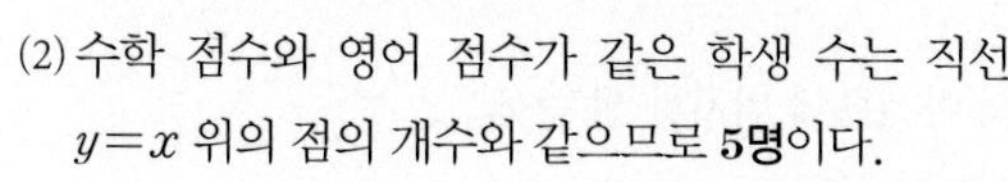

(2) 수학 점수와 영어 점수가 같은 학생 수는 직선 $y=x$ 위의 점의 개수와 같으므로 **5명**이다.

(3) 수학 점수가 80점 이상인 학생 수는 직선 $x=80$의 오른쪽 부분과 그 경계에 속하는 점의 개수와 같으므로 5명이다.

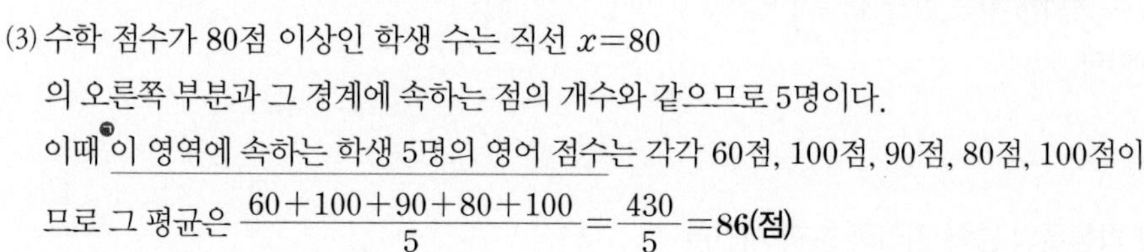
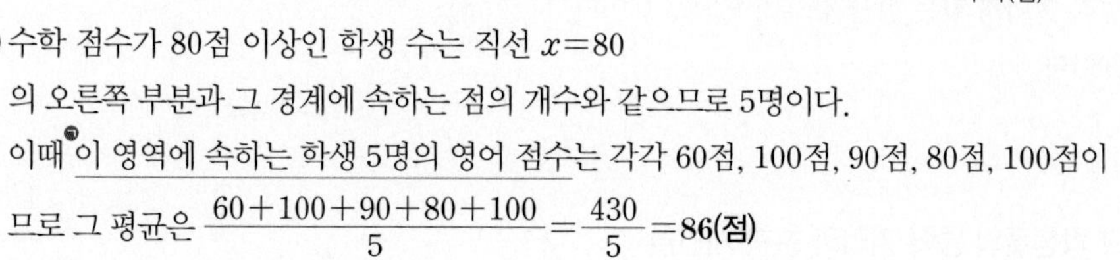

이때 ㉠이 영역에 속하는 학생 5명의 영어 점수는 각각 60점, 100점, 90점, 80점, 100점이므로 그 평균은 $\frac{60+100+90+80+100}{5}=\frac{430}{5}=$**86(점)**

㉠ $x\geq 80$인 영역에 속하는 점을 순서쌍 (x, y)로 나타내면 $(80, 60)$, $(80, 100)$, $(90, 90)$, $(100, 80)$, $(100, 100)$
이때 영어 점수는 순서쌍에서 y좌표이다.

(4) 수학 점수가 영어 점수보다 높은 학생 수는 직선 $y=x$의 아래쪽 부분에 속하는 점의 개수와 같으므로 6명이다. ($\rightarrow y<x$)

$\therefore \frac{6}{15}\times 100=$**40 (%)**

확인 03 오른쪽은 15명의 양궁 선수들이 1차와 2차에 걸쳐 활을 쏘아 얻은 점수를 조사하여 나타낸 산점도이다. 다음 물음에 답하시오.

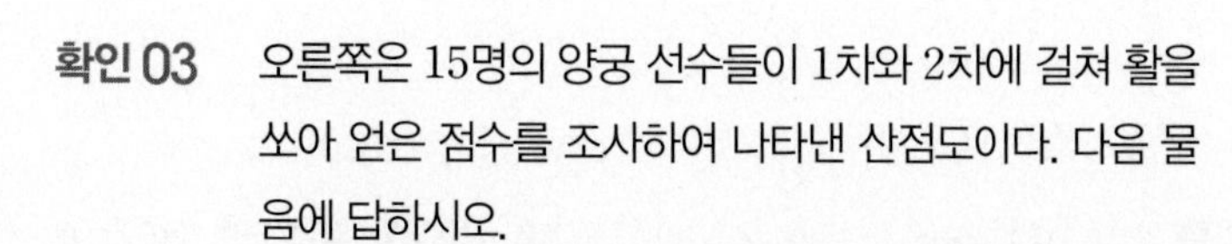

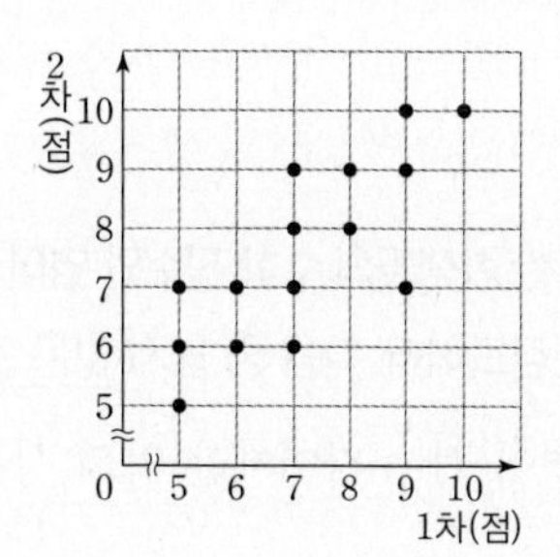

(1) 2차 점수가 가장 낮은 선수의 1차 점수를 구하시오.

(2) 1차 점수와 2차 점수가 같은 선수는 모두 몇 명인지 구하시오.

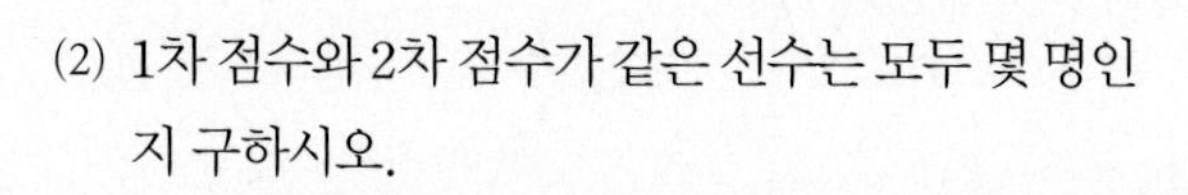

(3) 1차 점수가 2차 점수보다 낮은 선수는 모두 몇 명인지 구하시오.

(4) 1차 점수가 7점 미만인 선수들의 2차 점수의 평균을 구하시오.

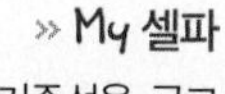

» My 셀파

주어진 조건에 맞게 기준선을 긋고 생각한다.

(2) '~와 같은'과 같이 두 변량을 비교하는 말이 있으므로 대각선을 긋는다.

(3) '~보다 낮은'과 같이 두 변량을 비교하는 말이 있으므로 대각선을 긋는다.

(4) '~ 미만'이 있으므로 가로선 또는 세로선을 긋는다.

기본 04 산점도 분석 (2)

해법코드

오른쪽은 범준이네 반 학생들의 한 달 동안의 용돈과 저금액을 조사하여 나타낸 산점도이다. 다음 중 옳지 않은 것은?

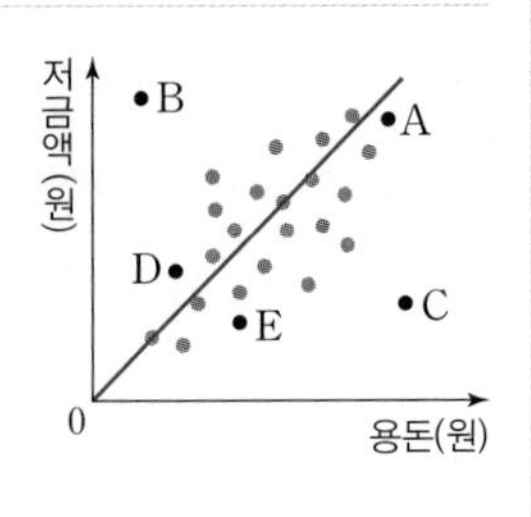

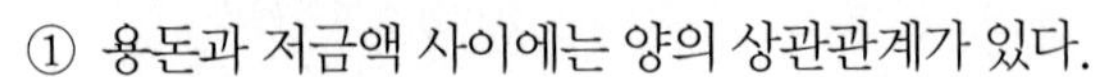

① 용돈과 저금액 사이에는 양의 상관관계가 있다.
② A는 E보다 저금액이 많다.
③ E는 D보다 용돈과 저금액이 모두 많다.
④ A~E 중 용돈에 비하여 저금을 가장 많이 한 학생은 B이다.
⑤ A~E 중 용돈에 비하여 저금을 가장 적게 한 학생은 C이다.

다음 산점도에서

① A는 대각선의 위쪽에 위치한다.
⇨ A는 x의 값에 비하여 y의 값이 크다.
② B는 대각선의 아래쪽에 위치한다.
⇨ B는 x의 값에 비하여 y의 값이 작다.

셀파 산점도를 보고 두 변량 사이의 관계를 파악해 본다.

풀이 ① 용돈이 많을수록 대체로 저금액도 많으므로 용돈과 저금액 사이에는 양의 상관관계가 있다.
② A는 E보다 위쪽에 위치하므로 A는 E보다 저금액이 많다.
③ E는 D보다 오른쪽에 위치하므로 E는 D보다 용돈이 많다.
또 E는 D보다 아래쪽에 위치하므로 E는 D보다 저금액이 적다.
즉 E는 D보다 용돈은 많지만 저금액은 적다.
④ A~E 중 용돈에 비하여 저금을 가장 많이 한 학생은 대각선의 위쪽에 위치한 점 중에서 대각선에서 가장 멀리 떨어져 있는 점을 찾으면 되므로 B이다.
⑤ A~E 중 용돈에 비하여 저금을 가장 적게 한 학생은 대각선의 아래쪽에 위치한 점 중에서 대각선에서 가장 멀리 떨어져 있는 점을 찾으면 되므로 C이다.
따라서 옳지 않은 것은 ③이다.

확인 04

1. 오른쪽은 민수네 학교 학생들의 통학 거리와 통학 시간을 조사하여 나타낸 산점도이다. A, B, C, D, E 5명의 학생 중 통학 거리에 비하여 통학 시간이 긴 학생을 구하시오.

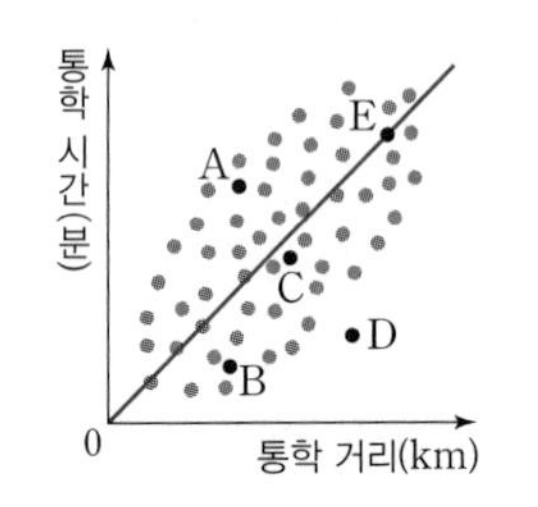

» My 셀파

1. 산점도에서 통학 거리는 오른쪽으로 갈수록 길고, 통학 시간은 위쪽으로 갈수록 길다.

2. 오른쪽은 지영이네 반 학생들의 수학 점수와 영어 점수를 조사하여 나타낸 산점도이다. 다음 중 옳지 않은 것은?

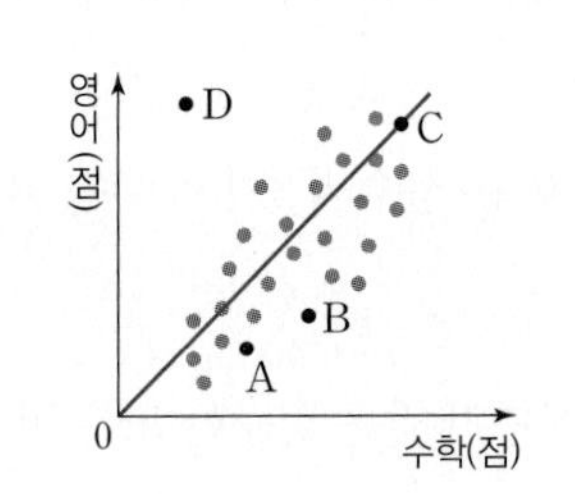

① 수학 점수와 영어 점수 사이에는 양의 상관관계가 있다.
② B는 A보다 수학 점수가 높다.
③ C는 수학 점수와 영어 점수가 모두 높은 편이다.
④ D는 B보다 영어 점수가 높다.
⑤ D는 영어 점수에 비하여 수학 점수가 높다.

2. 산점도를 보면 수학 점수가 높을수록 대체로 영어 점수도 높음을 알 수 있다.

발전 05 산점도의 응용

오른쪽은 태민이네 반 학생 25명의 수학 점수와 국어 점수를 조사하여 나타낸 산점도이다. 다음 물음에 답하시오.

(1) 수학 점수와 국어 점수의 평균이 70점 이상인 학생 수를 구하시오.

(2) 수학 점수와 국어 점수의 차가 20점 이상인 학생 수를 구하시오.

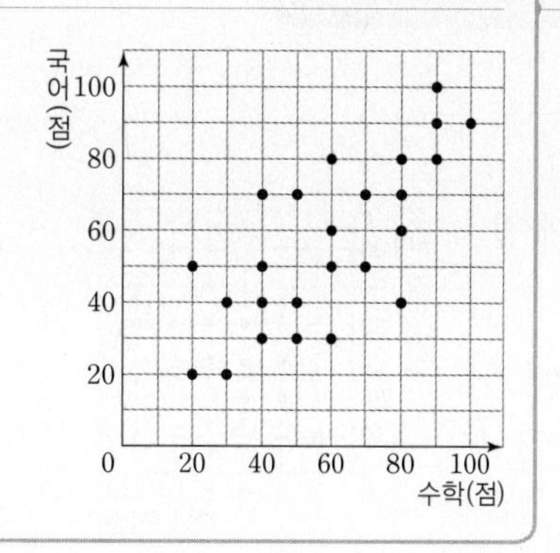

- 두 변량 x, y의 합이 a 이상
  ⇨ 직선 $x+y=a$, 즉 $y=-x+a$를 긋고 해당 영역에 속하는 점의 개수를 센다.
- 두 변량 x, y의 차가 a 이상
  ⇨ 직선 $x-y=a$와 $y-x=a$, 즉 $y=x-a$와 $y=x+a$를 긋고 해당 영역에 속하는 점의 개수를 센다.

셀파 주어진 조건에 맞게 기준이 되는 보조선을 긋고 생각한다.

풀이 수학 점수를 x점, 국어 점수를 y점이라 하자.

(1) 수학 점수와 국어 점수의 평균이 70점 이상이므로

$\frac{x+y}{2} \geq 70$ $\quad \therefore$ ㉠ $x+y \geq 140$

즉 구하는 학생 수는 수학 점수와 국어 점수의 합이 140점 이상인 학생 수와 같다.

오른쪽 그림과 같이 직선 $y=-x+140$을 그으면 구하는 학생 수는 색칠한 부분과 그 경계에 속하는 점의 개수와 같으므로 **9명**이다.

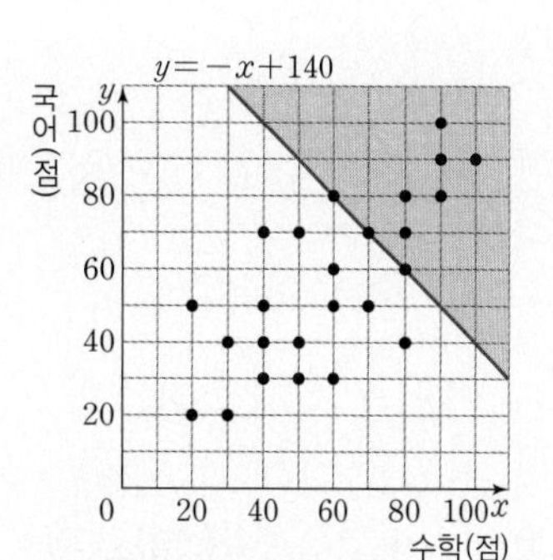

㉠ 직선 $x+y=140$, 즉 $y=-x+140$을 기준선으로 긋는다.

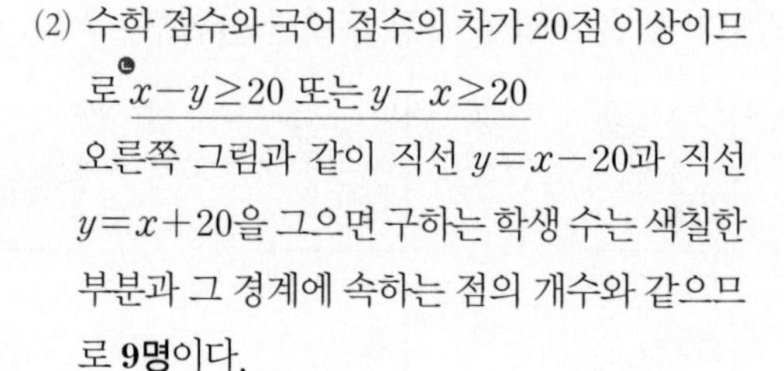

(2) 수학 점수와 국어 점수의 차가 20점 이상이므로 ㉡ $x-y \geq 20$ 또는 $y-x \geq 20$

오른쪽 그림과 같이 직선 $y=x-20$과 직선 $y=x+20$을 그으면 구하는 학생 수는 색칠한 부분과 그 경계에 속하는 점의 개수와 같으므로 **9명**이다.

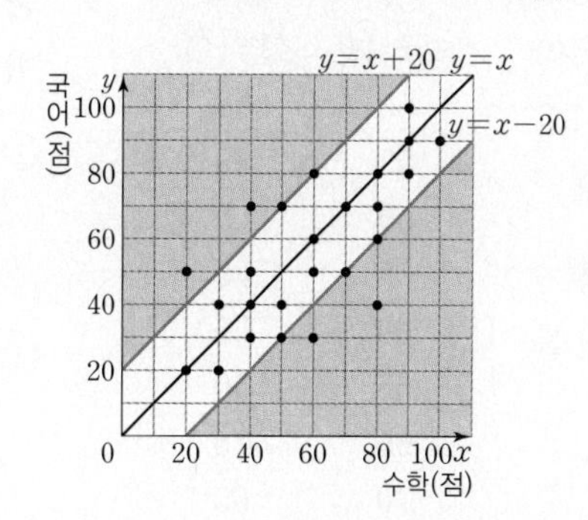

㉡ 직선 $x-y=20$과 직선 $y-x=20$을 기준선으로 긋는다.
$x-y=20$에서 $y=x-20$
$y-x=20$에서 $y=x+20$

확인 05 오른쪽은 미선이네 반 학생 30명의 1학기 중간고사와 기말고사의 수학 점수를 조사하여 나타낸 산점도이다. 다음 물음에 답하시오.

(1) 중간고사와 기말고사의 수학 점수의 합이 180점 이상인 학생 수를 구하시오.

(2) 중간고사와 기말고사의 수학 점수의 차가 10점 이하인 학생 수를 구하시오.

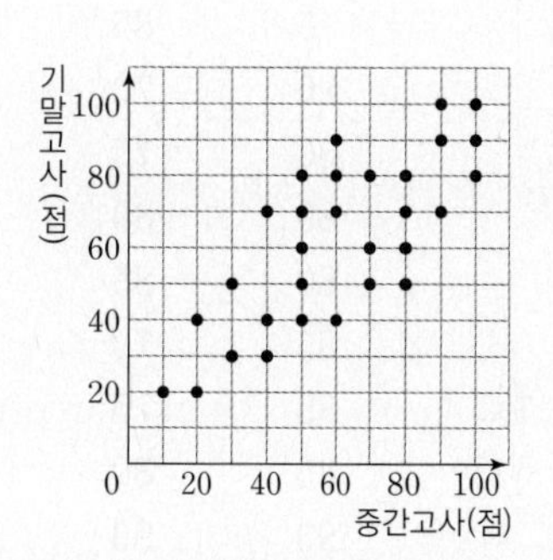

» My 셀파
중간고사의 수학 점수를 x점, 기말고사의 수학 점수를 y점이라 하고
(1) $x+y \geq 180$인 영역을 찾아 표시한다.
(2) $x-y \leq 10$ 또는 $y-x \leq 10$인 영역을 찾아 표시한다.

실력 키우기

01 산점도

오른쪽 산점도를 보고, □ 안에 알맞은 것을 써넣으시오.

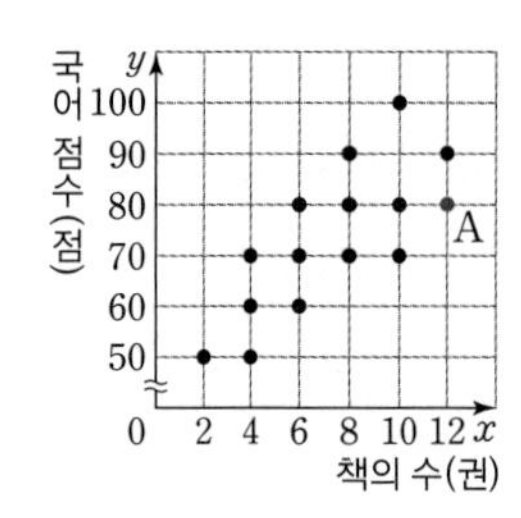

(1) 산점도에 나타난 두 변량은 □와 국어 점수이다.

(2) 점 A의 좌표는 (□, □)이다.

(3) 점들의 분포는 x의 값이 커질 때, y의 값도 대체로 □지는 모양으로 나타난다.

02 산점도와 상관관계

서술형

오른쪽은 어느 학급의 학생 20명이 기말고사 수행평가에서 받은 음악 점수와 미술 점수를 조사하여 나타낸 표이다. 다음 물음에 답하시오.

음악 점수(점)	미술 점수(점)
50	55
55	55
55	65
55	75
60	55
65	60
65	75
70	65
70	75
75	75
75	80
75	85
80	70
80	75
80	80
80	85
85	70
85	75
85	80
90	90

(1) 음악 점수를 x점, 미술 점수를 y점이라 할 때, x, y의 산점도를 그리시오.

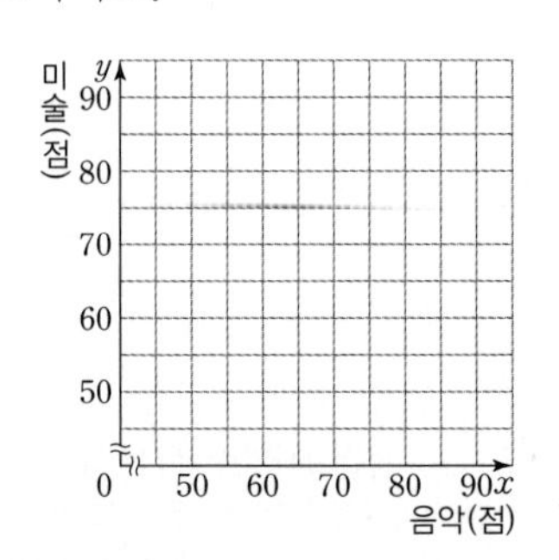

(2) 음악 점수와 미술 점수 사이에는 어떤 상관관계가 있는지 말하시오.

03 상관관계

다음 **보기**에서 상관관계에 대한 설명으로 옳지 <u>않은</u> 것을 모두 고르시오.

보기

㉠ 두 변량 사이의 상관관계는 산점도로 설명할 수 있다.

㉡ 두 변량 사이에 상관관계가 없는 경우도 존재한다.

㉢ 상관관계가 있는 산점도에서 점들이 흩어진 범위가 넓을수록 상관관계가 강하다고 한다.

㉣ 산점도에서 x의 값이 커짐에 따라 y의 값은 대체로 작아지는 경향이 있을 때, 두 변량 x, y 사이에는 양의 상관관계가 있다.

04 상관관계

운동량을 x, 비만도를 y라 할 때, 다음 중 운동량이 많을수록 비만도가 낮은 경향이 가장 뚜렷한 산점도는?

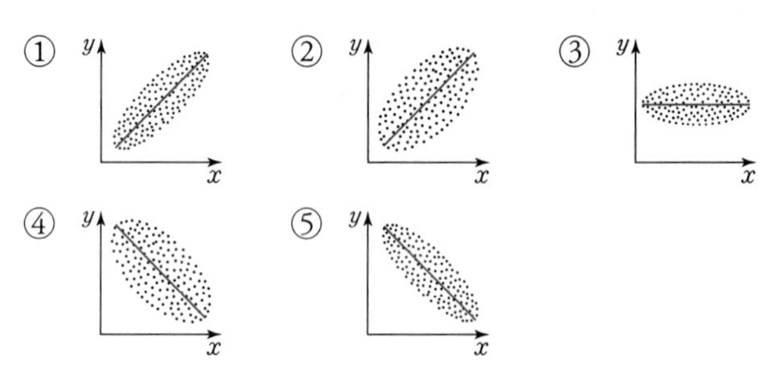

05 상관관계

다음 중 두 변량 사이의 상관관계가 산의 높이와 기온 사이의 상관관계와 같은 것은?

① 지능지수와 식사량

② 시력과 청력

③ 배추 생산량과 가격

④ 여름철 기온과 음료수 판매량

⑤ 인구 증가율과 교통량

[06~09] 다음은 어느 글짓기 대회에 참가한 학생 중에서 수필과 시 부문에 동시에 참가한 학생 20명의 수필 점수와 시 점수를 조사하여 나타낸 산점도이다. 물음에 답하시오.

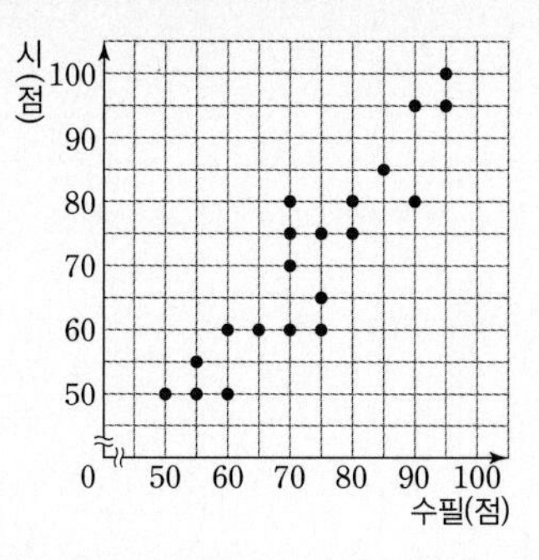

06 산점도 분석 (1)

수필 점수와 시 점수가 모두 75점 이상인 학생 수를 구하시오.

07 산점도 분석 (1)

시 점수가 80점 이상인 학생들의 수필 점수의 평균을 구하시오. (단, 반올림하여 소수 첫째 자리까지 나타낸다.)

08 산점도 분석 (1)

수필 점수보다 시 점수가 낮은 학생 수를 구하시오.

09 산점도 분석 (1) 서술형

시 점수가 수필 점수보다 5점 높은 학생은 전체 학생의 몇 %인지 구하시오.

10 산점도 분석 (2)

오른쪽은 민국이네 반 학생들의 키와 몸무게를 조사하여 나타낸 산점도이다. 다음 중 옳은 것은?

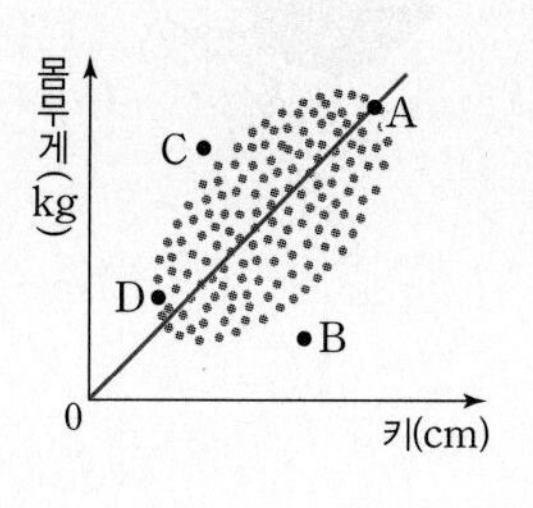

① 키와 몸무게 사이에는 음의 상관관계가 있다.
② A는 키도 크고 몸무게도 많이 나간다.
③ B는 키에 비하여 몸무게가 많이 나간다.
④ C는 키에 비하여 몸무게가 적게 나간다.
⑤ D는 B보다 키가 더 크다.

[11~13] 오른쪽은 미희네 반 학생 20명의 영어 점수와 수학 점수를 조사하여 나타낸 산점도이다. 다음 물음에 답하시오.

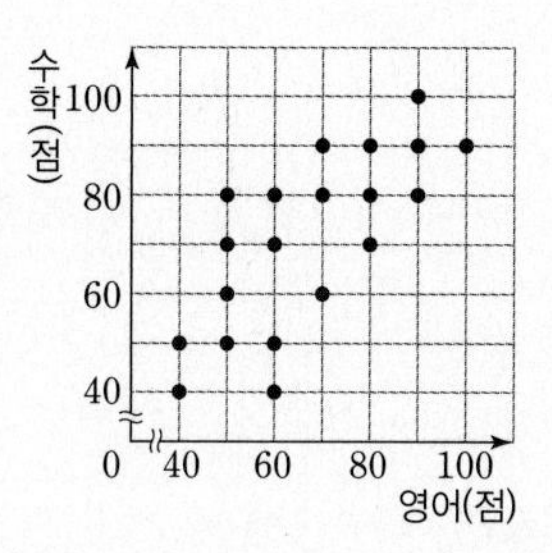

11 산점도의 응용

영어 점수와 수학 점수의 평균이 80점 이상인 학생 수를 구하시오.

12 산점도의 응용

영어 점수와 수학 점수의 차가 10점 초과인 학생 수를 구하시오.

13 산점도의 응용 창의력

영어 점수와 수학 점수의 총점이 상위 25 % 이내에 드는 우수한 학생을 표창하려고 한다. 이 학생들의 두 과목의 점수의 총점의 평균을 구하시오.

Memo

빠른 정답

1 삼각비

1. 삼각비의 뜻

따라 풀면서 개념 익히기

본문 9쪽

1-1 (1) $\frac{5}{13}$ (2) $\frac{12}{13}$ (3) $\frac{5}{12}$ (4) $\frac{12}{13}$ (5) $\frac{5}{13}$ (6) $\frac{12}{5}$

1-2 (1) $\frac{8}{17}$ (2) $\frac{15}{17}$ (3) $\frac{8}{15}$ (4) $\frac{15}{17}$ (5) $\frac{8}{17}$ (6) $\frac{15}{8}$

1-3 (1) $\sqrt{5}$

(2) $\sin A=\frac{\sqrt{5}}{5}$, $\cos A=\frac{2\sqrt{5}}{5}$, $\tan A=\frac{1}{2}$

(3) $\sin C=\frac{2\sqrt{5}}{5}$, $\cos C=\frac{\sqrt{5}}{5}$, $\tan C=2$

보고 또 보고 유형 익히기 – 확인 문제

본문 10~12쪽

01 $\frac{3\sqrt{7}}{7}$

02 $\sqrt{14}$

03 $\frac{3\sqrt{5}}{5}$

04 $\frac{15}{8}$

05 $\frac{\sqrt{3}}{2}$

06 $\frac{\sqrt{2}}{2}$

풀고 또 풀고 집중 연습

본문 13쪽

1 (1) $\sin A=\frac{3\sqrt{10}}{10}$, $\cos A=\frac{\sqrt{10}}{10}$, $\tan A=3$

$\sin B=\frac{\sqrt{10}}{10}$, $\cos B=\frac{3\sqrt{10}}{10}$, $\tan B=\frac{1}{3}$

(2) $\sin A=\frac{\sqrt{5}}{3}$, $\cos A=\frac{2}{3}$, $\tan A=\frac{\sqrt{5}}{2}$

$\sin B=\frac{2}{3}$, $\cos B=\frac{\sqrt{5}}{3}$, $\tan B=\frac{2\sqrt{5}}{5}$

(3) $\sin A=\frac{2\sqrt{14}}{9}$, $\cos A=\frac{5}{9}$, $\tan A=\frac{2\sqrt{14}}{5}$

$\sin B=\frac{5}{9}$, $\cos B=\frac{2\sqrt{14}}{9}$, $\tan B=\frac{5\sqrt{14}}{28}$

(4) $\sin A=\frac{2\sqrt{5}}{5}$, $\cos A=\frac{\sqrt{5}}{5}$, $\tan A=2$

$\sin B=\frac{\sqrt{5}}{5}$, $\cos B=\frac{2\sqrt{5}}{5}$, $\tan B=\frac{1}{2}$

2 (1) $\cos B=\frac{\sqrt{21}}{5}$, $\tan B=\frac{2\sqrt{21}}{21}$

(2) $\sin B=\frac{\sqrt{39}}{8}$, $\tan B=\frac{\sqrt{39}}{5}$

(3) $\sin B=\frac{3\sqrt{13}}{13}$, $\cos B=\frac{2\sqrt{13}}{13}$

3 (1) ① $\frac{2\sqrt{5}}{5}$ ② $\frac{\sqrt{5}}{5}$ ③ 2

(2) ① $\frac{2\sqrt{2}}{3}$ ② $\frac{1}{3}$ ③ $2\sqrt{2}$

(3) ① $\frac{2}{3}$ ② $\frac{\sqrt{5}}{3}$ ③ $\frac{2\sqrt{5}}{5}$

(4) ① $\frac{3}{5}$ ② $\frac{4}{5}$ ③ $\frac{3}{4}$

(5) ① $\frac{1}{2}$ ② $\frac{\sqrt{3}}{2}$ ③ $\frac{\sqrt{3}}{3}$ ④ $\frac{\sqrt{3}}{2}$ ⑤ $\frac{1}{2}$ ⑥ $\sqrt{3}$

2. 삼각비의 값

따라 풀면서 개념 익히기

본문 15, 17쪽

1-1 (1) $\frac{\sqrt{2}}{2}$ (2) $\frac{\sqrt{2}}{2}$ (3) 1

1-2 그림: $4\sqrt{3}$

(1) $\overline{BC}$, 4, $\frac{1}{2}$ (2) $\overline{AC}$, $4\sqrt{3}$, $\frac{\sqrt{3}}{2}$ (3) $\overline{AC}$, $4\sqrt{3}$, $\frac{\sqrt{3}}{3}$

1-3 (1) $\sqrt{3}$ (2) $\frac{1}{2}$ (3) $\frac{\sqrt{3}}{2}$ (4) $\frac{\sqrt{6}}{2}$

2-1 (1) 0.7431 (2) 0.6691 (3) 1.1106

2-2 (1) 0.5878 (2) 0.8090 (3) 0.7265

3-1 (1) 2 (2) 0

3-2 (1) 0 (2) -1 (3) 1

4-1 (1) 0.6691 (2) 0.7547 (3) 0.9325

4-2 (1) 0.9272 (2) 0.4067 (3) 2.3559

보고 또 보고 **유형 익히기 - 확인 문제** 본문 18~23쪽

01 (1) $\frac{1+\sqrt{2}}{2}$ (2) 2
02 $\frac{1}{2}$
03 $2\sqrt{3}-2$
04 $y=x+2$
05 ②, ④
06 (1) 1 (2) $\frac{1}{2}$
07 13.928
08 $\sqrt{2}-1$
09 ④
10 $\sin x-1$

실력 키우기 본문 24~27쪽

01 ③
02 $6\sqrt{7}\text{ cm}^2$
03 $\frac{\sqrt{2}}{3}$
04 $\frac{2}{3}$
05 $\frac{1}{5}$
06 ④
07 $\frac{5}{4}$
08 (가) $\frac{1}{2}$ (나) 5 (다) 12
09 $\frac{\sqrt{14}}{2}$
10 ④
11 $\frac{1}{4}$
12 $60°$
13 $\sqrt{2}-1$
14 $60°$
15 $6\sqrt{3}$
16 $-3\sqrt{3}$
17 2
18 0.2569
19 $\sqrt{3}+2$
20 ④
21 ②
22 $\tan A-\cos A$
23 (1) 24 (2) $48\pi-72\sqrt{3}$
24 $\frac{27\sqrt{3}}{2}$
25 (1) $\angle APQ$, $\angle PQC$ (2) $3-\sqrt{5}$ (3) $\frac{3+\sqrt{5}}{2}$

2 삼각비의 활용

1. 길이 구하기

따라 풀면서 **개념 익히기** 본문 31, 32쪽

1-1 (1) $2\sqrt{3}$ (2) 2
1-2 (1) $2\sqrt{3}$ (2) $5\sqrt{2}$
2-1 $2\sqrt{13}$
2-2 45, $5\sqrt{3}$, 45, $5\sqrt{6}$ / 그림: 45
3-1 (1) h (2) $\sqrt{3}h$ (3) $4(\sqrt{3}-1)$
3-2 (1) h (2) $\frac{\sqrt{3}}{3}h$ (3) $6(3+\sqrt{3})$

보고 또 보고 **유형 익히기 - 확인 문제** 본문 33~35쪽

01 ②, ⑤
02 $\left(\frac{20\sqrt{3}}{3}+20\right)$ m
03 $\sqrt{129}$
04 $4\sqrt{2}$
05 $50(3-\sqrt{3})$ m
06 $2\sqrt{3}$

2. 넓이 구하기

따라 풀면서 **개념 익히기** 본문 37쪽

1-1 (1) $5\sqrt{3}$ (2) 8
1-2 (1) 7 (2) 4
2-1 (1) $15\sqrt{2}$ (2) $33\sqrt{3}$
2-2 (1) $55\sqrt{3}$ (2) $21\sqrt{2}$ (3) $48\sqrt{2}$ (4) $20\sqrt{3}$

보고 또 보고 유형 익히기 – 확인 문제 본문 38~40쪽

01 16
02 135°
03 $14\sqrt{3}$
04 $8\sqrt{2}$
05 60
06 $24\sqrt{3}$

실력 키우기 본문 41~43쪽

01 (1) $x=8.5,\ y=5.3$ (2) $x=3.1,\ y=\frac{100}{17}$
02 50 m
03 $2\sqrt{13}$
04 $20\sqrt{7}$ m
05 $\frac{100\sqrt{6}}{3}$ m
06 $4(3-\sqrt{3})\ \text{cm}^2$
07 ②
08 $8\sqrt{2}\ \text{cm}^2$
09 $\left(\frac{20}{3}\pi-4\right)\text{cm}^2$
10 (1) $12\sqrt{3}\ \text{cm}^2$
(2) $\triangle \text{ABD}=2\sqrt{3}x\ \text{cm}^2$, $\triangle \text{ADC}=\frac{3\sqrt{3}}{2}x\ \text{cm}^2$
(3) $\frac{24}{7}$ cm
11 $85\sqrt{3}$
12 $5\sqrt{3}\ \text{cm}^2$
13 $20\sqrt{3}\ \text{cm}^2$
14 $4\sqrt{5}$ cm
15 4.3 cm
16 (1) ab (2) 85, 120, 85, 120, 102 (3) 2 % 증가하였다.
17 초속 $(12-4\sqrt{3})$ m

3 원과 직선

1. 원의 현

따라 풀면서 개념 익히기 본문 47쪽

1-1 8 cm
1-2 (1) 24 (2) 6
2-1 (1) 10 (2) 8
2-2 (1) 6 (2) 2

보고 또 보고 유형 익히기 – 확인 문제 본문 50~53쪽

01 $8\sqrt{3}$ cm
02 8 cm
03 53°
04 18 cm
05 $\frac{16\sqrt{3}}{3}$ cm

2. 원의 접선

따라 풀면서 개념 익히기 본문 55쪽

1-1 (1) $\sqrt{21}$ (2) 65
1-2 (1) 65 (2) 60 (3) 12 (4) 40
2-1 30 cm
2-2 14 cm
2-3 $\overline{\text{BC}}$, 9, 8

보고 또 보고 유형 익히기 – 확인 문제 본문 56~60쪽

01 12 cm
02 6 cm
03 12 cm
04 $72\pi\ \text{cm}^2$
05 7 cm
06 3 cm
07 2
08 $36\pi\ \text{cm}^2$
09 $8\sqrt{2}$ cm
10 10 cm

실력 키우기

본문 61~63쪽

01 $\frac{15}{2}$ cm

02 $28\sqrt{2}$ cm^2

03 ㉤, ㉥

04 (1) 64° (2) 40°

05 30 cm

06 $6\sqrt{3}$ cm

07 20°

08 (1) 6 cm (2) $9\sqrt{3}$ cm^2

09 6 cm

10 $12\sqrt{2}$ cm^2

11 20 m

12 (1) $\overline{BC}=(x+1)$ cm, $\overline{AC}=(7-x)$ cm
(2) 14 cm (3) 7 cm^2

13 2

14 6 cm

15 $2\sqrt{161}$ cm

16 (1) 3 cm (2) 1 cm (3) 3 cm

17 (1) 정삼각형 (2) $16\sqrt{3}$ cm^2 (3) $\frac{8\sqrt{3}}{3}$ cm

18 120걸음

4 원주각

따라 풀면서 개념 익히기

본문 67, 68쪽

1-1 (1) 50° (2) 150°

1-2 (1) 30° (2) 130°

2-1 (1) 40° (2) 50°

2-2 (1) 25° (2) 68°

3-1 (1) 42° (2) 12°

3-2 (1) 32 (2) 45 (3) 50 (4) 5

보고 또 보고 유형 익히기 - 확인 문제

본문 69~74쪽

01 50°

02 50°

03 115°

04 34°

05 (1) 40° (2) 106°

06 60°

07 2 cm

08 ∠A=60°, ∠B=75°, ∠C=45°

풀고 또 풀고 집중 연습

본문 71쪽

1 (1) 35° (2) 30° (3) 140° (4) 32° (5) 27°

2 (1) 23° (2) 65° (3) 70° (4) 30° (5) 25°

실력 키우기

본문 75~77쪽

01 ④

02 110°

03 $\left(\frac{8}{3}\pi-4\sqrt{3}\right)$ cm^2

04 30°

05 56°

06 40°

07 70°

08 56°

09 54°

10 26°

11 $\frac{15}{2}$ cm

12 (1) 40° (2) 36π cm

13 $4\sqrt{6}$

14 60°

15 27°

16 (1) 1 : 2 (2) 20° (3) 40° (4) 9

17 (1) $5\sqrt{2}$ m (2) $\left(25+\frac{75}{2}\pi\right)$ m^2

5 원주각의 활용

따라 풀면서 **개념** 익히기

본문 81, 83쪽

1-1 (1) 35° (2) 30°

1-2 (1) 30° (2) 45°

2-1 (1) $\angle x=60°$, $\angle y=120°$ (2) $\angle x=85°$, $\angle y=85°$

2-2 (1) 72° (2) 65° (3) 82° (4) 70°

3-1 ㉠, ㉢

3-2 (1) ○ (2) × (3) × (4) ○

4-1 106°

4-2 (1) 62° (2) 57° (3) 63° (4) 35°

보고 또 보고 **유형** 익히기-확인 문제

본문 85~92쪽

01 ④ **02** 118°

03 80° **04** 64°

05 36° **06** 106°

07 81° **08** 107°

09 50° **10** 42°

11 63° **12** 79°

13 57°

실력 키우기

본문 93~95쪽

01 $\angle ABD \neq \angle ACD$이므로 네 점 A, B, C, D는 한 원 위에 있지 않다.

02 90° **03** 205°

04 100° **05** 125°

06 32° **07** 168°

08 ①, ③ **09** ㉡, ㉣, ㉥

10 72° **11** 72°

12 40° **13** 34°

14 105° **15** ④

16 65° **17** ④

18 250 m

6 대푯값

따라 풀면서 **개념** 익히기

본문 99쪽

1-1 88 **1-2** (1) 5.4 (2) 7

2-1 (1) 15 (2) 12 **2-2** (1) 72 (2) 38

3-1 67, 74 **3-2** (1) 6 (2) 14, 19

보고 또 보고 **유형** 익히기-확인 문제

본문 101~105쪽

01 5개 **02** (1) 8 (2) 25

03 **1.** 3개, 7개 **2.** 문학반 **04** 5

05 6 **06** 84

07 42

08 (1) 평균: 880시간, 중앙값: 1080시간 (2) 중앙값

09 중앙값: 37세, 최빈값: 37세

실력 키우기

본문 106~107쪽

01 ②, ④
02 ③
03 ④
04 7.8
05 ②
06 96점
07 $a=7$, $b=11$
08 0
09 31
10 30
11 ㉠, ㉡
12 9 cm

7 산포도

따라 풀면서 개념 익히기

본문 111, 112쪽

1-1 B

1-2 (1) A: 20분, B: 20분 (2) A

2-1 (1) 81회

(2)

학생	A	B	C	D	합계
편차(회)	2	12	−10	−4	0

2-2 (1) 27

(2)

변량	25	26	27	28	29
편차	−2	−1	0	1	2

(3) 0

3-1 분산: 6, 표준편차: $\sqrt{6}$ kg

3-2 (1) 79점

(2)

학생	A	B	C	D	E
편차(점)	−6	3	−10	2	11

(3) 54

(4) $3\sqrt{6}$점

보고 또 보고 유형 익히기 – 확인 문제

본문 113~117쪽

01 ②, ④
02 16개
03 2명
04 74
05 1. 1반 2. ㉢
06 평균: −19, 분산: 16, 표준편차: 4
07 20.8

실력 키우기

본문 118~119쪽

01 ③
02 161
03 ④
04 3.8
05 $\sqrt{10}$
06 (1) 12 (2) 74 (3) 35
07 ⑤
08 ③
09 9
10 7

11 (1) 2점 낮다.

(2)

학생	승호	아라	성하	고은	준서
편차(점)	−6	−3	2	3	4

(3) 14.8

12 (1) 평균: 6점, 표준편차: $\sqrt{8}$점

(2) 평균: 6점, 표준편차: $\frac{4\sqrt{7}}{7}$점

(3) B

8 산점도와 상관관계

따라 풀면서 개념 익히기

본문 123쪽

1-1

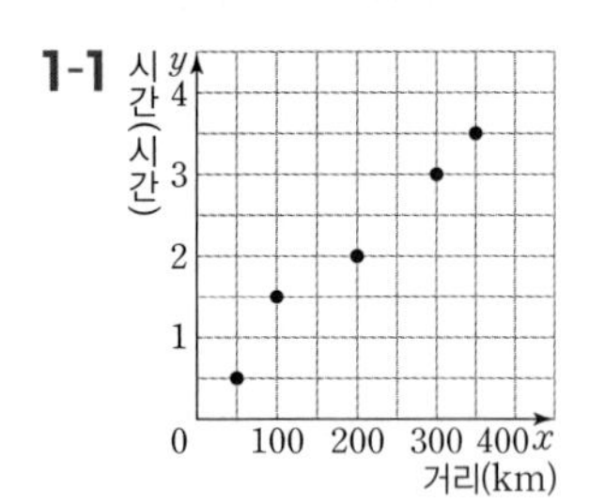

1-2 (1) $(7, 52)$, $(2, 61)$, $(6, 52)$, $(4, 55)$, $(2, 67)$, $(1, 73)$, $(4, 61)$, $(5, 64)$

(2)

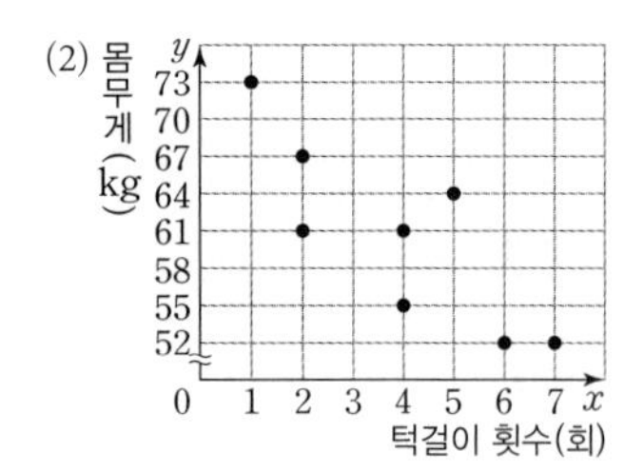

2-1 (1) 음의 상관관계 (2) 양의 상관관계 (3) 상관관계가 없다.

2-2 (1) 양의 상관관계 (2) 음의 상관관계

보고 또 보고 유형 익히기 – 확인 문제

본문 124~129쪽

01 (1)

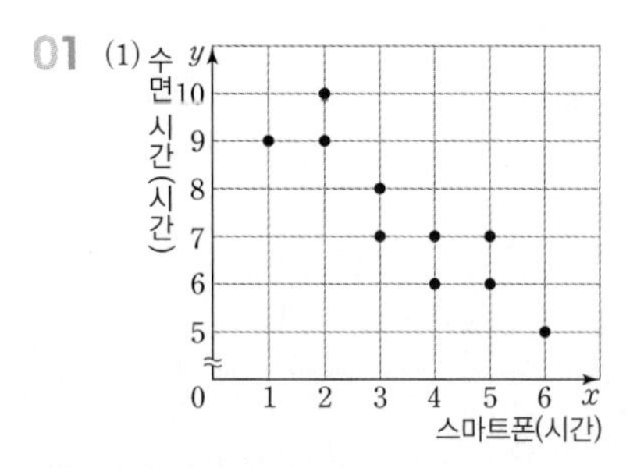

(2) 음의 상관관계

02 1. ② 2. ④

03 (1) 5점 (2) 6명 (3) 7명 (4) 6.2점

04 1. A 2. ⑤

05 (1) 5명 (2) 17명

실력 키우기

본문 130~131쪽

01 (1) 책의 수 (2) 12, 80 (3) 커

02 (1)

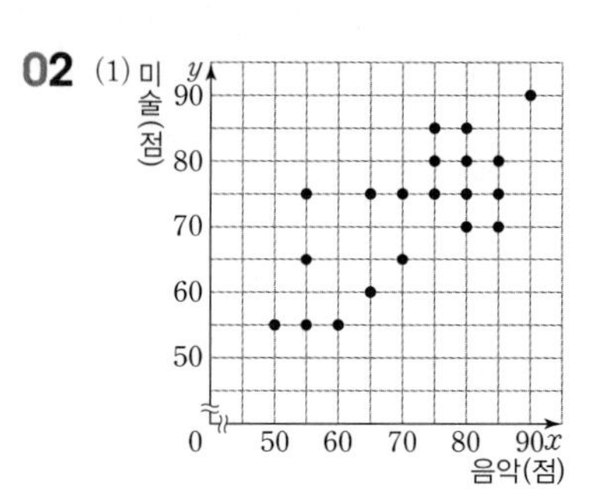

(2) 양의 상관관계

03 ㉢, ㉣

04 ⑤

05 ③

06 8명

07 86.4점

08 8명

09 15 %

10 ②

11 7명

12 5명

13 180점

Memo

삼각비의 표

각 도	사인 (sin)	코사인 (cos)	탄젠트 (tan)	각 도	사인 (sin)	코사인 (cos)	탄젠트 (tan)
0°	0.0000	1.0000	0.0000	45°	0.7071	0.7071	1.0000
1°	0.0175	0.9998	0.0175	46°	0.7193	0.6947	1.0355
2°	0.0349	0.9994	0.0349	47°	0.7314	0.6820	1.0724
3°	0.0523	0.9986	0.0524	48°	0.7431	0.6691	1.1106
4°	0.0698	0.9976	0.0699	49°	0.7547	0.6561	1.1504
5°	0.0872	0.9962	0.0875	50°	0.7660	0.6428	1.1918
6°	0.1045	0.9945	0.1051	51°	0.7771	0.6293	1.2349
7°	0.1219	0.9925	0.1228	52°	0.7880	0.6157	1.2799
8°	0.1392	0.9903	0.1405	53°	0.7986	0.6018	1.3270
9°	0.1564	0.9877	0.1584	54°	0.8090	0.5878	1.3764
10°	0.1736	0.9848	0.1763	55°	0.8192	0.5736	1.4281
11°	0.1908	0.9816	0.1944	56°	0.8290	0.5592	1.4826
12°	0.2079	0.9781	0.2126	57°	0.8387	0.5446	1.5399
13°	0.2250	0.9744	0.2309	58°	0.8480	0.5299	1.6003
14°	0.2419	0.9703	0.2493	59°	0.8572	0.5150	1.6643
15°	0.2588	0.9659	0.2679	60°	0.8660	0.5000	1.7321
16°	0.2756	0.9613	0.2867	61°	0.8746	0.4848	1.8040
17°	0.2924	0.9563	0.3057	62°	0.8829	0.4695	1.8807
18°	0.3090	0.9511	0.3249	63°	0.8910	0.4540	1.9626
19°	0.3256	0.9455	0.3443	64°	0.8988	0.4384	2.0503
20°	0.3420	0.9397	0.3640	65°	0.9063	0.4226	2.1445
21°	0.3584	0.9336	0.3839	66°	0.9135	0.4067	2.2460
22°	0.3746	0.9272	0.4040	67°	0.9205	0.3907	2.3559
23°	0.3907	0.9205	0.4245	68°	0.9272	0.3746	2.4751
24°	0.4067	0.9135	0.4452	69°	0.9336	0.3584	2.6051
25°	0.4226	0.9063	0.4663	70°	0.9397	0.3420	2.7475
26°	0.4384	0.8988	0.4877	71°	0.9455	0.3256	2.9042
27°	0.4540	0.8910	0.5095	72°	0.9511	0.3090	3.0777
28°	0.4695	0.8829	0.5317	73°	0.9563	0.2924	3.2709
29°	0.4848	0.8746	0.5543	74°	0.9613	0.2756	3.4874
30°	0.5000	0.8660	0.5774	75°	0.9659	0.2588	3.7321
31°	0.5150	0.8572	0.6009	76°	0.9703	0.2419	4.0108
32°	0.5299	0.8480	0.6249	77°	0.9744	0.2250	4.3315
33°	0.5446	0.8387	0.6494	78°	0.9781	0.2079	4.7046
34°	0.5592	0.8290	0.6745	79°	0.9816	0.1908	5.1446
35°	0.5736	0.8192	0.7002	80°	0.9848	0.1736	5.6713
36°	0.5878	0.8090	0.7265	81°	0.9877	0.1564	6.3138
37°	0.6018	0.7986	0.7536	82°	0.9903	0.1392	7.1154
38°	0.6157	0.7880	0.7813	83°	0.9925	0.1219	8.1443
39°	0.6293	0.7771	0.8098	84°	0.9945	0.1045	9.5144
40°	0.6428	0.7660	0.8391	85°	0.9962	0.0872	11.4301
41°	0.6561	0.7547	0.8693	86°	0.9976	0.0698	14.3007
42°	0.6691	0.7431	0.9004	87°	0.9986	0.0523	19.0811
43°	0.6820	0.7314	0.9325	88°	0.9994	0.0349	28.6363
44°	0.6947	0.7193	0.9657	89°	0.9998	0.0175	57.2900
45°	0.7071	0.7071	1.0000	90°	1.0000	0.0000	

Memo

Memo

천재교육 중학 수학 교재 한눈에 보기

□ 교재 전체의 난이도
▲ 교재 전체의 수준

	어떤 책이 필요한가요?	이 책으로 공부하면 딱입니다.	난이도를 알고 싶나요?
연산 훈련서	구체적인 예시로 연산의 원리를 이해하고 **연산 연습**을 충분히 하고 싶어요.	빅터연산	하 중 상 최상
개념 기본서	자세한 개념설명으로 **자기주도학습**을 할 수 있는 교재가 필요해요.	셀파 해법수학	하 중 상 최상
	중학 수학 개념이 **쉽게 설명**된 책으로 **기초를 탄탄**히 다지고 싶어요.	개념 해결의 법칙	하 중 상 최상
문제 중심서	**교과서 수준의 문제**로 **시험 대비**를 시작하고 싶어요.	교과서 다:품	하 중 상 최상
	다양한 유형의 문제를 풀어보며 **실력을 쌓고, 학교시험도 대비**하고 싶어요.	유형 해결의 법칙	하 중 상 최상
심화 학습서	난이도 높은 교재로 빠른 복습을 하거나 **응용력 향상**을 위한 교재가 필요해요.	최고수준 해법수학	하 중 상 최상
	내신 최고등급을 위해 **상위권 심화 문제**를 풀어보고 싶어요.	최강 TOT	하 중 상 최상
예비 고 기초 연산	구체적인 예시로 연산의 원리를 이해하고 **연산 연습**을 충분히 하고 싶어요.	고등 빅터연산 다항식 / 방정식과 부등식	하 중 상 최상

SHERPA

셀파

해법수학

중학 수학 3-2

SHERPA

셀파

해법수학

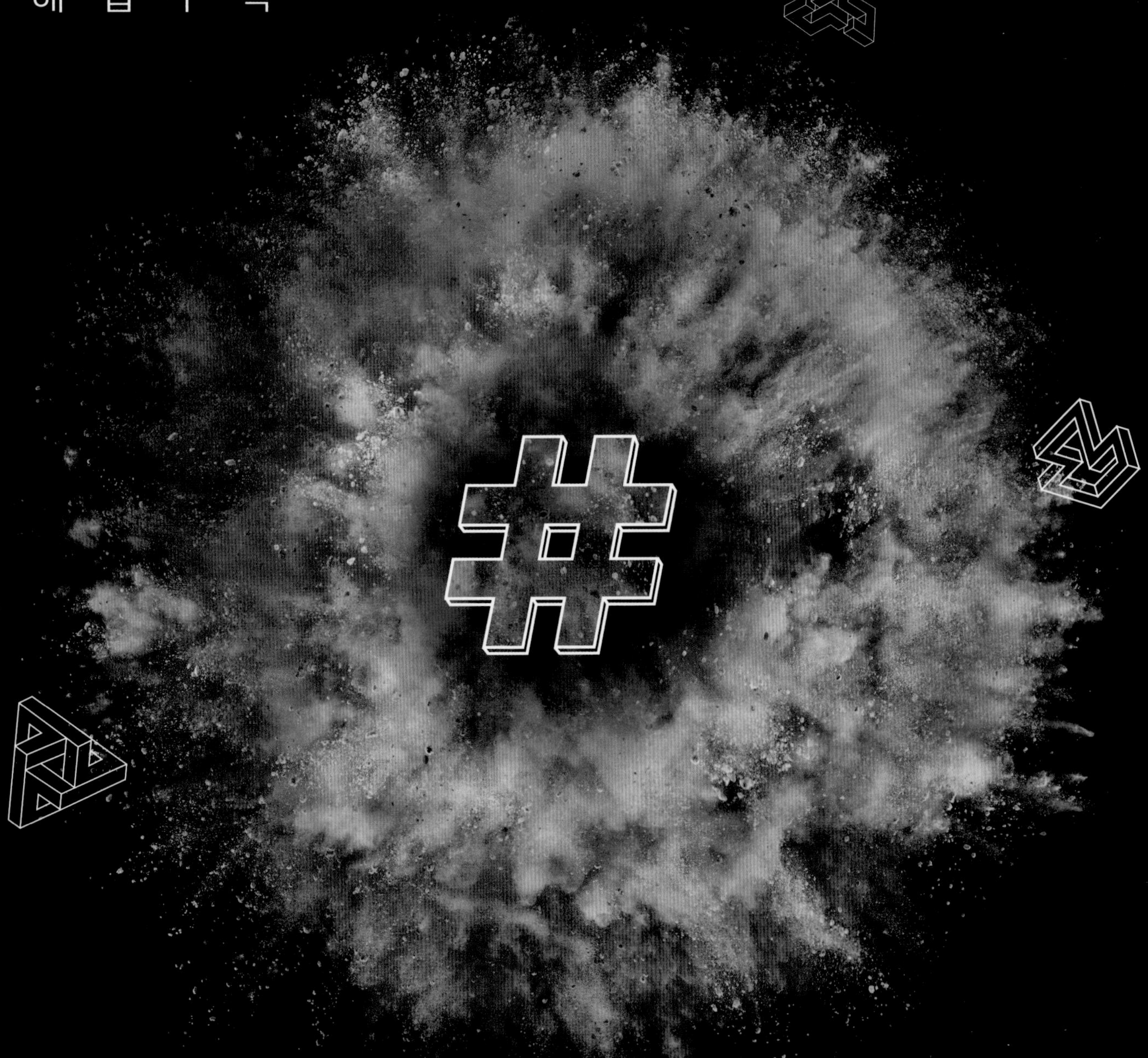

정답과 해설

중학 수학

3-2

천재교육

굽은 허리를 꼿꼿하게!

공부하느라 오래 앉아 있다 보면
허리가 아플 수 있어요.
허리 건강을 위해선 꾸준한 스트레칭과
바른 자세로 공부하는 것이 무엇보다 중요하답니다.

① 의자에 앉아 무릎과 발 사이를 어깨너비 정도로 조절하고
발은 11자로 반듯하게 놓습니다.
② 숨을 후~ 뱉으면서 상체를 서서히 숙입니다.

③ 고개를 들지 않은 자세에서 30초 동안 버팁니다.

④ 천천히 일어나 어깨를 펴고 두 손에 깍지를 낀 다음 팔을 올려
오른쪽으로 당겨줍니다. 왼쪽도 똑같이 반복합니다.

⑤ 바른 자세로 앉아 열심히 공부합니다.

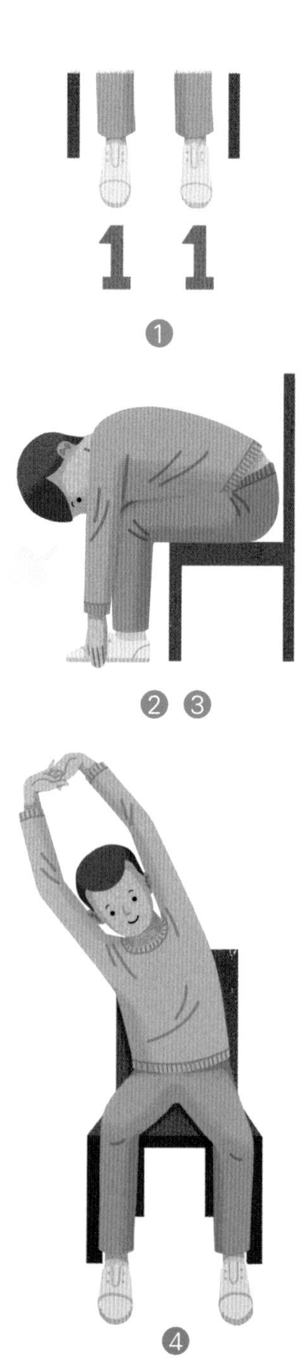

정답과 해설

I. 삼각비

1 삼각비

1. 삼각비의 뜻

본문 | 9 쪽

1-1 답 (1) $\frac{5}{13}$ (2) $\frac{12}{13}$ (3) $\frac{5}{12}$ (4) $\frac{12}{13}$ (5) $\frac{5}{13}$ (6) $\frac{12}{5}$

(1) $\sin A=\frac{\boxed{\overline{BC}}}{\overline{AC}}=\frac{\boxed{5}}{13}$

(2) $\cos A=\frac{\boxed{\overline{AB}}}{\overline{AC}}=\frac{\boxed{12}}{13}$

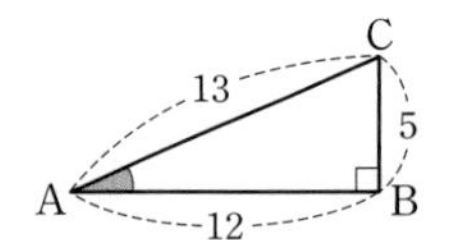

(3) $\tan A=\frac{\boxed{\overline{BC}}}{\overline{AB}}=\frac{\boxed{5}}{12}$

(4) $\sin C=\frac{\boxed{\overline{AB}}}{\overline{AC}}=\frac{\boxed{12}}{13}$

(5) $\cos C=\frac{\boxed{\overline{BC}}}{\overline{AC}}=\frac{\boxed{5}}{13}$

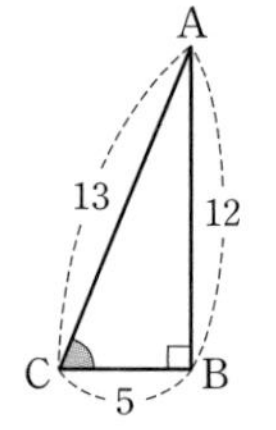

(6) $\tan C=\frac{\boxed{\overline{AB}}}{\overline{BC}}=\frac{\boxed{12}}{5}$

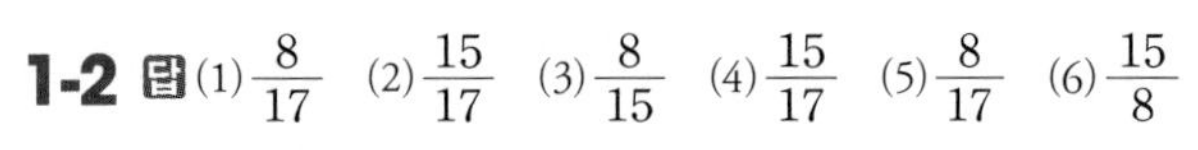

1-2 답 (1) $\frac{8}{17}$ (2) $\frac{15}{17}$ (3) $\frac{8}{15}$ (4) $\frac{15}{17}$ (5) $\frac{8}{17}$ (6) $\frac{15}{8}$

(1) $\sin A=\frac{\overline{BC}}{\overline{AB}}=\frac{8}{17}$

(2) $\cos A=\frac{\overline{AC}}{\overline{AB}}=\frac{15}{17}$

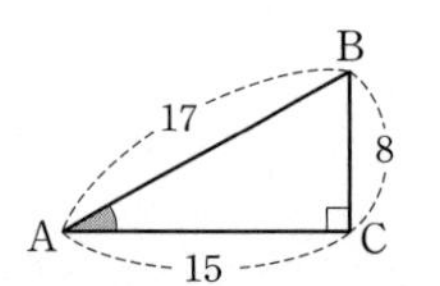

(3) $\tan A=\frac{\overline{BC}}{\overline{AC}}=\frac{8}{15}$

(4) $\sin B=\frac{\overline{AC}}{\overline{AB}}=\frac{15}{17}$

(5) $\cos B=\frac{\overline{BC}}{\overline{AB}}=\frac{8}{17}$

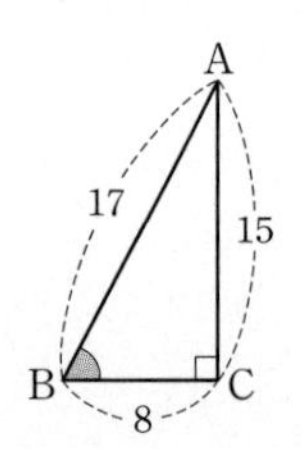

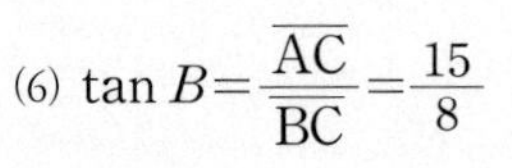

(6) $\tan B=\frac{\overline{AC}}{\overline{BC}}=\frac{15}{8}$

1-3 답 (1) $\sqrt{5}$

(2) $\sin A=\frac{\sqrt{5}}{5}$, $\cos A=\frac{2\sqrt{5}}{5}$, $\tan A=\frac{1}{2}$

(3) $\sin C=\frac{2\sqrt{5}}{5}$, $\cos C=\frac{\sqrt{5}}{5}$, $\tan C=2$

(1) $\overline{AC}=\sqrt{\overline{AB}^2+\overline{BC}^2}=\sqrt{2^2+1^2}=\sqrt{5}$

(2) $\sin A=\frac{\overline{BC}}{\overline{AC}}=\frac{1}{\sqrt{5}}=\frac{\sqrt{5}}{5}$

$\cos A=\frac{\overline{AB}}{\overline{AC}}=\frac{2}{\sqrt{5}}=\frac{2\sqrt{5}}{5}$

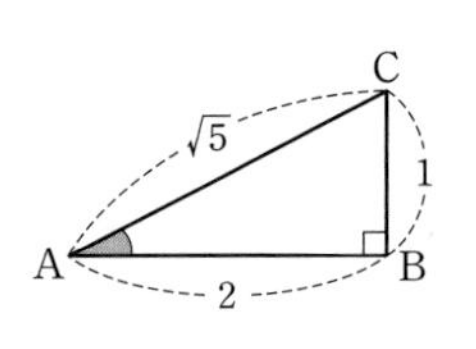

$\tan A=\frac{\overline{BC}}{\overline{AB}}=\frac{1}{2}$

(3) $\sin C=\frac{\overline{AB}}{\overline{AC}}=\frac{2}{\sqrt{5}}=\frac{2\sqrt{5}}{5}$

$\cos C=\frac{\overline{BC}}{\overline{AC}}=\frac{1}{\sqrt{5}}=\frac{\sqrt{5}}{5}$

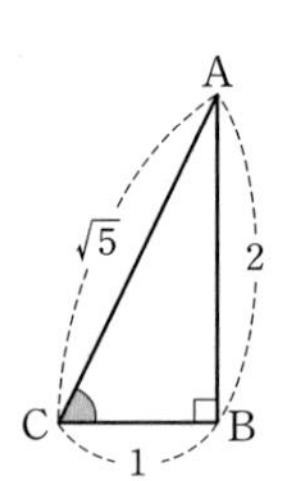

$\tan C=\frac{\overline{AB}}{\overline{BC}}=\frac{2}{1}=2$

보고 또 보고 유형 익히기 – 확인 문제

본문 | 10~12 쪽

01 답 $\frac{3\sqrt{7}}{7}$

셀파 피타고라스 정리를 이용하여 $\overline{BC}$의 길이를 구한 후 삼각비의 값을 구한다.

$\overline{BC}=\sqrt{4^2-3^2}=\sqrt{7}$이므로

$\sin B=\frac{\overline{AC}}{\overline{AB}}=\frac{3}{4}$, $\cos B=\frac{\overline{BC}}{\overline{AB}}=\frac{\sqrt{7}}{4}$

$\therefore \sin B\div\cos B=\frac{3}{4}\div\frac{\sqrt{7}}{4}=\frac{3}{4}\times\frac{4}{\sqrt{7}}=\frac{3}{\sqrt{7}}=\frac{3\sqrt{7}}{7}$

02 답 $\sqrt{14}$

셀파 $\sin C=\frac{\overline{AB}}{\overline{AC}}=\frac{7}{\overline{AC}}$임을 이용하여 $\overline{AC}$의 길이를 먼저 구한다.

$\sin C=\frac{7}{\overline{AC}}=\frac{\sqrt{7}}{3}$이므로

$\sqrt{7}\,\overline{AC}=21$ $\quad\therefore \overline{AC}=\frac{21}{\sqrt{7}}=3\sqrt{7}$

$\therefore \overline{BC}=\sqrt{\overline{AC}^2-\overline{AB}^2}=\sqrt{(3\sqrt{7})^2-7^2}=\sqrt{14}$

03 답 $\frac{3\sqrt{5}}{5}$

셀파 $\angle A$를 기준각으로 $\tan A=2=\frac{2}{1}$인 직각삼각형을 그려 본다.

$\tan A=2=\frac{2}{1}$이므로 오른쪽 그림과 같이 $\angle C=90^\circ$이고 $\overline{AC}=1$, $\overline{BC}=2$인 직각삼각형 ABC를 그릴 수 있다.

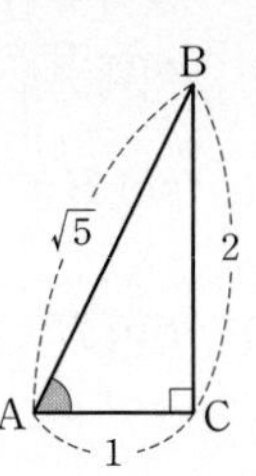

이때 $\overline{AB}=\sqrt{1^2+2^2}=\sqrt{5}$이므로

$\sin A=\frac{2}{\sqrt{5}}=\frac{2\sqrt{5}}{5}$,

$\cos A=\frac{1}{\sqrt{5}}=\frac{\sqrt{5}}{5}$

$\therefore \sin A+\cos A=\frac{2\sqrt{5}}{5}+\frac{\sqrt{5}}{5}=\frac{3\sqrt{5}}{5}$

04 답 $\frac{15}{8}$

셀파 $\triangle ABC$에서 크기가 x인 각을 찾는다.

$\triangle ABC \backsim \triangle EDC$ (AA 닮음)

이므로

$\angle B=\angle CDE=x$

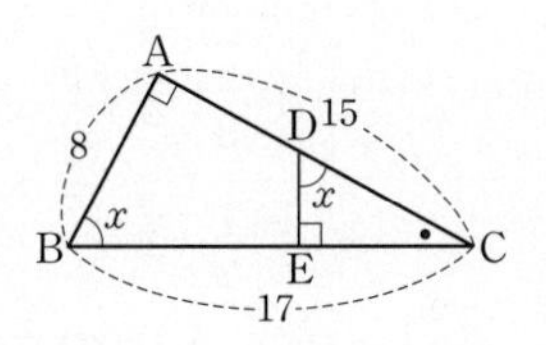

$\triangle ABC$에서

$\overline{AC}=\sqrt{\overline{BC}^2-\overline{AB}^2}$

$=\sqrt{17^2-8^2}$

$=\sqrt{225}=15$

$\therefore \tan x=\frac{\overline{AC}}{\overline{AB}}=\frac{15}{8}$

05 답 $\frac{\sqrt{3}}{2}$

셀파 $\triangle ABC$에서 크기가 x인 각을 찾는다.

$\triangle ABC \backsim \triangle DBA$ (AA 닮음)

이므로

$\angle C=\angle BAD=x$

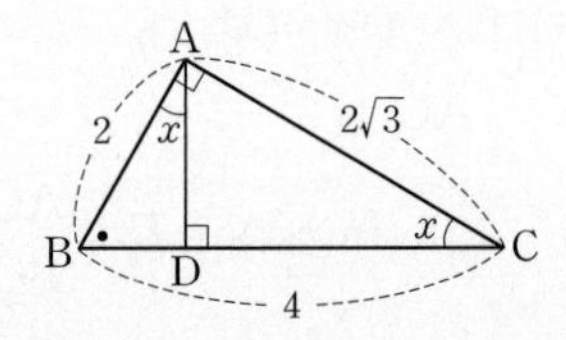

$\triangle ABC$에서

$\overline{BC}=\sqrt{\overline{AB}^2+\overline{AC}^2}$

$=\sqrt{2^2+(2\sqrt{3})^2}$

$=\sqrt{16}=4$

$\therefore \cos x=\cos C=\frac{\overline{AC}}{\overline{BC}}=\frac{2\sqrt{3}}{4}=\frac{\sqrt{3}}{2}$

06 답 $\frac{\sqrt{2}}{2}$

셀파 $\triangle DFH$는 $\angle DHF=90^\circ$인 직각삼각형임을 이용한다.

직각삼각형 FGH에서

$\overline{FH}=\sqrt{4^2+3^2}=\sqrt{25}=5$

직각삼각형 DFH에서

$\overline{DF}=\sqrt{5^2+5^2}=\sqrt{50}=5\sqrt{2}$

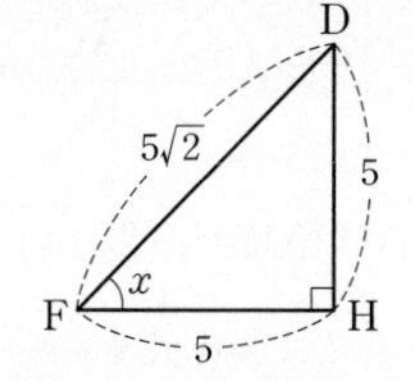

$\therefore \sin x=\frac{\overline{DH}}{\overline{DF}}=\frac{5}{5\sqrt{2}}=\frac{\sqrt{2}}{2}$

LECTURE 대각선의 길이

(1) 가로, 세로의 길이가 각각 a, b인 직사각형의 대각선의 길이 l

⇨ $l=\sqrt{a^2+b^2}$

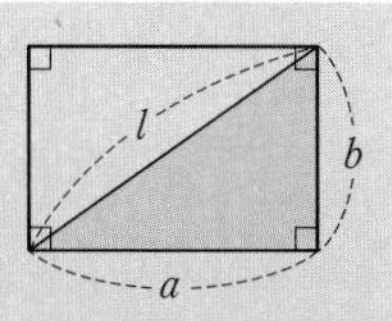

(2) 세 모서리의 길이가 각각 a, b, c인 직육면체의 대각선의 길이 l

⇨ $l=\sqrt{a^2+b^2+c^2}$

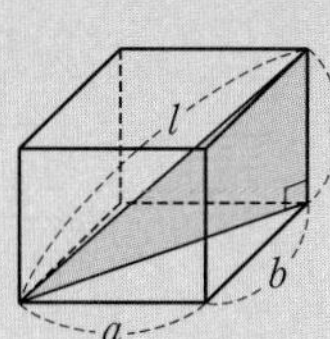

풀고 또 풀고 집중 연습 삼각비

본문 | 13쪽

1 답 (1) 풀이 참조 (2) 풀이 참조 (3) 풀이 참조 (4) 풀이 참조

(1) $\sin A=\frac{\overline{BC}}{\overline{AB}}=\frac{3}{\sqrt{10}}=\frac{3\sqrt{10}}{10}$

$\cos A=\frac{\overline{AC}}{\overline{AB}}=\frac{1}{\sqrt{10}}=\frac{\sqrt{10}}{10}$

$\tan A=\frac{\overline{BC}}{\overline{AC}}=\frac{3}{1}=3$

$\sin B=\frac{\overline{AC}}{\overline{AB}}=\frac{1}{\sqrt{10}}=\frac{\sqrt{10}}{10}$

$\cos B=\frac{\overline{BC}}{\overline{AB}}=\frac{3}{\sqrt{10}}=\frac{3\sqrt{10}}{10}$

$\tan B=\frac{\overline{AC}}{\overline{BC}}=\frac{1}{3}$

(2) $\sin A=\frac{\overline{BC}}{\overline{AB}}=\frac{2\sqrt{5}}{6}=\frac{\sqrt{5}}{3}$

$\cos A=\frac{\overline{AC}}{\overline{AB}}=\frac{4}{6}=\frac{2}{3}$

$\tan A=\frac{\overline{BC}}{\overline{AC}}=\frac{2\sqrt{5}}{4}=\frac{\sqrt{5}}{2}$

$\sin B=\dfrac{\overline{AC}}{\overline{AB}}=\dfrac{4}{6}=\dfrac{2}{3}$

$\cos B=\dfrac{\overline{BC}}{\overline{AB}}=\dfrac{2\sqrt{5}}{6}=\dfrac{\sqrt{5}}{3}$

$\tan B=\dfrac{\overline{AC}}{\overline{BC}}=\dfrac{4}{2\sqrt{5}}=\dfrac{2}{\sqrt{5}}=\dfrac{2\sqrt{5}}{5}$

(3) $\overline{AB}=\sqrt{(2\sqrt{14})^2+5^2}=\sqrt{81}=9$

$\therefore \sin A=\dfrac{2\sqrt{14}}{9}$

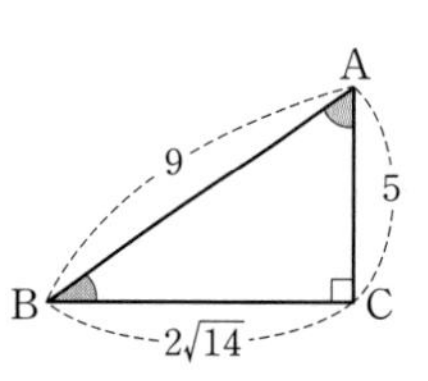

$\cos A=\dfrac{5}{9}$

$\tan A=\dfrac{2\sqrt{14}}{5}$

$\sin B=\dfrac{5}{9}$

$\cos B=\dfrac{2\sqrt{14}}{9}$

$\tan B=\dfrac{5}{2\sqrt{14}}=\dfrac{5\sqrt{14}}{28}$

(4) $\overline{AB}=\sqrt{6^2+3^2}=\sqrt{45}=3\sqrt{5}$

$\therefore \sin A=\dfrac{6}{3\sqrt{5}}=\dfrac{2}{\sqrt{5}}=\dfrac{2\sqrt{5}}{5}$

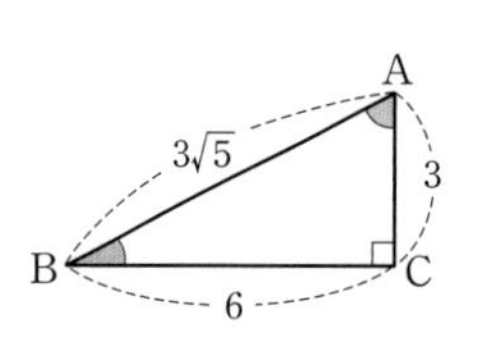

$\cos A=\dfrac{3}{3\sqrt{5}}=\dfrac{1}{\sqrt{5}}=\dfrac{\sqrt{5}}{5}$

$\tan A=\dfrac{6}{3}=2$

$\sin B=\dfrac{3}{3\sqrt{5}}=\dfrac{1}{\sqrt{5}}=\dfrac{\sqrt{5}}{5}$

$\cos B=\dfrac{6}{3\sqrt{5}}=\dfrac{2}{\sqrt{5}}=\dfrac{2\sqrt{5}}{5}$

$\tan B=\dfrac{3}{6}=\dfrac{1}{2}$

2 답 (1) $\cos B=\dfrac{\sqrt{21}}{5}$, $\tan B=\dfrac{2\sqrt{21}}{21}$

(2) $\sin B=\dfrac{\sqrt{39}}{8}$, $\tan B=\dfrac{\sqrt{39}}{5}$

(3) $\sin B=\dfrac{3\sqrt{13}}{13}$, $\cos B=\dfrac{2\sqrt{13}}{13}$

(1) $\sin B=\dfrac{2}{5}$이므로 오른쪽 그림과 같이 $\angle C=90^\circ$이고 $\overline{AB}=5$, $\overline{AC}=2$인 직각삼각형 ABC를 그릴 수 있다.

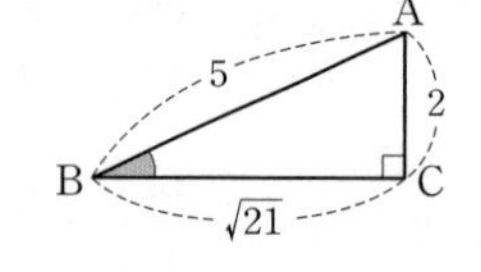

이때 $\overline{BC}=\sqrt{5^2-2^2}=\sqrt{21}$이므로

$\cos B=\dfrac{\overline{BC}}{\overline{AB}}=\dfrac{\sqrt{21}}{5}$,

$\tan B=\dfrac{\overline{AC}}{\overline{BC}}=\dfrac{2}{\sqrt{21}}=\dfrac{2\sqrt{21}}{21}$

(2) $\cos B=\dfrac{5}{8}$이므로 오른쪽 그림과 같이 $\angle C=90^\circ$이고 $\overline{AB}=8$, $\overline{BC}=5$인 직각삼각형 ABC를 그릴 수 있다.

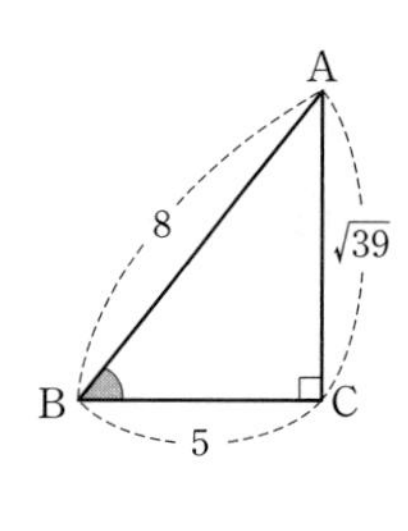

이때 $\overline{AC}=\sqrt{8^2-5^2}=\sqrt{39}$이므로

$\sin B=\dfrac{\overline{AC}}{\overline{AB}}=\dfrac{\sqrt{39}}{8}$,

$\tan B=\dfrac{\overline{AC}}{\overline{BC}}=\dfrac{\sqrt{39}}{5}$

(3) $\tan B=\dfrac{3}{2}$이므로 오른쪽 그림과 같이 $\angle C=90^\circ$이고 $\overline{BC}=2$, $\overline{AC}=3$인 직각삼각형 ABC를 그릴 수 있다.

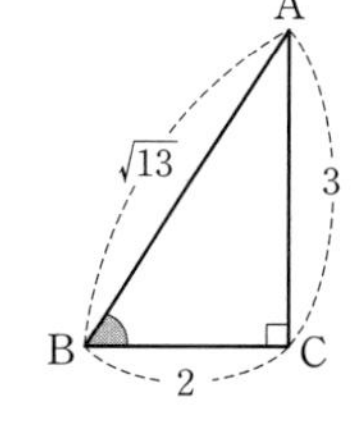

이때 $\overline{AB}=\sqrt{2^2+3^2}=\sqrt{13}$이므로

$\sin B=\dfrac{\overline{AC}}{\overline{AB}}=\dfrac{3}{\sqrt{13}}=\dfrac{3\sqrt{13}}{13}$,

$\cos B=\dfrac{\overline{BC}}{\overline{AB}}=\dfrac{2}{\sqrt{13}}=\dfrac{2\sqrt{13}}{13}$

3 답 (1) ① $\dfrac{2\sqrt{5}}{5}$ ② $\dfrac{\sqrt{5}}{5}$ ③ 2 (2) ① $\dfrac{2\sqrt{2}}{3}$ ② $\dfrac{1}{3}$ ③ $2\sqrt{2}$

(3) ① $\dfrac{2}{3}$ ② $\dfrac{\sqrt{5}}{3}$ ③ $\dfrac{2\sqrt{5}}{5}$ (4) ① $\dfrac{3}{5}$ ② $\dfrac{4}{5}$ ③ $\dfrac{3}{4}$

(5) ① $\dfrac{1}{2}$ ② $\dfrac{\sqrt{3}}{2}$ ③ $\dfrac{\sqrt{3}}{3}$ ④ $\dfrac{\sqrt{3}}{2}$ ⑤ $\dfrac{1}{2}$ ⑥ $\sqrt{3}$

(1) $\triangle ABC \backsim \triangle EBD$ (AA 닮음)
이므로 $\angle C=\angle BDE=x$
$\triangle ABC$에서
$\overline{BC}=\sqrt{4^2+2^2}=\sqrt{20}=2\sqrt{5}$

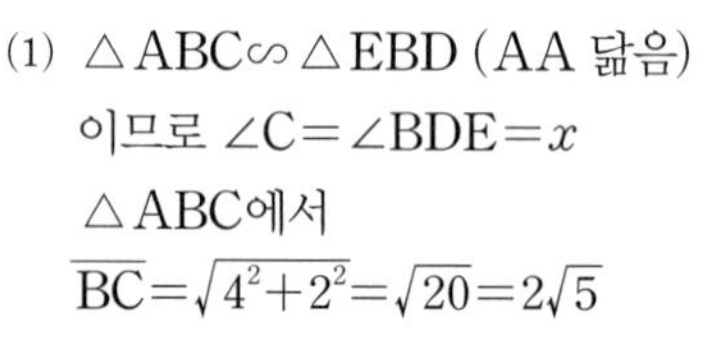

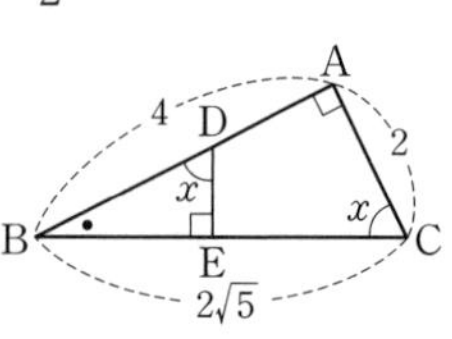

① $\sin x=\sin C=\dfrac{\overline{AB}}{\overline{BC}}=\dfrac{4}{2\sqrt{5}}=\dfrac{2}{\sqrt{5}}=\dfrac{2\sqrt{5}}{5}$

② $\cos x=\cos C=\dfrac{\overline{AC}}{\overline{BC}}=\dfrac{2}{2\sqrt{5}}=\dfrac{1}{\sqrt{5}}=\dfrac{\sqrt{5}}{5}$

③ $\tan x=\tan C=\dfrac{\overline{AB}}{\overline{AC}}=\dfrac{4}{2}=2$

(2) $\triangle ABC \backsim \triangle EDC$ (AA 닮음)
이므로 $\angle B=\angle CDE=x$
$\triangle ABC$에서
$\overline{AC}=\sqrt{9^2-3^2}=\sqrt{72}=6\sqrt{2}$

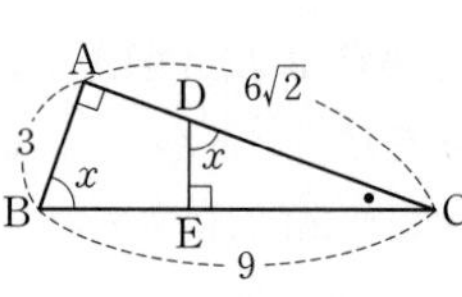

① $\sin x=\sin B=\dfrac{\overline{AC}}{\overline{BC}}=\dfrac{6\sqrt{2}}{9}=\dfrac{2\sqrt{2}}{3}$

② $\cos x=\cos B=\dfrac{\overline{AB}}{\overline{BC}}=\dfrac{3}{9}=\dfrac{1}{3}$

③ $\tan x=\tan B=\dfrac{\overline{AC}}{\overline{AB}}=\dfrac{6\sqrt{2}}{3}=2\sqrt{2}$

(3) △ABC∽△AED (AA 닮음)

이므로 $\angle B=\angle AED=x$

△ABC에서

$\overline{AB}=\sqrt{6^2-4^2}=\sqrt{20}=2\sqrt{5}$

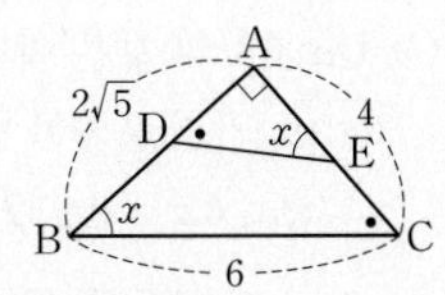

① $\sin x=\sin B=\dfrac{\overline{AC}}{\overline{BC}}=\dfrac{4}{6}=\dfrac{2}{3}$

② $\cos x=\cos B=\dfrac{\overline{AB}}{\overline{BC}}=\dfrac{2\sqrt{5}}{6}=\dfrac{\sqrt{5}}{3}$

③ $\tan x=\tan B=\dfrac{\overline{AC}}{\overline{AB}}=\dfrac{4}{2\sqrt{5}}=\dfrac{2}{\sqrt{5}}=\dfrac{2\sqrt{5}}{5}$

(4) △ABC∽△DAC (AA 닮음)

이므로 $\angle B=\angle CAD=x$

△ABC에서

$\overline{AC}=\sqrt{10^2-8^2}=\sqrt{36}=6$

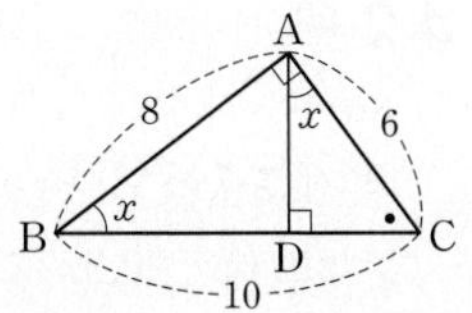

① $\sin x=\sin B=\dfrac{\overline{AC}}{\overline{BC}}=\dfrac{6}{10}=\dfrac{3}{5}$

② $\cos x=\cos B=\dfrac{\overline{AB}}{\overline{BC}}=\dfrac{8}{10}=\dfrac{4}{5}$

③ $\tan x=\tan B=\dfrac{\overline{AC}}{\overline{AB}}=\dfrac{6}{8}=\dfrac{3}{4}$

(5) △ABC∽△DBA (AA 닮음)

이므로 $\angle C=\angle BAD=x$

△ABC∽△DAC (AA 닮음)

이므로 $\angle B=\angle CAD=y$

△ABC에서

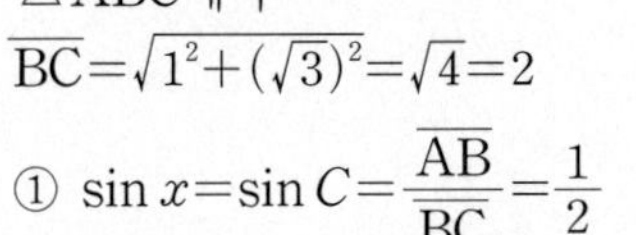

$\overline{BC}=\sqrt{1^2+(\sqrt{3})^2}=\sqrt{4}=2$

① $\sin x=\sin C=\dfrac{\overline{AB}}{\overline{BC}}=\dfrac{1}{2}$

② $\cos x=\cos C=\dfrac{\overline{AC}}{\overline{BC}}=\dfrac{\sqrt{3}}{2}$

③ $\tan x=\tan C=\dfrac{\overline{AB}}{\overline{AC}}=\dfrac{1}{\sqrt{3}}=\dfrac{\sqrt{3}}{3}$

④ $\sin y=\sin B=\dfrac{\overline{AC}}{\overline{BC}}=\dfrac{\sqrt{3}}{2}$

⑤ $\cos y=\cos B=\dfrac{\overline{AB}}{\overline{BC}}=\dfrac{1}{2}$

⑥ $\tan y=\tan B=\dfrac{\overline{AC}}{\overline{AB}}=\dfrac{\sqrt{3}}{1}=\sqrt{3}$

2. 삼각비의 값

개념 익히기

본문 | 15, 17쪽

1-1 답 (1) $\dfrac{\sqrt{2}}{2}$ (2) $\dfrac{\sqrt{2}}{2}$ (3) 1

직각삼각형 ABC에서 $\overline{AB}=\sqrt{4^2+4^2}=\sqrt{32}=\boxed{4\sqrt{2}}$

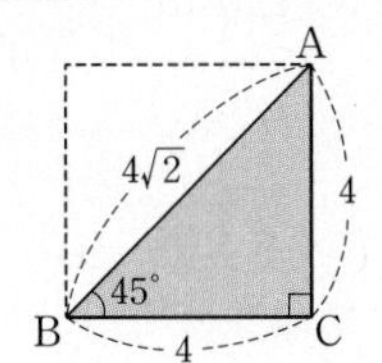

(1) $\sin 45°=\dfrac{\overline{AC}}{\boxed{\overline{AB}}}=\dfrac{4}{\boxed{4\sqrt{2}}}=\dfrac{1}{\sqrt{2}}=\boxed{\dfrac{\sqrt{2}}{2}}$

(2) $\cos 45°=\dfrac{\overline{BC}}{\boxed{\overline{AB}}}=\dfrac{4}{\boxed{4\sqrt{2}}}=\dfrac{1}{\sqrt{2}}=\boxed{\dfrac{\sqrt{2}}{2}}$

(3) $\tan 45°=\dfrac{\boxed{\overline{AC}}}{\overline{BC}}=\dfrac{\boxed{4}}{4}=\boxed{1}$

1-2 답 풀이 참조

직각삼각형 ABC에서 $\overline{AC}=\sqrt{8^2-4^2}=\sqrt{48}=4\sqrt{3}$

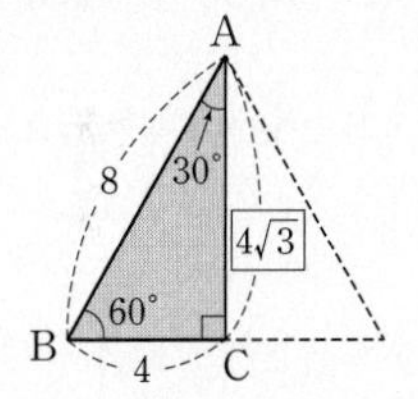

(1) $\sin 30°=\dfrac{\boxed{\overline{BC}}}{\overline{AB}}=\dfrac{\boxed{4}}{8}=\boxed{\dfrac{1}{2}}$

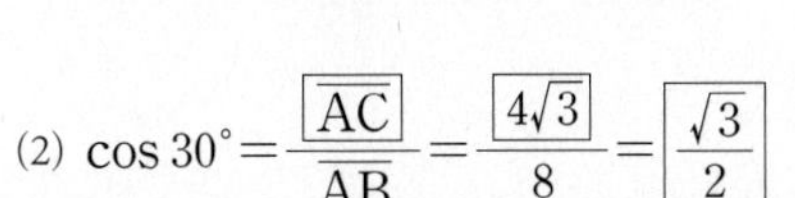

(2) $\cos 30°=\dfrac{\boxed{\overline{AC}}}{\overline{AB}}=\dfrac{\boxed{4\sqrt{3}}}{8}=\boxed{\dfrac{\sqrt{3}}{2}}$

(3) $\tan 30°=\dfrac{\overline{BC}}{\boxed{\overline{AC}}}=\dfrac{4}{\boxed{4\sqrt{3}}}=\dfrac{1}{\sqrt{3}}=\boxed{\dfrac{\sqrt{3}}{3}}$

1-3 답 (1) $\sqrt{3}$ (2) $\dfrac{1}{2}$ (3) $\dfrac{\sqrt{3}}{2}$ (4) $\dfrac{\sqrt{6}}{2}$

(1) $\sin 60°+\cos 30°=\dfrac{\sqrt{3}}{2}+\dfrac{\sqrt{3}}{2}=\sqrt{3}$

(2) $\tan 45°-\sin 30°=1-\dfrac{1}{2}=\dfrac{1}{2}$

(3) $\cos 60°\times\tan 60°=\dfrac{1}{2}\times\sqrt{3}=\dfrac{\sqrt{3}}{2}$

(4) $\cos 45°\div\tan 30°=\dfrac{\sqrt{2}}{2}\div\dfrac{\sqrt{3}}{3}=\dfrac{\sqrt{2}}{2}\times\dfrac{3}{\sqrt{3}}=\dfrac{\sqrt{6}}{2}$

2-1 답 (1) 0.7431 (2) 0.6691 (3) 1.1106

(1) $\sin 48^\circ=\frac{\overline{AB}}{\overline{OA}}=\frac{\overline{AB}}{1}=\overline{AB}=\boxed{0.7431}$

(2) $\cos 48^\circ=\frac{\boxed{\overline{OB}}}{\overline{OA}}=\frac{\overline{OB}}{1}=\overline{OB}=\boxed{0.6691}$

(3) $\tan 48^\circ=\frac{\overline{CD}}{\boxed{\overline{OD}}}=\frac{\overline{CD}}{1}=\boxed{\overline{CD}}=\boxed{1.1106}$

2-2 답 (1) 0.5878 (2) 0.8090 (3) 0.7265

(1) $\sin 36^\circ=\frac{\overline{AB}}{\overline{OA}}=\frac{\overline{AB}}{1}=\overline{AB}=0.5878$

(2) $\cos 36^\circ=\frac{\overline{OB}}{\overline{OA}}=\frac{\overline{OB}}{1}=\overline{OB}=0.8090$

(3) $\tan 36^\circ=\frac{\overline{CD}}{\overline{OD}}=\frac{\overline{CD}}{1}=\overline{CD}=0.7265$

3-1 답 (1) 2 (2) 0

(1) $\sin 90^\circ+\cos 0^\circ=\boxed{1}+1=\boxed{2}$

(2) $\cos 90^\circ-\sin 0^\circ\times\tan 0^\circ=\boxed{0}-0\times\boxed{0}=\boxed{0}$

3-2 답 (1) 0 (2) −1 (3) 1

(1) $\sin 0^\circ+\cos 90^\circ-\tan 0^\circ=0+0-0=0$

(2) $\sin 90^\circ\times\tan 0^\circ-\cos 0^\circ=1\times 0-1=-1$

(3) $(\cos 90^\circ+\sin 90^\circ)\div\cos 0^\circ=(0+1)\div 1=1$

4-1 답 (1) 0.6691 (2) 0.7547 (3) 0.9325

(1) sin 42°의 값은 아래 삼각비의 표에서 각도 42°의 가로줄과 sin의 세로줄이 만나는 곳에 있는 수인 $\boxed{0.6691}$이다.
∴ $\sin 42^\circ=0.6691$

(2) cos 41°의 값은 아래 삼각비의 표에서 각도 41°의 가로줄과 cos의 $\boxed{\text{세로줄}}$이 만나는 곳에 있는 수인 $\boxed{0.7547}$이다.
∴ $\cos 41^\circ=0.7547$

(3) tan 43°의 값은 아래 삼각비의 표에서 각도 $\boxed{43^\circ}$의 가로줄과 $\boxed{\tan}$의 세로줄이 만나는 곳에 있는 수인 $\boxed{0.9325}$이다.
∴ $\tan 43^\circ=0.9325$

각도	sin	cos	tan
41°	0.6561	0.7547	0.8693
42°	0.6691	0.7431	0.9004
43°	0.6820	0.7314	0.9325

4-2 답 (1) 0.9272 (2) 0.4067 (3) 2.3559

(1) sin 68°의 값은 아래 삼각비의 표에서 각도 68°의 가로줄과 sin의 세로줄이 만나는 곳에 있는 수인 0.9272이다.
∴ $\sin 68^\circ=0.9272$

(2) cos 66°의 값은 아래 삼각비의 표에서 각도 66°의 가로줄과 cos의 세로줄이 만나는 곳에 있는 수인 0.4067이다.
∴ $\cos 66^\circ=0.4067$

(3) tan 67°의 값은 아래 삼각비의 표에서 각도 67°의 가로줄과 tan의 세로줄이 만나는 곳에 있는 수인 2.3559이다.
∴ $\tan 67^\circ=2.3559$

각도	sin	cos	tan
66°	0.9135	0.4067	2.2460
67°	0.9205	0.3907	2.3559
68°	0.9272	0.3746	2.4751

보고 또 보고 유형 익히기 – 확인 문제

본문 | 18~23쪽

01 답 (1) $\frac{1+\sqrt{2}}{2}$ (2) 2

셀파 30°, 45°, 60°의 삼각비의 값을 주어진 식에 대입한다.

(1) $\sin 60^\circ\times\tan 30^\circ+\cos 45^\circ$
$=\frac{\sqrt{3}}{2}\times\frac{\sqrt{3}}{3}+\frac{\sqrt{2}}{2}=\frac{1}{2}+\frac{\sqrt{2}}{2}=\frac{1+\sqrt{2}}{2}$

(2) $\cos 60^\circ\times\tan 45^\circ+\sin 60^\circ\times\tan 60^\circ$
$=\frac{1}{2}\times 1+\frac{\sqrt{3}}{2}\times\sqrt{3}=\frac{1}{2}+\frac{3}{2}=2$

02 답 $\frac{1}{2}$

셀파 $\tan 45° = 1$임을 이용한다.

$10° < x < 50°$이므로 $20° < 2x < 100°$

$\therefore 5° < 2x - 15° < 85°$

$2x - 15° = A$로 놓으면

$\tan A = 1$에서 $A = 45°$ ($\because 5° < A < 85°$)

$2x - 15° = 45°$, $2x = 60°$　　$\therefore x = 30°$

$\therefore \sin x = \sin 30° = \frac{1}{2}$

03 답 $2\sqrt{3} - 2$

셀파 $\triangle$ABC에서 $\tan 30°$의 값을 이용하여 $\overline{BC}$의 길이를 먼저 구한다.

$\triangle$ABC에서 $\tan 30° = \frac{2}{\overline{BC}}$, 즉 $\frac{\sqrt{3}}{3} = \frac{2}{\overline{BC}}$

$\sqrt{3}\,\overline{BC} = 6$　　$\therefore \overline{BC} = \frac{6}{\sqrt{3}} = 2\sqrt{3}$

$\triangle$ADC에서 $\tan 45° = \frac{2}{\overline{DC}}$, 즉 $1 = \frac{2}{\overline{DC}}$

$\therefore \overline{DC} = 2$

$\therefore \overline{BD} = \overline{BC} - \overline{DC} = 2\sqrt{3} - 2$

04 답 $y = x + 2$

셀파 구하는 직선의 기울기는 $\tan 45°$이다.

구하는 직선의 방정식을 $y = ax + b$라 하면

$a = \tan 45° = 1$

즉 직선 $y = x + b$가 점 $(-2, 0)$을 지나므로

$0 = -2 + b$　　$\therefore b = 2$

따라서 직선의 방정식은 $y = x + 2$

05 답 ②, ④

셀파 크기가 y인 각을 찾는다.

$\overline{AB} /\!/ \overline{DC}$이므로 $\angle OAB = y$ (동위각)

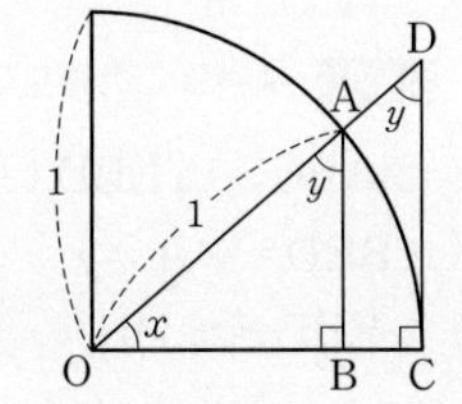

① $\sin x = \frac{\overline{AB}}{\overline{OA}} = \frac{\overline{AB}}{1} = \overline{AB}$

② $\cos x = \frac{\overline{OB}}{\overline{OA}} = \frac{\overline{OB}}{1} = \overline{OB}$

③ $\tan x = \frac{\overline{CD}}{\overline{OC}} = \frac{\overline{CD}}{1} = \overline{CD}$

④ $\sin y = \frac{\overline{OB}}{\overline{OA}} = \frac{\overline{OB}}{1} = \overline{OB}$

⑤ $\cos y = \frac{\overline{AB}}{\overline{OA}} = \frac{\overline{AB}}{1} = \overline{AB}$

따라서 $\overline{OB}$의 길이와 그 값이 같은 것은 ②, ④이다.

06 답 (1) 1　(2) $\frac{1}{2}$

셀파 $0°, 30°, 45°, 60°, 90°$의 삼각비의 값을 주어진 식에 대입한다.

(1) $\cos 45° \times \tan 0° + \sin 45° \times \cos 90° + \sin 90°$

$= \frac{\sqrt{2}}{2} \times 0 + \frac{\sqrt{2}}{2} \times 0 + 1 = 1$

(2) $\sin 0° \times \tan 60° - \cos 60° \times \cos 0° + \tan 45°$

$= 0 \times \sqrt{3} - \frac{1}{2} \times 1 + 1 = \frac{1}{2}$

07 답 13.928

셀파 $\cos 35°$에서 x의 값을 구하고, $\sin 35°$에서 y의 값을 구한다.

$\sin 35° = \frac{y}{10}$, $\cos 35° = \frac{x}{10}$

이때 주어진 삼각비의 표에서

$\sin 35° = 0.5736$, $\cos 35° = 0.8192$이므로

$\frac{y}{10} = 0.5736$　　$\therefore y = 5.736$

$\frac{x}{10} = 0.8192$　　$\therefore x = 8.192$

$\therefore x + y = 8.192 + 5.736 = 13.928$

08 답 $\sqrt{2} - 1$

셀파 $\angle C = 22.5°$임을 이용한다.

$\triangle$ABD에서 $\tan 45° = \frac{\overline{AB}}{\sqrt{2}} = 1$　　$\therefore \overline{AB} = \sqrt{2}$

$\overline{AD} = \sqrt{(\sqrt{2})^2 + (\sqrt{2})^2} = \sqrt{4} = 2$이므로 $\overline{DC} = \overline{AD} = 2$

이때 $\angle$ADB는 $\triangle$ADC의 한 외각이고, $\triangle$ADC는 이등변삼각형이므로 $\angle ADB = \angle CAD + \angle C$에서

$\angle C = \angle CAD = \frac{1}{2}\angle ADB = \frac{1}{2} \times 45° = 22.5°$

따라서 직각삼각형 ABC에서

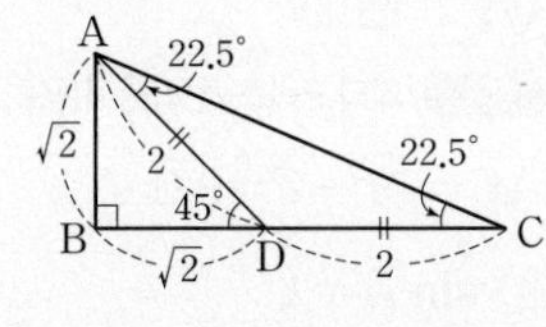

$\tan 22.5° = \frac{\overline{AB}}{\overline{BC}} = \frac{\overline{AB}}{\overline{BD} + \overline{DC}}$

$= \frac{\sqrt{2}}{\sqrt{2} + 2}$

$= \frac{\sqrt{2}(2 - \sqrt{2})}{(2 + \sqrt{2})(2 - \sqrt{2})}$

$= \frac{2\sqrt{2} - 2}{4 - 2} = \sqrt{2} - 1$

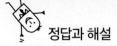

09 답 ④

셀파 0°, 30°, 45°, 60°, 90°의 삼각비의 값을 이용하여 크기를 비교한다.

(i) $0^\circ \le x \le 90^\circ$인 범위에서 x의 크기가 증가하면 $\sin x$의 값도 증가하므로

$\sin 10^\circ < \sin 30^\circ = \cos 60^\circ = \frac{1}{2}$　　$\therefore \sin 10^\circ < \cos 60^\circ$

(ii) $0^\circ \le x \le 90^\circ$인 범위에서 x의 크기가 증가하면 $\cos x$의 값은 감소하므로

$\cos 45^\circ > \cos 60^\circ$

(iii) $\sin 70^\circ > \sin 45^\circ = \cos 45^\circ = \frac{\sqrt{2}}{2}$이므로

$\cos 45^\circ < \sin 70^\circ$

(iv) $\tan 60^\circ = \sqrt{3} > 1 = \sin 90^\circ > \sin 70^\circ$이므로

$\sin 70^\circ < \tan 60^\circ$

따라서 $\sin 10^\circ < \cos 60^\circ < \cos 45^\circ < \sin 70^\circ < \tan 60^\circ$이므로 주어진 삼각비의 값 중 가장 큰 것은 ④이다.

10 답 $\sin x - 1$

셀파 $45^\circ < x < 90^\circ$인 범위에서 $\sin x$와 $\cos x$, 1과 $\cos x$의 대소 관계를 알아본다.

$45^\circ < x < 90^\circ$일 때, $\cos x < \sin x$이므로

$\sin x - \cos x > 0$

또 $45^\circ < x < 90^\circ$일 때, $\cos x < 1$이므로

$1 - \cos x > 0$

$\therefore \sqrt{(\sin x - \cos x)^2} - \sqrt{(1-\cos x)^2}$

$= \sin x - \cos x - (1 - \cos x)$

$= \sin x - \cos x - 1 + \cos x$

$= \sin x - 1$

실력 키우기

본문 | 24~27 쪽

01 답 ③

셀파 피타고라스 정리를 이용하여 $\overline{AC}$의 길이를 먼저 구한다.

$\overline{AC} = \sqrt{5^2 - 2^2} = \sqrt{21}$

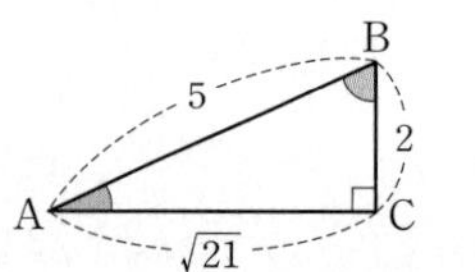

① $\sin A = \frac{2}{5}$

② $\cos A = \frac{\sqrt{21}}{5}$

③ $\tan A = \frac{2}{\sqrt{21}} = \frac{2\sqrt{21}}{21}$

④ $\sin B = \frac{\sqrt{21}}{5}$

⑤ $\cos B = \frac{2}{5}$

따라서 옳은 것은 ③이다.

02 답 $6\sqrt{7}\text{ cm}^2$

셀파 삼각비를 이용하여 $\overline{AC}$의 길이를 먼저 구한다.

1 $\overline{AC}$의 길이 구하기 [40 %]

$\cos A = \frac{\overline{AC}}{8} = \frac{3}{4}$이므로 $4\overline{AC} = 24$

$\therefore \overline{AC} = 6\ (\text{cm})$

2 $\overline{BC}$의 길이 구하기 [30 %]

$\overline{BC} = \sqrt{\overline{AB}^2 - \overline{AC}^2} = \sqrt{8^2 - 6^2} = \sqrt{28} = 2\sqrt{7}\ (\text{cm})$

3 $\triangle ABC$의 넓이 구하기 [30 %]

$\therefore \triangle ABC = \frac{1}{2} \times \overline{AC} \times \overline{BC} = \frac{1}{2} \times 6 \times 2\sqrt{7} = 6\sqrt{7}\ (\text{cm}^2)$

03 답 $\frac{\sqrt{2}}{3}$

셀파 $\angle B$를 기준각으로 $\sin B = \frac{\sqrt{2}}{3}$인 직각삼각형을 그려 본다.

$\sin B = \frac{\sqrt{2}}{3}$이므로 오른쪽 그림과 같이 $\angle C = 90^\circ$이고 $\overline{AB} = 3$, $\overline{AC} = \sqrt{2}$인 직각삼각형 ABC를 그릴 수 있다.

이때 $\overline{BC} = \sqrt{3^2 - (\sqrt{2})^2} = \sqrt{7}$이므로

$\cos B = \frac{\sqrt{7}}{3}$, $\tan B = \frac{\sqrt{2}}{\sqrt{7}}$

$\therefore \cos B \times \tan B = \frac{\sqrt{7}}{3} \times \frac{\sqrt{2}}{\sqrt{7}} = \frac{\sqrt{2}}{3}$

04 답 $\frac{2}{3}$

셀파 세 변의 길이를 모두 알 수 있는 $\triangle DBE$에서 크기가 y인 각을 찾는다.

$\triangle ABC \backsim \triangle EBD$ (AA 닮음)이므로

$\angle BED = \angle A = y$

$\triangle EBD$에서 $\overline{DE} = \sqrt{3^2 - 2^2} = \sqrt{5}$이므로

$\sin x = \frac{\overline{DE}}{\overline{BE}} = \frac{\sqrt{5}}{3}$

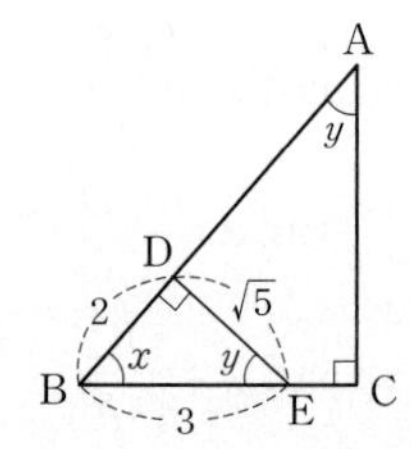

$\tan y=\tan(\angle \mathrm{BED})=\dfrac{\overline{\mathrm{BD}}}{\overline{\mathrm{DE}}}=\dfrac{2}{\sqrt{5}}=\dfrac{2\sqrt{5}}{5}$

$\therefore \sin x\times\tan y=\dfrac{\sqrt{5}}{3}\times\dfrac{2\sqrt{5}}{5}=\dfrac{2}{3}$

05 답 $\frac{1}{5}$

셀파 직각삼각형 ABD에서 크기가 x인 각을 찾는다.

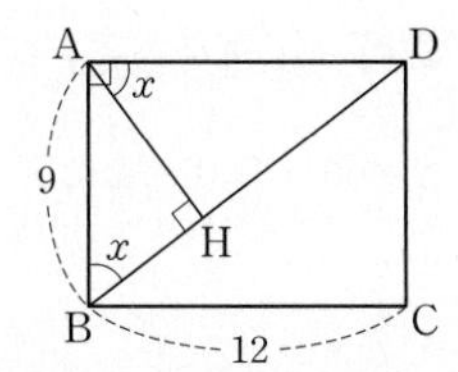

$\angle \mathrm{BAD}=90^\circ$이므로 $\triangle \mathrm{ABD}$는 직각삼각형이다.

$\triangle \mathrm{ABD}\backsim\triangle \mathrm{HAD}$ (AA 닮음)

이므로 $\angle \mathrm{ABD}=\angle \mathrm{HAD}=x$

$\triangle \mathrm{ABD}$에서 $\overline{\mathrm{AD}}=\overline{\mathrm{BC}}=12$이므로

$\overline{\mathrm{BD}}=\sqrt{\overline{\mathrm{AB}}^2+\overline{\mathrm{AD}}^2}=\sqrt{9^2+12^2}=\sqrt{225}=15$

따라서 $\sin x=\dfrac{\overline{\mathrm{AD}}}{\overline{\mathrm{BD}}}=\dfrac{12}{15}=\dfrac{4}{5}$, $\cos x=\dfrac{\overline{\mathrm{AB}}}{\overline{\mathrm{BD}}}=\dfrac{9}{15}=\dfrac{3}{5}$이므로

$\sin x-\cos x=\dfrac{4}{5}-\dfrac{3}{5}=\dfrac{1}{5}$

06 답 ④

셀파 크기가 x인 각을 찾아 그림에 표시한다.

$\triangle \mathrm{ABC}\backsim\triangle \mathrm{DBE}\backsim\triangle \mathrm{ACD}\backsim\triangle \mathrm{CDE}$ (AA 닮음)이므로 크기가 x인 각을 그림에 표시하면 오른쪽과 같다.

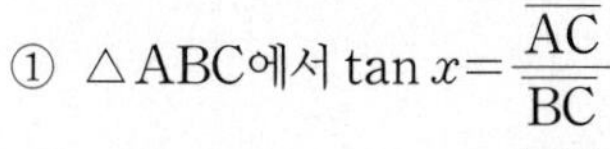

① $\triangle \mathrm{ABC}$에서 $\tan x=\dfrac{\overline{\mathrm{AC}}}{\overline{\mathrm{BC}}}$

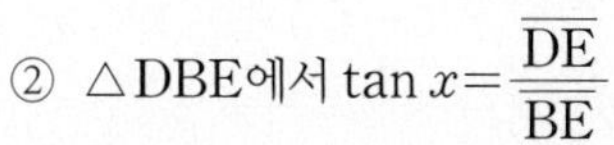

② $\triangle \mathrm{DBE}$에서 $\tan x=\dfrac{\overline{\mathrm{DE}}}{\overline{\mathrm{BE}}}$

③ $\triangle \mathrm{ACD}$에서 $\tan x=\dfrac{\overline{\mathrm{AD}}}{\overline{\mathrm{CD}}}$

⑤ $\triangle \mathrm{CDE}$에서 $\tan x=\dfrac{\overline{\mathrm{CE}}}{\overline{\mathrm{DE}}}$

따라서 $\tan x$의 값이 아닌 것은 ④이다.

07 답 $\frac{5}{4}$

셀파 x절편과 y절편을 이용하여 직각삼각형의 세 변의 길이를 구한다.

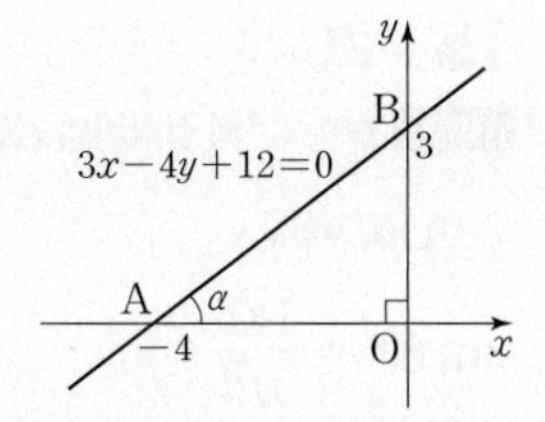

① x절편과 y절편 구하기 [40%]

직선 $3x-4y+12=0$이 x축, y축과 만나는 점을 각각 A, B라 하자.

$3x-4y+12=0$에

$x=0$을 대입하면 $-4y+12=0$

$\therefore y=3$

$y=0$을 대입하면 $3x+12=0$

$\therefore x=-4$

$\therefore \mathrm{A}(-4, 0), \mathrm{B}(0, 3)$

② $\overline{\mathrm{AB}}$의 길이 구하기 [30%]

$\triangle \mathrm{AOB}$에서 $\overline{\mathrm{AO}}=4$, $\overline{\mathrm{BO}}=3$이므로

$\overline{\mathrm{AB}}=\sqrt{\overline{\mathrm{AO}}^2+\overline{\mathrm{BO}}^2}=\sqrt{4^2+3^2}=\sqrt{25}=5$

③ $\dfrac{\tan\alpha}{\sin\alpha}$의 값 구하기 [30%]

따라서 $\sin\alpha=\dfrac{\overline{\mathrm{BO}}}{\overline{\mathrm{AB}}}=\dfrac{3}{5}$, $\tan\alpha=\dfrac{\overline{\mathrm{BO}}}{\overline{\mathrm{AO}}}=\dfrac{3}{4}$이므로

$\dfrac{\tan\alpha}{\sin\alpha}=\tan\alpha\div\sin\alpha=\dfrac{3}{4}\div\dfrac{3}{5}=\dfrac{3}{4}\times\dfrac{5}{3}=\dfrac{5}{4}$

LECTURE 직선의 방정식이 주어질 때, 삼각비의 값 구하기

직선 l이 x축과 이루는 예각의 크기를 α라 할 때

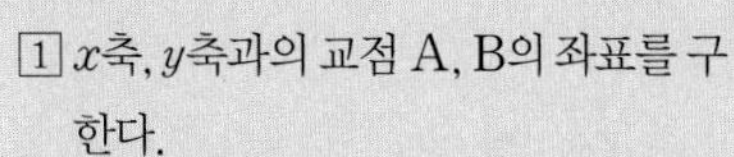

1 x축, y축과의 교점 A, B의 좌표를 구한다.

2 직각삼각형 AOB에서 삼각비의 값을 구한다.

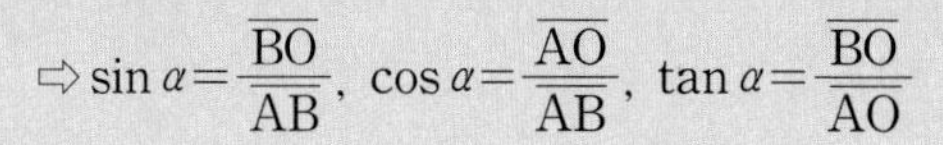

⇨ $\sin\alpha=\dfrac{\overline{\mathrm{BO}}}{\overline{\mathrm{AB}}}$, $\cos\alpha=\dfrac{\overline{\mathrm{AO}}}{\overline{\mathrm{AB}}}$, $\tan\alpha=\dfrac{\overline{\mathrm{BO}}}{\overline{\mathrm{AO}}}$

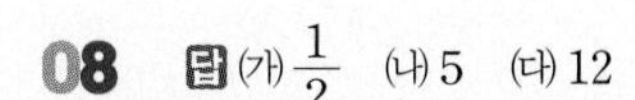

08 답 (가) $\frac{1}{2}$ (나) 5 (다) 12

셀파 꼭짓점 A에서 $\overline{\mathrm{BC}}$에 수선을 그어 직각삼각형을 만든다.

오른쪽 그림과 같이 꼭짓점 A에서 $\overline{\mathrm{BC}}$에 내린 수선의 발을 H라 하면

$\overline{\mathrm{BH}}=\overline{\mathrm{CH}}=\boxed{\frac{1}{2}}\overline{\mathrm{BC}}=\dfrac{1}{2}\times10=\boxed{5}$

$\triangle \mathrm{ABH}$에서

$\overline{\mathrm{AH}}=\sqrt{13^2-\boxed{5}^2}=\sqrt{144}=\boxed{12}$

$\therefore \sin B=\dfrac{\overline{\mathrm{AH}}}{\overline{\mathrm{AB}}}=\dfrac{\boxed{12}}{13}$

LECTURE 평면도형에서 삼각비의 값

평면도형에서 삼각비의 값은 다음과 같은 순서로 구한다.

1 꼭짓점에서 수선을 그어 직각삼각형을 만든다.

2 피타고라스 정리를 이용하여 변의 길이를 구한다.

3 삼각비의 값을 구한다.

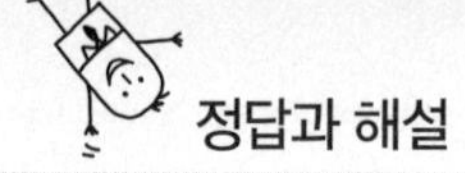

09 답 $\frac{\sqrt{14}}{2}$

셀파 직각삼각형 OAH에서 $\tan x=\frac{\overline{OH}}{\overline{AH}}$

직각삼각형 ABC에서 $\overline{AC}=\sqrt{2^2+2^2}=\sqrt{8}=2\sqrt{2}$이므로

$\overline{AH}=\frac{1}{2}\overline{AC}=\frac{1}{2}\times 2\sqrt{2}=\sqrt{2}$

직각삼각형 OAH에서

$\overline{OH}=\sqrt{\overline{OA}^2-\overline{AH}^2}=\sqrt{3^2-(\sqrt{2})^2}=\sqrt{7}$

$\therefore \tan x=\frac{\overline{OH}}{\overline{AH}}=\frac{\sqrt{7}}{\sqrt{2}}=\frac{\sqrt{14}}{2}$

10 답 ④

셀파 특수한 각의 삼각비의 값을 이용한다.

① $\tan 30^\circ \times \frac{1}{\tan 60^\circ}=\frac{\sqrt{3}}{3}\times\frac{1}{\sqrt{3}}=\frac{1}{3}$

② $\tan 45^\circ-\sqrt{2}\tan 45^\circ=1-\sqrt{2}\times 1=1-\sqrt{2}$

③ $\sin 90^\circ\times\tan 30^\circ+\cos 0^\circ\times\sin 30^\circ$
$=1\times\frac{\sqrt{3}}{3}+1\times\frac{1}{2}=\frac{\sqrt{3}}{3}+\frac{1}{2}$

④ $\sin 30^\circ+\cos 60^\circ+\tan 60^\circ\times\tan 30^\circ$
$=\frac{1}{2}+\frac{1}{2}+\sqrt{3}\times\frac{\sqrt{3}}{3}=2$

⑤ $(\sin 60^\circ+\cos 60^\circ)(\cos 30^\circ-\sin 30^\circ)$
$=\left(\frac{\sqrt{3}}{2}+\frac{1}{2}\right)\left(\frac{\sqrt{3}}{2}-\frac{1}{2}\right)$
$=\left(\frac{\sqrt{3}}{2}\right)^2-\left(\frac{1}{2}\right)^2$
$=\frac{3}{4}-\frac{1}{4}=\frac{2}{4}=\frac{1}{2}$

따라서 옳은 것은 ④이다.

11 답 $\frac{1}{4}$

셀파 삼각형의 세 내각의 크기의 합은 180°임을 이용한다.

삼각형의 세 내각의 크기의 비가 1 : 2 : 3이고, 세 내각의 크기의 합은 180°이므로

$A=180^\circ\times\frac{1}{1+2+3}=180^\circ\times\frac{1}{6}=30^\circ$

$\therefore \sin A\times\cos A\times\tan A=\sin 30^\circ\times\cos 30^\circ\times\tan 30^\circ$
$=\frac{1}{2}\times\frac{\sqrt{3}}{2}\times\frac{\sqrt{3}}{3}$
$=\frac{1}{4}$

12 답 60°

셀파 기준각 x에서 tan의 값을 찾기 쉬운 모양으로 삼각형을 그려 본다.

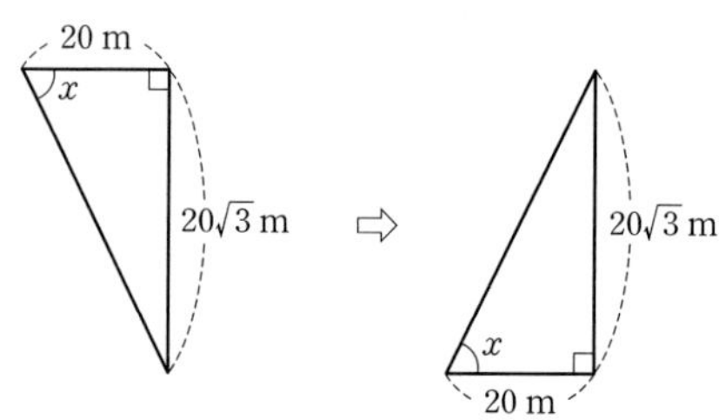

위의 그림에서 $\tan x=\frac{20\sqrt{3}}{20}=\sqrt{3}$이므로

$x=60^\circ$ ($\because 0^\circ<x<90^\circ$)

13 답 $\sqrt{2}-1$

셀파 $\sin(2x-30^\circ)=\frac{\sqrt{3}}{2}$에서 x의 크기를 구한다.

$20^\circ<x<60^\circ$이므로 $40^\circ<2x<120^\circ$

$\therefore 10^\circ<2x-30^\circ<90^\circ$

$2x-30^\circ=A$로 놓으면

$\sin A=\frac{\sqrt{3}}{2}$에서 $A=60^\circ$ ($\because 10^\circ<A<90^\circ$)

$2x-30^\circ=60^\circ$, $2x=90^\circ$ $\quad\therefore x=45^\circ$

$\therefore 2\cos x-\tan x=2\cos 45^\circ-\tan 45^\circ$
$=2\times\frac{\sqrt{2}}{2}-1$
$=\sqrt{2}-1$

14 답 60°

셀파 주어진 이차방정식의 해를 먼저 구한다.

$4x^2-4x+1=0$에서 $(2x-1)^2=0$

$\therefore x=\frac{1}{2}$

따라서 $\cos A=\frac{1}{2}$이므로

$A=60^\circ$ ($\because 0^\circ<A<90^\circ$)

15 답 $6\sqrt{3}$

셀파 60°, 45°의 삼각비의 값을 이용하여 $\overline{BC}$, $\overline{BD}$의 길이를 구한다.

△ABC에서

$\tan 60^\circ=\frac{\overline{BC}}{3\sqrt{2}}=\sqrt{3}$ $\quad\therefore \overline{BC}=3\sqrt{6}$

△DBC에서

$\sin 45^\circ = \frac{\overline{BC}}{\overline{BD}} = \frac{3\sqrt{6}}{\overline{BD}} = \frac{\sqrt{2}}{2}$

$\sqrt{2}\,\overline{BD} = 6\sqrt{6}$ $\quad \therefore \overline{BD} = 6\sqrt{3}$

16 답 $-3\sqrt{3}$

셀파 x축의 양의 방향과 이루는 예각의 크기가 α인 직선의 기울기는 $\tan\alpha$이다.

① α의 크기 구하기 [30 %]

$\sin\alpha = \frac{1}{2}$이므로 $\alpha = 30^\circ$ ($\because 0^\circ < \alpha < 90^\circ$)

② 직선의 기울기 구하기 [30 %]

이때 직선의 기울기는 $\tan 30^\circ = \frac{\sqrt{3}}{3}$이므로

③ 직선의 방정식 구하기 [20 %]

직선의 방정식은 $y = \frac{\sqrt{3}}{3}x + 3$

④ x절편 구하기 [20 %]

$y = \frac{\sqrt{3}}{3}x + 3$에 $y = 0$을 대입하면

$0 = \frac{\sqrt{3}}{3}x + 3$, $\frac{\sqrt{3}}{3}x = -3$

$\therefore x = -\frac{9}{\sqrt{3}} = -3\sqrt{3}$

따라서 x절편은 $-3\sqrt{3}$이다.

17 답 2

셀파 삼각비에서 분모가 되는 변의 길이가 1인 직각삼각형을 찾는다.

△AOB에서 $\angle OAB = 90^\circ - 55^\circ = 35^\circ$이므로

$\sin 35^\circ = \frac{\overline{OB}}{\overline{OA}} = \frac{0.57}{1} = 0.57$

△COD에서 $\tan 55^\circ = \frac{\overline{CD}}{\overline{OD}} = \frac{1.43}{1} = 1.43$

$\therefore \sin 35^\circ + \tan 55^\circ = 0.57 + 1.43 = 2$

18 답 0.2569

셀파 $\tan x = \frac{\overline{CD}}{\overline{OD}}$임을 이용하여 x의 크기를 구한다.

$\tan x = \frac{\overline{CD}}{\overline{OD}} = \frac{0.9004}{1} = 0.9004$

주어진 삼각비의 표에서 $\tan 42^\circ = 0.9004$이므로 $x = 42^\circ$

따라서 △AOB에서 $\overline{OB} = \cos 42^\circ = 0.7431$이므로

$\overline{BD} = \overline{OD} - \overline{OB} = 1 - 0.7431 = 0.2569$

19 답 $\sqrt{3}+2$

셀파 크기가 75°인 각을 찾는다.

직각삼각형 ABD에서

$\tan 60^\circ = \frac{\overline{BD}}{2} = \sqrt{3}$ $\quad \therefore \overline{BD} = 2\sqrt{3}$

$\overline{AD} = \sqrt{2^2 + (2\sqrt{3})^2} = \sqrt{16} = 4$

△ADC가 이등변삼각형이므로 $\overline{DC} = \overline{AD} = 4$

△ABD에서 $\angle ADB = 90^\circ - 60^\circ = 30^\circ$

이때 ∠ADB는 △ADC의 한 외각이고, △ADC는 이등변삼각형이므로 $\angle ADB = \angle CAD + \angle C$에서

$\angle CAD = \angle C = \frac{1}{2}\angle ADB = \frac{1}{2} \times 30^\circ = 15^\circ$

따라서 직각삼각형 ABC에서

$\angle BAC = 60^\circ + 15^\circ = 75^\circ$

이므로

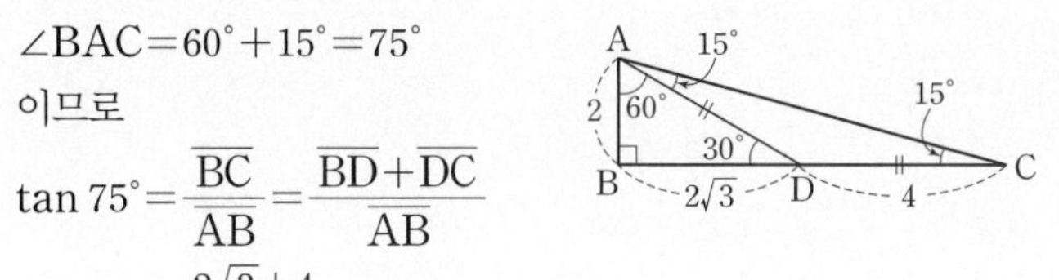

$\tan 75^\circ = \frac{\overline{BC}}{\overline{AB}} = \frac{\overline{BD} + \overline{DC}}{\overline{AB}}$

$= \frac{2\sqrt{3} + 4}{2} = \sqrt{3} + 2$

20 답 ④

셀파 $0^\circ \le x \le 90^\circ$인 범위에서 $\sin x$, $\cos x$, $\tan x$의 값의 변화를 알아본다.

① $0^\circ \le x \le 90^\circ$일 때, x의 크기가 증가하면 $\cos x$의 값은 감소한다.

② $0^\circ \le x \le 90^\circ$일 때, $\sin x$의 값은 0에서 1까지 증가한다.

③ $0^\circ \le x \le 90^\circ$일 때, $\tan x$의 값은 0에서 한없이 증가한다.

⑤ $45^\circ < x < 90^\circ$이면 $\tan x > 1$

따라서 옳은 것은 ④이다.

21 답 ②

셀파 $0^\circ \le x \le 90^\circ$일 때, x의 크기가 증가하면 $\sin x$, $\tan x$의 값은 모두 증가하지만 $\cos x$의 값은 감소한다.

①, ⑤ $0^\circ \le x \le 90^\circ$일 때, x의 크기가 증가하면 $\sin x$, $\tan x$의 값은 모두 증가하므로
$\sin 30^\circ < \sin 55^\circ$, $\tan 62^\circ < \tan 63^\circ$

② $\sin 25^\circ < \sin 60^\circ = \cos 30^\circ < \cos 25^\circ$

③ $\sin 45^\circ = \frac{\sqrt{2}}{2}$, $\tan 45^\circ = 1$이므로
$\sin 45^\circ < \tan 45^\circ$

④ $\sin 50^\circ > \sin 45^\circ = \cos 45^\circ > \cos 50^\circ$

따라서 삼각비의 값의 대소 관계가 옳지 않은 것은 ②이다.

22 답 $\tan A-\cos A$

셀파 $45^\circ<A<90^\circ$일 때, $\cos A$와 $\sin A$, $\sin A$와 $\tan A$의 대소 관계를 알아본다.

$45^\circ<A<90^\circ$일 때, $\cos A<\sin A$이므로

$\cos A-\sin A<0$

또 $45^\circ<A<90^\circ$일 때, $\frac{\sqrt{2}}{2}<\sin A<1$이고 $\tan A>1$이므로

$\sin A<\tan A$

$\therefore \sin A-\tan A<0$

$\therefore \sqrt{(\cos A-\sin A)^2}+\sqrt{(\sin A-\tan A)^2}$

$=-(\cos A-\sin A)-(\sin A-\tan A)$

$=-\cos A+\sin A-\sin A+\tan A$

$=\tan A-\cos A$

23 답 (1) 24 (2) $48\pi-72\sqrt{3}$

셀파 반지름의 길이가 r이고 중심각의 크기가 a°인 부채꼴의 호의 길이는 $2\pi r\times\frac{a}{360}$

① 부채꼴 AOB의 반지름의 길이 구하기 [30 %]

(1) 부채꼴 AOB의 반지름의 길이를 r라 하면

$2\pi r\times\frac{30}{360}=4\pi \qquad \therefore r=24$

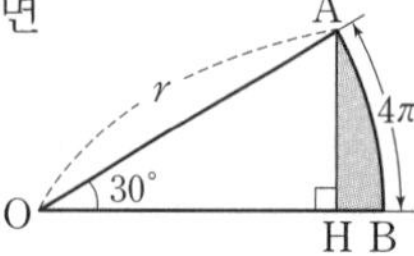

② $\overline{AH}$, $\overline{OH}$의 길이 구하기 [30 %]

(2) 직각삼각형 AOH에서

$\sin 30^\circ=\frac{\overline{AH}}{r}=\frac{\overline{AH}}{24}=\frac{1}{2} \qquad \therefore \overline{AH}=12$

$\cos 30^\circ=\frac{\overline{OH}}{r}=\frac{\overline{OH}}{24}=\frac{\sqrt{3}}{2} \qquad \therefore \overline{OH}=12\sqrt{3}$

③ 색칠한 부분의 넓이 구하기 [40 %]

따라서 색칠한 부분의 넓이는

(부채꼴 AOB의 넓이)$-\triangle$AOH

$=\pi\times r^2\times\frac{30}{360}-\frac{1}{2}\times\overline{OH}\times\overline{AH}$

$=\pi\times 24^2\times\frac{30}{360}-\frac{1}{2}\times12\sqrt{3}\times12$

$=48\pi-72\sqrt{3}$

참고 반지름의 길이가 r이고 호의 길이가 l인 부채꼴의 넓이 S는 $S=\frac{1}{2}rl$임을 이용하여 부채꼴 AOB의 넓이를 구할 수도 있다.

⇨ (부채꼴 AOB의 넓이)$=\frac{1}{2}\times24\times4\pi=48\pi$

24 답 $\frac{27\sqrt{3}}{2}$

셀파 60°의 삼각비의 값을 이용하여 $\triangle$DOC, $\triangle$AOB의 넓이를 각각 구한다.

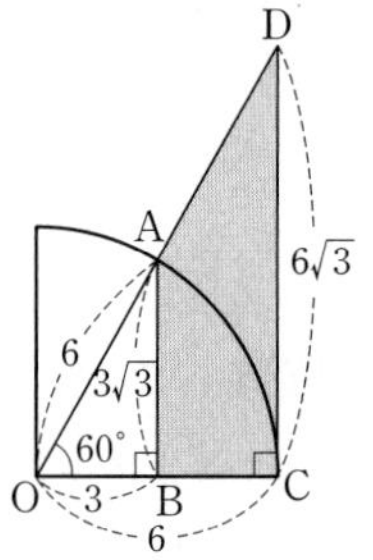

직각삼각형 DOC에서

$\tan 60^\circ=\frac{\overline{DC}}{6}=\sqrt{3} \qquad \therefore \overline{DC}=6\sqrt{3}$

$\therefore \triangle DOC=\frac{1}{2}\times6\times6\sqrt{3}=18\sqrt{3}$

직각삼각형 AOB에서

$\cos 60^\circ=\frac{\overline{OB}}{6}=\frac{1}{2}$

$2\overline{OB}=6 \qquad \therefore \overline{OB}=3$

$\sin 60^\circ=\frac{\overline{AB}}{6}=\frac{\sqrt{3}}{2}$

$2\overline{AB}=6\sqrt{3} \qquad \therefore \overline{AB}=3\sqrt{3}$

$\therefore \triangle AOB=\frac{1}{2}\times3\times3\sqrt{3}=\frac{9\sqrt{3}}{2}$

$\therefore \square ABCD=\triangle DOC-\triangle AOB=18\sqrt{3}-\frac{9\sqrt{3}}{2}=\frac{27\sqrt{3}}{2}$

다른 풀이 (사다리꼴 ABCD의 넓이)

$=\frac{1}{2}\times(\overline{AB}+\overline{DC})\times\overline{BC}$

$=\frac{1}{2}\times(3\sqrt{3}+6\sqrt{3})\times(6-3)$

$=\frac{27\sqrt{3}}{2}$

25 답 (1) $\angle$APQ, $\angle$PQC (2) $3-\sqrt{5}$ (3) $\frac{3+\sqrt{5}}{2}$

셀파 직사각형 모양의 종이를 접었을 때, 접은 각의 크기와 엇각의 크기는 각각 같음을 이용한다.

① $\angle$CPQ와 크기가 같은 각 찾기 [20 %]

(1) $\angle APQ=\angle CPQ=x$ (접은 각), $\angle PQC=\angle APQ=x$ (엇각)

$\therefore \angle CPQ=\angle APQ=\angle PQC$

② $\overline{QH}$의 길이 구하기 [50 %]

(2) 오른쪽 그림과 같이 점 P에서 $\overline{QC}$에 내린 수선의 발을 H라 하면

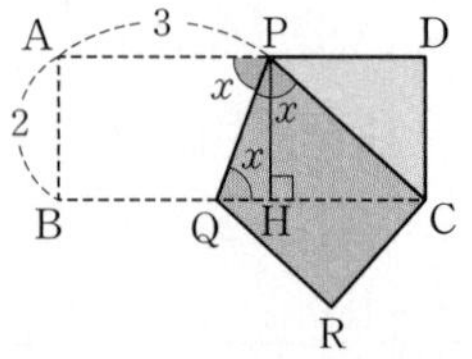

$\overline{PH}=\overline{AB}=2$

$\triangle$CPQ에서 $\angle CPQ=\angle PQC$이므로 $\triangle$CPQ는 $\overline{CP}=\overline{CQ}$인 이등변 삼각형이다. $\therefore \overline{CQ}=\overline{CP}=\overline{AP}=3$

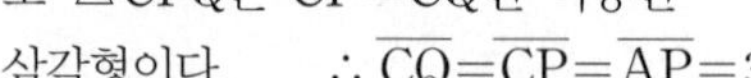

$\triangle$PHC에서 $\overline{CH}=\sqrt{\overline{CP}^2-\overline{PH}^2}=\sqrt{3^2-2^2}=\sqrt{5}$이므로

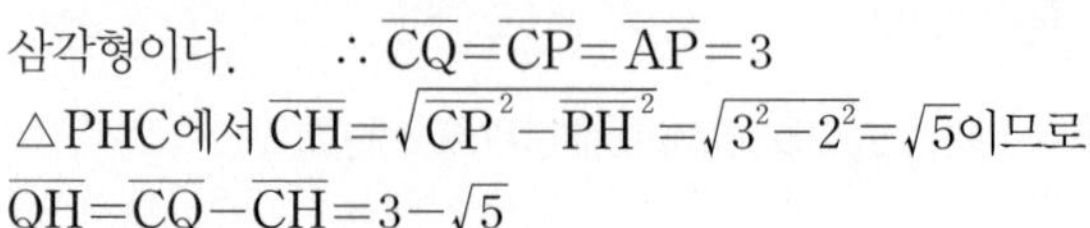

$\overline{QH}=\overline{CQ}-\overline{CH}=3-\sqrt{5}$

③ $\tan x$의 값 구하기 [30 %]

(3) $\triangle$PQH에서

$\tan x=\frac{\overline{PH}}{\overline{QH}}=\frac{2}{3-\sqrt{5}}=\frac{2(3+\sqrt{5})}{4}=\frac{3+\sqrt{5}}{2}$

2 삼각비의 활용

1. 길이 구하기

본문 | 31, 32쪽

1-1 답 (1) $2\sqrt{3}$ (2) 2

(1) $\sin 60^\circ = \dfrac{\overline{AC}}{\overline{AB}} = \dfrac{\boxed{\overline{AC}}}{4}$이므로

$\overline{AC} = \boxed{4} \sin 60^\circ = 4 \times \dfrac{\sqrt{3}}{2} = \boxed{2\sqrt{3}}$

(2) $\cos 60^\circ = \dfrac{\overline{BC}}{\overline{AB}} = \dfrac{\boxed{\overline{BC}}}{4}$이므로

$\overline{BC} = \boxed{4} \cos 60^\circ = 4 \times \dfrac{1}{2} = \boxed{2}$

1-2 답 (1) $2\sqrt{3}$ (2) $5\sqrt{2}$

(1) $\tan 30^\circ = \dfrac{x}{6}$이므로

$x = 6 \tan 30^\circ = 6 \times \dfrac{\sqrt{3}}{3} = 2\sqrt{3}$

(2) $\sin 45^\circ = \dfrac{5}{x}$이므로

$x = \dfrac{5}{\sin 45^\circ} = 5 \div \dfrac{\sqrt{2}}{2} = 5 \times \dfrac{2}{\sqrt{2}} = 5\sqrt{2}$

2-1 답 $2\sqrt{13}$

오른쪽 그림과 같이 꼭짓점 A에서 $\overline{BC}$에 내린 수선의 발을 H라 하면

△AHC에서

$\overline{AH} = 10 \sin 30^\circ = 10 \times \dfrac{1}{2} = 5$

$\overline{CH} = 10 \cos 30^\circ = 10 \times \dfrac{\sqrt{3}}{2} = \boxed{5\sqrt{3}}$

$\therefore \overline{BH} = \overline{BC} - \overline{CH} = 8\sqrt{3} - 5\sqrt{3} = \boxed{3\sqrt{3}}$

따라서 △ABH에서

$\overline{AB} = \sqrt{\overline{BH}^2 + \overline{AH}^2} = \sqrt{(3\sqrt{3})^2 + 5^2} = \sqrt{52} = \boxed{2\sqrt{13}}$

2-2 답 풀이 참조

△ABC에서

$\angle A = 180^\circ - (75^\circ + 60^\circ) = \boxed{45}^\circ$

오른쪽 그림과 같이 꼭짓점 B에서 $\overline{AC}$에 내린 수선의 발을 H라 하면

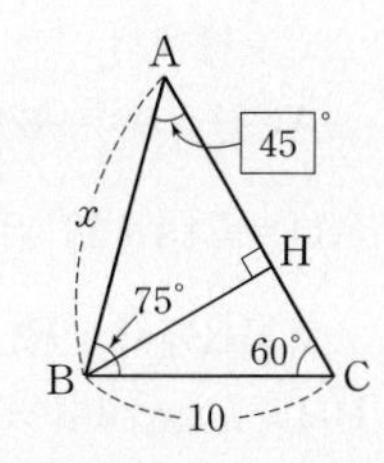

△BCH에서

$\overline{BH} = 10 \sin 60^\circ = 10 \times \dfrac{\sqrt{3}}{2} = \boxed{5\sqrt{3}}$

△ABH에서 $\sin 45^\circ = \dfrac{\overline{BH}}{x}$이므로

$x = \dfrac{\overline{BH}}{\sin \boxed{45}^\circ} = 5\sqrt{3} \div \dfrac{\sqrt{2}}{2} = 5\sqrt{3} \times \dfrac{2}{\sqrt{2}} = \boxed{5\sqrt{6}}$

3-1 답 (1) h (2) $\sqrt{3}h$ (3) $4(\sqrt{3}-1)$

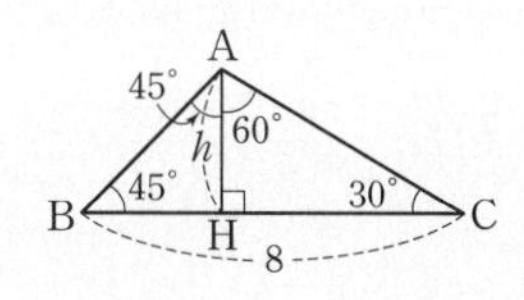

(1) △ABH에서

$\angle BAH = 90^\circ - 45^\circ = 45^\circ$

이므로

$\overline{BH} = h \tan 45^\circ = h$

(2) △AHC에서 $\angle CAH = 90^\circ - 30^\circ = 60^\circ$이므로

$\overline{CH} = h \tan \boxed{60}^\circ = \boxed{\sqrt{3}h}$

(3) $\overline{BC} = \overline{BH} + \overline{CH}$이므로

$8 = h + \boxed{\sqrt{3}h}$, $(1+\sqrt{3})h = 8$

$\therefore h = \dfrac{8}{1+\sqrt{3}} = \dfrac{8(\sqrt{3}-1)}{2} = \boxed{4(\sqrt{3}-1)}$

참고 $\angle BAH$와 $\angle CAH$의 크기를 구하지 않고도 주어진 각의 크기를 이용하여 $\overline{BH}$, $\overline{CH}$의 길이를 나타낼 수 있다.

△ABH에서 $\tan 45^\circ = \dfrac{h}{\overline{BH}}$이므로

$\overline{BH} = \dfrac{h}{\tan 45^\circ} = h$

△AHC에서 $\tan 30^\circ = \dfrac{h}{\overline{CH}}$이므로

$\overline{CH} = \dfrac{h}{\tan 30^\circ} = h \div \dfrac{\sqrt{3}}{3} = h \times \dfrac{3}{\sqrt{3}} = \sqrt{3}h$

3-2 답 (1) h (2) $\dfrac{\sqrt{3}}{3}h$ (3) $6(3+\sqrt{3})$

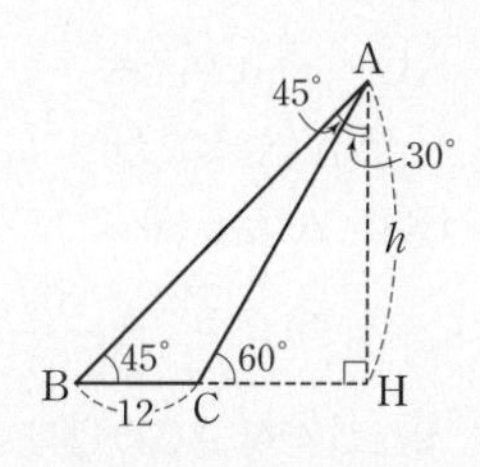

(1) △ABH에서

$\angle BAH = 90^\circ - 45^\circ = 45^\circ$

이므로

$\overline{BH} = h \tan 45^\circ = h$

(2) △ACH에서

$\angle CAH = 90^\circ - 60^\circ = 30^\circ$

이므로

$\overline{CH} = h \tan 30^\circ = \dfrac{\sqrt{3}}{3}h$

(3) $\overline{BC}=\overline{BH}-\overline{CH}$이므로

$12=h-\frac{\sqrt{3}}{3}h$, $\frac{3-\sqrt{3}}{3}h=12$

$\therefore h=12\times\frac{3}{3-\sqrt{3}}=12\times\frac{3(3+\sqrt{3})}{6}=6(3+\sqrt{3})$

▌참고▌ $\angle BAH$와 $\angle CAH$의 크기를 구하지 않고도 주어진 각의 크기를 이용하여 $\overline{BH}$, $\overline{CH}$의 길이를 나타낼 수 있다.

$\triangle ABH$에서 $\tan 45^\circ=\frac{h}{\overline{BH}}$이므로

$\overline{BH}=\frac{h}{\tan 45^\circ}=h$

$\triangle ACH$에서 $\tan 60^\circ=\frac{h}{\overline{CH}}$이므로

$\overline{CH}=\frac{h}{\tan 60^\circ}=\frac{h}{\sqrt{3}}=\frac{\sqrt{3}}{3}h$

유형 익히기 – 확인 문제

본문 | 33~35쪽

01 답 ②, ⑤

셀파 기준각에 대하여 주어진 변과 구하려는 변이 밑변과 높이이므로 tan를 이용한다.

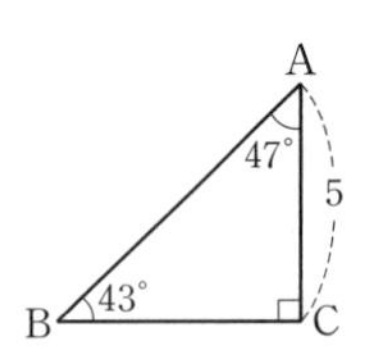

$\tan 43^\circ=\frac{\overline{AC}}{\overline{BC}}=\frac{5}{\overline{BC}}$

$\therefore \overline{BC}=\frac{5}{\tan 43^\circ}$ (②)

또 $\angle A=90^\circ-43^\circ=47^\circ$이므로

$\tan 47^\circ=\frac{\overline{BC}}{\overline{AC}}=\frac{\overline{BC}}{5}$

$\therefore \overline{BC}=5\tan 47^\circ$ (⑤)

02 답 $\left(\frac{20\sqrt{3}}{3}+20\right)$ m

셀파 (나)건물의 높이는 $\overline{BC}=\overline{BD}+\overline{DC}$이다.

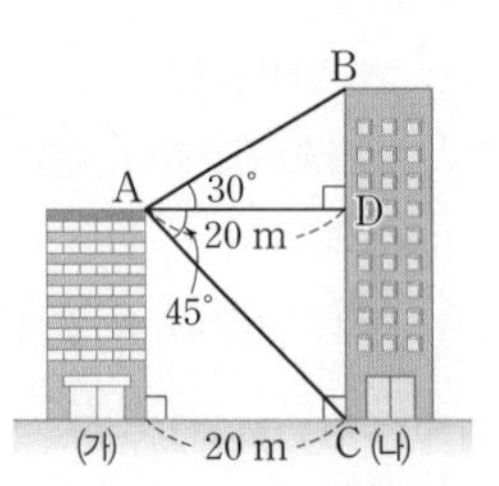

$\overline{AD}=20$ m이므로

직각삼각형 BAD에서

$\overline{BD}=20\tan 30^\circ$

$=20\times\frac{\sqrt{3}}{3}=\frac{20\sqrt{3}}{3}$ (m)

직각삼각형 ACD에서

$\overline{DC}=20\tan 45^\circ=20\times1=20$ (m)

따라서 (나)건물의 높이는

$\overline{BC}=\overline{BD}+\overline{DC}=\frac{20\sqrt{3}}{3}+20$ (m)

03 답 $\sqrt{129}$

셀파 꼭짓점 A에서 $\overline{BC}$의 연장선에 수선을 그어 직각삼각형을 만든다.

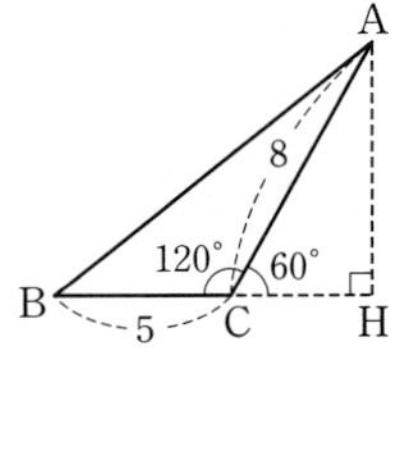

오른쪽 그림과 같이 꼭짓점 A에서 $\overline{BC}$의 연장선에 내린 수선의 발을 H라 하면

$\triangle ACH$에서

$\angle ACH=180^\circ-120^\circ=60^\circ$

이므로

$\overline{AH}=8\sin 60^\circ=8\times\frac{\sqrt{3}}{2}=4\sqrt{3}$,

$\overline{CH}=8\cos 60^\circ=8\times\frac{1}{2}=4$

따라서 $\triangle ABH$에서 $\overline{BH}=\overline{BC}+\overline{CH}=5+4=9$이므로

$\overline{AB}=\sqrt{\overline{BH}^2+\overline{AH}^2}=\sqrt{9^2+(4\sqrt{3})^2}=\sqrt{129}$

04 답 $4\sqrt{2}$

셀파 꼭짓점 A에서 $\overline{BC}$에 수선을 긋는다.

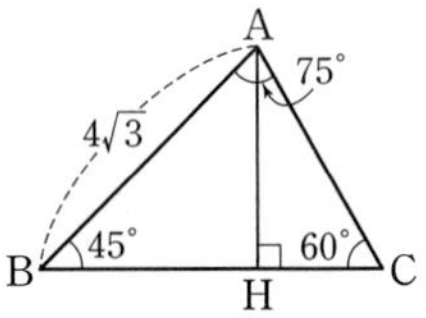

$\triangle ABC$에서

$\angle B=180^\circ-(75^\circ+60^\circ)=45^\circ$

오른쪽 그림과 같이 꼭짓점 A에서 $\overline{BC}$에 내린 수선의 발을 H라 하면

$\triangle ABH$에서

$\overline{AH}=4\sqrt{3}\sin 45^\circ=4\sqrt{3}\times\frac{\sqrt{2}}{2}=2\sqrt{6}$

$\triangle AHC$에서

$\overline{AC}=\frac{\overline{AH}}{\sin 60^\circ}=\frac{2\sqrt{6}}{\sin 60^\circ}$

$=2\sqrt{6}\div\frac{\sqrt{3}}{2}=2\sqrt{6}\times\frac{2}{\sqrt{3}}=4\sqrt{2}$

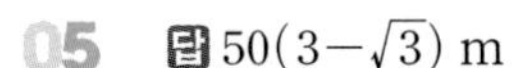

05 답 $50(3-\sqrt{3})$ m

셀파 꼭짓점 C에서 $\overline{AB}$에 수선 CH를 긋고 $\overline{AH}$, $\overline{BH}$의 길이를 $\overline{CH}$에 대한 식으로 나타낸다.

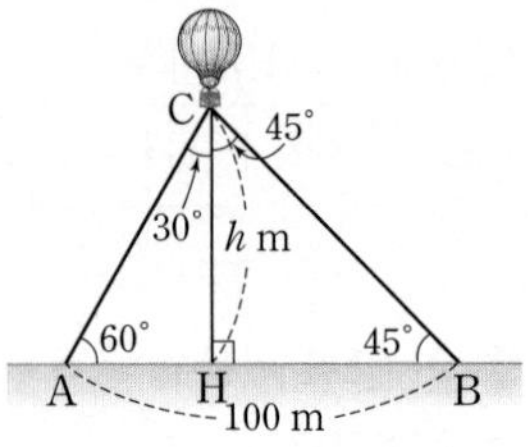

오른쪽 그림과 같이 꼭짓점 C에서 $\overline{AB}$에 내린 수선의 발을 H라 하면 지면으로부터 열기구까지의 높이는 $\overline{CH}$의 길이와 같다.

$\overline{CH}=h$ m라 하면

$\triangle CAH$에서

$\angle ACH=90^\circ-60^\circ=30^\circ$이므로

$\overline{AH}=h\tan 30^\circ=\frac{\sqrt{3}}{3}h$ (m)

$\triangle CHB$에서 $\angle BCH=90^\circ-45^\circ=45^\circ$이므로

$\overline{BH}=h\tan 45^\circ=h$ (m)

이때 $\overline{AB}=\overline{AH}+\overline{BH}$이므로

$100=\frac{\sqrt{3}}{3}h+h$, $\frac{\sqrt{3}+3}{3}h=100$

$\therefore h=\frac{300}{3+\sqrt{3}}=\frac{300(3-\sqrt{3})}{6}=50(3-\sqrt{3})$

따라서 지면으로부터 열기구까지의 높이는 $50(3-\sqrt{3})$ m이다.

06 답 $2\sqrt{3}$

셀파 $\overline{BC}=\overline{BH}-\overline{CH}$임을 이용한다.

$\overline{AH}=h$라 하면

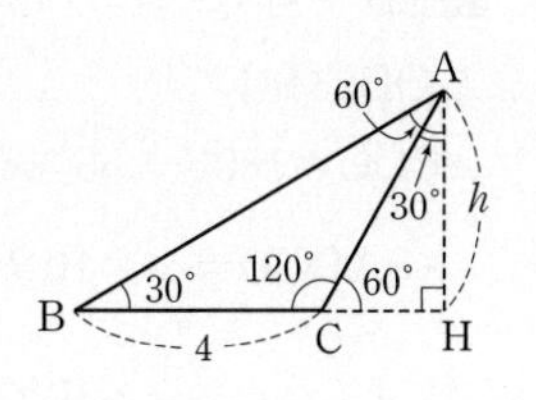

$\triangle ABH$에서

$\angle BAH=90°-30°=60°$이므로

$\overline{BH}=h\tan 60°=\sqrt{3}h$

$\triangle ACH$에서

$\angle CAH=90°-60°=30°$이므로

$\overline{CH}=h\tan 30°=\frac{\sqrt{3}}{3}h$

이때 $\overline{BC}=\overline{BH}-\overline{CH}$이므로

$4=\sqrt{3}h-\frac{\sqrt{3}}{3}h$, $\frac{2\sqrt{3}}{3}h=4$

$\therefore h=4\times\frac{3}{2\sqrt{3}}=\frac{6}{\sqrt{3}}=2\sqrt{3}$

2. 넓이 구하기

본문 | 37 쪽

1-1 답 (1) $5\sqrt{3}$ (2) 8

(1) $\triangle ABC=\frac{1}{2}\times4\times\boxed{5}\times\sin\boxed{60}°$

$=\frac{1}{2}\times4\times5\times\frac{\sqrt{3}}{2}$

$=\boxed{5\sqrt{3}}$

(2) $\triangle ABC=\frac{1}{2}\times8\times\boxed{4}\times\sin(180°-\boxed{150}°)$

$=\frac{1}{2}\times8\times4\times\sin 30°$

$=\frac{1}{2}\times8\times4\times\frac{1}{2}$

$=\boxed{8}$

1-2 답 (1) 7 (2) 4

(1) $\triangle ABC=\frac{1}{2}\times4\times7\times\sin 30°=\frac{1}{2}\times4\times7\times\frac{1}{2}=7$

(2) $\triangle ABC=\frac{1}{2}\times4\sqrt{2}\times2\times\sin(180°-135°)$

$=\frac{1}{2}\times4\sqrt{2}\times2\times\sin 45°$

$=\frac{1}{2}\times4\sqrt{2}\times2\times\frac{\sqrt{2}}{2}$

$=4$

2-1 답 (1) $15\sqrt{2}$ (2) $33\sqrt{3}$

(1) $\square ABCD=5\times\boxed{6}\times\sin\boxed{45}°$

$=5\times6\times\frac{\sqrt{2}}{2}$

$=\boxed{15\sqrt{2}}$

(2) $\square ABCD=\frac{1}{2}\times11\times\boxed{12}\times\sin\boxed{60}°$

$=\frac{1}{2}\times11\times12\times\frac{\sqrt{3}}{2}$

$=\boxed{33\sqrt{3}}$

2-2 답 (1) $55\sqrt{3}$ (2) $21\sqrt{2}$ (3) $48\sqrt{2}$ (4) $20\sqrt{3}$

(1) (평행사변형 ABCD의 넓이)$=10\times11\times\sin 60°$

$=10\times11\times\frac{\sqrt{3}}{2}$

$=55\sqrt{3}$

(2) (평행사변형 ABCD의 넓이)$=6\times7\times\sin(180°-135°)$

$=6\times7\times\sin 45°$

$=6\times7\times\frac{\sqrt{2}}{2}$

$=21\sqrt{2}$

(3) $\square ABCD=\frac{1}{2}\times16\times12\times\sin 45°$

$=\frac{1}{2}\times16\times12\times\frac{\sqrt{2}}{2}$

$=48\sqrt{2}$

(4) $\square ABCD=\frac{1}{2}\times10\times8\times\sin(180°-120°)$

$=\frac{1}{2}\times10\times8\times\sin 60°$

$=\frac{1}{2}\times10\times8\times\frac{\sqrt{3}}{2}$

$=20\sqrt{3}$

본문 | 38~40 쪽

01 답 16

셀파 $\triangle ABC$가 이등변삼각형임을 이용하여 $\angle A$의 크기를 구한다.

$\triangle ABC$는 $\overline{AB}=\overline{AC}$인 이등변삼각형이므로

$\overline{AC}=\overline{AB}=8$, $\angle C=\angle B=75^\circ$

이때 $\angle A=180^\circ-2\times75^\circ=30^\circ$이므로

$\triangle ABC=\frac{1}{2}\times\overline{AB}\times\overline{AC}\times\sin A$

$=\frac{1}{2}\times8\times8\times\sin 30^\circ$

$=\frac{1}{2}\times8\times8\times\frac{1}{2}$

$=16$

02 답 135°

셀파 $\angle C$가 둔각이므로 $\triangle ABC$의 넓이를 구할 때는 $180^\circ-\angle C$를 이용한다.

$\triangle ABC$의 넓이가 $15\sqrt{2}$이므로

$\frac{1}{2}\times6\times10\times\sin(180^\circ-C)=15\sqrt{2}$

$30\sin(180^\circ-C)=15\sqrt{2}$

$\sin(180^\circ-C)=\frac{\sqrt{2}}{2}$

이때 $90^\circ<\angle C<180^\circ$이므로 $0^\circ<180^\circ-\angle C<90^\circ$

또 $\sin 45^\circ=\frac{\sqrt{2}}{2}$이므로 $180^\circ-\angle C=45^\circ$

$\therefore \angle C=135^\circ$

03 답 $14\sqrt{3}$

셀파 대각선 BD를 그어 $\triangle ABD$와 $\triangle BCD$로 나눈다.

오른쪽 그림과 같이 대각선 BD를 그으면

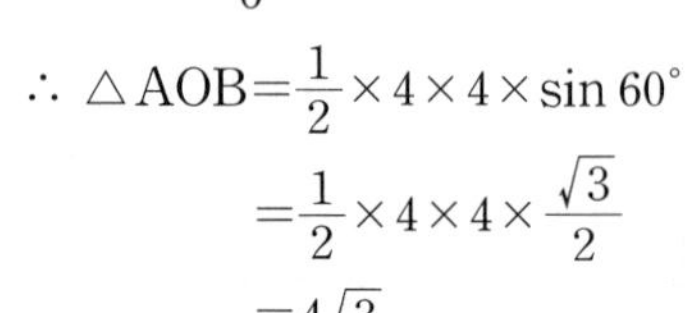

$\square ABCD$

$=\triangle ABD+\triangle BCD$

$=\frac{1}{2}\times2\sqrt{3}\times4\times\sin(180^\circ-150^\circ)$

$+\frac{1}{2}\times8\times6\times\sin 60^\circ$

$=\frac{1}{2}\times2\sqrt{3}\times4\times\sin 30^\circ+\frac{1}{2}\times8\times6\times\sin 60^\circ$

$=\frac{1}{2}\times2\sqrt{3}\times4\times\frac{1}{2}+\frac{1}{2}\times8\times6\times\frac{\sqrt{3}}{2}$

$=2\sqrt{3}+12\sqrt{3}$

$=14\sqrt{3}$

04 답 $8\sqrt{2}$

셀파 마름모는 네 변의 길이가 같은 평행사변형이다.

$\square ABCD$는 마름모이므로 $\overline{CD}=\overline{BC}=4$

또 마름모는 평행사변형이므로

(마름모 ABCD의 넓이) $=4\times4\times\sin(180^\circ-135^\circ)$

$=4\times4\times\sin 45^\circ$

$=4\times4\times\frac{\sqrt{2}}{2}=8\sqrt{2}$

05 답 60

셀파 두 대각선 AC와 BD가 이루는 각의 크기를 구한다.

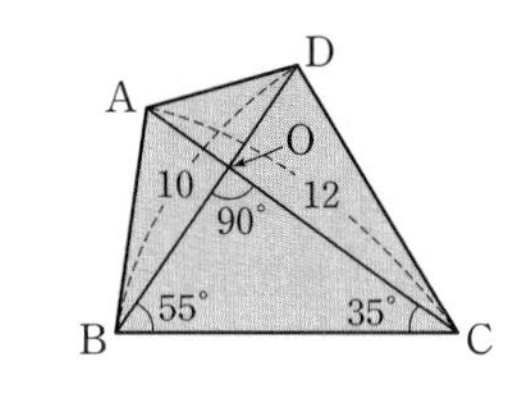

$\triangle OBC$에서

$\angle BOC=180^\circ-(55^\circ+35^\circ)=90^\circ$

$\therefore \square ABCD=\frac{1}{2}\times10\times12\times\sin 90^\circ$

$=\frac{1}{2}\times10\times12\times1=60$

06 답 $24\sqrt{3}$

셀파 정육각형은 합동인 정삼각형 6개로 나누어진다.

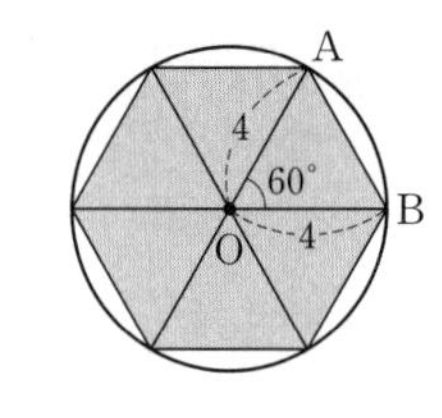

정육각형은 오른쪽 그림과 같이 합동인 정삼각형 6개로 나누어진다. $\triangle AOB$에서

$\overline{OA}=\overline{OB}=4$ (반지름의 길이)

$\angle AOB=\frac{1}{6}\times360^\circ=60^\circ$

$\therefore \triangle AOB=\frac{1}{2}\times4\times4\times\sin 60^\circ$

$=\frac{1}{2}\times4\times4\times\frac{\sqrt{3}}{2}$

$=4\sqrt{3}$

따라서 정육각형의 넓이는 $6\triangle AOB=6\times4\sqrt{3}=24\sqrt{3}$

본문 | 41~43 쪽

01 답 (1) $x=8.5$, $y=5.3$ (2) $x=3.1$, $y=\frac{100}{17}$

셀파 크기가 32°인 각을 기준각으로 삼각비를 나타낸다.

(1) $\cos 32^\circ=\frac{x}{10}$이므로

$x=10\cos 32^\circ=10\times0.85=8.5$

$\sin 32^\circ=\frac{y}{10}$이므로

$y=10\sin 32^\circ=10\times0.53=5.3$

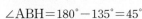

(2) $\triangle ABC$에서 $\angle A=90^\circ-58^\circ=32^\circ$

$\tan 32^\circ=\frac{x}{5}$이므로

$x=5\tan 32^\circ=5\times 0.62=3.1$

$\cos 32^\circ=\frac{5}{y}$이므로

$y=\frac{5}{\cos 32^\circ}=\frac{5}{0.85}=\frac{100}{17}$

$\hookrightarrow 5\div 0.85=5\div\frac{85}{100}=5\times\frac{100}{85}$

02 답 50 m

셀파 산의 높이는 $\overline{CH}$이고 $\overline{CH}=\overline{AH}\tan 45^\circ$이므로 $\overline{AH}$의 길이를 먼저 구한다.

$\triangle ABH$에서

$\overline{AH}=\overline{AB}\sin 30^\circ=100\sin 30^\circ=100\times\frac{1}{2}=50\ (\text{m})$

$\triangle AHC$에서

$\overline{CH}=\overline{AH}\tan 45^\circ=50\tan 45^\circ=50\times 1=50\ (\text{m})$

따라서 산의 높이는 50 m이다.

03 답 $2\sqrt{13}$

셀파 꼭짓점 A에서 $\overline{BC}$의 연장선에 수선을 그어 직각삼각형을 만든다.

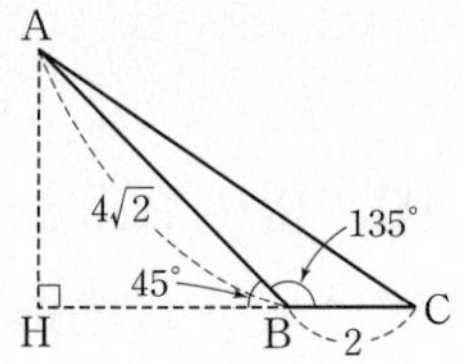

오른쪽 그림과 같이 꼭짓점 A에서 $\overline{BC}$의 연장선에 내린 수선의 발을 H라 하면

$\triangle AHB$에서

$\angle ABH=180^\circ-135^\circ=45^\circ$

$\therefore\ \overline{AH}=4\sqrt{2}\sin 45^\circ=4\sqrt{2}\times\frac{\sqrt{2}}{2}=4$

$\overline{HB}=4\sqrt{2}\cos 45^\circ=4\sqrt{2}\times\frac{\sqrt{2}}{2}=4$

이때 $\overline{HC}=\overline{HB}+\overline{BC}=4+2=6$

따라서 $\triangle AHC$에서

$\overline{AC}=\sqrt{\overline{HC}^2+\overline{AH}^2}=\sqrt{6^2+4^2}=\sqrt{52}=2\sqrt{13}$

04 답 $20\sqrt{7}$ m

셀파 꼭짓점 A에서 $\overline{BC}$에 수선 AH를 그어 $\triangle ACH$에서 $\overline{AH}$와 $\overline{CH}$의 길이를 먼저 구한다.

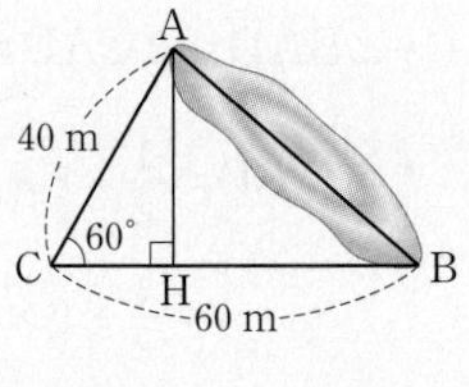

오른쪽 그림과 같이 꼭짓점 A에서 $\overline{BC}$에 내린 수선의 발을 H라 하면

$\triangle ACH$에서

$\overline{AH}=40\sin 60^\circ=40\times\frac{\sqrt{3}}{2}$

$=20\sqrt{3}\ (\text{m})$

$\overline{CH}=40\cos 60^\circ=40\times\frac{1}{2}=20\ (\text{m})$

이때 $\overline{HB}=\overline{CB}-\overline{CH}=60-20=40\ (\text{m})$

따라서 $\triangle AHB$에서

$\overline{AB}=\sqrt{\overline{AH}^2+\overline{HB}^2}=\sqrt{(20\sqrt{3})^2+40^2}=\sqrt{2800}=20\sqrt{7}\ (\text{m})$

05 답 $\frac{100\sqrt{6}}{3}$ m

셀파 꼭짓점 B에서 $\overline{AC}$에 수선을 긋는다.

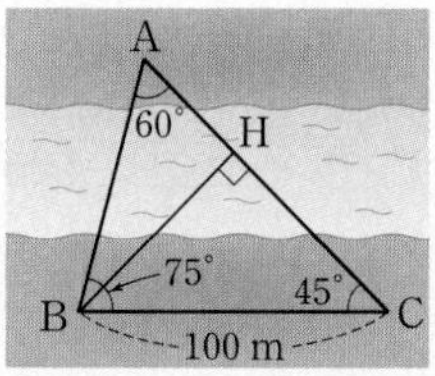

$\triangle ABC$에서

$\angle A=180^\circ-(75^\circ+45^\circ)=60^\circ$

오른쪽 그림과 같이 꼭짓점 B에서 $\overline{AC}$에 내린 수선의 발을 H라 하면

$\triangle BCH$에서

$\overline{BH}=100\sin 45^\circ$

$=100\times\frac{\sqrt{2}}{2}$

$=50\sqrt{2}\ (\text{m})$

$\triangle ABH$에서 $\sin 60^\circ=\frac{\overline{BH}}{\overline{AB}}$이므로

$\overline{AB}=\frac{\overline{BH}}{\sin 60^\circ}=50\sqrt{2}\div\frac{\sqrt{3}}{2}=50\sqrt{2}\times\frac{2}{\sqrt{3}}=\frac{100\sqrt{6}}{3}\ (\text{m})$

06 답 $4(3-\sqrt{3})\ \text{cm}^2$

셀파 꼭짓점 A에서 $\overline{BC}$에 수선을 그어 $\triangle ABC$의 높이를 구한다.

① $\triangle ABC$의 높이 h 구하기 [70 %]

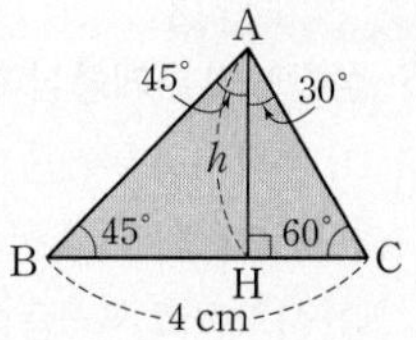

오른쪽 그림과 같이 꼭짓점 A에서 $\overline{BC}$에 내린 수선의 발을 H라 하자.

$\overline{AH}=h$라 하면 $\triangle ABH$에서

$\angle BAH=90^\circ-45^\circ=45^\circ$이므로

$\overline{BH}=h\tan 45^\circ=h$

$\triangle AHC$에서 $\angle CAH=90^\circ-60^\circ=30^\circ$이므로

$\overline{CH}=h\tan 30^\circ=\frac{\sqrt{3}}{3}h$

이때 $\overline{BC}=\overline{BH}+\overline{CH}$이므로

$4=h+\frac{\sqrt{3}}{3}h,\ \frac{3+\sqrt{3}}{3}h=4$

$\therefore\ h=4\times\frac{3}{3+\sqrt{3}}=2(3-\sqrt{3})\ (\text{cm})$

② $\triangle ABC$의 넓이 구하기 [30 %]

따라서 $\triangle ABC$의 넓이는

$\frac{1}{2}\times\overline{BC}\times\overline{AH}=\frac{1}{2}\times 4\times 2(3-\sqrt{3})$

$=4(3-\sqrt{3})\ (\text{cm}^2)$

07 답 ②

셀파 $\overline{AH}$, $\overline{BH}$의 길이를 각각 h를 사용하여 나타낸다.

$\triangle AHC$에서

$\angle ACH = 90^\circ - 29^\circ = 61^\circ$

이므로 $\overline{AH} = h \tan 61^\circ$ (m)

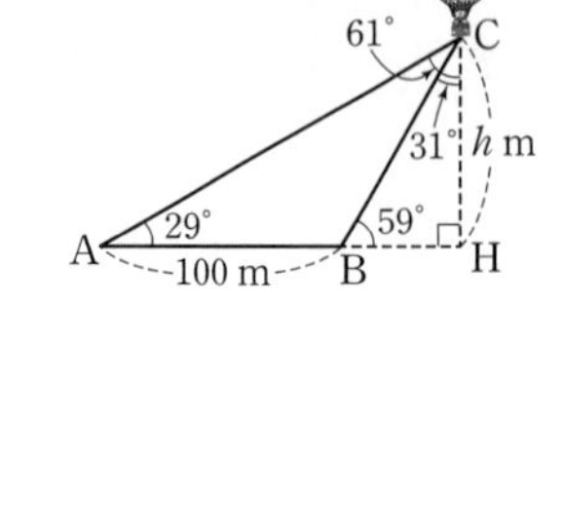

$\triangle BHC$에서

$\angle BCH = 90^\circ - 59^\circ = 31^\circ$

이므로 $\overline{BH} = h \tan 31^\circ$ (m)

이때 $\overline{AB} = \overline{AH} - \overline{BH}$이므로

$100 = h \tan 61^\circ - h \tan 31^\circ$

$h(\tan 61^\circ - \tan 31^\circ) = 100$

$\therefore h = \dfrac{100}{\tan 61^\circ - \tan 31^\circ}$

08 답 $8\sqrt{2}$ cm²

셀파 무게중심의 성질에 의하여 $\triangle AGC = \frac{1}{3}\triangle ABC$이다.

$$\triangle ABC = \frac{1}{2} \times 8 \times 12 \times \sin 45^\circ = \frac{1}{2} \times 8 \times 12 \times \frac{\sqrt{2}}{2} = 24\sqrt{2}\ (\text{cm}^2)$$

이때 점 G는 $\triangle ABC$의 무게중심이므로

$$\triangle AGC = \frac{1}{3}\triangle ABC = \frac{1}{3} \times 24\sqrt{2} = 8\sqrt{2}\ (\text{cm}^2)$$

개념 다시 보기

삼각형의 무게중심과 넓이

(1) 삼각형의 무게중심

삼각형의 세 중선의 교점

(2) 삼각형의 무게중심의 성질

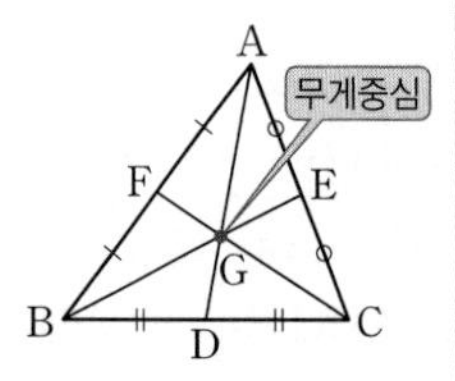

삼각형의 무게중심은 세 중선의 길이를 각 꼭짓점으로부터 각각 2 : 1로 나눈다.

⇨ $\overline{AG} : \overline{GD} = \overline{BG} : \overline{GE} = \overline{CG} : \overline{GF} = 2 : 1$

(3) 삼각형의 무게중심과 넓이

① 세 중선에 의하여 삼각형의 넓이는 6등분된다.

⇨ $\triangle GAF = \triangle GBF = \triangle GBD = \triangle GCD = \triangle GCE = \triangle GAE = \frac{1}{6}\triangle ABC$

② 삼각형의 무게중심과 세 꼭짓점을 이어서 생기는 세 삼각형의 넓이는 같다.

⇨ $\triangle GAB = \triangle GBC = \triangle GCA = \frac{1}{3}\triangle ABC$

09 답 $\left(\frac{20}{3}\pi - 4\right)$ cm²

셀파 $\overline{OC}$를 그으면

(색칠한 부분의 넓이)=(부채꼴 AOC의 넓이)$-\triangle AOC$

1 부채꼴 AOC의 넓이 구하기 [50 %]

오른쪽 그림과 같이 $\overline{OC}$를 그으면

$\overline{OA} = \overline{OC} = \frac{1}{2} \times 8 = 4$ (cm)

$\angle OCA = \angle OAC = 15^\circ$이므로

$\angle AOC = 180^\circ - (15^\circ + 15^\circ) = 150^\circ$

부채꼴 AOC의 넓이는

$\pi \times 4^2 \times \dfrac{150^\circ}{360^\circ} = \dfrac{20}{3}\pi\ (\text{cm}^2)$

2 $\triangle AOC$의 넓이 구하기 [30 %]

$\triangle AOC$의 넓이는

$\frac{1}{2} \times 4 \times 4 \times \sin(180^\circ - 150^\circ) = \frac{1}{2} \times 4 \times 4 \times \frac{1}{2} = 4\ (\text{cm}^2)$ ($\sin 30^\circ = \frac{1}{2}$)

3 색칠한 부분의 넓이 구하기 [20 %]

따라서 색칠한 부분의 넓이는

(부채꼴 AOC의 넓이)$-\triangle AOC = \frac{20}{3}\pi - 4\ (\text{cm}^2)$

10 답 (1) $12\sqrt{3}$ cm²

(2) $\triangle ABD = 2\sqrt{3}x$ cm², $\triangle ADC = \dfrac{3\sqrt{3}}{2}x$ cm²

(3) $\dfrac{24}{7}$ cm

셀파 $\triangle ABC$의 넓이를 두 가지 방법으로 나타내어 비교한다.

1 $\triangle ABC$의 넓이 구하기 [35 %]

(1) $$\triangle ABC = \frac{1}{2} \times 8 \times 6 \times \sin(180^\circ - 120^\circ) = \frac{1}{2} \times 8 \times 6 \times \sin 60^\circ = \frac{1}{2} \times 8 \times 6 \times \frac{\sqrt{3}}{2} = 12\sqrt{3}\ (\text{cm}^2)$$

2 $\triangle ABD$, $\triangle ADC$의 넓이를 각각 x를 사용하여 나타내기 [35 %]

(2) $\angle BAD = \angle CAD = \frac{1}{2} \times 120^\circ = 60^\circ$이고 $\overline{AD} = x$ cm이므로

$$\triangle ABD = \frac{1}{2} \times 8 \times x \times \sin 60^\circ = \frac{1}{2} \times 8 \times x \times \frac{\sqrt{3}}{2} = 2\sqrt{3}x\ (\text{cm}^2)$$

$\triangle ADC=\frac{1}{2}\times x\times 6\times\sin 60^\circ$

$=\frac{1}{2}\times x\times 6\times\frac{\sqrt{3}}{2}$

$=\frac{3\sqrt{3}}{2}x\ (\text{cm}^2)$

③ $\overline{AD}$의 길이 구하기 [30 %]

(3) $\triangle ABC=\triangle ABD+\triangle ADC$이므로

$12\sqrt{3}=2\sqrt{3}x+\frac{3\sqrt{3}}{2}x$, $\frac{7\sqrt{3}}{2}x=12\sqrt{3}$

$\therefore x=12\sqrt{3}\times\frac{2}{7\sqrt{3}}=\frac{24}{7}$

따라서 $\overline{AD}$의 길이는 $\frac{24}{7}$ cm이다.

11 답 $85\sqrt{3}$

셀파 $\square ABCD=\triangle ABC+\triangle ACD$

$\triangle ABC$에서

$\overline{AC}=20\sin 60^\circ=20\times\frac{\sqrt{3}}{2}$

$=10\sqrt{3}$

$\angle BCA=90^\circ-60^\circ=30^\circ$

$\therefore \square ABCD$

$=\triangle ABC+\triangle ACD$

$=\frac{1}{2}\times 20\times 10\sqrt{3}\times\sin 30^\circ+\frac{1}{2}\times 10\sqrt{3}\times 14\times\sin 30^\circ$

$=\frac{1}{2}\times 20\times 10\sqrt{3}\times\frac{1}{2}+\frac{1}{2}\times 10\sqrt{3}\times 14\times\frac{1}{2}$

$=50\sqrt{3}+35\sqrt{3}=85\sqrt{3}$

12 답 $5\sqrt{3}$ cm^2

셀파 $\triangle AMC=\frac{1}{2}\triangle ABC=\frac{1}{4}\square ABCD$

$\square ABCD$는 평행사변형이므로 $\overline{CD}=\overline{AB}=5$ cm

$\therefore \square ABCD=8\times 5\times\sin(180^\circ-120^\circ)$

$=8\times 5\times\sin 60^\circ$

$=8\times 5\times\frac{\sqrt{3}}{2}$

$=20\sqrt{3}\ (\text{cm}^2)$

이때 $\overline{BM}=\overline{MC}$이므로

$\triangle ABM=\triangle AMC=\frac{1}{2}\triangle ABC$

$\therefore \triangle AMC=\frac{1}{2}\triangle ABC=\frac{1}{2}\times\left(\frac{1}{2}\square ABCD\right)$

$=\frac{1}{4}\square ABCD=\frac{1}{4}\times 20\sqrt{3}=5\sqrt{3}\ (\text{cm}^2)$

13 답 $20\sqrt{3}$ cm^2

셀파 $\overline{AE}/\!/\overline{DC}$이므로 $\triangle AED=\triangle AEC$임을 이용한다.

$\overline{AE}/\!/\overline{DC}$이므로 $\triangle AED=\triangle AEC$

$\therefore \square ABED=\triangle ABE+\triangle AED$

$=\triangle ABE+\triangle AEC$

$=\triangle ABC$

$=\frac{1}{2}\times 8\times 10\times\sin 60^\circ$

$=\frac{1}{2}\times 8\times 10\times\frac{\sqrt{3}}{2}$

$=20\sqrt{3}\ (\text{cm}^2)$

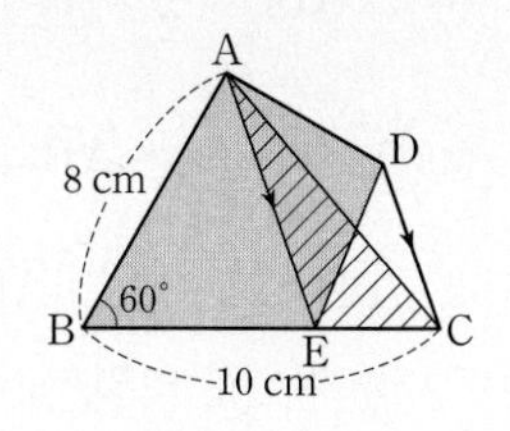

14 답 $4\sqrt{5}$ cm

셀파 등변사다리꼴의 두 대각선의 길이는 서로 같음을 이용한다.

등변사다리꼴의 두 대각선의 길이는 서로 같으므로

$\overline{AC}=x$ cm라 하면 $\overline{BD}=\overline{AC}=x$ cm

등변사다리꼴 ABCD의 넓이가 20 cm^{2}이므로

$\frac{1}{2}\times x\times x\times\sin(180^\circ-150^\circ)=20$

$\frac{1}{2}\times x\times x\times\sin 30^\circ=20$

$\frac{1}{2}\times x\times x\times\frac{1}{2}=20$

$\frac{1}{4}x^2=20$

$x^2=80\qquad \therefore x=4\sqrt{5}\ (\because x>0)$

따라서 $\overline{AC}$의 길이는 $4\sqrt{5}$ cm이다.

15 답 4.3 cm

셀파 점 B에서 $\overline{OA}$에 내린 수선의 발을 H라 하면 구하는 것은 $\overline{AH}$의 길이이다.

다음 그림과 같이 점 B에서 $\overline{OA}$에 내린 수선의 발을 H라 하자.

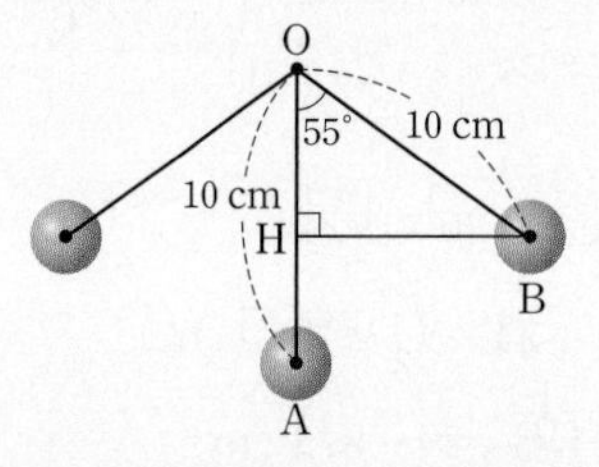

$\triangle OHB$에서

$\overline{OH}=10\cos 55^\circ=10\times 0.57=5.7\ (\text{cm})$

따라서 $\overline{AH}=\overline{OA}-\overline{OH}=10-5.7=4.3\ (\text{cm})$이므로

B 지점은 A 지점보다 4.3 cm 더 높다.

16 답 (1) ab (2) 85, 120, 85, 120, 102 (3) 2 % 증가하였다.

셀파 △A′BC′의 넓이를 △ABC의 넓이에 대한 식으로 나타낸다.

(1) $\triangle ABC=\frac{1}{2}\times\boxed{ab}\times\sin B$

(2) $\overline{A'B}$의 길이는 $\overline{AB}$의 길이를 15 % 줄인 것이므로

$$\overline{A'B}=\left(1-\frac{15}{100}\right)\overline{AB}=\frac{\boxed{85}}{100}a$$

$\overline{BC'}$의 길이는 $\overline{BC}$의 길이를 20 % 늘인 것이므로

$$\overline{BC'}=\left(1+\frac{20}{100}\right)\overline{BC}=\frac{\boxed{120}}{100}b$$

$$\therefore \triangle A'BC'=\frac{1}{2}\times\frac{\boxed{85}}{100}a\times\frac{\boxed{120}}{100}b\times\sin B$$
$$=\frac{102}{100}\times\left(\frac{1}{2}\times ab\times\sin B\right)$$
$$=\frac{\boxed{102}}{100}\triangle ABC$$

(3) $\triangle A'BC'=\frac{102}{100}\triangle ABC$
$$=\left(1+\frac{2}{100}\right)\triangle ABC$$

따라서 △A′BC′의 넓이는 △ABC의 넓이보다 2 % 증가하였다.

17 답 초속 $(12-4\sqrt{3})$ m

셀파 $(\text{속력})=\frac{(\text{거리})}{(\text{시간})}$임을 이용한다.

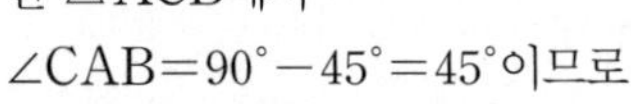

오른쪽 그림과 같이 등대의 윗부분을 A, 아랫부분을 B라 하고 처음 배의 위치를 C, 2초 후의 배의 위치를 D라 하면 △ACB에서

$\angle CAB=90^\circ-45^\circ=45^\circ$이므로

$\overline{CB}=24\tan 45^\circ=24\times1=24$ (m)

△ADB에서

$\angle DAB=90^\circ-60^\circ=30^\circ$이므로

$\overline{DB}=24\tan 30^\circ=24\times\frac{\sqrt{3}}{3}=8\sqrt{3}$ (m)

이때 $\overline{CD}=\overline{CB}-\overline{DB}=24-8\sqrt{3}$ (m)

따라서 배가 2초 동안 움직인 거리는 $\overline{CD}$이므로 배의 속력은

$$\frac{\overline{CD}}{2}=\frac{24-8\sqrt{3}}{2}=12-4\sqrt{3}$$

즉 초속 $(12-4\sqrt{3})$ m이다.

Ⅱ. 원의 성질

3 원과 직선

1. 원의 현

본문 | 47 쪽

1-1 답 8 cm

직각삼각형 OAM에서

$\overline{AM}=\sqrt{\overline{OA}^2-\overline{OM}^2}=\sqrt{5^2-3^2}=\sqrt{16}=\boxed{4}$ (cm)

$\therefore \overline{AB}=2\overline{AM}=2\times4=\boxed{8}$ (cm)

1-2 답 (1) 24 (2) 6

(1) 직각삼각형 OAM에서

$\overline{AM}=\sqrt{\overline{OA}^2-\overline{OM}^2}=\sqrt{13^2-5^2}=\sqrt{144}=12$ (cm)

$\overline{AB}=2\overline{AM}=2\times12=24$ (cm)

$\therefore x=24$

(2) $\overline{AB}=16$ cm이므로 $\overline{AM}=\frac{1}{2}\overline{AB}=\frac{1}{2}\times16=8$ (cm)

직각삼각형 OMA에서

$\overline{OM}=\sqrt{\overline{OA}^2-\overline{AM}^2}=\sqrt{10^2-8^2}=\sqrt{36}=6$ (cm)

$\therefore x=6$

2-1 답 (1) 10 (2) 8

(1) 원의 중심에서 현에 내린 수선은 그 현을 이등분하므로

$\overline{AM}=\overline{BM}$

$\therefore \overline{AB}=2\overline{AM}=2\times5=10$ (cm)

$\overline{OM}=\overline{ON}$이므로 $\overline{CD}=\overline{AB}=\boxed{10}$ cm

$\therefore x=\boxed{10}$

(2) 원의 중심에서 현에 내린 수선은 그 현을 이등분하므로

$\overline{CN}=\overline{DN}$

$\therefore \overline{CD}=2\overline{CN}=2\times7=14$ (cm)

$\overline{AB}=\overline{CD}$이므로 $\overline{ON}=\overline{OM}=\boxed{8}$ cm

$\therefore x=\boxed{8}$

2-2 답 (1) 6 (2) 2

(1) $\overline{OM}=\overline{ON}$이므로 $\overline{CD}=\overline{AB}=12$ cm

원의 중심에서 현에 내린 수선은 그 현을 이등분하므로

$\overline{CN}=\frac{1}{2}\overline{CD}=\frac{1}{2}\times12=6$ (cm)

$\therefore x=6$

(2) 원의 중심에서 현에 내린 수선은 그 현을 이등분하므로

$\overline{AM}=\overline{BM}$

$\therefore \overline{AB}=2\overline{BM}=2\times3=6\ (cm)$

$\overline{AB}=\overline{AC}$이므로 $\overline{ON}=\overline{OM}=2\ cm$

$\therefore x=2$

본문 | 50~53쪽

01 답 $8\sqrt{3}\ cm$

셀파 원의 중심에서 현에 내린 수선은 그 현을 이등분한다.

$\overline{OC}=\overline{OA}=8\ cm$이므로

$\overline{OM}=\frac{1}{2}\overline{OC}=\frac{1}{2}\times8=4\ (cm)$

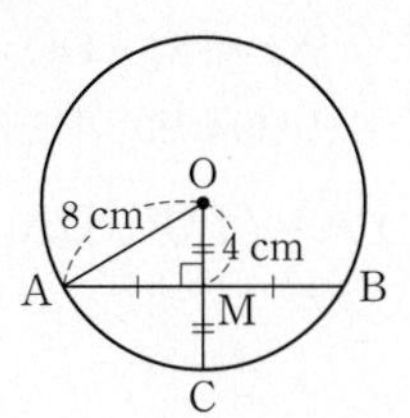

직각삼각형 OAM에서

$\overline{AM}=\sqrt{\overline{OA}^2-\overline{OM}^2}$

$=\sqrt{8^2-4^2}=\sqrt{48}=4\sqrt{3}\ (cm)$

$\therefore \overline{AB}=2\overline{AM}=2\times4\sqrt{3}=8\sqrt{3}\ (cm)$

02 답 8 cm

셀파 $\overline{OM}=\overline{ON}=3\ cm$이므로 두 현 AB, CD는 원의 중심으로부터 같은 거리에 있다.

직각삼각형 ONC에서

$\overline{CN}=\sqrt{\overline{OC}^2-\overline{ON}^2}=\sqrt{5^2-3^2}=\sqrt{16}=4\ (cm)$

$\overline{ON}\perp\overline{CD}$이므로 $\overline{CD}=2\overline{CN}=2\times4=8\ (cm)$

$\overline{OM}=\overline{ON}$이므로 $\overline{AB}=\overline{CD}=8\ cm$

03 답 $53°$

셀파 △ABC는 $\overline{AC}=\overline{BC}$인 이등변삼각형이므로 두 밑각의 크기가 같다.

□ONCM에서

$\angle MON+\angle ONC+\angle C+\angle CMO=360°$

$106°+90°+\angle C+90°=360°$

$\therefore \angle C=74°$

$\overline{OM}=\overline{ON}$이므로 $\overline{AC}=\overline{BC}$

즉 △ABC는 이등변삼각형이므로 $\angle A=\angle B=\angle x$

$\therefore \angle x=\frac{1}{2}\times(180°-74°)=53°$

04 답 18 cm

셀파 원에서 현의 수직이등분선은 그 원의 중심을 지난다.

$\overline{CD}$는 현 AB의 수직이등분선이므로 원의 중심을 O라 하면 $\overline{CD}$의 연장선은 원의 중심 O를 지난다.

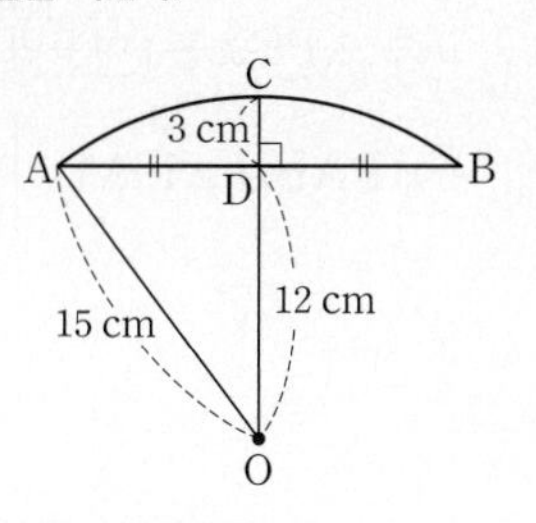

오른쪽 그림에서 $\overline{OA}=\overline{OC}=15\ cm$이므로

$\overline{OD}=\overline{OC}-\overline{CD}=15-3=12\ (cm)$

직각삼각형 AOD에서

$\overline{AD}=\sqrt{15^2-12^2}=\sqrt{81}=9\ (cm)$

$\therefore \overline{AB}=2\overline{AD}=2\times9=18\ (cm)$

05 답 $\frac{16\sqrt{3}}{3}\ cm$

셀파 원의 중심에서 현에 수선을 그어 직각삼각형을 만든다.

오른쪽 그림과 같이 원의 중심 O에서 $\overline{AB}$에 내린 수선의 발을 M, $\overline{OM}$의 연장선이 $\widehat{AB}$와 만나는 점을 C라 하자.

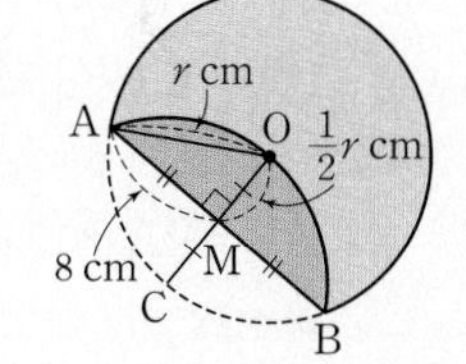

원 O의 반지름의 길이를 r cm라 하면

$\overline{OA}=\overline{OC}=r\ cm$이므로

$\overline{OM}=\overline{CM}=\frac{1}{2}\overline{OC}=\frac{1}{2}r\ (cm)$

$\overline{AM}=\overline{BM}=\frac{1}{2}\overline{AB}=\frac{1}{2}\times16=8\ (cm)$

직각삼각형 OAM에서 $r^2=8^2+\left(\frac{1}{2}r\right)^2$

$\frac{3}{4}r^2=64,\ r^2=\frac{256}{3}\qquad \therefore r=\frac{16\sqrt{3}}{3}\ (\because r>0)$

따라서 원의 반지름의 길이는 $\frac{16\sqrt{3}}{3}$ cm이다.

2. 원의 접선

본문 | 55쪽

1-1 답 (1) $\sqrt{21}$ (2) 65

(1) 원의 접선은 그 접점을 지나는 반지름과 수직이므로

$\angle PAO=\boxed{90}°$

△APO에서 $\overline{PA}=\sqrt{5^2-2^2}=\boxed{\sqrt{21}}\ (cm)$

$\therefore \overline{PB}=\overline{PA}=\sqrt{21}\ cm$

$\therefore x=\boxed{\sqrt{21}}$

(2) 원 밖의 한 점에서 그 원에 그은 두 접선의 길이는 같으므로
$\overline{PA}=\overline{PB}$
즉 $\triangle PBA$는 이등변 삼각형이므로
$\angle PAB=\angle PBA=\boxed{\frac{1}{2}}\times(180°-50°)=\boxed{65}°$
$\therefore x=\boxed{65}$

1-2 답 (1) 65 (2) 60 (3) 12 (4) 40

(1) $\angle PAO=90°$이므로 $\triangle OPA$에서
$\angle POA=180°-(25°+90°)=65°$
$\therefore x=65$

(2) $\angle PAO=90°$, $\angle PBO=90°$이므로 □APBO에서
$\angle APB=360°-(90°+120°+90°)=60°$
$\therefore x=60$

(3) $\angle PAO=90°$이므로 $\triangle APO$에서
$\overline{PA}=\sqrt{13^2-5^2}=\sqrt{144}=12\ (\text{cm})$
$\therefore \overline{PB}=\overline{PA}=12\text{ cm}$
$\therefore x=12$

(4) $\overline{PA}=\overline{PB}$이므로 $\triangle PBA$는 이등변삼각형이다.
$\angle PBA=\angle PAB=70°$이므로
$\angle APB=180°-(70°+70°)=40°$
$\therefore x=40$

2-1 답 30 cm

원 밖의 한 점에서 그 원에 그은 두 접선의 길이는 같으므로
$\overline{AF}=\overline{AD}=3\text{ cm}$, $\overline{BD}=\overline{BE}=\boxed{7}\text{ cm}$, $\overline{CE}=\overline{CF}=\boxed{5}\text{ cm}$
$\therefore$ ($\triangle ABC$의 둘레의 길이)
$=\overline{AB}+\overline{BC}+\overline{CA}$
$=(\overline{AD}+\overline{BD})+(\overline{BE}+\overline{CE})+(\overline{CF}+\overline{AF})$
$=(3+7)+(7+5)+(5+3)$
$=\boxed{30}\ (\text{cm})$

2-2 답 14 cm

원 밖의 한 점에서 그 원에 그은 두 접선의 길이는 같으므로
$\overline{BE}=\overline{BD}=8\text{ cm}$, $\overline{AF}=\overline{AD}=5\text{ cm}$
$\overline{CE}=\overline{CF}=\overline{AC}-\overline{AF}=11-5=6\ (\text{cm})$
$\therefore \overline{BC}=\overline{BE}+\overline{CE}=8+6=14\ (\text{cm})$

2-3 답 $\overline{BC}$, 9, 8

원에 외접하는 사각형의 대변의 길이의 합은 같으므로
$\overline{AB}+\overline{CD}=\overline{AD}+\boxed{\overline{BC}}$
$7+x=6+\boxed{9}\qquad \therefore x=\boxed{8}$

유형 익히기 - 확인 문제

본문 | 56~60 쪽

01 답 12 cm

셀파 $\overline{PA}$가 원 O의 접선이므로 $\overline{OA}\perp\overline{PA}$, 즉 $\angle PAO=90°$이다.

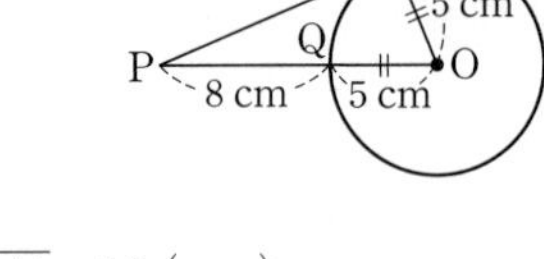

$\overline{OA}$, $\overline{OQ}$는 모두 원 O의 반지름이므로
$\overline{OQ}=\overline{OA}=5\text{ cm}$
$\therefore \overline{PO}=\overline{PQ}+\overline{OQ}=13\ (\text{cm})$
$\angle PAO=90°$이므로 $\triangle APO$에서
$\overline{PA}=\sqrt{\overline{PO}^2-\overline{OA}^2}=\sqrt{13^2-5^2}=\sqrt{144}=12\ (\text{cm})$

02 답 6 cm

셀파 원의 접선의 성질로부터 $\angle PAO=\angle PBO=90°$, $\overline{PA}=\overline{PB}$이다.

오른쪽 그림과 같이 $\overline{OP}$를 그으면
$\triangle PAO$와 $\triangle PBO$에서
$\angle PAO=\angle PBO=90°$,
$\overline{PA}=\overline{PB}$, $\overline{OP}$는 공통이므로
$\triangle PAO\equiv\triangle PBO$ (RHS 합동)

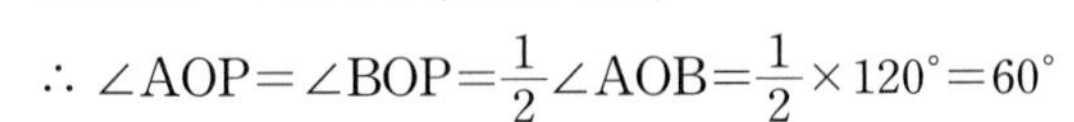

$\therefore \angle AOP=\angle BOP=\frac{1}{2}\angle AOB=\frac{1}{2}\times120°=60°$
따라서 $\triangle PAO$에서 $\tan 60°=\frac{\overline{PA}}{2\sqrt{3}}$이므로
$\overline{PA}=2\sqrt{3}\tan 60°=2\sqrt{3}\times\sqrt{3}=6\ (\text{cm})$

03 답 12 cm

셀파 원 밖의 한 점에서 그 원에 그은 두 접선의 길이는 같음을 이용한다.

점 B에서 원 O에 그은 두 접선의 길이는 같으므로 $\overline{BD}=\overline{BE}$

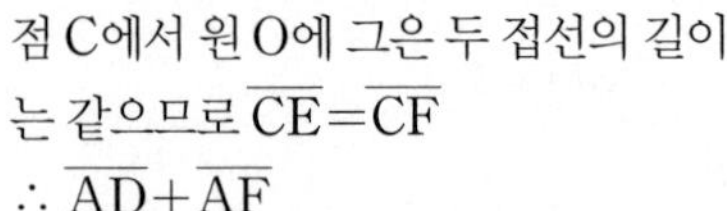

점 C에서 원 O에 그은 두 접선의 길이는 같으므로 $\overline{CE}=\overline{CF}$

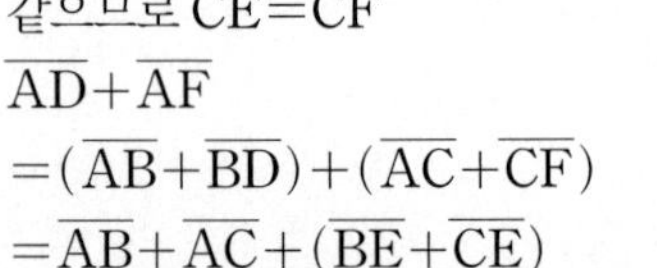

$\therefore \overline{AD}+\overline{AF}$
$=(\overline{AB}+\overline{BD})+(\overline{AC}+\overline{CF})$
$=\overline{AB}+\overline{AC}+(\overline{BE}+\overline{CE})$
$=\overline{AB}+\overline{AC}+\overline{BC}$
$=8+9+7=24\ (\text{cm})$

이때 점 A에서 원 O에 그은 두 접선의 길이는 같으므로

$\overline{AD}=\overline{AF}$

$\therefore \overline{AD}=\frac{1}{2}(\overline{AD}+\overline{AF})=\frac{1}{2}\times 24=12\ (cm)$

04 답 $72\pi\ cm^2$

셀파 점 D에서 $\overline{BC}$에 수선을 긋는다.

$\overline{CB}=\overline{CE}=16\ cm,\ \overline{DA}=\overline{DE}=9\ cm$

점 D에서 $\overline{BC}$에 내린 수선의 발을 H라 하면 $\overline{HB}=\overline{DA}=9\ cm$

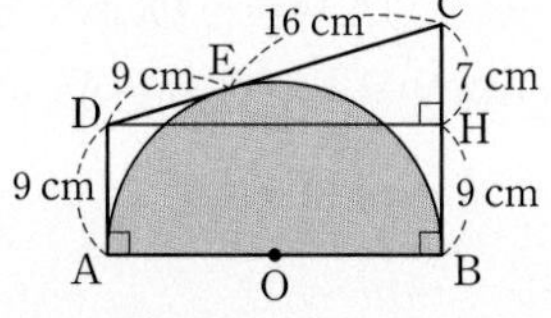

$\therefore \overline{CH}=\overline{CB}-\overline{HB}$

$=16-9=7\ (cm)$

직각삼각형 DHC에서

$\overline{DH}=\sqrt{\overline{CD}^2-\overline{CH}^2}=\sqrt{25^2-7^2}=\sqrt{576}=24\ (cm)$

따라서 $\overline{AB}=\overline{DH}=24\ cm$이므로 반원 O의 넓이는

$\frac{1}{2}\times\pi\times\left(\frac{\overline{AB}}{2}\right)^2=\frac{1}{2}\times\pi\times 12^2=72\pi\ (cm^2)$

05 답 7 cm

셀파 $\overline{BE}=x\ cm$로 놓고 $\overline{BD}, \overline{AD}, \overline{AF}, \overline{CE}, \overline{CF}$를 x를 사용하여 나타낸다.

$\overline{BE}=x\ cm$라 하면

$\overline{BD}=\overline{BE}=x\ cm,$

$\overline{AF}=\overline{AD}=(10-x)\ cm,$

$\overline{CF}=\overline{CE}=(12-x)\ cm$

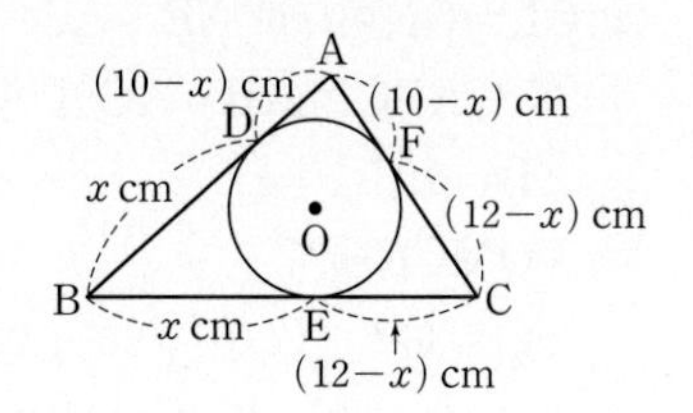

이때 $\overline{AC}=\overline{AF}+\overline{CF}$이므로

$8=(10-x)+(12-x)$

$2x=14 \qquad \therefore x=7$

따라서 $\overline{BE}$의 길이는 7 cm이다.

06 답 3 cm

셀파 $\overline{OD}, \overline{OF}$를 그으면 □ADOF는 정사각형이다.

오른쪽 그림과 같이 $\overline{OD}, \overline{OF}$를 긋고 원 O의 반지름의 길이를 r cm라 하면 □ADOF는 정사각형이므로 $\overline{AD}=\overline{AF}=\overline{OF}=r\ cm$

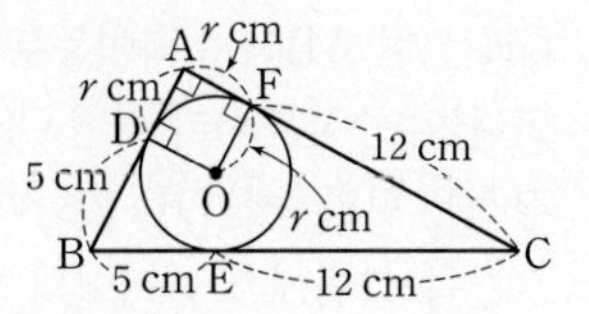

$\overline{BD}=\overline{BE}=5\ cm,\ \overline{CF}=\overline{CE}=12\ cm$

직각삼각형 ABC에서 $\overline{BC}^2=\overline{AB}^2+\overline{AC}^2$이므로

$17^2=(r+5)^2+(r+12)^2$

$2r^2+34r-120=0,\ r^2+17r-60=0$

$(r+20)(r-3)=0 \qquad \therefore r=3\ (\because r>0)$

따라서 원 O의 반지름의 길이는 3 cm이다.

07 답 2

셀파 원에 외접하는 사각형의 대변의 길이의 합은 같음을 이용한다.

□ABCD가 원 O에 외접하므로 $\overline{AB}+\overline{CD}=\overline{AD}+\overline{BC}$

$4+(5x-1)=5+(2x+4)$

$3x=6 \qquad \therefore x=2$

08 답 $36\pi\ cm^2$

셀파 원 O의 반지름의 길이를 r cm라 하면 $\overline{EC}=r$ cm이다.

오른쪽 그림과 같이 원 O와 $\overline{CD}$의 접점을 F라 하고 $\overline{OE}, \overline{OF}$를 그으면 □OECF는 정사각형이다.

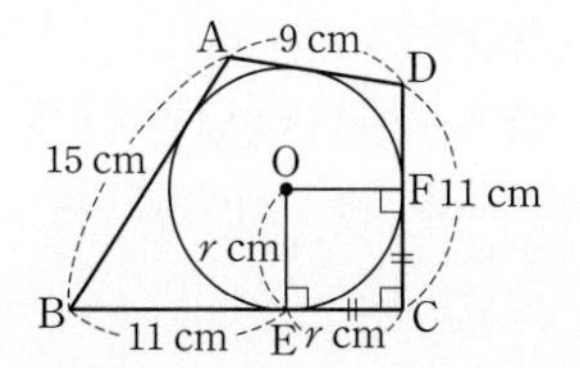

원 O의 반지름의 길이를 r cm라 하면 $\overline{CE}=\overline{OE}=r\ cm$

□ABCD가 원 O에 외접하므로

$\overline{AB}+\overline{CD}=\overline{AD}+\overline{BC}$

$15+11=9+(11+r)$

$\therefore r=6$

따라서 원 O의 반지름의 길이가 6 cm이므로 그 넓이는

$\pi\times 6^2=36\pi\ (cm^2)$

09 답 $8\sqrt{2}$ cm

셀파 원의 접선은 그 접점을 지나는 반지름에 수직임을 이용한다.

오른쪽 그림과 같이 $\overline{OA}, \overline{OC}$를 그으면

$\overline{OC}\perp\overline{AB}$이므로 $\overline{AC}=\overline{BC}$

직각삼각형 OAC에서

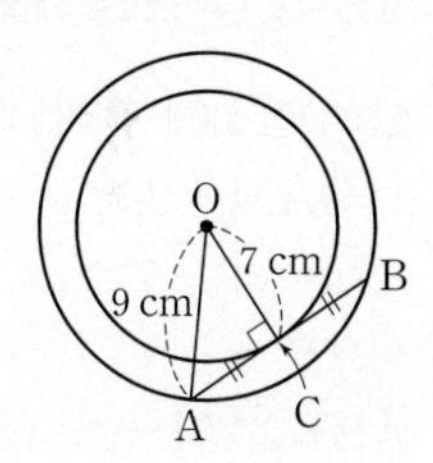

$\overline{AC}=\sqrt{\overline{OA}^2-\overline{OC}^2}=\sqrt{9^2-7^2}$

$=\sqrt{32}=4\sqrt{2}\ (cm)$

$\therefore \overline{AB}=2\overline{AC}=2\times 4\sqrt{2}=8\sqrt{2}\ (cm)$

10 답 10 cm

셀파 $\overline{DE}=x$ cm로 놓고, 원에 외접하는 사각형의 성질을 이용한다.

$\overline{DE}=x\ cm$라 하면

□ABED가 원 O에 외접하므로

$\overline{AB}+\overline{DE}=\overline{AD}+\overline{BE}$

$8+x=12+\overline{BE}$

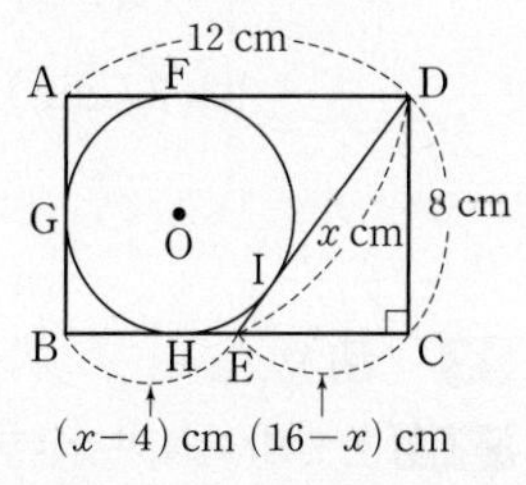

$\therefore \overline{BE}=x-4\ (cm)$

$\overline{CE}=\overline{BC}-\overline{BE}=12-(x-4)$

$=16-x\ (cm)$

직각삼각형 DEC에서 $x^2=(16-x)^2+8^2$

$32x=320 \qquad \therefore x=10$

따라서 $\overline{DE}$의 길이는 10 cm이다.

실력 키우기

본문 | 61~63쪽

01 답 $\frac{15}{2}$ cm

셀파 원의 중심에서 현에 내린 수선은 그 현을 이등분함을 이용한다.

원의 중심에서 현에 내린 수선은 그 현을 이등분하므로
$\overline{AM}=\overline{BM}=6$ cm
$\overline{OA}=r$ cm라 하면
$\overline{OC}=\overline{OA}=r$ cm이므로
$\overline{OM}=(r-3)$ cm
직각삼각형 OAM에서 $\overline{OA}^2=\overline{AM}^2+\overline{OM}^2$이므로
$r^2=6^2+(r-3)^2$, $6r=45$
$\therefore r=\frac{15}{2}$
따라서 $\overline{OA}$의 길이는 $\frac{15}{2}$ cm이다.

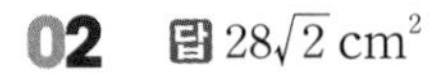

02 답 $28\sqrt{2}$ cm^2

셀파 한 원에서 길이가 같은 두 현은 원의 중심으로부터 같은 거리에 있음을 이용한다.

① △COD의 높이 구하기 [30%]
오른쪽 그림과 같이 원의 중심 O에서 $\overline{CD}$에 내린 수선의 발을 N이라 하면
$\overline{AB}=\overline{CD}$이므로 $\overline{ON}=\overline{OM}=7$ cm

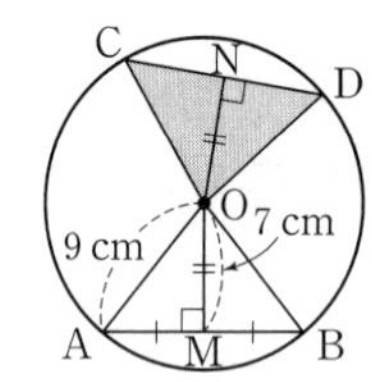

② $\overline{CD}$의 길이 구하기 [40%]
△OAM에서
$\overline{AM}=\sqrt{9^2-7^2}=\sqrt{32}=4\sqrt{2}$ (cm)
이므로
$\overline{AB}=2\overline{AM}=2\times4\sqrt{2}=8\sqrt{2}$ (cm)
$\therefore \overline{CD}=\overline{AB}=8\sqrt{2}$ cm

③ △COD의 넓이 구하기 [30%]
$\therefore \triangle COD=\frac{1}{2}\times\overline{CD}\times\overline{ON}$
$=\frac{1}{2}\times8\sqrt{2}\times7$
$=28\sqrt{2}$ (cm^2)

03 답 ㉤, ㉥

셀파 한 원에서 길이가 같은 두 현은 원의 중심으로부터 같은 거리에 있음을 이용한다.

㉠ $\overline{OM}\perp\overline{AB}$이므로 $\overline{AM}=\overline{BM}$
$\overline{ON}\perp\overline{CD}$이므로 $\overline{CN}=\overline{DN}$
이때 $\overline{AM}=\overline{DN}$이므로 $\overline{AB}=2\overline{AM}=2\overline{DN}=\overline{CD}$
㉡ ㉠에 의해 $\overline{AB}=\overline{CD}$이므로 $\overline{OM}=\overline{ON}$
㉢ △OBM과 △ODN에서
$\angle OMB=\angle OND=90°$, $\overline{OB}=\overline{OD}$ (반지름),
$\overline{OM}=\overline{ON}$ (∵ ㉡)
∴ △OBM≡△ODN (RHS 합동)
㉣ △OAM≡△OBM≡△ODN≡△OCN (RHS 합동)
이므로 $\angle AOB=2\angle BOM=2\angle DON=\angle COD$
즉 중심각의 크기가 같으므로 $\widehat{AB}=\widehat{CD}$
㉤ $\angle AOC=\angle BOD$인지는 알 수 없다.
㉥ △OAM=△OCN=△ODN이므로 2△OAM=△OCD
따라서 옳지 않은 것은 ㉤, ㉥이다.

04 답 (1) 64° (2) 40°

셀파 한 원에서 중심으로부터 같은 거리에 있는 두 현의 길이는 같음을 이용한다.

(1) $\overline{OM}=\overline{ON}$이므로 $\overline{AB}=\overline{AC}$
즉 △ABC는 $\overline{AB}=\overline{AC}$인 이등변삼각형이다.
$\therefore \angle x=\frac{1}{2}\times(180°-52°)=64°$

(2) $\overline{OL}=\overline{ON}$이므로 $\overline{AB}=\overline{AC}$
즉 △ABC는 $\overline{AB}=\overline{AC}$인 이등변삼각형이므로
$\angle B=\angle C$
□OMCN에서
$\angle C=360°-(110°+90°+90°)=70°$
$\therefore \angle x=180°-2\angle C=180°-2\times70°=40°$

05 답 30 cm

셀파 원에서 현의 수직이등분선은 그 원의 중심을 지남을 이용한다.

$\overline{CH}$는 현 AB의 수직이등분선이므로 원의 중심을 O라 하면 $\overline{CH}$의 연장선은 원의 중심 O를 지난다.
오른쪽 그림에서 타이어의 반지름의 길이를 r cm라 하면
$\overline{OH}=(r-6)$ cm
직각삼각형 AOH에서
$r^2=18^2+(r-6)^2$
$12r=360$ $\therefore r=30$
따라서 타이어의 반지름의 길이는 30 cm이다.

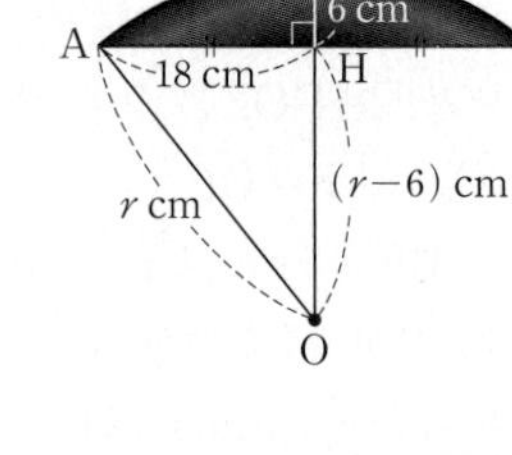

06 답 $6\sqrt{3}$ cm

셀파 원을 접은 것이므로 $\overline{OM}=\overline{MC}$이다.

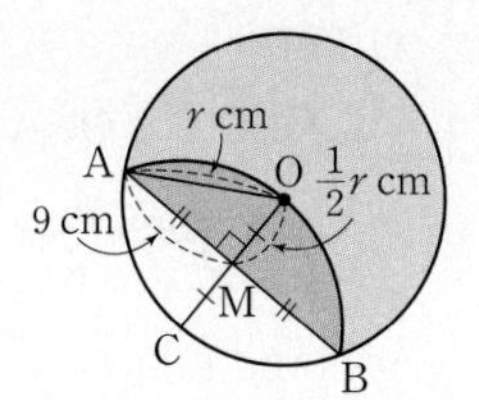

오른쪽 그림과 같이 원의 중심 O에서 $\overline{AB}$에 내린 수선의 발을 M, $\overline{OM}$의 연장선이 $\widehat{AB}$와 만나는 점을 C라 하자.
원 O의 반지름의 길이를 r cm라 하면
$\overline{OA}=\overline{OC}=r$ cm이므로

$\overline{OM}=\overline{CM}=\frac{1}{2}\overline{OC}=\frac{1}{2}r$ (cm)

$\overline{AM}=\overline{BM}=\frac{1}{2}\overline{AB}=\frac{1}{2}\times 18=9$ (cm)

직각삼각형 OAM에서 $\overline{OA}^2=\overline{AM}^2+\overline{OM}^2$이므로

$r^2=9^2+\left(\frac{1}{2}r\right)^2$, $\frac{3}{4}r^2=81$

$r^2=108$ $\quad\therefore r=6\sqrt{3}$ ($\because r>0$)

따라서 원의 반지름의 길이는 $6\sqrt{3}$ cm이다.

07 답 20°

셀파 원 밖의 한 점에서 그 원에 그은 두 접선의 길이는 같음을 이용한다.

$\overline{PA}=\overline{PB}$이므로 $\triangle$PBA는 이등변삼각형이다.

$\therefore \angle PAB=\frac{1}{2}\times(180^\circ-40^\circ)=70^\circ$

이때 $\angle PAO=90^\circ$이므로

$\angle OAB=90^\circ-70^\circ=20^\circ$

08 답 (1) 6 cm (2) $9\sqrt{3}$ cm^2

셀파 원 밖의 한 점에서 그 원에 그은 두 접선의 길이는 같음을 이용한다.

① $\angle$APO의 크기 구하기 [30 %]

(1) 오른쪽 그림과 같이 $\overline{OP}$를 그으면
$\triangle$PAO와 $\triangle$PBO에서
$\angle PAO=\angle PBO=90^\circ$,
$\overline{PA}=\overline{PB}$, $\overline{OP}$는 공통이므로
$\triangle PAO\equiv\triangle PBO$ (RHS 합동)

$\therefore \angle APO=\angle BPO=\frac{1}{2}\angle APB$

$=\frac{1}{2}\times 60^\circ=30^\circ$

② $\overline{PA}$의 길이 구하기 [40 %]

직각삼각형 PAO에서 $\tan 30^\circ=\frac{2\sqrt{3}}{\overline{PA}}$이므로

$\overline{PA}=\frac{2\sqrt{3}}{\tan 30^\circ}=2\sqrt{3}\div\frac{\sqrt{3}}{3}=2\sqrt{3}\times\frac{3}{\sqrt{3}}=6$ (cm)

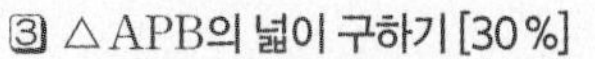
③ $\triangle$APB의 넓이 구하기 [30 %]

(2) $\triangle$APB에서 $\overline{PB}=\overline{PA}=6$ cm이고 $\angle P=60^\circ$이므로

$\triangle APB=\frac{1}{2}\times\overline{PA}\times\overline{PB}\times\sin 60^\circ$

$=\frac{1}{2}\times 6\times 6\times\frac{\sqrt{3}}{2}$

$=9\sqrt{3}$ (cm^2)

LECTURE 정삼각형의 높이와 넓이

한 변의 길이가 a인 정삼각형의 높이를 h, 넓이를 S라 할 때

$h=\sqrt{a^2-\left(\frac{1}{2}a\right)^2}=\frac{\sqrt{3}}{2}a$

$S=\frac{1}{2}\times a\times h=\frac{1}{2}\times a\times\frac{\sqrt{3}}{2}a=\frac{\sqrt{3}}{4}a^2$

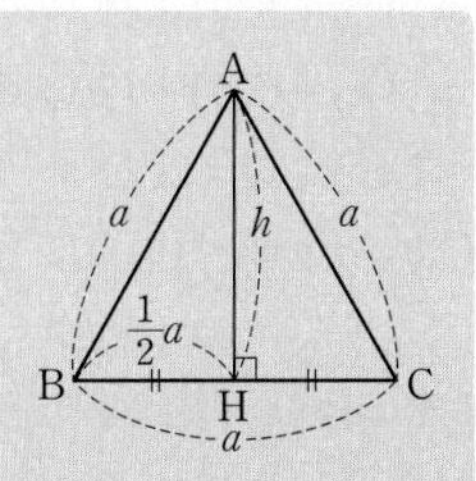

다른 풀이 (2) $\triangle$APB는 한 변의 길이가 6 cm인 정삼각형이므로

$\triangle$APB의 넓이는 $\frac{\sqrt{3}}{4}\times 6^2=9\sqrt{3}$ (cm^2)

09 답 6 cm

셀파 원 밖의 한 점에서 그 원에 그은 두 접선의 길이는 같음을 이용한다.

점 A에서 원 O에 그은 두 접선의 길이는 같으므로
$\overline{AD}=\overline{AF}=8+2=10$ (cm)
점 C에서 원 O에 그은 두 접선의 길이는 같으므로
$\overline{CE}=\overline{CF}=2$ cm
점 B에서 원 O에 그은 두 접선의 길이는 같으므로
$\overline{BD}=\overline{BE}=6-2=4$ (cm)
$\therefore \overline{AB}=\overline{AD}-\overline{BD}=10-4=6$ (cm)

10 답 $12\sqrt{2}$ cm^2

셀파 원 밖의 한 점에서 그 원에 그은 두 접선의 길이는 같음을 이용한다.

$\overline{CE}=\overline{CB}=4$ cm, $\overline{DE}=\overline{DA}=2$ cm이므로
$\overline{CD}=\overline{CE}+\overline{DE}=4+2=6$ (cm)
오른쪽 그림과 같이 꼭짓점 D에서 $\overline{BC}$에 내린 수선의 발을 H라 하면
$\overline{HB}=\overline{DA}=2$ cm이므로
$\overline{CH}=\overline{CB}-\overline{HB}=4-2=2$ (cm)
직각삼각형 DHC에서
$\overline{DH}=\sqrt{6^2-2^2}=\sqrt{32}=4\sqrt{2}$ (cm)
$\therefore \overline{AB}=\overline{DH}=4\sqrt{2}$ (cm)
따라서 사다리꼴 ABCD의 넓이는

$\frac{1}{2}\times(\overline{AD}+\overline{BC})\times\overline{AB}=\frac{1}{2}\times(2+4)\times 4\sqrt{2}=12\sqrt{2}$ (cm^2)

11 답 20 m

셀파 $\overline{CQ}=x$ m로 놓는다.

오른쪽 그림과 같이 접점을 P, Q, R, S라 하면

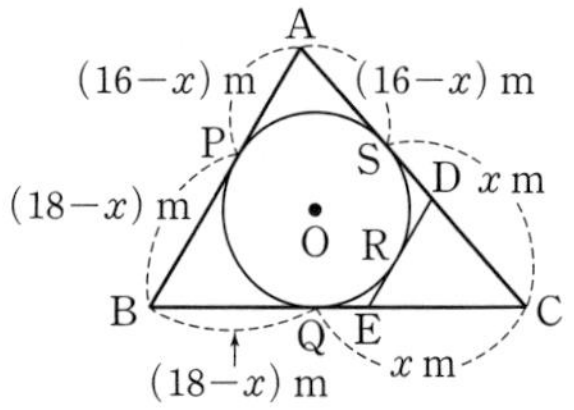

($\triangle$DEC의 둘레의 길이)

$=\overline{DE}+\overline{EC}+\overline{CD}$

$=(\overline{DR}+\overline{ER})+\overline{EC}+\overline{CD}$

$=(\overline{DS}+\overline{EQ})+\overline{EC}+\overline{CD}$

$=(\overline{DS}+\overline{CD})+(\overline{EQ}+\overline{EC})$

$=\overline{CS}+\overline{CQ}=2\overline{CQ}$

$\overline{CQ}=x$ m라 하면

$\overline{CS}=\overline{CQ}=x$ m, $\overline{AP}=\overline{AS}=(16-x)$ m,

$\overline{BP}=\overline{BQ}=(18-x)$ m

이때 $\overline{AB}=\overline{AP}+\overline{BP}$이므로

$14=(16-x)+(18-x)$

$2x=20$ $\quad\therefore x=10$

$\therefore \overline{CQ}=\overline{CS}=10$ m

따라서 $\triangle$DEC의 둘레의 길이는

$2\overline{CQ}=2\times10=20$ (m)

12 답 (1) $\overline{BC}=(x+1)$ cm, $\overline{AC}=(7-x)$ cm (2) 14 cm (3) 7 cm^2

셀파 $\overline{BD}=\overline{BE}=x$ cm임을 이용하여 $\overline{BC}$, $\overline{AC}$의 길이를 x를 사용하여 각각 나타낸다.

① $\overline{BC}$, $\overline{AC}$의 길이를 x를 사용하여 각각 나타내기 [40 %]

(1) 오른쪽 그림과 같이 $\overline{OE}$를 그으면

□OECF는 정사각형이므로

$\overline{CE}=\overline{CF}=\overline{OF}=1$ cm

$\overline{BE}=\overline{BD}=x$ cm이므로

$\overline{BC}=(x+1)$ cm

$\overline{AF}=\overline{AD}=(6-x)$ cm이므로

$\overline{AC}=(6-x)+1=7-x$ (cm)

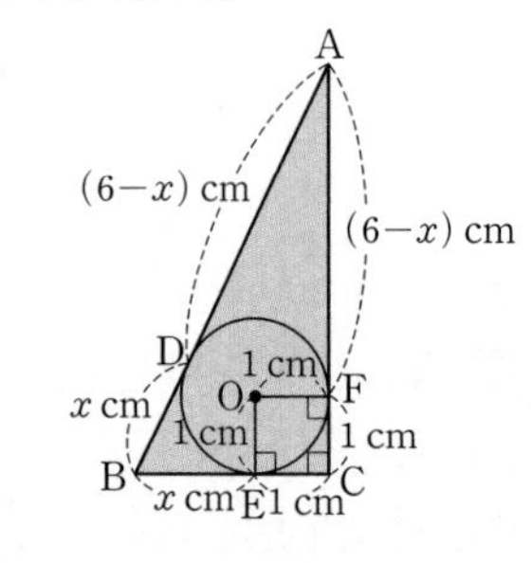

② $\overline{AB}+\overline{BC}+\overline{AC}$의 길이 구하기 [20 %]

(2) $\overline{AB}+\overline{BC}+\overline{AC}=6+(x+1)+(7-x)$

$=14$ (cm)

③ $\triangle$ABC의 넓이 구하기 [40 %]

(3) $\triangle$ABC의 내접원 O의 반지름의 길이가 1 cm이므로

$\triangle ABC=\frac{1}{2}\times1\times(\overline{AB}+\overline{BC}+\overline{AC})$

$=\frac{1}{2}\times1\times14$

$=7$ (cm^2)

개념 다시 보기

오른쪽 그림에서

$\triangle$ABC

$=\triangle OBC+\triangle OCA+\triangle OAB$

$=\frac{1}{2}ar+\frac{1}{2}br+\frac{1}{2}cr$

$=\frac{1}{2}r(a+b+c)$ → $\triangle$ABC의 둘레의 길이

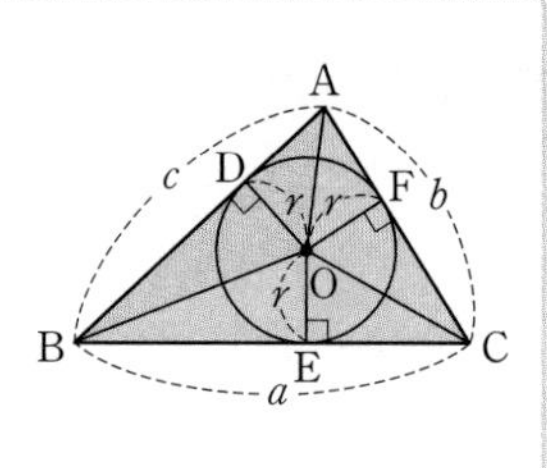

13 답 2

셀파 원에 외접하는 사각형의 대변의 길이의 합은 같음을 이용한다.

□ABCD가 원 O에 외접하므로

$a+\overline{CD}=9+7$ $\quad\therefore a=(16-\overline{CD})$ cm

□DCEF가 원 O′에 외접하므로

$\overline{CD}+b=5+13$ $\quad\therefore b=(18-\overline{CD})$ cm

$\therefore b-a=(18-\overline{CD})-(16-\overline{CD})$

$=18-\overline{CD}-16+\overline{CD}=2$

14 답 6 cm

셀파 $\overline{AB}+\overline{CD}=\overline{AD}+\overline{BC}$임을 이용한다.

$\overline{CD}$의 길이는 원 O의 지름의 길이와 같으므로

$\overline{CD}=2\times4=8$ (cm)

오른쪽 그림과 같이 꼭짓점 A에서 $\overline{BC}$에 내린 수선의 발을 H라 하면

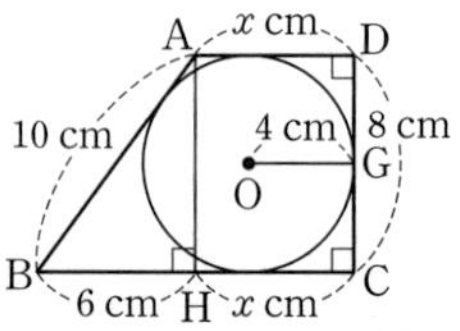

$\overline{AH}=\overline{CD}=8$ cm

직각삼각형 ABH에서

$\overline{BH}=\sqrt{10^2-8^2}=\sqrt{36}=6$ (cm)

$\overline{AD}=x$ cm라 하면 $\overline{CH}=\overline{AD}=x$ cm이므로 $\overline{BC}=(6+x)$ cm

이때 $\overline{AD}+\overline{BC}=\overline{AB}+\overline{CD}$이므로

$x+(6+x)=10+8$, $2x=12$

$\therefore x=6$

따라서 $\overline{AD}$의 길이는 6 cm이다.

15 답 $2\sqrt{161}$ cm

셀파 작은 원과 $\overline{AB}$의 접점을 C라 하면 $\overline{OC}\perp\overline{AB}$이다.

오른쪽 그림과 같이 작은 원과 $\overline{AB}$의 접점을 C라 하면 $\overline{OC}\perp\overline{AB}$이므로 $\overline{AC}=\overline{BC}$

직각삼각형 OCB에서

$\overline{BC}=\sqrt{15^2-8^2}=\sqrt{161}$ (cm)

$\therefore \overline{AB}=2\overline{BC}=2\sqrt{161}$ (cm)

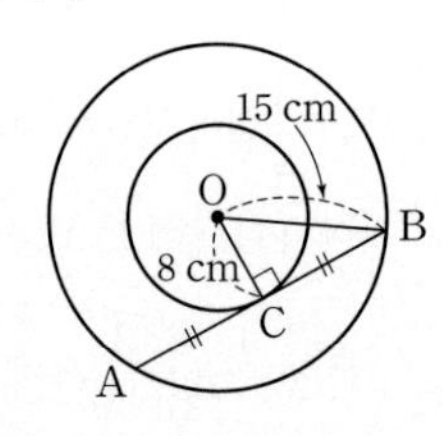

16 답 (1) 3 cm (2) 1 cm (3) 3 cm

셀파 △DEC는 직각삼각형이다.

(1) $\overline{CD}$의 길이는 원 O의 지름의 길이와 같으므로

$\overline{CD}=2\times2=4\ (\text{cm})$

직각삼각형 DEC에서

$\overline{EC}=\sqrt{5^2-4^2}=\sqrt{9}=3\ (\text{cm})$

(2) $\overline{PE}=x$ cm라 하면

$\overline{QE}=\overline{PE}=x$ cm,

$\overline{DR}=\overline{DQ}=(5-x)$ cm

이때 $\overline{AR}=\overline{BP}=2$ cm

이므로

$\overline{AD}=2+(5-x)=7-x\ (\text{cm})$

$\overline{BC}=2+x+3=5+x\ (\text{cm})$

$\overline{AD}=\overline{BC}$이므로 $7-x=5+x$

$2x=2 \qquad \therefore x=1$

따라서 $\overline{PE}$의 길이는 1 cm이다.

(3) $\overline{BE}=\overline{BP}+\overline{PE}=2+x=2+1=3\ (\text{cm})$

17 답 (1) 정삼각형 (2) $16\sqrt{3}$ cm² (3) $\frac{8\sqrt{3}}{3}$ cm

셀파 한 원에서 중심으로부터 같은 거리에 있는 두 현의 길이는 같다.

1 △ABC가 정삼각형임을 알기 [20 %]

(1) $\overline{OM}=\overline{ON}=\overline{OL}$이므로 $\overline{AB}=\overline{BC}=\overline{CA}$

즉 △ABC는 정삼각형이다.

2 △ABC의 넓이 구하기 [30 %]

(2) $\overline{AM}=\overline{BM}$이므로 $\overline{AB}=2\overline{AM}=2\times4=8\ (\text{cm})$

△ABC는 정삼각형이므로 $\overline{AC}=\overline{AB}=8$ cm이고 $\angle A=60^\circ$이다.

$\therefore \triangle ABC=\frac{1}{2}\times8\times8\times\sin60^\circ$

$=\frac{1}{2}\times8\times8\times\frac{\sqrt{3}}{2}$

$=16\sqrt{3}\ (\text{cm}^2)$

3 ∠MAO의 크기 구하기 [20 %]

(3) 오른쪽 그림과 같이 $\overline{AO}$를 그으면

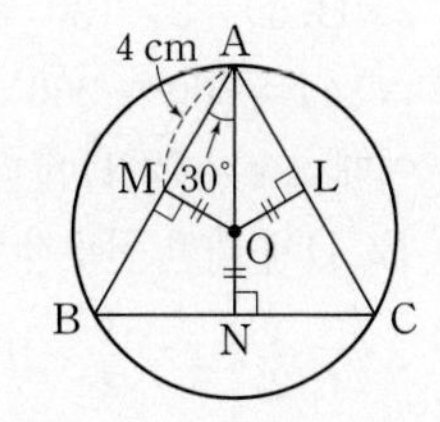

△AMO≡△ALO (RHS 합동)

$\therefore \angle MAO=\angle LAO$

$=\frac{1}{2}\angle BAC$

$=\frac{1}{2}\times60^\circ=30^\circ$

4 원 O의 반지름의 길이 구하기 [30 %]

직각삼각형 AMO에서 $\cos30^\circ=\frac{4}{\overline{OA}}$

$\therefore \overline{OA}=\frac{4}{\cos30^\circ}=4\div\frac{\sqrt{3}}{2}=4\times\frac{2}{\sqrt{3}}=\frac{8}{\sqrt{3}}=\frac{8\sqrt{3}}{3}\ (\text{cm})$

따라서 원 O의 반지름의 길이는 $\frac{8\sqrt{3}}{3}$ cm이다.

다른 풀이 (2) △ABC는 한 변의 길이가 8 cm인 정삼각형이므로

△ABC의 넓이는

$\frac{\sqrt{3}}{4}\times8^2=16\sqrt{3}\ (\text{cm}^2)$

18 답 120걸음

셀파 원 밖의 한 점에서 그 원에 그은 두 접선의 길이는 같다.

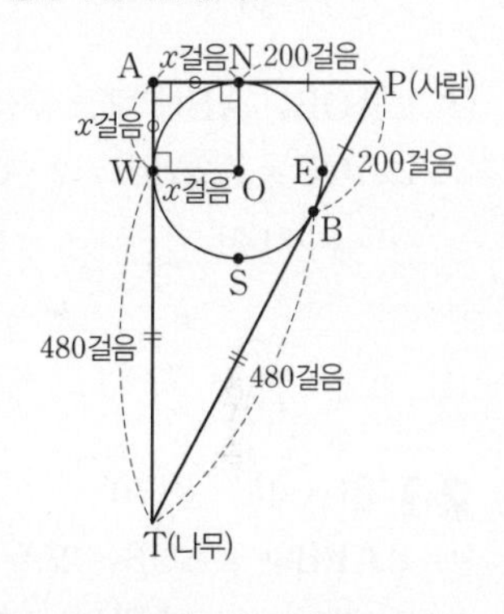

오른쪽 그림과 같이 동문, 서문, 남문, 북문을 각각 E, W, S, N이라 하고 사람을 P, 나무를 T, 원 모양인 성의 중심을 O라 하자. $\overrightarrow{PN}$과 $\overrightarrow{TW}$의 교점을 A라 하고 원 O의 반지름의 길이를 x걸음이라 하면

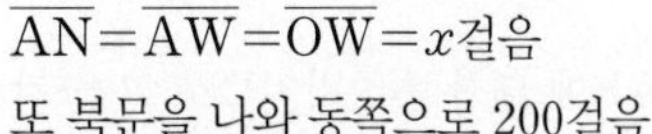

□AWON은 정사각형이므로

$\overline{AN}=\overline{AW}=\overline{OW}=x$걸음

또 북문을 나와 동쪽으로 200걸음을 가야 비로소 나무가 보인다는 것은 원 O와 $\overline{PT}$가 접한다는 것이다. 이때 원 O와 $\overline{PT}$의 접점을 B라 하면 원 밖의 한 점에서 그 원에 그은 두 접선의 길이는 같으므로

$\overline{PB}=\overline{PN}=200$걸음, $\overline{TB}=\overline{TW}=480$걸음

직각삼각형 ATP에서

$(x+200)^2+(x+480)^2=(200+480)^2$

$x^2+680x-96000=0,\ (x+800)(x-120)=0$

$\therefore x=120\ (\because x>0)$

따라서 성의 반지름의 길이는 120걸음이다.

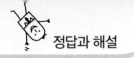

4 원주각

본문 | 67, 68쪽

1-1 답 (1) $50°$ (2) $150°$

(1) 원에서 한 호에 대한 원주각의 크기는 그 호에 대한 중심각의 크기의 $\frac{1}{2}$이므로 $\angle APB=\frac{1}{2}\angle AOB$

$\therefore \angle x=\boxed{\frac{1}{2}}\times 100°=\boxed{50}°$

(2) $\angle AOB=2\angle APB$이므로

$\angle x=\boxed{2}\times 75°=\boxed{150}°$

1-2 답 (1) $30°$ (2) $130°$

(1) $\angle APB$는 $\widehat{AB}$에 대한 원주각이므로

$\angle APB=\frac{1}{2}\angle AOB=\frac{1}{2}\times 60°=30°$

$\therefore \angle x=30°$

(2) $\angle AOB$는 $\widehat{AB}$에 대한 중심각이므로

$\angle AOB=2\angle APB=2\times 65°=130°$

$\therefore \angle x=130°$

2-1 답 (1) $40°$ (2) $50°$

(1) $\angle APB$와 $\angle AQB$는 모두 $\widehat{AB}$에 대한 원주각이므로 그 크기가 $\boxed{\text{같다}}$. 즉 $\angle APB=\angle AQB$

$\therefore \angle x=\angle AQB=\boxed{40}°$

(2) $\widehat{AB}$가 반원이므로 $\widehat{AB}$에 대한 원주각의 크기는 $\boxed{90}°$이다.

따라서 $\triangle ABP$에서 $\angle APB=90°$이므로

$\angle x=180°-(\boxed{90}°+40°)=\boxed{50}°$

2-2 답 (1) $25°$ (2) $68°$

(1) $\widehat{AB}$에 대한 원주각의 크기는 모두 같으므로

$\angle AQB=\angle APB=25°$

$\therefore \angle x=25°$

(2) $\widehat{AB}$가 반원이므로 $\angle APB=90°$

따라서 $\triangle ABP$에서

$\angle x=180°-(90°+22°)=68°$

3-1 답 (1) $42°$ (2) $12°$

(1) $\widehat{AB}=\widehat{CD}=7$ cm이므로 $\underbrace{\angle APB}_{\widehat{AB}\text{에 대한 원주각}}\boxed{=}\underbrace{\angle CAD}_{\widehat{CD}\text{에 대한 원주각}}$

$\therefore \angle x=\boxed{42}°$

(2) $\angle APB:\angle CPD=\widehat{AB}:\boxed{\widehat{CD}}$이므로

$24°:\angle x=4:\boxed{2}$, $24°:\angle x=2:1$

$2\angle x=24°$ $\quad\therefore \angle x=\boxed{12}°$

3-2 답 (1) 32 (2) 45 (3) 50 (4) 5

(1) $\widehat{AB}=\widehat{BC}$이므로 $\angle APB=\angle BAC=32°$

$\therefore x=32$

(2) $\widehat{AB}=\widehat{CD}=8$ cm이므로 $\angle CQD=\angle APB=45°$

$\therefore x=45$

(3) $\angle APB:\angle CPD=\widehat{AB}:\widehat{CD}$이므로

$25°:x°=5:10$, $25:x=1:2$

$\therefore x=2\times 25=50$

(4) $\angle APB:\angle BPC=\widehat{AB}:\widehat{BC}$이므로

$30°:75°=2:x$, $2:5=2:x$

$2x=10$ $\quad\therefore x=5$

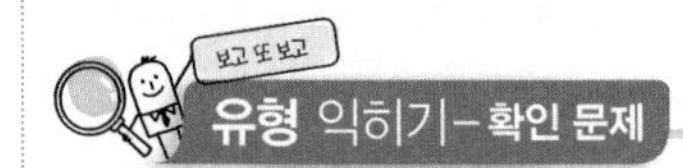

본문 | 69~74쪽

01 답 $50°$

셀파 어떤 호에 대한 원주각인지 확인한다.

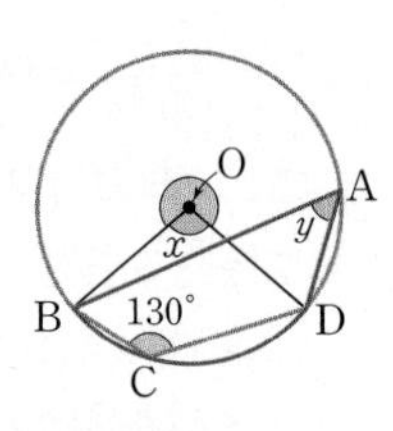

$\widehat{BAD}$에 대한 원주각인 $\angle BCD$의 크기는 $130°$이므로 $\widehat{BAD}$에 대한 중심각의 크기는

$2\angle BCD=2\times 130°=260°$

$\therefore \angle x=360°-260°=100°$

이때 $\angle x$는 $\widehat{BCD}$에 대한 중심각이고, $\angle y$는 $\widehat{BCD}$에 대한 원주각이므로

$\angle y=\frac{1}{2}\angle x=\frac{1}{2}\times 100°=50°$

$\therefore \angle x-\angle y=100°-50°=50°$

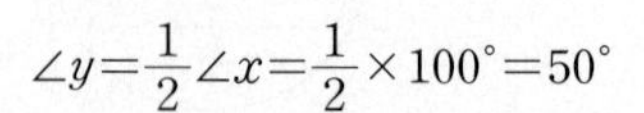

02 답 $50°$

셀파 $\overline{OA}$, $\overline{OB}$를 긋고, 원의 접선은 그 접점을 지나는 반지름과 수직임을 이용한다.

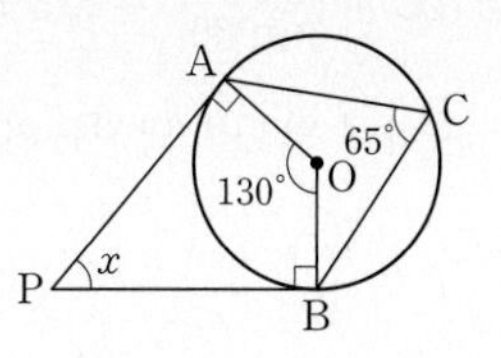

오른쪽 그림과 같이 $\overline{OA}$, $\overline{OB}$를 그으면
$\angle PAO=\angle PBO=90°$
$\angle AOB$는 $\widehat{AB}$에 대한 중심각이므로
$\angle AOB=2\angle ACB$
$=2\times65°=130°$
따라서 □APBO에서
$\angle x=360°-(90°+130°+90°)=50°$

03 답 $115°$

셀파 한 호에 대한 원주각의 크기는 모두 같음을 이용한다.

$\angle ABC=\angle ADC=35°$ ($\widehat{AC}$에 대한 원주각)
$\therefore \angle x=35°$
△PCB에서 한 외각의 크기는 그와 이웃하지 않는 두 내각의 크기의 합과 같으므로
$\angle y=45°+\angle x=45°+35°=80°$
$\therefore \angle x+\angle y=35°+80°=115°$

04 답 $34°$

셀파 $\overline{AB}$가 지름이므로 반원에 대한 원주각인 $\angle ACB$의 크기는 $90°$임을 이용한다.

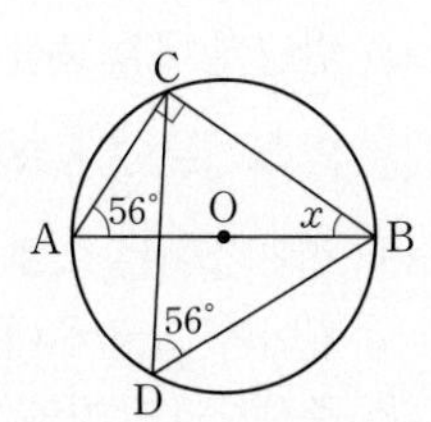

$\angle CAB=\angle CDB=56°$
($\widehat{CB}$에 대한 원주각)
이때 $\overline{AB}$가 원 O의 지름이므로
$\angle ACB=90°$
따라서 △CAB에서
$\angle x=180°-(90°+56°)=34°$

꼼꼼 집중 연습 원주각과 중심각의 크기

본문 | 71 쪽

1 답 (1) $35°$ (2) $30°$ (3) $140°$ (4) $32°$ (5) $27°$

셀파 한 호에 대한 원주각의 크기는 그 호에 대한 중심각의 크기의 $\frac{1}{2}$임을 이용한다.

(1) $\angle BAC=\frac{1}{2}\angle BOC=\frac{1}{2}\times70°=35°$
$\therefore \angle x=35°$

(2) $\angle AOB=2\angle APB=2\times60°=120°$
△OAB는 $\overline{OA}=\overline{OB}$인 이등변삼각형이므로
$\angle x=\frac{1}{2}\times(180°-120°)=30°$

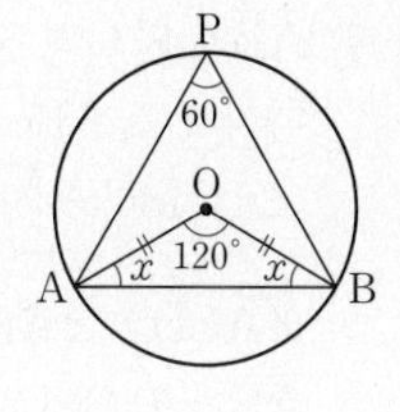

(3) 오른쪽 그림과 같이 $\widehat{AB}$ 위에 한 점 Q를 잡으면 $\widehat{AQB}$에 대한 중심각의 크기는
$2\angle APB=2\times110°=220°$
$\therefore \angle x=360°-220°=140°$

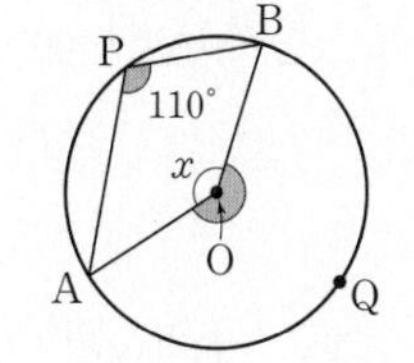

(4) 오른쪽 그림과 같이 $\overline{OB}$를 그으면
$\angle BOC=2\angle BQC=2\times30°=60°$
이때 $\angle AOC=124°$이므로
$\angle AOB=124°-60°=64°$
$\therefore \angle x=\frac{1}{2}\angle AOB=\frac{1}{2}\times64°=32°$

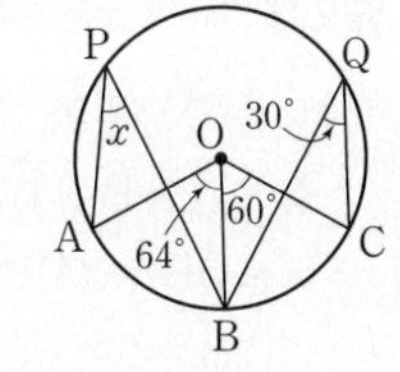

(5) 오른쪽 그림과 같이 $\overline{OB}$를 그으면
$\angle PBO=90°$이므로 △OPB에서
$\angle POB=180°-(36°+90°)=54°$
$\angle POB$는 △OBC의 한 외각이고,
△OBC는 $\overline{OB}=\overline{OC}$인 이등변삼각형이므로
$\angle x=\frac{1}{2}\angle AOB=\frac{1}{2}\times54°=27°$

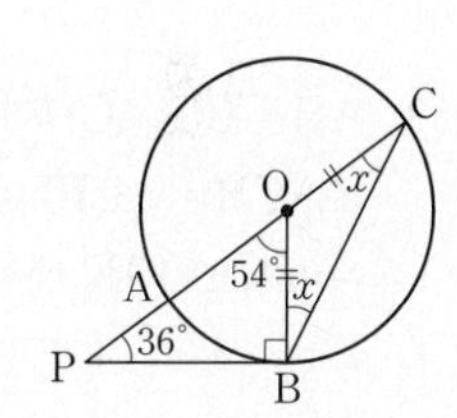

2 답 (1) $23°$ (2) $65°$ (3) $70°$ (4) $30°$ (5) $25°$

셀파 한 호에 대한 원주각의 크기는 모두 같고, 반원에 대한 원주각의 크기는 $90°$임을 이용한다.

(1) $\angle APB=\angle AQB=23°$ ($\widehat{AB}$에 대한 원주각)
$\therefore \angle x=23°$

(2) 오른쪽 그림과 같이 $\overline{FC}$를 그으면
$\angle BFC=\angle BAC=35°$
($\widehat{BC}$에 대한 원주각)
$\angle CFD=\angle CED=30°$
($\widehat{CD}$에 대한 원주각)
$\therefore \angle x=\angle BFD=\angle BFC+\angle CFD$
$=35°+30°=65°$

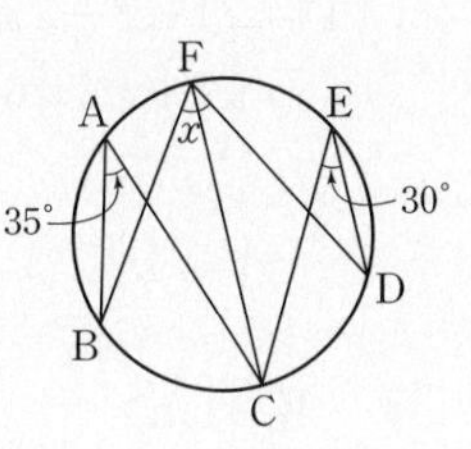

(3) $\angle CDB=\angle CAB=30°$ ($\widehat{CB}$에 대한 원주각)
$\angle APD$는 △DPB의 한 외각이므로
$\angle APD=\angle PBD+\angle PDB$
$100°=\angle x+30°$ $\therefore \angle x=70°$

(4) $\overline{AB}$가 원 O의 지름이므로 $\angle ACB=90^\circ$
따라서 $\triangle ABC$에서
$\angle x=180^\circ-(90^\circ+60^\circ)=30^\circ$

(5) $\angle ACD=\angle ABD=\angle x$ ($\widehat{AD}$에 대한 원주각)
$\overline{AB}$가 원 O의 지름이므로 $\angle ACB=90^\circ$
$\angle x+65^\circ=90^\circ$ $\quad\therefore \angle x=25^\circ$

05 답 (1) 40° (2) 106°

셀파 길이가 같은 호에 대한 원주각의 크기는 같음을 이용한다.

(1) 오른쪽 그림과 같이 $\widehat{AP}$ 위에 한 점 Q를 잡으면 $\widehat{AB}=\widehat{BC}=3$ cm이므로
$\angle AQB=\angle BPC=20^\circ$
$\therefore \angle x=2\angle AQB=2\times20^\circ=40^\circ$

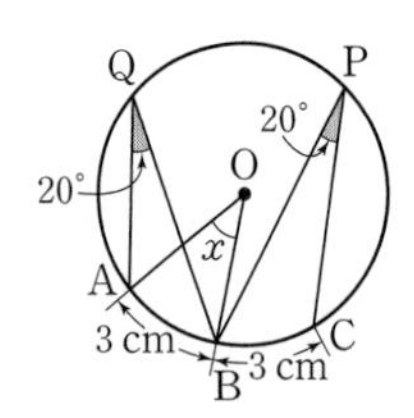

(2) $\widehat{AB}=\widehat{BC}=\widehat{CD}$이므로
$\angle ACB=\angle CBD=\angle BDC=37^\circ$
따라서 $\triangle PBC$에서
$\angle x=180^\circ-(37^\circ+37^\circ)=106^\circ$

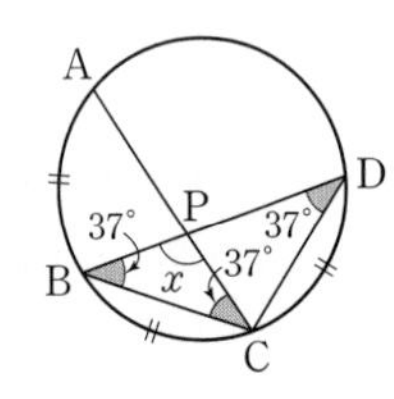

06 답 60°

셀파 호의 길이는 그 호에 대한 원주각의 크기에 정비례함을 이용한다.

$\angle ACB : \angle CBD=\widehat{AB} : \widehat{CD}$
이므로
$15^\circ : \angle CBD=5 : 15$
$15^\circ : \angle CBD=1 : 3$
$\therefore \angle CBD=45^\circ$
$\angle CPD$는 $\triangle PBC$의 한 외각이므로
$\angle CPD=\angle PCB+\angle PBC$
$=15^\circ+45^\circ=60^\circ$

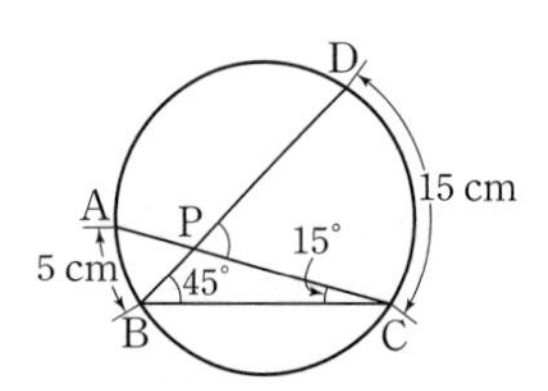

07 답 2 cm

셀파 원의 지름 AC'을 그어 직각삼각형 ABC'을 그린다.

오른쪽 그림과 같이 원의 중심 O를 지나는 $\overline{AC'}$을 그으면
$\overline{AC'}$은 원 O의 지름이므로 $\angle ABC'=90^\circ$
$\angle AC'B=\angle ACB=60^\circ$
($\widehat{AB}$에 대한 원주각)

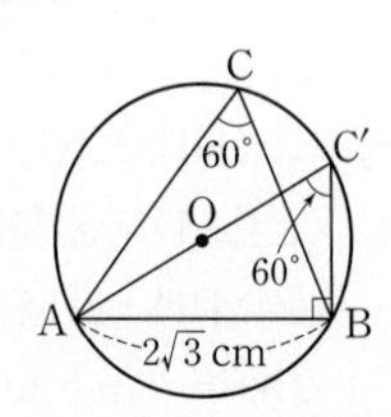

직각삼각형 ABC'에서 $\sin 60^\circ=\dfrac{2\sqrt{3}}{\overline{AC'}}$이므로

$\overline{AC'}=\dfrac{2\sqrt{3}}{\sin 60^\circ}=2\sqrt{3}\div\dfrac{\sqrt{3}}{2}=2\sqrt{3}\times\dfrac{2}{\sqrt{3}}=4$ (cm)

따라서 원 O의 반지름의 길이는 $\dfrac{1}{2}\overline{AC'}=\dfrac{1}{2}\times4=2$ (cm)

08 답 $\angle A=60^\circ$, $\angle B=75^\circ$, $\angle C=45^\circ$

셀파 한 원에서 모든 호에 대한 원주각의 크기의 합은 180°이고, 호의 길이는 그 호에 대한 원주각의 크기에 정비례함을 이용한다.

$\angle C : \angle A : \angle B=\widehat{AB} : \widehat{BC} : \widehat{CA}=3 : 4 : 5$
이때 한 원에서 모든 호에 대한 원주각의 크기의 합은 180°이므로

$\angle A=180^\circ\times\dfrac{4}{3+4+5}=180^\circ\times\dfrac{1}{3}=60^\circ$,

$\angle B=180^\circ\times\dfrac{5}{3+4+5}=180^\circ\times\dfrac{5}{12}=75^\circ$,

$\angle C=180^\circ\times\dfrac{3}{3+4+5}=180^\circ\times\dfrac{1}{4}=45^\circ$

실력 키우기

본문 | 75~77 쪽

01 답 ④

셀파 원주각의 성질을 생각한다.

① 반원에 대한 중심각의 크기는 180°이므로 반원에 대한 원주각의 크기는 $\dfrac{1}{2}\times180^\circ=90^\circ$이다.

③ 호의 길이는 그 호에 대한 중심각의 크기에 정비례하므로 호의 길이와 그 호에 대한 원주각의 크기도 정비례한다.

④ 중심각의 크기와 현의 길이는 정비례하지 않으므로 원주각의 크기와 현의 길이도 정비례하지 않는다.

따라서 원주각에 대한 설명으로 옳지 않은 것은 ④이다.

02 답 110°

셀파 $\overline{OP}$를 긋고, 크기가 같은 각을 표시한다.

오른쪽 그림과 같이 $\overline{OP}$를 그으면
$\triangle OPA$에서 $\overline{OP}=\overline{OA}$이므로
$\angle OPA=\angle OAP=35^\circ$
$\triangle OPB$에서 $\overline{OP}=\overline{OB}$이므로
$\angle OPB=\angle OBP=20^\circ$
따라서 $\angle APB=\angle OPA+\angle OPB=35^\circ+20^\circ=55^\circ$이므로
$\angle x=2\angle APB=2\times55^\circ=110^\circ$

03 답 $\left(\frac{8}{3}\pi-4\sqrt{3}\right)\text{ cm}^2$

셀파 $\widehat{AB}$에 대한 중심각인 $\angle AOB$의 크기를 구한다.

① $\widehat{AB}$에 대한 중심각인 $\angle AOB$의 크기 구하기 [30 %]

$\angle AOB=2\angle APB=2\times30^\circ=60^\circ$

② 부채꼴 AOB의 넓이 구하기 [25 %]

부채꼴 AOB의 넓이는

$\pi\times4^2\times\frac{60}{360}=\frac{8}{3}\pi\ (\text{cm}^2)$

③ $\triangle OAB$의 넓이 구하기 [25 %]

$\triangle OAB$의 넓이는

$$\frac{1}{2}\times\overline{OA}\times\overline{OB}\times\sin(\angle AOB)=\frac{1}{2}\times4\times4\times\sin60^\circ$$
$$=\frac{1}{2}\times4\times4\times\frac{\sqrt{3}}{2}$$
$$=4\sqrt{3}\ (\text{cm}^2)$$

④ 색칠한 부분의 넓이 구하기 [20 %]

$\therefore$ (색칠한 부분의 넓이)=(부채꼴 AOB의 넓이)$-\triangle OAB$

$$=\frac{8}{3}\pi-4\sqrt{3}\ (\text{cm}^2)$$

04 답 30°

셀파 $\overline{OA}$, $\overline{OB}$를 긋고, 원의 접선은 그 접점을 지나는 반지름과 수직임을 이용한다.

오른쪽 그림과 같이 $\overline{OA}$, $\overline{OB}$를 그으면

$\angle PAO=\angle PBO=90^\circ$

$\widehat{ADB}$의 중심각의 크기는

$2\angle ACB=2\times105^\circ=210^\circ$

$\therefore\ \angle AOB=360^\circ-210^\circ=150^\circ$

따라서 □APBO에서

$\angle x=360^\circ-(90^\circ+150^\circ+90^\circ)=30^\circ$

05 답 56°

셀파 한 호에 대한 원주각의 크기는 같음을 이용한다.

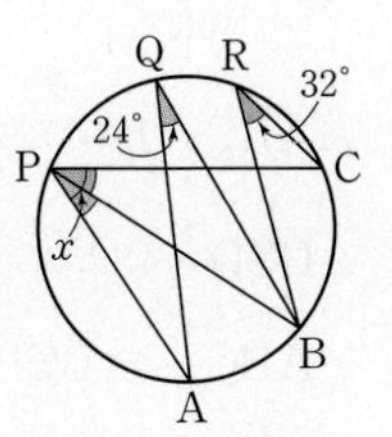

오른쪽 그림과 같이 $\overline{PB}$를 그으면

$\angle APB=\angle AQB=24^\circ$

($\widehat{AB}$에 대한 원주각)

$\angle BPC=\angle BRC=32^\circ$

($\widehat{BC}$에 대한 원주각)

$\therefore\ \angle x=\angle APC=\angle APB+\angle BPC$

$=24^\circ+32^\circ=56^\circ$

06 답 40°

셀파 한 호에 대한 원주각의 크기는 같음을 이용한다.

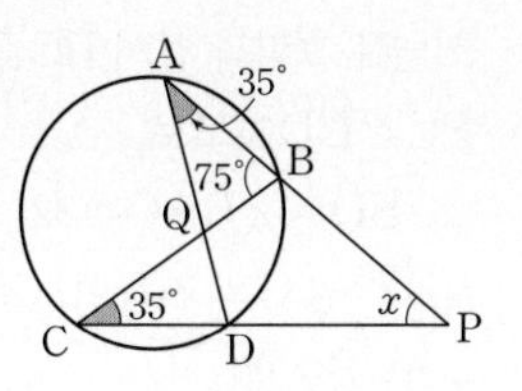

$\angle BCD=\angle BAD=35^\circ$

($\widehat{BD}$에 대한 원주각)

이때 $\angle ABC$는 $\triangle BCP$의 한 외각이므로

$\angle ABC=\angle BCP+\angle P$

$75^\circ=35^\circ+\angle x\qquad\therefore\ \angle x=40^\circ$

07 답 70°

셀파 반원에 대한 원주각의 크기는 90°임을 이용한다.

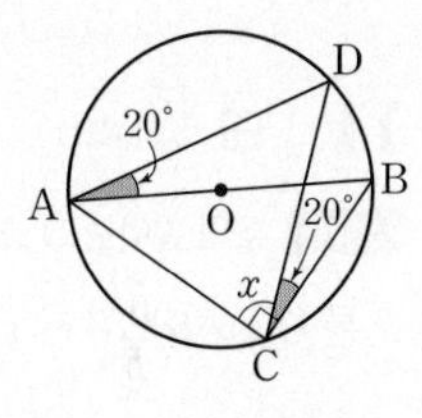

$\angle BCD=\angle BAD=20^\circ$

($\widehat{BD}$에 대한 원주각)

이때 $\overline{AB}$가 원 O의 지름이므로

$\angle ACB=90^\circ$

$\therefore\ \angle x=90^\circ-20^\circ=70^\circ$

08 답 56°

셀파 $\overline{AC}$를 그으면 $\angle ACB=90^\circ$ (반원에 대한 원주각)

① $\angle ACP$의 크기 구하기 [40 %]

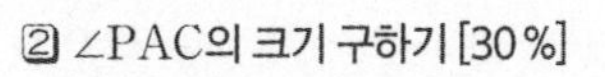

오른쪽 그림과 같이 $\overline{AC}$를 그으면

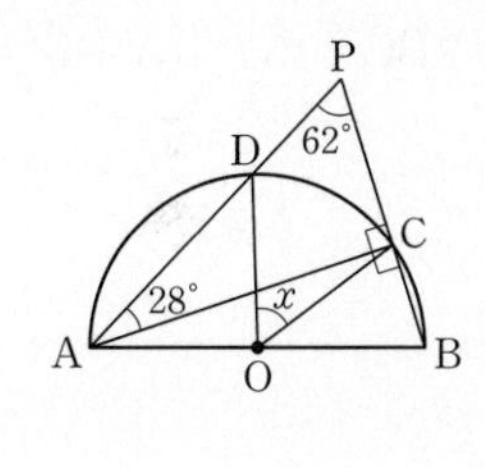

$\overline{AB}$가 반원 O의 지름이므로

$\angle ACB=90^\circ$, 즉 $\angle ACP=90^\circ$

② $\angle PAC$의 크기 구하기 [30 %]

$\triangle PAC$에서

$\angle PAC=180^\circ-(62^\circ+90^\circ)=28^\circ$

③ $\angle x$의 크기 구하기 [30 %]

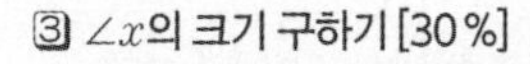

따라서 $\angle COD$는 $\widehat{CD}$에 대한 중심각이므로

$\angle x=2\angle CAD=2\times28^\circ=56^\circ$

09 답 54°

셀파 길이가 같은 호에 대한 원주각의 크기는 같음을 이용한다.

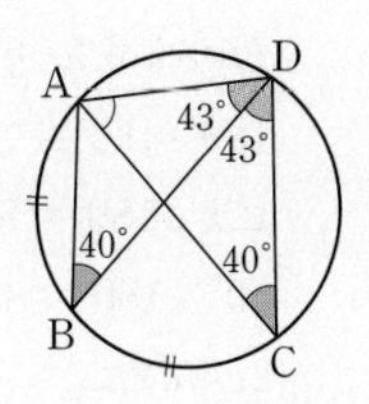

$\angle ACD=\angle ABD=40^\circ$

($\widehat{AD}$에 대한 원주각)

$\widehat{AB}=\widehat{BC}$이므로

$\angle ADB=\angle BDC=43^\circ$

따라서 $\triangle ACD$에서

$\angle CAD=180^\circ-(40^\circ+43^\circ+43^\circ)=54^\circ$

10 답 26°

셀파 길이가 같은 호에 대한 원주각과 반원에 대한 원주각을 이용한다.

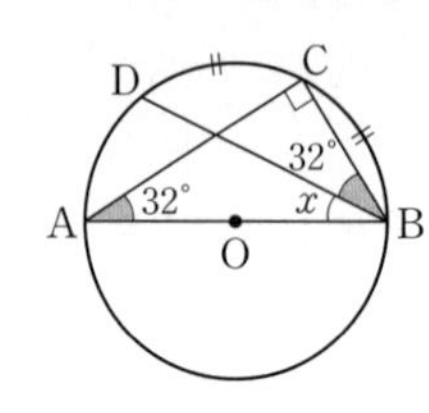

오른쪽 그림과 같이 $\overline{BC}$를 그으면

$\widehat{BC}=\widehat{CD}$이므로

$\angle CBD=\angle BAC=32°$

$\overline{AB}$가 원 O의 지름이므로

$\angle ACB=90°$

따라서 △ABC에서

$\angle x=180°-(32°+32°+90°)=26°$

11 답 $\frac{15}{2}$ cm

셀파 호의 길이는 그 호에 대한 원주각의 크기에 정비례함을 이용한다.

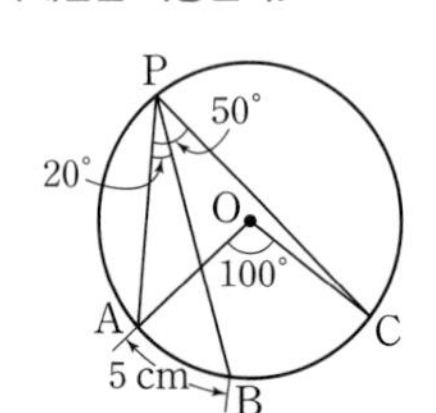

오른쪽 그림과 같이 $\overline{PC}$를 그으면

$\angle APC=\frac{1}{2}\angle AOC$

$=\frac{1}{2}\times100°=50°$

$\therefore \angle BPC=50°-20°=30°$

$\widehat{AB}:\widehat{BC}=\angle APB:\angle BPC$이므로

$5:\widehat{BC}=20°:30°$, $5:\widehat{BC}=2:3$

$2\widehat{BC}=15 \qquad \therefore \widehat{BC}=\frac{15}{2}$ (cm)

12 답 (1) 40° (2) 36π cm

셀파 한 원에서 모든 호에 대한 원주각의 크기의 합은 180°임을 이용한다.

① $\angle x$의 크기 구하기 [30 %]

(1) $\angle BPD$는 △PBC의 한 외각이므로

$\angle BPD=\angle x+\angle PBC$

$75°=\angle x+35° \qquad \therefore \angle x=40°$

② 원의 둘레의 길이 구하기 [70 %]

(2) 원의 둘레의 길이를 l cm라 하면 원주각의 크기와 호의 길이는 정비례하고, 한 원에서 모든 호에 대한 원주각의 크기의 합은 180°이므로

$\angle x:180°=8\pi:l$

$40°:180°=8\pi:l$, $2:9=8\pi:l$

$2l=72\pi \qquad \therefore l=36\pi$

따라서 원의 둘레의 길이는 36π cm이다.

13 답 $4\sqrt{6}$

셀파 원의 지름 $\mathrm{A'C}$를 그어 직각삼각형 $\mathrm{A'BC}$를 그린다.

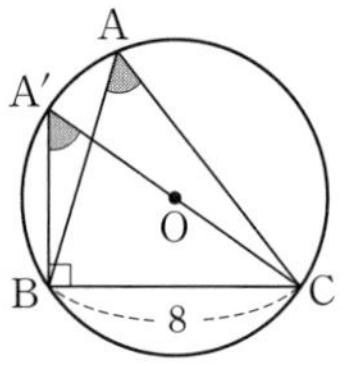

오른쪽 그림과 같이 원의 중심 O를 지나는 $\overline{A'C}$를 그으면

$\angle BAC=\angle BA'C$ ($\widehat{BC}$에 대한 원주각)

$\overline{A'C}$가 원 O의 지름이므로

$\angle A'BC=90°$

이때 $\tan A=\tan A'=\frac{8}{\overline{A'B}}=\sqrt{2}$이므로

$\overline{A'B}=\frac{8}{\sqrt{2}}=4\sqrt{2}$

직각삼각형 A'BC에서

$\overline{A'C}=\sqrt{\overline{A'B}^2+\overline{BC}^2}=\sqrt{(4\sqrt{2})^2+8^2}=\sqrt{96}=4\sqrt{6}$

따라서 원 O의 지름의 길이는 $4\sqrt{6}$이다.

14 답 60°

셀파 한 원에서 모든 호에 대한 원주각의 크기의 합은 180°임을 이용한다.

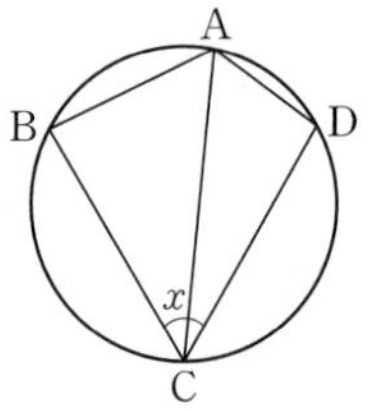

오른쪽 그림과 같이 $\overline{AC}$를 그으면

$\widehat{AB}:\widehat{BC}:\widehat{CD}:\widehat{DA}=3:5:5:2$

이고 호의 길이는 원주각의 크기에 정비례하므로

$\angle BCA=180°\times\frac{3}{3+5+5+2}$

$=180°\times\frac{1}{5}=36°$

$\angle ACD=180°\times\frac{2}{3+5+5+2}=180°\times\frac{2}{15}=24°$

$\therefore \angle x=\angle BCA+\angle ACD=36°+24°=60°$

다른 풀이 $\angle BCD$는 $\widehat{BAD}$에 대한 원주각이고

$\widehat{BAD}:\widehat{BC}:\widehat{CD}=(3+2):5:5=1:1:1$이므로

$\angle x=\angle BCD=180°\times\frac{1}{1+1+1}=180°\times\frac{1}{3}=60°$

15 답 27°

셀파 $\widehat{AB}$의 길이가 원주의 $\frac{1}{n}$이면 $\widehat{AB}$에 대한 원주각의 크기는 $180°\times\frac{1}{n}$이다.

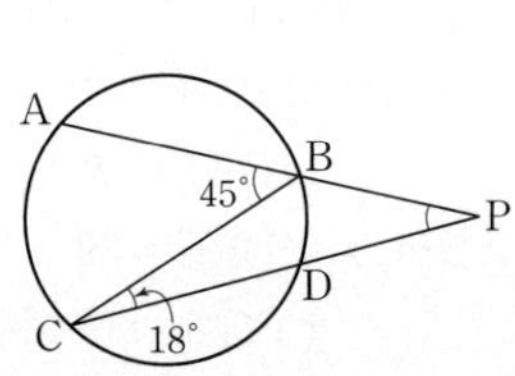

$\angle ABC=180°\times\frac{1}{4}=45°$

$\angle BCD=180°\times\frac{1}{10}=18°$

$\angle ABC$는 △BCP의 한 외각이므로

$\angle ABC=\angle BCP+\angle P$

$45°=18°+\angle P \qquad \therefore \angle P=27°$

16 답 (1) 1 : 2 (2) 20° (3) 40° (4) 9

셀파 호의 길이는 그 호에 대한 원주각의 크기에 정비례함을 이용한다.

① $\overset{\frown}{AD}$와 $\overset{\frown}{BC}$에 대한 원주각의 크기의 비 구하기 [20 %]

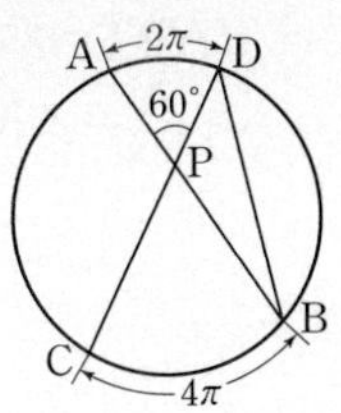

(1) 오른쪽 그림과 같이 $\overline{BD}$를 그으면
$\overset{\frown}{AD} : \overset{\frown}{BC}=2\pi : 4\pi=1 : 2$이므로
$\angle ABD : \angle BDC=1 : 2$
따라서 $\overset{\frown}{AD}$와 $\overset{\frown}{BC}$에 대한 원주각의 크기의 비는 1 : 2이다.

② $\overset{\frown}{AD}$에 대한 원주각의 크기 구하기 [30 %]

(2) $\angle APD$는 $\triangle PBD$의 한 외각이므로
$\angle ABD+\angle BDC=\angle APD=60^\circ$
(1)에서 $\angle ABD : \angle BDC=1 : 2$이므로
$\angle ABD=60^\circ\times\dfrac{1}{1+2}=60^\circ\times\dfrac{1}{3}=20^\circ$

③ $\overset{\frown}{AD}$에 대한 중심각의 크기 구하기 [20 %]

(3) (2)에서 $\overset{\frown}{AD}$에 대한 원주각인 $\angle ABD$의 크기가 20°이므로
$\overset{\frown}{AD}$에 대한 중심각의 크기는 $2\angle ABD=2\times20^\circ=40^\circ$

④ 원의 반지름의 길이 구하기 [30 %]

(4) 원의 반지름의 길이를 r라 하면
$\overset{\frown}{AD}=2\pi r\times\dfrac{40}{360}=2\pi \qquad \therefore r=9$
따라서 원의 반지름의 길이는 9이다.

17 답 (1) $5\sqrt{2}$ m (2) $\left(25+\dfrac{75}{2}\pi\right)$ m^2

셀파 원주각의 크기와 중심각의 크기 사이의 관계를 이용한다.

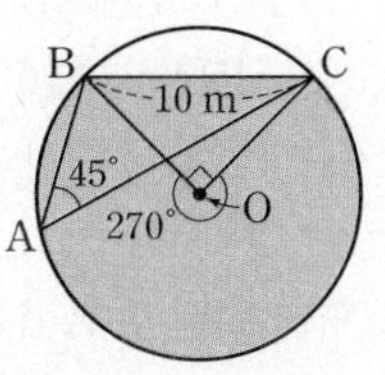

(1) 오른쪽 그림과 같이 원 모양의 공연장의 중심을 O라 하면 $\overset{\frown}{BC}$에 대한 원주각인 $\angle BAC$의 크기가 45°이므로
$\angle BOC=2\angle BAC=2\times45^\circ=90^\circ$
$\triangle BOC$가 직각이등변삼각형이므로
$\overline{OB}=10\cos 45^\circ=10\times\dfrac{\sqrt{2}}{2}=5\sqrt{2}$ (m)
따라서 공연장의 반지름의 길이는 $5\sqrt{2}$ m이다.

(2) 무대를 제외한 공연장은 $\triangle BOC$와 중심각의 크기가 270°인 부채꼴 BOC로 나누어진다.
이때 $\triangle BOC=\dfrac{1}{2}\times5\sqrt{2}\times5\sqrt{2}=25$ (m^2)이고
중심각의 크기가 270°인 부채꼴 BOC의 넓이는
$\pi\times(5\sqrt{2})^2\times\dfrac{270}{360}=\dfrac{75}{2}\pi$ (m^2)
따라서 무대를 제외한 공연장의 넓이는
$\triangle BOC+$(중심각의 크기가 270°인 부채꼴 BOC의 넓이)
$=25+\dfrac{75}{2}\pi$ (m^2)

5 원주각의 활용

본문 | 81, 83 쪽

1-1 답 (1) 35° (2) 30°

(1) $\overline{BC}$에 대하여 같은 쪽에 있는 두 각 $\angle BAC$, $\angle BDC$의 크기가 같아야 하므로 $\angle BDC=\angle BAC=35^\circ$
$\therefore \angle x=\boxed{35}^\circ$

(2) $\overline{DC}$에 대하여 같은 쪽에 있는 두 각 $\angle DAC$, $\boxed{\angle DBC}$의 크기가 같아야 하므로 $\angle DAC=\angle DBC=30^\circ$
$\therefore \angle x=\boxed{30}^\circ$

1-2 답 (1) 30° (2) 45°

(1) $\overline{BC}$에 대하여 같은 쪽에 있는 두 각 $\angle BAC$, $\angle BDC$의 크기가 같아야 하므로 $\angle BDC=\angle BAC=30^\circ$
$\therefore \angle x=30^\circ$

(2) $\overline{AD}$에 대하여 같은 쪽에 있는 두 각 $\angle ABD$, $\angle ACD$의 크기가 같아야 하므로 $\angle ABD=\angle ACD=45^\circ$
$\therefore \angle x=45^\circ$

2-1 답 (1) $\angle x=60^\circ$, $\angle y=120^\circ$ (2) $\angle x=85^\circ$, $\angle y=85^\circ$

(1) $\triangle DBC$에서 $\angle x=180^\circ-(80^\circ+40^\circ)=\boxed{60}^\circ$
□ABCD가 원에 내접하므로 $\angle A+\angle C=180^\circ$
$\angle y+\angle x=\boxed{180}^\circ$
$\therefore \angle y=180^\circ-\angle x=180^\circ-60^\circ=\boxed{120}^\circ$

(2) $\triangle ACD$에서 $\angle x=180^\circ-(50^\circ+45^\circ)=\boxed{85}^\circ$
□ABCD가 원에 내접하므로 $\angle ABE=\angle ADC$
$\therefore \angle y=\angle x=\boxed{85}^\circ$

2-2 답 (1) 72° (2) 65° (3) 82° (4) 70°

(1) □ABCD가 원에 내접하므로 $\angle A+\angle C=180^\circ$
$\angle x+108^\circ=180^\circ \qquad \therefore \angle x=72^\circ$

(2) $\triangle ABC$에서 $\angle B=180^\circ-(45^\circ+20^\circ)=115^\circ$
□ABCD가 원에 내접하므로 $\angle B+\angle D=180^\circ$
$115^\circ+\angle x=180^\circ \qquad \therefore \angle x=65^\circ$

(3) □ABCD가 원에 내접하므로 $\angle ABE=\angle D$
$\therefore \angle x=82^\circ$

(4) $\triangle$ABD에서 $\angle A=180^\circ-(45^\circ+65^\circ)=70^\circ$
□ABCD가 원에 내접하므로 $\angle DCE=\angle A$
$\therefore \angle x=70^\circ$

3-1 답 ㉠, ㉢
㉠ $\triangle$ABC에서 $\angle B=180^\circ-(60^\circ+50^\circ)=70^\circ$
즉 $\angle B+\angle D=70^\circ+110^\circ=180^\circ$이므로
□ABCD는 원에 [내접한다].
㉡ $\angle BAD=180^\circ-95^\circ=85^\circ$
즉 $\angle DCE$ [$\neq$] $\angle BAD$이므로
□ABCD는 원에 [내접하지 않는다].
㉢ $\overline{AD} /\!/ \overline{BC}$이므로 $\angle A+\angle B=180^\circ$
$\angle A+60^\circ=180^\circ \quad \therefore \angle A=$ [120]$^\circ$
즉 $\angle A+\angle C=120^\circ+60^\circ=$ [180]$^\circ$이므로
□ABCD는 원에 [내접한다].
따라서 □ABCD가 원에 내접하는 것은 ㉠, ㉢이다.

3-2 답 (1) ○ (2) × (3) × (4) ○
(1) $\angle B+\angle D=108^\circ+72^\circ=180^\circ$이므로
□ABCD는 원에 내접한다.

(2) $\triangle$ACD에서 $\angle D=180^\circ-(55^\circ+55^\circ)=70^\circ$
즉 $\angle B+\angle D=100^\circ+70^\circ=170^\circ\neq180^\circ$이므로
□ABCD는 원에 내접하지 않는다.

(3) $\angle DCE\neq\angle A$이므로
□ABCD는 원에 내접하지 않는다.

(4) $\angle BAD=180^\circ-105^\circ=75^\circ$
즉 $\angle DCE=\angle BAD=75^\circ$이므로
□ABCD는 원에 내접한다.

4-1 답 106°
$\angle CAB=\angle CBT=$ [35]$^\circ$이므로 $\triangle$ABC에서
$\angle x=180^\circ-($[35]$^\circ+39^\circ)=$ [106]$^\circ$

4-2 답 (1) 62° (2) 57° (3) 63° (4) 35°
(1) $\angle x=\angle ACB=62^\circ$

(2) $\angle x=\angle CBT=57^\circ$

(3) $\triangle$ABC에서 $\angle C=180^\circ-(72^\circ+45^\circ)=63^\circ$
$\therefore \angle x=\angle ACB=63^\circ$

(4) $\overline{AC}$가 원 O의 지름이므로
$\angle ABC=90^\circ$
$\angle ABT+90^\circ+55^\circ=180^\circ$이므로
$\angle ABT=35^\circ$
$\therefore \angle x=\angle ABT=35^\circ$

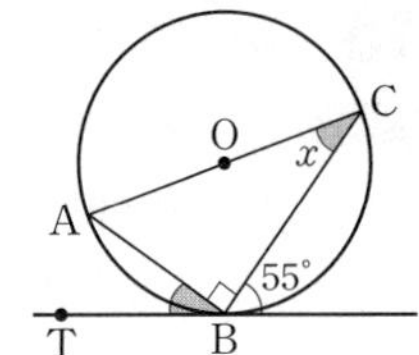

보고 또 보고
유형 익히기 - 확인 문제
본문 | 85~92 쪽

01 답 ④
셀파 한 선분을 기준으로 같은 쪽에 있는 두 각의 크기가 같은지 확인한다.
① $\overline{BC}$에 대하여 $\angle BAC=\angle BDC=50^\circ$이므로
네 점 A, B, C, D는 한 원 위에 있다.
② $\overline{BC}$에 대하여 $\angle BAC=\angle BDC=90^\circ$이므로
네 점 A, B, C, D는 한 원 위에 있다.
③ $\angle ABD=180^\circ-(60^\circ+70^\circ)=50^\circ$
즉 $\overline{AD}$에 대하여 $\angle ABD=\angle ACD=50^\circ$이므로
네 점 A, B, C, D는 한 원 위에 있다.
④ $\triangle$BCD에서 $\angle BDC=180^\circ-(48^\circ+67^\circ)=65^\circ$
즉 $\overline{BC}$에 대하여 $\angle BAC\neq\angle BDC$이므로 네 점 A, B, C, D는 한 원 위에 있지 않다.
⑤ $\angle BDC=110^\circ-80^\circ=30^\circ$
즉 $\overline{BC}$에 대하여 $\angle BAC=\angle BDC=30^\circ$이므로
네 점 A, B, C, D는 한 원 위에 있다.
따라서 네 점 A, B, C, D가 한 원 위에 있지 않은 것은 ④이다.

02 답 118°
셀파 원에 내접하는 사각형에서 한 쌍의 대각의 크기의 합은 180°임을 이용한다.
$\overline{BC}$가 원 O의 지름이므로
$\angle BDC=90^\circ$
$\triangle$DBC에서
$\angle C=180^\circ-(90^\circ+28^\circ)=62^\circ$
□ABCD가 원 O에 내접하므로
$\angle A+\angle C=180^\circ$, $\angle x+62^\circ=180^\circ$
$\therefore \angle x=118^\circ$

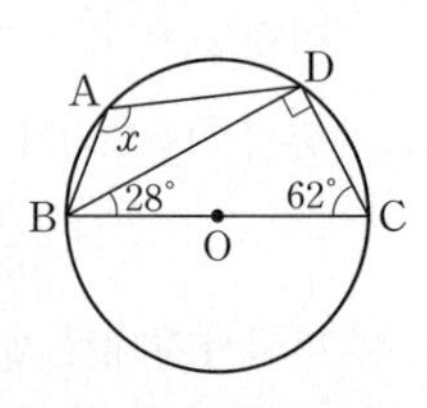

03 답 80°

셀파 원에 내접하는 사각형에서 한 외각의 크기는 그와 이웃한 내각의 대각의 크기와 같음을 이용한다.

$\overparen{BCD}$에 대한 원주각인 $\angle BAD$의 크기는

$\angle BAD=\frac{1}{2}\angle BOD=\frac{1}{2}\times 160°=80°$

□ABCD가 원 O에 내접하므로

$\angle DCE=\angle BAD=80°$

$\therefore \angle x=80°$

04 답 64°

셀파 보조선을 그어 원에 내접하는 사각형을 만든다.

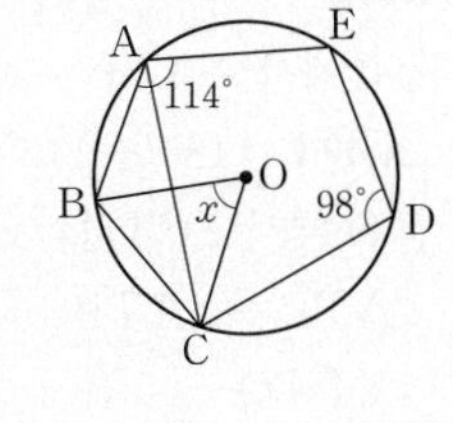

오른쪽 그림과 같이 $\overline{AC}$를 그으면

□ACDE가 원 O에 내접하므로

$\angle CAE+\angle D=180°$

$\angle CAE+98°=180°$

$\therefore \angle CAE=82°$

$\angle BAC=\angle BAE-\angle CAE$

$=114°-82°=32°$

$\therefore \angle x=2\angle BAC=2\times 32°=64°$

다른 풀이 오른쪽 그림과 같이 $\overline{BD}$를 그으면 □ABDE가 원 O에 내접하므로

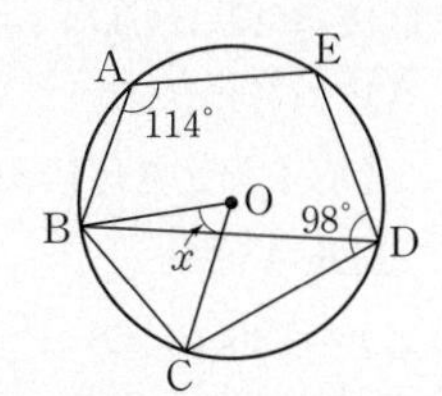

$\angle A+\angle BDE=180°$

$114°+\angle BDE=180°$

$\therefore \angle BDE=66°$

$\angle BDC=\angle CDE-\angle BDE$

$=98°-66°=32°$

$\therefore \angle x=2\angle BDC=2\times 32°=64°$

05 답 36°

셀파 삼각형의 외각의 성질과 원에 내접하는 사각형의 성질을 이용한다.

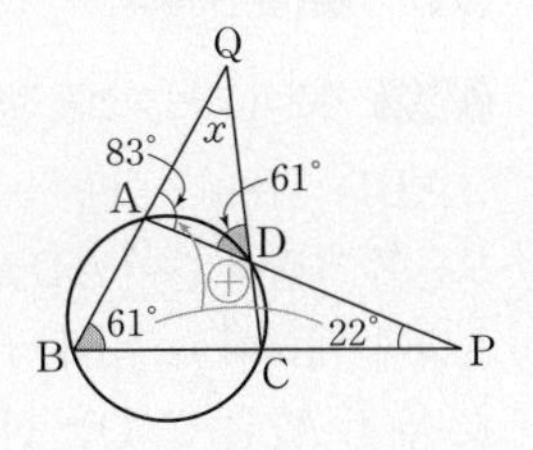

△ABP에서

$\angle QAP=61°+22°=83°$

□ABCD가 원에 내접하므로

$\angle ADQ=\angle B=61°$

△QAD에서

$\angle x+83°+61°=180°$

$\therefore \angle x=36°$

06 답 106°

셀파 □ABQP와 □PQCD에서 원에 내접하는 사각형의 성질을 이용한다.

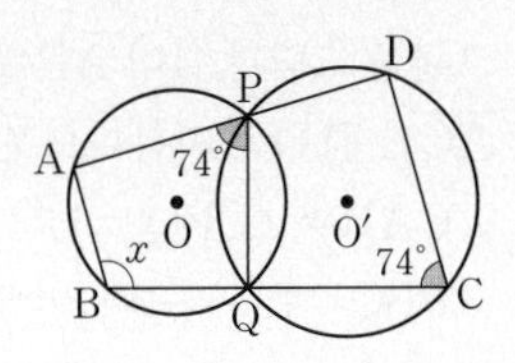

□PQCD가 원 O′에 내접하므로

$\angle APQ=\angle C=74°$

□ABQP가 원 O에 내접하므로

$\angle B+\angle APQ=180°$

$\angle x+74°=180°$ $\qquad\therefore \angle x=106°$

07 답 81°

셀파 □ABCD가 원에 내접하려면 한 외각인 ∠ABP의 크기가 그와 이웃한 내각의 대각인 ∠D의 크기와 같아야 한다.

△DPC에서 $\angle D=180°-(30°+69°)=81°$

□ABCD가 원에 내접하려면 한 외각인 ∠ABP의 크기가 그와 이웃한 내각의 대각인 ∠D의 크기와 같아야 한다.

$\therefore \angle ABP=\angle D=81°$

08 답 107°

셀파 ∠ABP=∠ACB이므로 ∠ACB의 크기를 구한다.

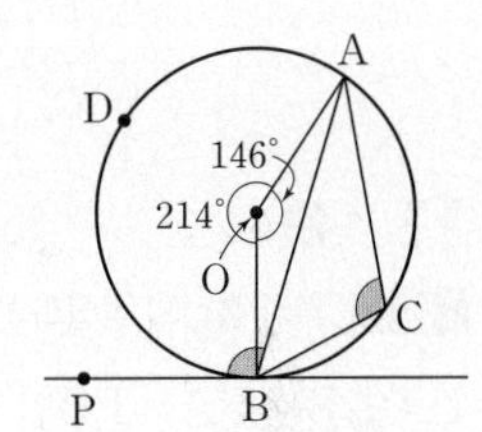

오른쪽 그림에서 $\overparen{ADB}$에 대한 중심각의 크기는 $360°-146°=214°$이므로

$\angle ACB=\frac{1}{2}\times 214°=107°$

$\therefore \angle ABP=\angle ACB=107°$

다른 풀이 $\overline{OA}=\overline{OB}$이므로

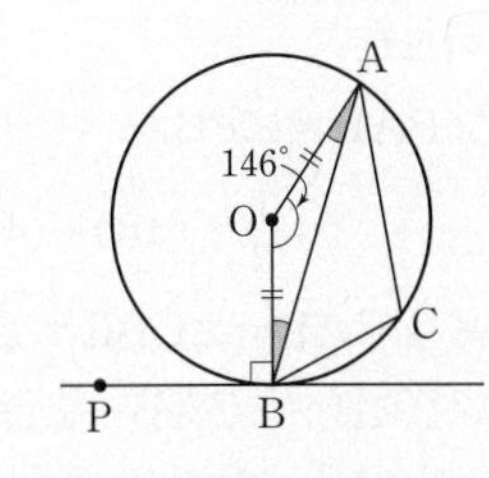

$\angle OBA=\frac{1}{2}\times(180°-146°)=17°$

$\angle OBP=90°$이므로

$\angle ABP=\angle OBP+\angle OBA$

$=90°+17°=107°$

09 답 50°

셀파 원의 접선과 현이 이루는 각의 성질과 원에 내접하는 사각형의 성질을 이용한다.

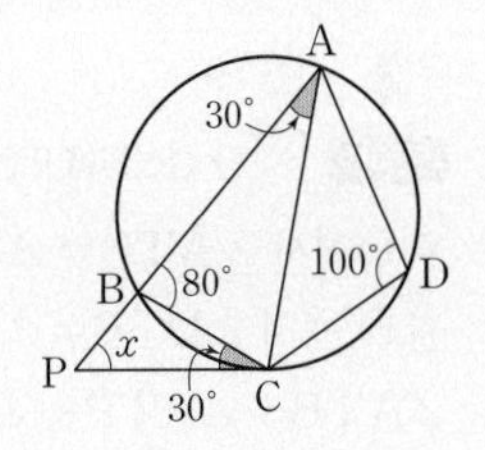

$\angle BCP=\angle BAC=30°$

□ABCD가 원에 내접하므로

$\angle ABC+\angle D=180°$

$\angle ABC+100°=180°$

$\therefore \angle ABC=80°$

△BPC에서 $\angle ABC=\angle x+\angle BCP$

$80°=\angle x+30°$ $\qquad\therefore \angle x=50°$

10 답 42°

셀파 $\overline{AB}$를 그어 원의 접선과 현이 이루는 각과 크기가 같은 원주각을 찾는다.

오른쪽 그림과 같이 $\overline{AB}$를 그으면
$\overline{AC}$가 원 O의 지름이므로 $\angle ABC=90^\circ$
$\angle CAB=\angle CBQ=66^\circ$
$\angle PBQ=180^\circ$ (평각)이므로
$\angle ABP=180^\circ-(90^\circ+66^\circ)=24^\circ$
$\triangle APB$에서
$\angle CAB=\angle APB+\angle ABP$
$66^\circ=\angle x+24^\circ \quad \therefore \angle x=42^\circ$

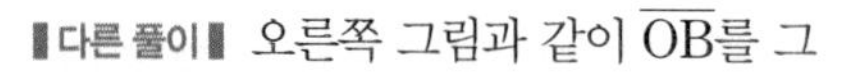
다른 풀이 오른쪽 그림과 같이 $\overline{OB}$를 그으면 $\angle OBP=\angle OBQ=90^\circ$이므로

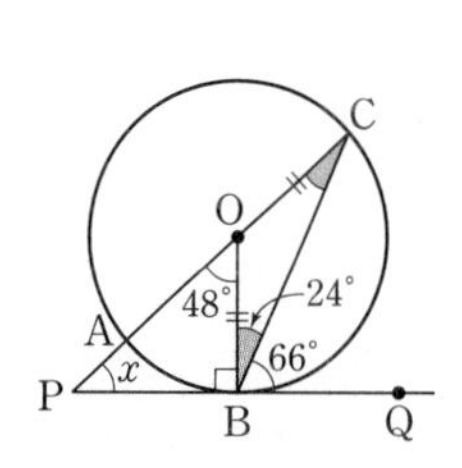

$\angle OBC=90^\circ-66^\circ=24^\circ$
$\triangle OBC$는 $\overline{OB}=\overline{OC}$인 이등변삼각형이므로
$\angle OCB=\angle OBC=24^\circ$
$\angle POB=\angle OBC+\angle OCB=24^\circ+24^\circ=48^\circ$
$\triangle OPB$에서
$48^\circ+\angle x+90^\circ=180^\circ \quad \therefore \angle x=42^\circ$

11 답 63°

셀파 원의 접선의 성질과 원의 접선과 현이 이루는 각의 성질을 이용한다.

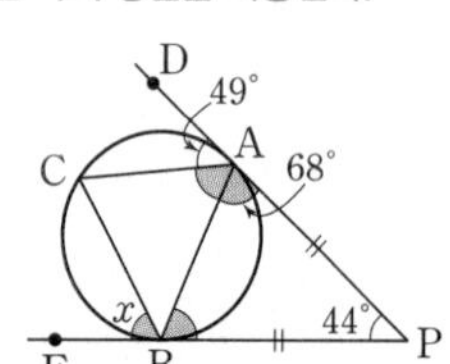

$\triangle PAB$는 $\overline{PA}=\overline{PB}$인 이등변삼각형이므로
$\angle PAB=\angle PBA$
$=\frac{1}{2}\times(180^\circ-44^\circ)=68^\circ$
또 $\angle CAB=\angle CBE=\angle x$
$\angle PAB+\angle CAB+\angle DAC=\angle PAD$에서
$\angle PAD$는 평각이므로
$68^\circ+\angle x+49^\circ=180^\circ \quad \therefore \angle x=63^\circ$

12 답 79°

셀파 $\overleftrightarrow{PQ}$가 접선임을 이용하여 크기가 같은 각을 그림에 표시해 본다.

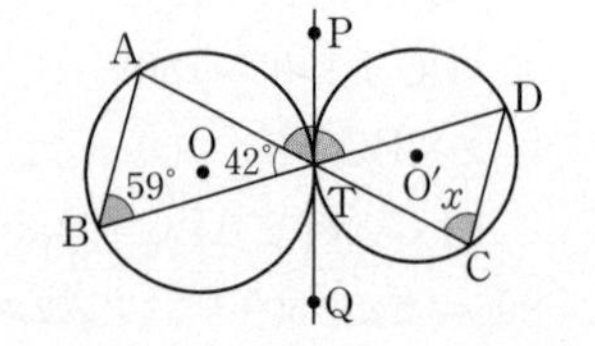

원 O에서 $\angle ATP=\angle ABT=59^\circ$
원 O′에서 $\angle DTP=\angle DCT=\angle x$
$\angle ATB+\angle ATP+\angle DTP$
$=\angle BTD$
에서 $\angle BTD$는 평각이므로
$42^\circ+59^\circ+\angle x=180^\circ$
$\therefore \angle x=79^\circ$

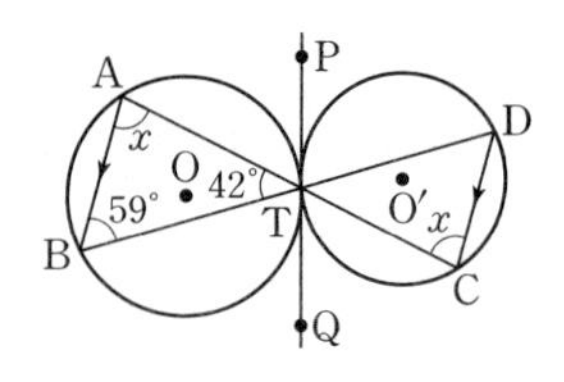

다른 풀이 $\overline{AB}/\!/\overline{CD}$이므로
$\angle BAT=\angle DCT=\angle x$ (엇각)
$\triangle ABT$에서
$\angle x=180^\circ-(59^\circ+42^\circ)$
$=79^\circ$

13 답 57°

셀파 $\overleftrightarrow{PQ}$가 접선임을 이용하여 크기가 같은 각을 그림에 표시해 본다.

원 O에서 $\angle ATP=\angle ABT=55^\circ$
$\angle CDT=180^\circ-112^\circ=68^\circ$이므로
원 O′에서 $\angle CTQ=\angle CDT=68^\circ$
$\angle ATP+\angle ATB+\angle BTQ$
$=\angle PTQ$
에서 $\angle PTQ$는 평각이므로
$55^\circ+\angle x+68^\circ=180^\circ \quad \therefore \angle x=57^\circ$

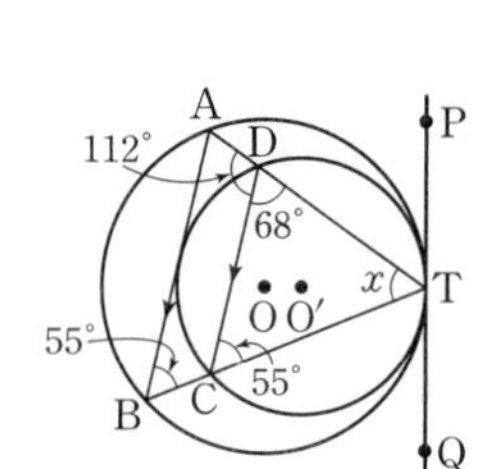

다른 풀이 $\angle CDT=180^\circ-112^\circ=68^\circ$
$\overline{AB}/\!/\overline{CD}$이므로
$\angle DCT=\angle ABT=55^\circ$ (동위각)
$\triangle DCT$에서
$\angle x=180^\circ-(68^\circ+55^\circ)=57^\circ$

실력 키우기

본문 | 93~95 쪽

01 답 풀이 참조

셀파 기준이 되는 직선을 정한다.

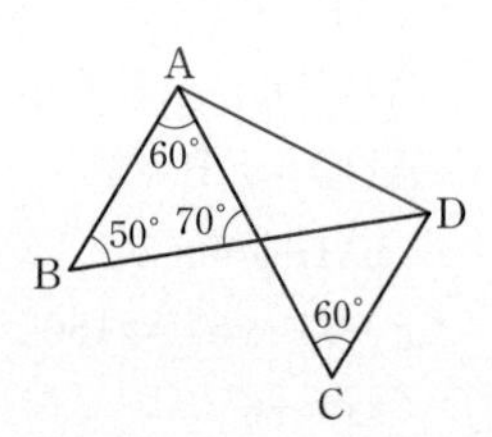

$\angle ABD=180^\circ-(60^\circ+70^\circ)=50^\circ$
오른쪽 그림과 같이 $\overline{AD}$를 그으면
$\overline{AD}$에 대하여 $\angle ABD\neq\angle ACD$이므로 네 점 A, B, C, D는 한 원 위에 있지 않다.

02 답 90°

셀파 네 점이 한 원 위에 있을 조건과 삼각형의 외각의 성질을 이용한다.

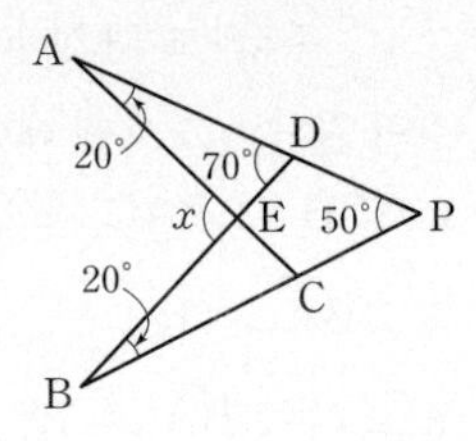

$\triangle$DBP에서

$\angle ADB = 20° + 50° = 70°$

네 점 A, B, C, D가 한 원 위에 있으므로

$\angle DAC = \angle DBC = 20°$

$\triangle$AED에서

$\angle x = 20° + 70° = 90°$

03 답 205°

셀파 원에 내접하는 사각형에서 한 쌍의 대각의 크기의 합은 180°임을 이용한다.

① $\angle x$의 크기 구하기 [40 %]

□ABCD가 원에 내접하므로 $\angle x + 80° = 180°$

$\therefore \angle x = 100°$

② $\angle y$의 크기 구하기 [40 %]

$\angle AEC = \angle ADC = 80°$($\widehat{ABC}$의 원주각)이므로

$\triangle$AEF에서 $\angle AFC = \angle EAF + \angle AEF$

$\angle y = 25° + 80° = 105°$

③ $\angle x + \angle y$의 크기 구하기 [20 %]

$\therefore \angle x + \angle y = 100° + 105° = 205°$

04 답 100°

셀파 원에 내접하는 사각형에서 한 외각의 크기는 그와 이웃한 내각의 대각의 크기와 같음을 이용한다.

$\triangle$OBC는 $\overline{OB} = \overline{OC}$인 이등변삼각형이므로

$\angle OCB = \angle OBC = 20°$

$\therefore \angle BOC = 180° - (20° + 20°) = 140°$

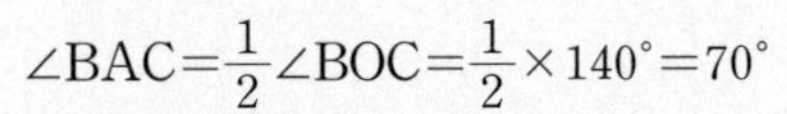

$\angle BAC = \frac{1}{2}\angle BOC = \frac{1}{2} \times 140° = 70°$

이고 □ABCD가 원 O에 내접하므로

$\angle x = \angle BAD = \angle BAC + \angle DAC = 70° + 30° = 100°$

05 답 125°

셀파 보조선을 그어 원에 내접하는 사각형을 만든다.

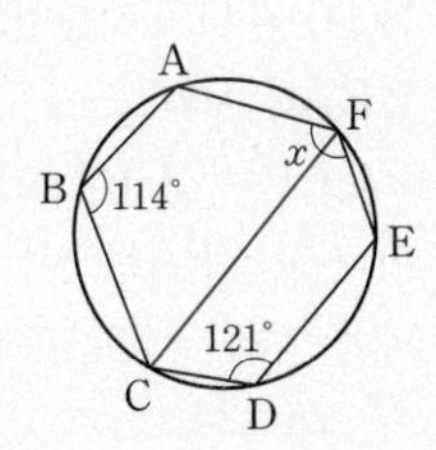

오른쪽 그림과 같이 $\overline{CF}$를 그으면

□ABCF가 원에 내접하므로

$\angle B + \angle AFC = 180°$

$114° + \angle AFC = 180°$

$\therefore \angle AFC = 66°$

□CDEF가 원에 내접하므로

$\angle D + \angle CFE = 180°$

$121° + \angle CFE = 180°$

$\therefore \angle CFE = 59°$

$\therefore \angle x = \angle AFC + \angle CFE = 66° + 59° = 125°$

06 답 32°

셀파 원에 내접하는 사각형의 성질과 삼각형의 외각의 성질을 이용한다.

□ABCD가 원에 내접하므로

$\angle B + \angle ADC = 180°$

$\angle B + 125° = 180°$

$\therefore \angle B = 55°$

또 $\angle ADP = \angle B = 55°$

$\triangle$ABQ에서

$\angle PAQ = 55° + 38° = 93°$

따라서 $\triangle$PAD에서 $\angle x + 93° + 55° = 180°$

$\therefore \angle x = 32°$

07 답 168°

셀파 원에 내접하는 사각형의 성질과 원주각과 중심각 사이의 관계를 이용한다.

① $\angle BQP$의 크기 구하기 [35 %]

□PQCD가 원 O′에 내접하므로

$\angle BQP = \angle D = 96°$

② $\angle A$의 크기 구하기 [35 %]

□ABQP가 원 O에 내접하므로

$\angle A + \angle BQP = 180°$

$\angle A + 96° = 180°$ $\therefore \angle A = 84°$

③ $\angle x$의 크기 구하기 [30 %]

$\angle A$와 $\angle x$는 각각 $\widehat{BQP}$에 대한 원주각과 중심각이므로

$\angle x = 2\angle A = 2 \times 84° = 168°$

LECTURE 원에 내접하는 사각형이 연속으로 주어진 경우

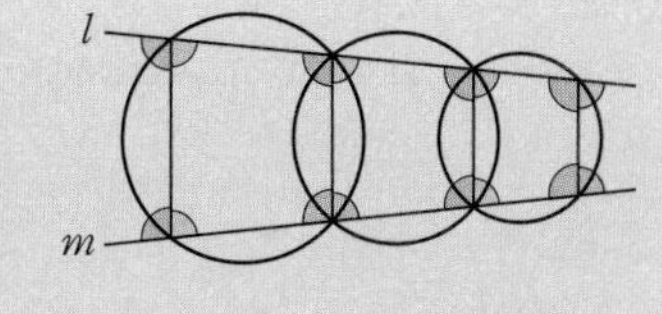

오른쪽 그림은 연속한 세 원이 이웃한 원과 두 점에서 만나고 그 교점이 두 직선 l, m 위에 있을 때, 사각형의 한 외각의 크기는 그와 이웃한 내각의 대각의 크기와 같음을 이용하여 각 사각형에서 크기가 같은 각을 나타낸 것이다.

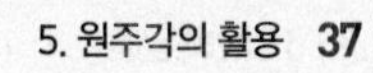

08 답 ①, ③

셀파 사각형이 원에 내접하기 위한 조건 3가지 중 한 가지에 해당하는지 확인한다.

① $\overline{DC}$에 대하여 $\angle DAC \neq \angle DBC$이므로
□ABCD는 원에 내접하지 않는다.

② $\angle ADB = 90^\circ - 35^\circ = 55^\circ$
즉 $\overline{AB}$에 대하여 $\angle ACB = \angle ADB = 55^\circ$이므로
□ABCD는 원에 내접한다.

③ △ACD에서 $\angle D = 180^\circ - (45^\circ + 35^\circ) = 100^\circ$
즉 $\angle B + \angle D = 55^\circ + 100^\circ = 155^\circ \neq 180^\circ$이므로
□ABCD는 원에 내접하지 않는다.

④ △AEB에서 $\angle EAB = 100^\circ - 40^\circ = 60^\circ$
즉 $\angle EAB = \angle C = 60^\circ$이므로 □ABCD는 원에 내접한다.

⑤ △AEC에서 $\angle DAC = 30^\circ + 20^\circ = 50^\circ$
$\overline{DC}$에 대하여 $\angle DAC = \angle DBC = 50^\circ$이므로
□ABCD는 원에 내접한다.

따라서 □ABCD가 원에 내접하지 않는 것은 ①, ③이다.

09 답 ㉡, ㉣, ㉥

셀파 사각형에서 한 쌍의 대각의 크기의 합이 180°이면 원에 내접한다.

한 쌍의 대각의 크기의 합이 180°인 사각형은 원에 내접하므로 항상 원에 내접하는 사각형은 다음과 같다.

㉡ 등변사다리꼴 ㉣ 직사각형 ㉥ 정사각형

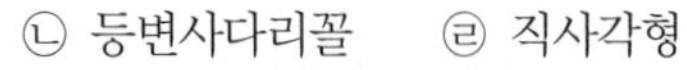
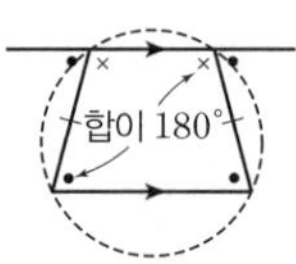

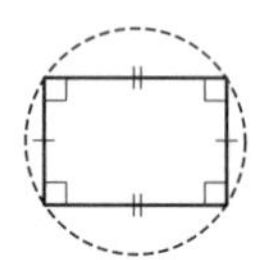
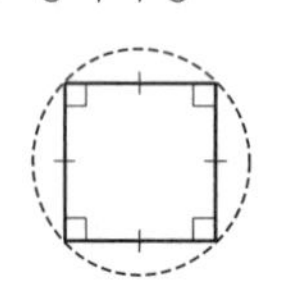

참고 ㉠ 사다리꼴 ㉢ 평행사변형 ㉤ 마름모

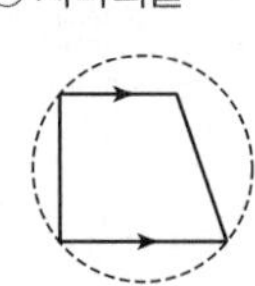
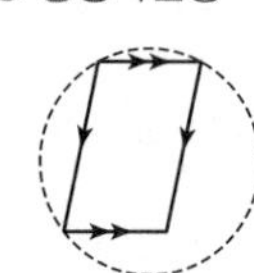
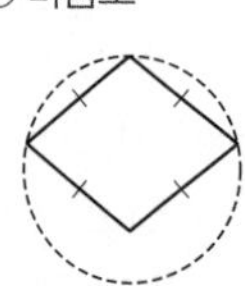

10 답 72°

셀파 원의 접선과 현이 이루는 각의 성질을 이용한다.

$\angle CBP = \angle BAC = 36^\circ$
△CBP는 $\overline{CB} = \overline{CP}$인 이등변삼각형이므로
$\angle CPB = \angle CBP = 36^\circ$
△ABP에서
$36^\circ + (\angle x + 36^\circ) + 36^\circ = 180^\circ$
$\therefore \angle x = 72^\circ$

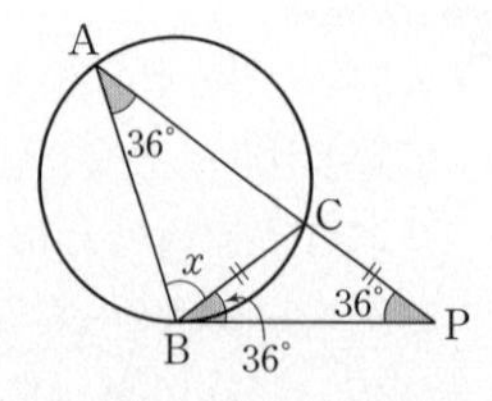

11 답 72°

셀파 $\overleftrightarrow{BP}$가 원의 접선이므로 $\angle x = \angle BAC$이고, 호의 길이는 그 호에 대한 원주각의 크기에 정비례함을 이용한다.

호의 길이는 그 호에 대한 원주각의 크기에 정비례하므로
$\angle ACB : \angle BAC : \angle CBA = \widehat{AB} : \widehat{BC} : \widehat{CA} = 5 : 8 : 7$
$\therefore \angle BAC = 180^\circ \times \frac{8}{5+8+7} = 180^\circ \times \frac{2}{5} = 72^\circ$
$\therefore \angle x = \angle BAC = 72^\circ$

참고 $\angle ACB = 180^\circ \times \frac{5}{5+8+7} = 180^\circ \times \frac{1}{4} = 45^\circ$
$\angle CBA = 180^\circ \times \frac{7}{5+8+7} = 180^\circ \times \frac{7}{20} = 63^\circ$

12 답 40°

셀파 원의 접선과 현이 이루는 각의 성질과 원에 내접하는 사각형의 성질을 이용한다.

1 $\angle x$의 크기 구하기 [30 %]
$\angle x = \angle CBQ = 25^\circ$

2 $\angle y$의 크기 구하기 [50 %]
$\angle ABP + \angle ABC + \angle CBQ = \angle PBQ$에서
$\angle PBQ$는 평각이므로
$40^\circ + \angle ABC + 25^\circ = 180^\circ$
$\therefore \angle ABC = 115^\circ$
□ABCD가 원에 내접하므로
$\angle ABC + \angle D = 180^\circ$
$115^\circ + \angle y = 180^\circ$ $\therefore \angle y = 65^\circ$

3 $\angle y - \angle x$의 크기 구하기 [20 %]
$\therefore \angle y - \angle x = 65^\circ - 25^\circ = 40^\circ$

13 답 34°

셀파 원의 접선과 현이 이루는 각의 성질과 반원에 대한 원주각의 크기를 이용한다.

$\overline{BC}$가 원 O의 지름이므로
$\angle BAC = 90^\circ$
$\angle CAP = \angle CBA = 28^\circ$
따라서 △PAB에서
$\angle x + (28^\circ + 90^\circ) + 28^\circ = 180^\circ$
$\therefore \angle x = 34^\circ$

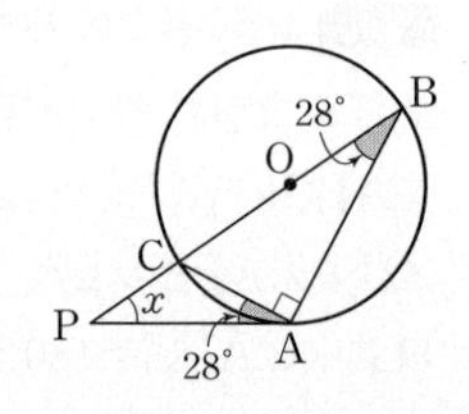

14 답 105°

셀파 원 밖의 한 점에서 그 원에 그은 두 접선의 길이는 같음을 이용하여 이등변삼각형을 찾는다.

1 $\angle x$의 크기 구하기 [40 %]

△APR는 $\overline{AP}=\overline{AR}$인 이등변삼각형이므로

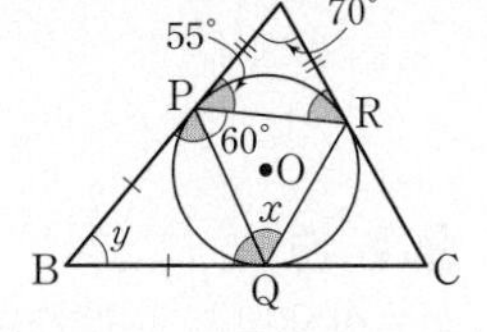

$\angle APR=\frac{1}{2}\times(180°-70°)=55°$

$\therefore \angle x=\angle APR=55°$

2 $\angle y$의 크기 구하기 [40 %]

$\angle APR+\angle RPQ+\angle BPQ=\angle APB$에서

$\angle APB$는 평각이므로

$55°+60°+\angle BPQ=180°$

$\therefore \angle BPQ=65°$

△BQP는 $\overline{BP}=\overline{BQ}$인 이등변삼각형이므로

$\angle y=180°-2\times65°=50°$

3 $\angle x+\angle y$의 크기 구하기 [20 %]

$\therefore \angle x+\angle y=55°+50°=105°$

15 답 ④

셀파 원의 접선과 현이 이루는 각의 성질을 이용한다.

① $\angle BTQ=\angle DTP$ (맞꼭지각)

② 원 O에서 접선과 현이 이루는 각의 성질로부터
$\angle BAT=\angle BTQ$

③ 원 O′에서 접선과 현이 이루는 각의 성질로부터
$\angle DTP=\angle DCT$
①, ②에 의하여
$\angle BAT=\angle BTQ=\angle DTP=\angle DCT$

④ $\angle DCT=\angle ABT$인지 알 수 없다.

⑤ ③에서 $\angle BAT=\angle DCT$
즉 엇각의 크기가 같으므로 $\overline{AB}/\!/\overline{CD}$

따라서 옳지 않은 것은 ④이다.

16 답 65°

셀파 보조선을 그어 원에 내접하는 사각형을 만든다.

오른쪽 그림과 같이 $\overline{CD}$를 그으면

□ABCD가 원 O에 내접하므로

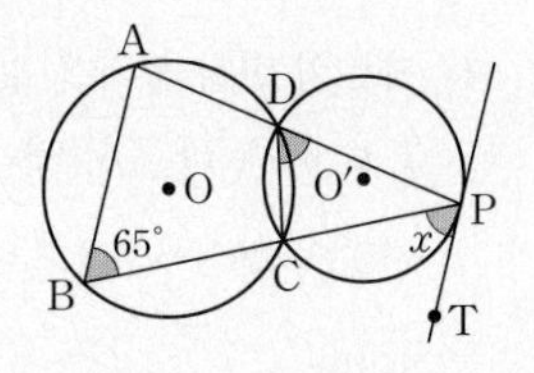

$\angle CDP=\angle B=65°$

원 O′에서 $\angle CPT=\angle CDP=65°$

$\therefore \angle x=65°$

17 답 ④

셀파 사각형이 원에 내접하기 위한 조건 3가지 중 한 가지에 해당하는지 확인한다.

① □ADOF에서 $\angle D+\angle F=90°+90°=180°$
즉 한 쌍의 대각의 크기의 합이 180°이므로 □ADOF는 원에 내접한다.

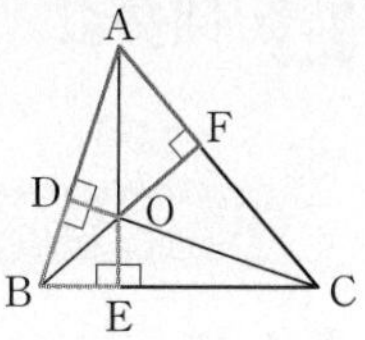

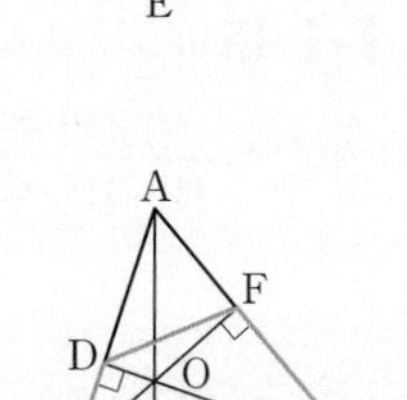

② □DBEO에서
$\angle D+\angle E=90°+90°=180°$
즉 한 쌍의 대각의 크기의 합이 180°이므로 □DBEO는 원에 내접한다.

③ □DBCF에서 $\overline{BC}$에 대하여
$\angle BDC=\angle BFC=90°$이므로
□DBCF는 원에 내접한다.

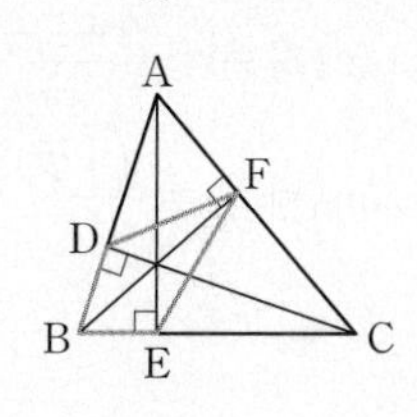

④ □DBEF에서 $\angle BDF>90°$,
$\angle BEF>90°$이므로
$\angle BDF+\angle BEF>180°$
즉 한 쌍의 대각의 크기의 합이 180°가 아니므로 □DBEF는 원에 내접하지 않는다.

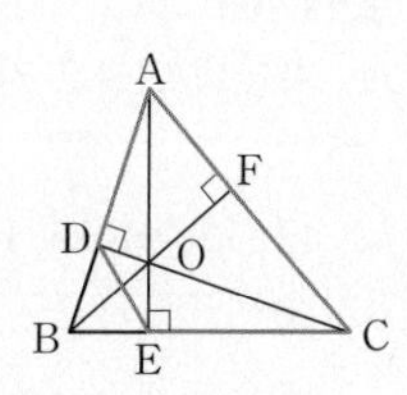

⑤ □ADEC에서 $\overline{AC}$에 대하여
$\angle ADC=\angle AEC=90°$이므로
□ADEC는 원에 내접한다.

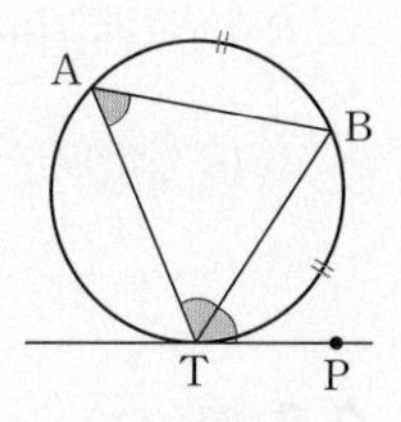

따라서 원에 내접하는 사각형이 아닌 것은 ④이다.

18 답 250 m

셀파 $\overline{AB}$를 그어 원에 내접하는 삼각형을 만든다.

오른쪽 그림과 같이 $\overline{AB}$를 그으면

$\angle BAT=\angle BTP$

이때 $\angle ATB=\angle BTP$이므로

$\angle BAT=\angle ATB$

크기가 같은 원주각에 대한 호의 길이는 같으므로 $\widehat{BT}=\widehat{AB}$

따라서 유리가 이동한 거리는 $\widehat{ABT}=500$ m이므로 철이가 이동한 거리는 $\widehat{BT}=\frac{1}{2}\widehat{ABT}=\frac{1}{2}\times500=250$ (m)

III. 통계

6 대푯값

본문 | 99 쪽

1-1 답 88

(평균)$=\frac{(\text{변량의 총합})}{(\text{변량의 개수})}=\frac{92+86+87+91+84}{\boxed{5}}=\frac{440}{5}=\boxed{88}$

1-2 답 (1) 5.4 (2) 7

(1) (평균)$=\frac{9+3+5+4+6}{5}=\frac{27}{5}=5.4$

(2) (평균)$=\frac{4+7+4+10+12+5}{6}=\frac{42}{6}=7$

2-1 답 (1) 15 (2) 12

(1) 자료의 변량을 작은 값부터 크기순으로 나열하면

중앙

11, 12, 13, (15), 16, 17, 17

변량의 개수가 7로 홀수이므로 중앙값은 $\frac{7+1}{2}=\boxed{4}$(번째) 값인 $\boxed{15}$이다.

(2) 자료의 변량을 작은 값부터 크기순으로 나열하면

중앙

3, 5, 7, (8), (16), 19, 25, 92

변량의 개수가 8로 짝수이므로 중앙값은 $\frac{8}{2}=4$(번째) 값인 8과 $\frac{8}{2}+1=\boxed{5}$(번째) 값인 16의 평균이다.

$\therefore$ (중앙값)$=\frac{8+16}{2}=\frac{24}{2}=\boxed{12}$

2-2 답 (1) 72 (2) 38

(1) 자료의 변량을 작은 값부터 크기순으로 나열하면

43, 64, 71, 72, 84, 92, 96

변량의 개수가 7로 홀수이므로 중앙값은 $\frac{7+1}{2}=4$(번째) 값인 72이다.

(2) 자료의 변량을 작은 값부터 크기순으로 나열하면

23, 34, 37, 39, 43, 57

변량의 개수가 6으로 짝수이므로 중앙값은 $\frac{6}{2}=3$(번째) 값인 37과 $\frac{6}{2}+1=4$(번째) 값인 39의 평균이다.

$\therefore$ (중앙값)$=\frac{37+39}{2}=\frac{76}{2}=38$

3-1 답 67, 74

자료의 변량을 작은 값부터 크기순으로 나열하면

65, 67, $\boxed{67}$, 68, 69, 70, 71, 72, 74, 74

(2개) (2개)

67과 74가 모두 2번씩으로 가장 많이 나타나므로 최빈값은 $\boxed{67}$, 74이다.

3-2 답 (1) 6 (2) 14, 19

(1) 자료의 변량을 작은 값부터 크기순으로 나열하면

2, 4, 5, 6, 6, 6, 7

6이 3번으로 가장 많이 나타나므로 최빈값은 6이다.

(2) 자료를 작은 값부터 크기순으로 나열하면

13, 14, 14, 14, 17, 17, 18, 19, 19, 19

(3개) (3개)

14와 19가 모두 3번씩으로 가장 많이 나타나므로 최빈값은 14, 19이다.

본문 | 101~105 쪽

01 답 5개

셀파 (평균)$=\frac{(\text{변량의 총합})}{(\text{변량의 개수})}$임을 이용하여 식을 세운다.

(평균)$=\frac{4+3+5+9+3+4+7}{7}=\frac{35}{7}=5$(개)

02 답 (1) 8 (2) 25

셀파 자료의 변량을 작은 값부터 크기순으로 나열하였을 때, 한가운데에 있는 값이 중앙값이다.

(1) 자료의 변량을 작은 값부터 크기순으로 나열하면

2, 6, 6, 8, 11, 13, 19

변량의 개수가 7로 홀수이므로 중앙값은 $\frac{7+1}{2}=4$(번째) 값인 8이다.

(2) 자료의 변량을 작은 값부터 크기순으로 나열하면
13, 15, 23, 27, 30, 36
변량의 개수가 6으로 짝수이므로 중앙값은 $\frac{6}{2}=3$(번째) 값인
23과 $\frac{6}{2}+1=4$(번째) 값인 27의 평균이다.
$\therefore$ (중앙값)$=\frac{23+27}{2}=\frac{50}{2}=25$

03 답 1. 3개, 7개 2. 문학반

셀파 자료의 변량 중에서 가장 많이 나타나는 값이 최빈값이다.

1. 자료의 변량을 작은 값부터 크기순으로 나열하면
2, 3, 3, 3, 4, 5, 7, 7, 7
3과 7이 모두 3번씩으로 가장 많이 나타나므로 최빈값은 3개, 7개이다.
2. 문학반에 가입한 학생이 7명으로 가장 많으므로 최빈값은 문학반이다.

04 답 5

셀파 (운동한 시간의 평균)$=\frac{\text{(운동한 시간의 총합)}}{\text{(학생 수)}}$임을 이용하여 식을 세운다.

8명이 일주일 동안 운동한 시간의 평균이 6시간이므로
$\frac{x+2+8+6+12+1+4+10}{8}=6$에서 $\frac{x+43}{8}=6$
$x+43=48 \qquad \therefore x=5$

05 답 6

셀파 변량의 개수가 6으로 짝수이므로 중앙값은 한가운데에 있는 두 변량의 평균이다.

변량의 개수가 6으로 짝수이므로 중앙값은 $\frac{6}{2}=3$(번째) 값인 5와
$\frac{6}{2}+1=4$(번째) 값인 x의 평균이다.
이때 중앙값이 5.5이므로 $\frac{5+x}{2}=5.5$
$5+x=11 \qquad \therefore x=6$

06 답 84

셀파 x의 값이 86, 75, 84, 91 중 하나일 때 최빈값이 생긴다.

x를 제외한 자료에서 변량이 모두 1번씩 나타나므로 최빈값은 x점이다. 이때 평균과 최빈값이 같으므로
$\frac{86+75+84+x+91}{5}=x$
$\frac{336+x}{5}=x$, $336+x=5x$
$4x=336 \qquad \therefore x=84$

확인 $x=84$일 때, 최빈값은 84점이다.
(평균)$=\frac{86+75+84+84+91}{5}=\frac{420}{5}=84$(점)
따라서 평균과 최빈값이 같다.

07 답 42

셀파 변량 a, b, c, d의 평균이 $\frac{a+b+c+d}{4}=8$임을 이용한다.

4개의 변량 a, b, c, d의 평균이 8이므로 $\frac{a+b+c+d}{4}=8$
따라서 변량 $5a+2, 5b+2, 5c+2, 5d+2$의 평균은
$\frac{(5a+2)+(5b+2)+(5c+2)+(5d+2)}{4}$
$=\frac{5(a+b+c+d)+8}{4}$
$=5\times\frac{a+b+c+d}{4}+2$
$=5\times8+2$
$=42$

LECTURE 평균의 성질

a, b는 상수이고, n개의 변량 $x_1, x_2, x_3, \cdots, x_n$의 평균이 M일 때,
$\frac{x_1+x_2+x_3+\cdots+x_n}{n}=M$

❶ 변량 $ax_1, ax_2, ax_3, \cdots, ax_n$의 평균은
$\frac{ax_1+ax_2+ax_3+\cdots+ax_n}{n}=\frac{a(x_1+x_2+x_3+\cdots+x_n)}{n}$
$=a\times\frac{x_1+x_2+x_3+\cdots+x_n}{n}$
$=aM$

❷ 변량 $x_1+b, x_2+b, x_3+b, \cdots, x_n+b$의 평균은
$\frac{(x_1+b)+(x_2+b)+(x_3+b)+\cdots+(x_n+b)}{n}$
$=\frac{x_1+x_2+x_3+\cdots+x_n}{n}+\frac{nb}{n}$
$=M+b$

❸ 변량 $ax_1+b, ax_2+b, ax_3+b, \cdots, ax_n+b$의 평균은
$\frac{(ax_1+b)+(ax_2+b)+(ax_3+b)+\cdots+(ax_n+b)}{n}$
$=\frac{a(x_1+x_2+x_3+\cdots+x_n)}{n}+\frac{nb}{n}$
$=a\times\frac{x_1+x_2+x_3+\cdots+x_n}{n}+b$
$=aM+b$

빠른 풀이 [위의 평균의 성질을 이용]
4개의 변량 a, b, c, d의 평균을 m이라 할 때, $m=8$
따라서 변량 $5a+2$, $5b+2$, $5c+2$, $5d+2$의 평균은
$5m+2=5\times8+2=42$

08
답 (1) 평균: 880시간, 중앙값: 1080시간 (2) 중앙값

셀파 평균, 중앙값의 장점과 단점을 파악한다.

(1) $(\text{평균})=\dfrac{1100+1080+1120+1070+30}{5}$

$=\dfrac{4400}{5}=880(\text{시간})$

자료의 변량을 작은 값부터 크기순으로 나열하면
30, 1070, 1080, 1100, 1120
이므로 중앙값은 1080시간이다.

(2) 다른 변량과 비교하였을 때 자료에 매우 작은 값인 30이 있으므로 대푯값으로 더 적절한 것은 중앙값이다.

참고 자료에 극단적인 값이 있을 때에는 대푯값으로 평균보다 중앙값이 더 적절하다.

09
답 중앙값: 37세, 최빈값: 37세

셀파 변량의 개수는 줄기와 잎 그림에서 잎의 개수와 같다.

전체 잎의 개수가 $4+7+5+2=18$이므로 변량의 개수는 18이다.
이때 줄기와 잎 그림에서 변량은 크기순으로 나열되어 있으므로 중앙값은 $\dfrac{18}{2}=9$(번째) 값인 37과 $\dfrac{18}{2}+1=10$(번째) 값인 37의 평균이다.

즉 $(\text{중앙값})=\dfrac{37+37}{2}=\dfrac{74}{2}=37(\text{세})$

또 나이가 37세인 단원이 3명으로 가장 많으므로 최빈값은 37세이다.

실력 키우기

본문 | 106~107쪽

01
답 ②, ④

셀파 대푯값인 평균, 중앙값, 최빈값에 대하여 비교하여 알아둔다.

② 자료의 변량 중에 너무 작거나 너무 큰 값이 있을 때에는 대푯값으로 평균보다 중앙값이 더 적절하다.
④ 자료의 변량을 작은 값부터 크기순으로 나열하였을 때, 중앙값은 변량의 개수가 짝수이면 한가운데에 있는 두 변량의 평균이므로 자료 안에 없을 수도 있다.
⑤ 자료에 따라 최빈값은 2개 이상일 수도 있다.
따라서 대푯값에 대한 설명 중 옳지 않은 것은 ②, ④이다.

02
답 ③

셀파 선호도 ⇨ 최빈값을 대푯값으로 한다.

자료가 수로 주어지지 않았으므로 대푯값으로 최빈값이 적절하다.

03
답 ④

셀파 평균은 너무 크거나 너무 작은 값에 영향을 받는다.

④ 변량 중에 300과 같이 다른 변량들과 차이가 매우 큰 값, 즉 극단적인 값이 있는 경우에는 대푯값으로 평균이 적절하지 않다.

04
답 7.8

셀파 자료의 변량을 작은 값부터 크기순으로 나열한다.

1 a의 값 구하기 [30 %]

$(\text{평균})=\dfrac{5+4+3+1+1+6+6+1+4+2}{10}$

$=\dfrac{33}{10}=3.3(\text{권})$

$\therefore a=3.3$

2 b의 값 구하기 [30 %]
자료의 변량을 작은 값부터 크기순으로 나열하면
1, 1, 1, 2, 3, 4, 4, 5, 6, 6
변량의 개수가 10이므로 중앙값은 5번째 값인 3과 6번째 값인 4의 평균이다.

즉 $(\text{중앙값})=\dfrac{3+4}{2}=\dfrac{7}{2}=3.5(\text{권})$ $\therefore b=3.5$

3 c의 값 구하기 [20 %]
1이 3번으로 가장 많이 나타나므로 최빈값은 1권이다.
$\therefore c=1$

4 $a+b+c$의 값 구하기 [20 %]
$\therefore a+b+c=3.3+3.5+1=7.8$

05
답 ②

셀파 A, B 두 사람의 점수의 평균, 중앙값, 최빈값을 각각 구한다.

$(\text{A의 점수의 평균})=\dfrac{9+8+5+10+8}{5}=\dfrac{40}{5}=8(\text{점})$

A의 점수를 작은 값부터 크기순으로 나열하면
5, 8, 8, 9, 10
이므로 중앙값은 8점이고, 최빈값은 8점이다.

(B의 점수의 평균)$=\frac{3+8+5+7+7}{5}=\frac{30}{5}=6$(점)

B의 점수를 작은 값부터 크기순으로 나열하면

3, 5, 7, 7, 8

이므로 중앙값은 7점이고, 최빈값은 7점이다.

② B의 점수의 중앙값과 최빈값은 같다.

따라서 옳지 않은 것은 ②이다.

06 답 96점

셀파 5번째 시험에서 받는 점수를 x점이라 하면

(평균 점수)$=\frac{(\text{4번의 시험에서 받은 점수의 총합})+x}{5}$

5번째 시험에서 받는 점수를 x점이라 하면

$\frac{84+87+92+91+x}{5}=90$

$\frac{354+x}{5}=90$, $354+x=450$

$\therefore x=96$

따라서 5번째 시험에서 96점을 받아야 한다.

07 답 $a=7$, $b=11$

셀파 자료의 변량을 작은 값부터 크기순으로 나열하였을 때

변량의 개수 n이 홀수이면 중앙값은 $\frac{n+1}{2}$번째 값이고,

n이 짝수이면 중앙값은 $\frac{n}{2}$번째 값과 $\left(\frac{n}{2}+1\right)$번째 값의 평균이다.

조건 (가)에서 3, 4, a, b, 12의 중앙값이 7이므로 변량을 작은 값부터 크기순으로 나열하였을 때 3번째 수가 7이어야 한다.

이때 $a<b$이므로 $a=7$

또 조건 (나)에서 5, 12, a, b, 즉 5, 7, 12, b의 중앙값이 9이므로 b는 7과 12 사이의 수이어야 한다.

따라서 변량을 작은 값부터 크기순으로 나열하면 5, 7, b, 12이고 중앙값이 9이므로

$\frac{7+b}{2}=9$, $7+b=18$

$\therefore b=11$

08 답 0

셀파 최빈값이 0이므로 a, b 중 하나가 0이어야 한다.

① $a+b$의 값 구하기 [30 %]

평균이 0이므로

$\frac{-5+6+(-2)+5+a+b+0}{7}=0$에서 $\frac{4+a+b}{7}=0$

$4+a+b=0$ $\quad\therefore a+b=-4$ ······ ㉠

② a, b의 값 각각 구하기 [40 %]

또 변량 -5, 6, -2, 5, a, b, 0에서 최빈값이 0이므로

a, $b(a>b)$ 중 하나가 0이어야 한다.

(i) $a=0$일 때, ㉠에 대입하면 $b=-4$

(ii) $b=0$일 때, ㉠에 대입하면 $a=-4$

이때 $a>b$이므로

$a=0$, $b=-4$

③ 주어진 자료의 중앙값 구하기 [30 %]

따라서 자료의 변량을 작은 값부터 크기순으로 나열하면

-5, -4, -2, 0, 0, 5, 6

이므로 중앙값은 4번째 값인 0이다.

09 답 31

셀파 변량 a, b, c, d의 평균이 $\frac{a+b+c+d}{4}=12$임을 이용한다.

4개의 변량 a, b, c, d의 평균이 12이므로

$\frac{a+b+c+d}{4}=12$

따라서 변량 $3a-5$, $3b-5$, $3c-5$, $3d-5$의 평균은

$\frac{(3a-5)+(3b-5)+(3c-5)+(3d-5)}{4}$

$=\frac{3(a+b+c+d)-20}{4}$

$=3\times\frac{a+b+c+d}{4}-5$

$=3\times12-5$

$=31$

▮빠른 풀이▮ 4개의 변량 a, b, c, d의 평균을 m이라 할 때, $m=12$

따라서 변량 $3a-5$, $3b-5$, $3c-5$, $3d-5$의 평균은

$3m-5=3\times12-5=31$

10 답 30

셀파 잎의 개수를 이용하여 변량의 개수를 구한다.

① a의 값 구하기 [40 %]

전체 잎의 개수가 $2+4+3+1=10$이므로 변량의 개수는 10이다.

이때 줄기와 잎 그림에서 변량은 크기순으로 나열되어 있으므로

중앙값은 $\frac{10}{2}=5$(번째) 값인 14와 $\frac{10}{2}+1=6$(번째) 값인 18의 평균이다. 즉 (중앙값)$=\frac{14+18}{2}=\frac{32}{2}=16$(회) $\quad\therefore a=16$

② b의 값 구하기 [40 %]
또 윗몸일으키기 기록이 14회인 학생이 2명으로 가장 많으므로 최빈값은 14회이다.
$\therefore b=14$

③ $a+b$의 값 구하기 [20 %]
$\therefore a+b=16+14=30$

11 답 ㉠, ㉡

셀파 A 지역과 B 지역의 평균, 중앙값, 최빈값을 각각 구한다.

㉠ 두 지역의 하루 중 최고 기온을 각각 작은 값부터 크기순으로 나열하면
A: 21, 21, 22, 22, 23, 23, 23, 24, 24, 24, 24, 24, 25, 25, 26
B: 22, 22, 22, 23, 24, 24, 24, 24, 25, 25, 25, 25, 25, 25, 26
즉 A 지역의 중앙값은 8번째 값인 24 ℃이고, B 지역의 중앙값은 8번째 값인 24 ℃이므로 두 지역의 하루 중 최고 기온의 중앙값은 같다.
㉡ A 지역은 24 ℃인 날이 5일로 가장 많이 나타나므로 A 지역의 하루 중 최고 기온의 최빈값은 24 ℃이다.
㉢ B 지역은 25 ℃인 날이 6일로 가장 많이 나타나므로 B 지역의 하루 중 최고 기온의 최빈값은 25 ℃이다. 즉 B 지역의 하루 중 최고 기온의 중앙값과 최빈값은 서로 다르다.
따라서 옳은 것은 ㉠, ㉡이다.

12 답 9 cm

셀파 다른 팀으로 간 선수의 키를 a cm, 새로 온 선수의 키를 b cm로 놓고 식을 세운다.

다른 팀으로 간 선수의 키를 a cm, 새로 온 선수의 키를 b cm라 하면
(처음 선수 9명의 키의 총합) $=190\times 9=1710$ (cm)
(다른 팀으로 간 선수를 뺀 키의 총합) $=1710-a$ (cm)
(새로 온 선수를 포함한 키의 총합) $=1710-a+b$ (cm)
이때 새로 온 선수를 포함한 9명의 키의 평균이 191 cm이므로
$\frac{1710-a+b}{9}=191$
$1710-a+b=1719$
$\therefore b-a=9$
따라서 새로 온 선수의 키는 다른 팀으로 간 선수의 키보다 9 cm만큼 더 크다.

7 산포도

본문 | 111~112쪽

1-1 답 B

각 그래프를 표로 나타내면 다음과 같다.

	1회	2회	3회	4회
학생 A(시간)	2	3	3	4
학생 B(시간)	1	2	4	5

(학생 A의 평균) $=\frac{2+3+3+4}{4}=\frac{12}{4}=3$(시간)
(학생 B의 평균) $=\frac{1+2+4+5}{4}=\frac{12}{4}=3$(시간)
이때 두 학생 A, B의 평균 3시간을 그림에 표시하면 다음과 같다.

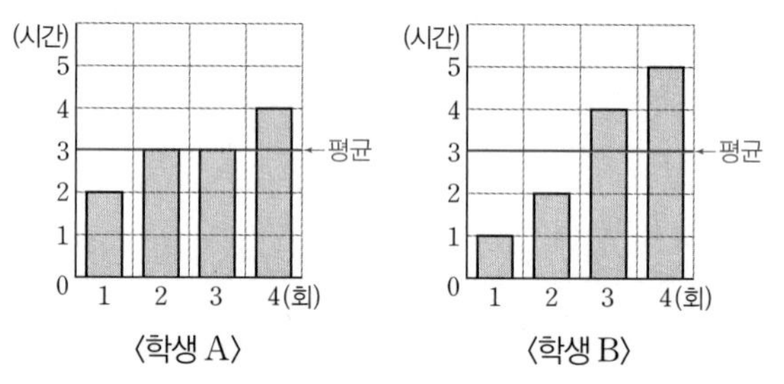

〈학생 A〉 〈학생 B〉

따라서 위의 그림에서 학생 [B]의 봉사활동 시간이 학생 [A]의 봉사활동 시간보다 평균 3시간에서 더 멀리 흩어져 있으므로 봉사활동 시간의 산포도가 더 큰 학생은 [B]이다.

1-2 답 (1) A: 20분, B: 20분 (2) A

(1) 각 그래프를 표로 나타내면 다음과 같다.

	1일	2일	3일	4일	5일
학생 A(분)	19	21	20	21	19
학생 B(분)	23	20	22	15	20

(학생 A의 평균) $=\frac{19+21+20+21+19}{5}=\frac{100}{5}=20$(분)
(학생 B의 평균) $=\frac{23+20+22+15+20}{5}=\frac{100}{5}=20$(분)

(2) 두 학생 A, B의 평균 20분을 그림에 표시하면 다음과 같다.

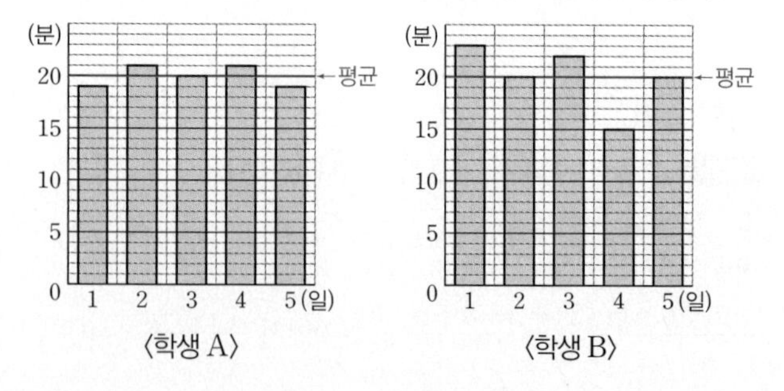

〈학생 A〉 〈학생 B〉

따라서 위의 그림에서 학생 A의 통학 시간이 학생 B의 통학 시간보다 평균 20분에 더 가까이 모여 있으므로 통학 시간의 산포도가 더 작은 학생은 A이다.

2-1 답 (1) 81회 (2) 풀이 참조

(1) $(평균)=\frac{83+93+71+77}{4}=\frac{324}{4}=81(회)$

(2) (편차)=(변량)−(평균)이므로
학생 4명의 맥박 수의 편차와 그 합은 다음과 같다.

학생	A	B	C	D	합계
편차(회)	83−81 =2	93−81 =[12]	71−81 =−10	77−81 =[−4]	[0]

$2+12+(-10)+(-4)=0$

2-2 답 (1) 27 (2) 풀이 참조 (3) 0

(1) $(평균)=\frac{25+26+27+28+29}{5}=\frac{135}{5}=27$

(2) (편차)=(변량)−(평균)이므로
각 변량의 편차는 다음과 같다.

변량	25	26	27	28	29
편차	25−27 =−2	26−27 =−1	27−27 =0	28−27 =1	29−27 =2

(3) 편차의 합은 $-2+(-1)+0+1+2=0$

3-1 답 분산: 6, 표준편차: $\sqrt{6}$ kg

[1] $(평균)=\frac{66+62+65+69+63}{5}=\frac{325}{5}=65\ (kg)$

[2] 각 변량의 편차를 구하면 다음과 같다.

몸무게(kg)	66	62	65	69	63
편차(kg)	66−65 =1	62−65 =[−3]	65−65 =0	69−65 =[4]	63−65 =−2

[3] $(분산)=\frac{1^2+(\boxed{-3})^2+0^2+\boxed{4}^2+(-2)^2}{5}=\frac{30}{5}=\boxed{6}$

[4] $(표준편차)=\boxed{\sqrt{6}}\ (kg)$

3-2 답 (1) 79점 (2) 풀이 참조 (3) 54 (4) $3\sqrt{6}$점

(1) $(평균)=\frac{73+82+69+81+90}{5}=\frac{395}{5}=79(점)$

(2) 각 변량의 편차를 구하면 다음과 같다.

학생	A	B	C	D	E
점수(점)	73	82	69	81	90
편차(점)	73−79 =−6	82−79 =3	69−79 =−10	81−79 =2	90−79 =11

(3) $(분산)=\frac{(-6)^2+3^2+(-10)^2+2^2+11^2}{5}=\frac{270}{5}=54$

(4) $(표준편차)=\sqrt{54}=3\sqrt{6}(점)$

본문 | 113~117쪽

01 답 ②, ④

셀파 (편차)=(변량)−(평균)임을 이용한다.

② (편차)=(변량)−(평균)>0이므로 (변량)>(평균)

④ 편차의 총합은 항상 0이므로 편차의 평균도 항상 0이 되어 산포도를 알 수 없다.
$(편차)^2$의 평균으로 산포도를 알 수 있다.

02 답 16개

셀파 편차의 총합은 항상 0임을 이용하여 A의 편차를 먼저 구한다.

A의 홈런 수의 편차를 x개라 하면
편차의 총합은 0이므로
$x+(-5)+(-2)+3+1=0$
$x-3=0 \quad \therefore x=3$
(편차)=(변량)−(평균)이고 홈런 수의 평균이 13개이므로
3=(A의 홈런 수)−13
∴ (A의 홈런 수)=16(개)

03 답 2명

셀파 편차의 총합은 항상 0임을 이용하여 x의 값을 먼저 구한다.

편차의 총합은 0이므로

$-3+x+(-1)+1+0=0 \quad \therefore x=3$

편차(명)	-3	3	-1	1	0
(편차)^2	9	9	1	1	0

$(\text{분산})=\dfrac{\{(\text{편차})^2\text{의 총합}\}}{(\text{변량의 개수})}=\dfrac{9+9+1+1+0}{5}=\dfrac{20}{5}=4$

$\therefore$ (표준편차)$=\sqrt{4}=2$(명)

04 답 74

셀파 평균과 분산을 이용하여 x, y에 대한 두 식을 세워 본다.

변량 4, 10, x, y, 5의 평균이 6이므로

$\dfrac{4+10+x+y+5}{5}=6$

$19+x+y=30 \quad \therefore x+y=11 \quad \cdots\cdots$ ㉠

분산이 7이므로

$\dfrac{(4-6)^2+(10-6)^2+(x-6)^2+(y-6)^2+(5-6)^2}{5}=7$

$(x-6)^2+(y-6)^2+21=35$

$x^2+y^2-12(x+y)=-58 \quad \cdots\cdots$ ㉡

㉠을 ㉡에 대입하면 $x^2+y^2-12\times11=-58$

$\therefore x^2+y^2=74$

05 답 1. 1반 2. ㉢

셀파 표준편차가 작을수록 변량이 평균을 중심으로 가까이 모여 있고, 자료의 분포 상태가 고르다.

1. 표준편차가 작을수록 자료의 분포 상태가 고르다.
따라서 표준편차가 가장 작은 반은 1반이므로 1반의 미술 점수가 가장 고르다.

2. ㉠ 3반의 평균이 가장 작으므로 달리기 기록이 가장 좋은 반은 3반이다.
㉡ 달리기 기록이 가장 좋은 학생이 속한 반은 알 수 없다.
㉢ 3반의 표준편차가 가장 작으므로 달리기 기록이 가장 고른 반은 3반이다.
따라서 옳은 것은 ㉢이다.

06 답 평균: -19, 분산: 16, 표준편차: 4

셀파 평균과 분산을 각각 a, b, c에 대한 식으로 나타낸다.

3개의 변량 a, b, c의 평균이 10이므로

$\dfrac{a+b+c}{3}=10$

표준편차가 2, 즉 분산이 $2^2=4$이므로

$\dfrac{(a-10)^2+(b-10)^2+(c-10)^2}{3}=4$

따라서 변량 $-2a+1$, $-2b+1$, $-2c+1$에 대하여

$(\text{평균})=\dfrac{(-2a+1)+(-2b+1)+(-2c+1)}{3}$

$=\dfrac{-2(a+b+c)+3}{3}$

$=-2\times10+1=-19$

(분산)

$=\dfrac{\{(-2a+1)-(-19)\}^2+\{(-2b+1)-(-19)\}^2+\{(-2c+1)-(-19)\}^2}{3}$

$=\dfrac{(-2a+20)^2+(-2b+20)^2+(-2c+20)^2}{3}$

$=\dfrac{(-2)^2\{(a-10)^2+(b-10)^2+(c-10)^2\}}{3}$

$=(-2)^2\times4=16$

(표준편차)$=\sqrt{16}=4$

빠른 풀이 3개의 변량 a, b, c의 평균을 m, 표준편차를 s라 하면

$m=10, s=2$

따라서 변량 $-2a+1$, $-2b+1$, $-2c+1$에 대하여

평균은 $-2m+1=-2\times10+1=-19$,

분산은 $(-2)^2s^2=4\times2^2=16$,

표준편차는 $|-2|s=2\times2=4$

07 답 20.8

셀파 $\{(\text{편차})^2\text{의 총합}\}=(\text{분산})\times(\text{변량의 개수})$임을 이용한다.

{A 모둠의 (편차)^{2}의 총합}

=(A 모둠의 분산)×(A 모둠의 학생 수)

$=16\times7=112$

{B 모둠의 (편차)^{2}의 총합}

=(B 모둠의 분산)×(B 모둠의 학생 수)

$=25\times8=200$

이때 두 모둠의 평균이 같으므로 전체 학생의 수면 시간의 분산은

$\dfrac{\{\text{A 모둠의 (편차)}^2\text{의 총합}\}+\{\text{B 모둠의 (편차)}^2\text{의 총합}\}}{(\text{전체 학생 수})}$

$=\dfrac{112+200}{7+8}=\dfrac{312}{15}=20.8$

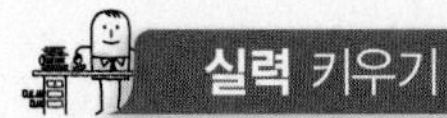

실력 키우기

본문 | 118~119쪽

01 답 ③

셀파 편차, 분산, 표준편차의 뜻을 생각한다.

① 편차의 총합은 항상 0이다.

② (편차)=(변량)−(평균)이므로
(변량)<(평균)이면 편차는 음수이다.

③ (분산)$=\frac{\{(\text{편차})^2\text{의 총합}\}}{(\text{변량의 개수})}$이므로 편차의 제곱의 평균이다.

④ 표준편차는 분산의 음이 아닌 제곱근이다.

⑤ 편차의 절댓값이 작을수록 산포도는 작다.

따라서 옳은 것은 ③이다.

02 답 161

셀파 학생 A의 자료에서 학생 6명의 키의 평균을 구한다.

1 a의 값 구하기 [30 %]

편차의 총합은 0이므로

$2+a+(-7)+(-4)+5+1=0$

$\therefore a=3$

2 b의 값 구하기 [50 %]

(편차)=(변량)−(평균)이므로 학생 A의 자료에서

$2=164-(\text{평균})$　　$\therefore (\text{평균})=162$ cm

학생 D의 자료에서 $-4=b-162$

$\therefore b=158$

3 $a+b$의 값 구하기 [20 %]

$\therefore a+b=3+158=161$

03 답 ④

셀파 편차의 성질을 이용한다.

① 편차의 총합은 0이므로
$3+x+0+(-2)+1+(-1)=0$
$\therefore x=-1$

② (편차)=(변량)−(평균)이고 C의 편차가 0이므로
(C의 점수)=(평균)
즉 C의 점수가 학생 6명의 수학 점수의 평균이다.

③ (편차)=(변량)−(평균)이고 평균은 모두 같으므로 편차가 클수록 변량도 크다.
즉 A의 편차가 가장 크므로 점수가 가장 높은 학생은 A이다.

④ 학생 6명의 평균을 m이라 하면 A의 점수는 $(m+3)$점, B의 점수는 $(m-1)$점이므로 A와 B의 점수 차는
$(m+3)-(m-1)=4$(점)

⑤ $-2=$(D의 점수)−(평균)이므로 (D의 점수)=(평균)−2
즉 D의 점수는 평균보다 2점 낮다.

따라서 옳지 않은 것은 ④이다.

04 답 3.8

셀파 (분산)$=\frac{\{(\text{편차})^2\times(\text{도수})\}\text{의 총합}}{(\text{도수의 총합})}$

도수의 총합이 $2+1+2+3+1+1=10$(명)이므로

(분산)

$=\frac{(-3)^2\times2+(-2)^2\times1+0^2\times2+1^2\times3+2^2\times1+3^2\times1}{10}$

$=\frac{38}{10}=3.8$

05 답 $\sqrt{10}$

셀파 (평균)$=\frac{(\text{변량의 총합})}{(\text{변량의 개수})}$임을 이용하여 x의 값을 먼저 구한다.

평균이 8이므로

$\frac{7+8+5+x+6}{5}=8$

$26+x=40$　　$\therefore x=14$

이때 변량 7, 8, 5, 14, 6의 편차는 각각 −1, 0, −3, 6, −2이므로

(분산)$=\frac{(-1)^2+0^2+(-3)^2+6^2+(-2)^2}{5}=\frac{50}{5}=10$

$\therefore$ (표준편차)$=\sqrt{10}$

06 답 (1) 12 (2) 74 (3) 35

셀파 평균과 분산을 이용하여 a, b에 대한 식을 세운다.

1 $a+b$의 값 구하기 [30 %]

(1) 평균이 5이므로

$\frac{1+4+8+a+b}{5}=5$

$a+b+13=25$　　$\therefore a+b=12$　　…… ㉠

2 a^2+b^2의 값 구하기 [40 %]

(2) 분산이 6이므로

$\frac{(1-5)^2+(4-5)^2+(8-5)^2+(a-5)^2+(b-5)^2}{5}=6$

$(a-5)^2+(b-5)^2+26=30$

$a^2+b^2-10(a+b)=-46$ …… ㉡

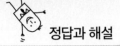

㉠을 ㉡에 대입하면 $a^2+b^2-10\times12=-46$

$\therefore a^2+b^2=74$ …… ㉢

③ ab의 값 구하기 [30 %]

(3) $a^2+b^2=(a+b)^2-2ab$이므로 ㉠, ㉢을 대입하면

$74=12^2-2ab$

$2ab=70 \quad \therefore ab=35$

07 답 ⑤

셀파 주어진 표로 자료의 분포 상태는 알 수 있지만 학생들이 몇 점을 받았는지는 알 수 없다.

① 각 반의 학생 수는 알 수 없다.
② 2반의 표준편차가 5반의 표준편차보다 작으므로 5반의 점수 분포보다 2반의 점수 분포가 더 고르다.
③ 수학 점수가 가장 높은 학생이 어느 반에 있는지 알 수 없다.
④ 수학 점수가 90점 이상인 학생 수는 알 수 없다.
⑤ 4반의 표준편차가 가장 작으므로 수학 점수가 가장 고른 반은 4반이다.

따라서 옳은 것은 ⑤이다.

08 답 ③

셀파 표준편차의 뜻을 생각한다.

표준편차가 가장 크다는 것은 변량이 평균을 중심으로 흩어져 있는 정도가 가장 큰 것을 말하므로 표준편차가 가장 큰 것은 ③이다.

다른 풀이 주어진 자료의 표준편차를 각각 구하면 다음과 같다.

① $(\text{평균})=\dfrac{3+5+3+5+3+5}{6}=\dfrac{24}{6}=4$

(분산)

$=\dfrac{(3-4)^2+(5-4)^2+(3-4)^2+(5-4)^2+(3-4)^2+(5-4)^2}{6}$

$=\dfrac{6}{6}=1$

$\therefore (\text{표준편차})=\sqrt{1}=1$

② $(\text{평균})=\dfrac{3+5+3+5+4+4}{6}=\dfrac{24}{6}=4$

(분산)

$=\dfrac{(3-4)^2+(5-4)^2+(3-4)^2+(5-4)^2+(4-4)^2+(4-4)^2}{6}$

$=\dfrac{4}{6}=\dfrac{2}{3}$

$\therefore (\text{표준편차})=\sqrt{\dfrac{2}{3}}=\dfrac{\sqrt{6}}{3}$

③ $(\text{평균})=\dfrac{1+5+1+5+1+5}{6}=\dfrac{18}{6}=3$

(분산)

$=\dfrac{(1-3)^2+(5-3)^2+(1-3)^2+(5-3)^2+(1-3)^2+(5-3)^2}{6}$

$=\dfrac{24}{6}=4$

$\therefore (\text{표준편차})=\sqrt{4}=2$

④ $(\text{평균})=\dfrac{1+5+1+5+3+3}{6}=\dfrac{18}{6}=3$

(분산)

$=\dfrac{(1-3)^2+(5-3)^2+(1-3)^2+(5-3)^2+(3-3)^2+(3-3)^2}{6}$

$=\dfrac{16}{6}=\dfrac{8}{3}$

$\therefore (\text{표준편차})=\sqrt{\dfrac{8}{3}}=\dfrac{2\sqrt{6}}{3}$

⑤ $(\text{평균})=\dfrac{2+2+2+2+2+2}{6}=\dfrac{12}{6}=2$

(분산)

$=\dfrac{(2-2)^2+(2-2)^2+(2-2)^2+(2-2)^2+(2-2)^2+(2-2)^2}{6}$

$=\dfrac{0}{6}=0$

$\therefore (\text{표준편차})=\sqrt{0}=0$

따라서 표준편차가 가장 큰 것은 ③이다.

09 답 9

셀파 평균과 표준편차를 이용하여 a, b, c, d에 대한 식을 세운다.

4개의 변량 a, b, c, d의 평균이 7이므로

$\dfrac{a+b+c+d}{4}=7$

표준편차가 3, 즉 분산이 $3^2=9$이므로

$\dfrac{(a-7)^2+(b-7)^2+(c-7)^2+(d-7)^2}{4}=9$

따라서 변량 $3a-6, 3b-6, 3c-6, 3d-6$에 대하여

$(\text{평균})=\dfrac{(3a-6)+(3b-6)+(3c-6)+(3d-6)}{4}$

$=\dfrac{3(a+b+c+d)-24}{4}=3\times7-6=15$

(분산)

$=\dfrac{(3a-6-15)^2+(3b-6-15)^2+(3c-6-15)^2+(3d-6-15)^2}{4}$

$=\dfrac{(3a-21)^2+(3b-21)^2+(3c-21)^2+(3d-21)^2}{4}$

$=\dfrac{3^2\{(a-7)^2+(b-7)^2+(c-7)^2+(d-7)^2\}}{4}$

$=3^2\times9=81$

$\therefore (\text{표준편차})=\sqrt{81}=9$

빠른 풀이 4개의 변량 a, b, c, d의 표준편차를 s라 하면 $s=3$
따라서 변량 $3a-6, 3b-6, 3c-6, 3d-6$의 표준편차는
$|3|s=3\times3=9$

10 답 7

셀파 {(편차)^{2}의 총합}=(분산)×(변량의 개수)임을 이용한다.

A반의 분산이 $(\sqrt{10})^2=10$이므로
A반의 (편차)^{2}의 총합은 $10\times20=200$
B반의 분산이 $(\sqrt{3})^2=3$이므로
B반의 (편차)^{2}의 총합은 $3\times15=45$
이때 두 반의 평균이 같으므로 A, B 두 반 전체 학생의 던지기 기록의 분산은

$$\frac{\{\text{A반의 (편차)}^2\text{의 총합}\}+\{\text{B반의 (편차)}^2\text{의 총합}\}}{\text{(전체 학생 수)}}$$

$$=\frac{200+45}{20+15}=\frac{245}{35}=7$$

11 답 (1) 2점 낮다. (2) 풀이 참조 (3) 14.8

셀파 성하의 점수를 x점으로 놓고, 나머지 학생 4명의 점수를 각각 x를 사용하여 나타낸다.

(1) 성하의 점수를 x점이라 하면 각 학생의 점수는 다음 표와 같다.

학생	승호	아라	성하	고은	준서
점수(점)	$x-8$	$x-5$	x	$x+1$	$x+2$

이때 학생 5명의 점수의 평균은

$$\frac{(x-8)+(x-5)+x+(x+1)+(x+2)}{5}$$

$$=\frac{5x-10}{5}=x-2\text{(점)}$$

따라서 학생 5명의 점수의 평균은 성하의 점수보다 2점 낮다.

(2) (편차)=(변량)−(평균)이고 평균이 $(x-2)$점이므로
(편차)=(학생의 점수)$-(x-2)$
따라서 각 학생의 점수의 편차는 다음 표와 같다.

학생	승호	아라	성하	고은	준서
편차(점)	−6	−3	2	3	4

(3) $$\text{(분산)}=\frac{(-6)^2+(-3)^2+2^2+3^2+4^2}{5}=\frac{74}{5}=14.8$$

12 답 (1) 평균: 6점, 표준편차: $\sqrt{8}$점

(2) 평균: 6점, 표준편차: $\frac{4\sqrt{7}}{7}$점

(3) B

셀파 표준편차가 작을수록 자료의 분포가 고르다.

A, B 두 사람이 얻은 점수를 표로 나타내면 다음과 같다.

점수(점)	2	4	6	8	10
A의 다트 수(발)	2	0	2	2	1
B의 다트 수(발)	0	2	3	2	0

① A의 다트 점수의 평균과 표준편차 구하기 [40 %]

(1) A의 다트 점수의 평균은

$$\frac{2\times2+4\times0+6\times2+8\times2+10\times1}{7}=\frac{42}{7}=6\text{(점)}$$

A의 다트 점수의 분산은

$$\frac{(2-6)^2\times2+(4-6)^2\times0+(6-6)^2\times2+(8-6)^2\times2+(10-6)^2\times1}{7}$$

$$=\frac{56}{7}=8$$

$\therefore$ (표준편차)$=\sqrt{8}$(점)

② B의 다트 점수의 평균과 표준편차 구하기 [40 %]

(2) B의 다트 점수의 평균은

$$\frac{2\times0+4\times2+6\times3+8\times2+10\times0}{7}=\frac{42}{7}=6\text{(점)}$$

B의 다트 점수의 분산은

$$\frac{(2-6)^2\times0+(4-6)^2\times2+(6-6)^2\times3+(8-6)^2\times2+(10-6)^2\times0}{7}$$

$$=\frac{16}{7}$$

$\therefore$ (표준편차)$=\sqrt{\frac{16}{7}}=\frac{4\sqrt{7}}{7}$(점)

③ 다트 점수가 더 고르게 분포되어 있는 사람 구하기 [20 %]

(3) $\sqrt{8}=\sqrt{\frac{56}{7}}$이고 $\sqrt{\frac{56}{7}}>\sqrt{\frac{16}{7}}$이므로 $\sqrt{8}>\frac{4\sqrt{7}}{7}$

따라서 B의 표준편차가 A의 표준편차보다 작으므로 다트 점수가 더 고르게 분포되어 있는 사람은 B이다.

8 산점도와 상관관계

본문 | 123 쪽

1-1 답 풀이 참조

주어진 자료를 순서쌍 (x, y)로 나타내면

$(100, 1.5)$, $(50, 0.5)$, $(300, 3)$, $(200, 2)$, $(350, 3.5)$

이 순서쌍을 좌표로 하는 점을 좌표평면 위에 나타내면 다음 그림과 같다.

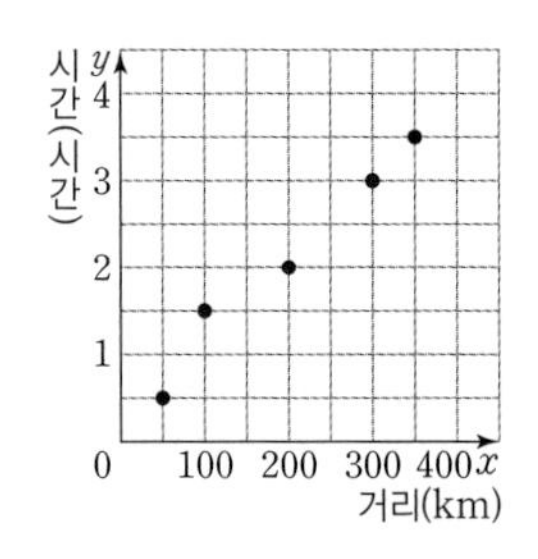

1-2 답 (1) 풀이 참조 (2) 풀이 참조

(1) 주어진 자료를 순서쌍 (x, y)로 나타내면

$(7, 52)$, $(2, 61)$, $(6, 52)$, $(4, 55)$, $(2, 67)$, $(1, 73)$, $(4, 61)$, $(5, 64)$

(2) (1)의 순서쌍을 좌표로 하는 점을 좌표평면 위에 나타내면 다음 그림과 같다.

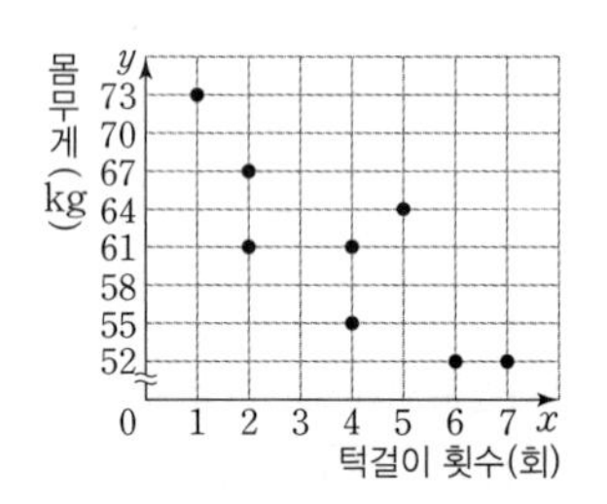

2-1 답 (1) 음의 상관관계 (2) 양의 상관관계 (3) 상관관계가 없다.

(1) x의 값이 커질 때, y의 값은 대체로 작아지므로 x와 y 사이에는 [음]의 상관관계가 있다.

(2) x의 값이 커질 때, y의 값도 대체로 [커]지므로 x와 y 사이에는 [양]의 상관관계가 있다.

(3) x의 값이 커짐에 따라 y의 값이 커지는지 작아지는지 그 관계가 분명하지 않으므로 x와 y 사이에는 상관관계가 [없다].

2-2 답 (1) 양의 상관관계 (2) 음의 상관관계

(1) 지능지수가 높을수록 대체로 성적도 높으므로 지능지수와 성적 사이에는 양의 상관관계가 있다.

(2) 산의 높이가 높아질수록 대체로 기온이 낮아지므로 산의 높이와 기온 사이에는 음의 상관관계가 있다.

본문 | 124~129 쪽

01 답 (1) 풀이 참조 (2) 음의 상관관계

셀파 주어진 자료를 순서쌍 (x, y)로 만들어 그 순서쌍을 좌표로 하는 점을 좌표평면 위에 나타낸다.

(1) 주어진 자료를 순서쌍 (x, y)로 나타내면

$(1, 9)$, $(2, 10)$, $(2, 9)$, $(3, 7)$, $(3, 8)$, $(4, 7)$, $(4, 6)$, $(5, 6)$, $(5, 7)$, $(6, 5)$

이 순서쌍을 좌표로 하는 점을 좌표평면 위에 나타내면 다음 그림과 같다.

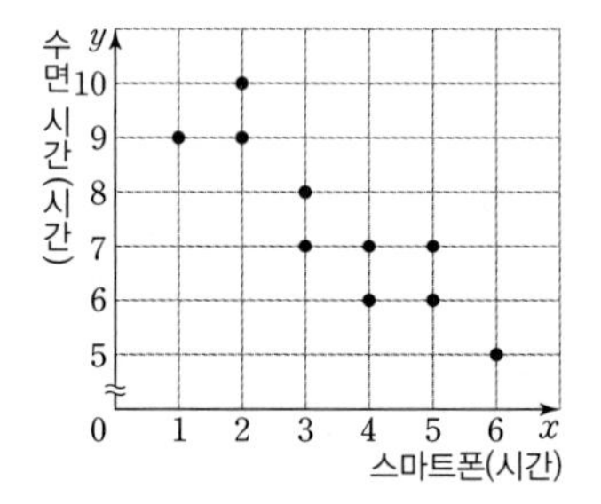

(2) (1)의 산점도에서 x의 값이 커짐에 따라 y의 값은 대체로 작아지므로 x와 y 사이에는 음의 상관관계가 있다. 즉 스마트폰 사용 시간과 수면 시간 사이에는 음의 상관관계가 있다.

02 답 1. ② 2. ④

셀파 두 변량 중 한 변량이 커짐에 따라 다른 변량이 대체로 커지는지 작아지는지를 확인한다.

1. 수학 성적이 좋을수록 영어 성적도 좋으면 수학 성적과 영어 성적 사이에는 양의 상관관계가 있다.
또 그 경향이 가장 뚜렷하다는 것은 상관관계가 강하게 나타난다는 것이다.
따라서 주어진 산점도 중에 양의 상관관계인 것은 ①, ②이고, 이 중 가장 강한 양의 상관관계는 점들이 직선에 더 가까이 모여 있는 ②이다.

2. ① 도시의 인구 수가 증가할수록 대체로 학교 수도 증가하므로 도시의 인구 수와 학교 수 사이에는 양의 상관관계가 있다.
② 여름철 기온이 높아질수록 대체로 전력 소비량도 많아지므로 여름철 기온과 전력 소비량 사이에는 양의 상관관계가 있다.

③ 키가 클수록 대체로 발의 크기도 크므로 키와 발의 크기 사이에는 양의 상관관계가 있다.

④ 물건의 가격이 오를수록 대체로 소비량은 줄어들므로 물건의 가격과 소비량 사이에는 음의 상관관계가 있다.

⑤ 몸무게가 많이 나갈수록 대체로 허리둘레도 크므로 몸무게와 허리둘레 사이에는 양의 상관관계가 있다.

따라서 두 변량에 대한 상관관계가 나머지 넷과 다른 하나는 ④이다.

03 답 (1) 5점 (2) 6명 (3) 7명 (4) 6.2점

셀파 주어진 산점도에 기준선을 그어 해결한다.

1차 점수를 x점, 2차 점수를 y점이라 하자.

(1) 2차 점수 중 가장 낮은 점수는 5점이므로 2차 점수가 5점인 선수의 1차 점수는 5점이다.

(2) 1차 점수와 2차 점수가 같은 선수의 수는 직선 $y=x$ 위의 점의 개수와 같으므로 6명이다.

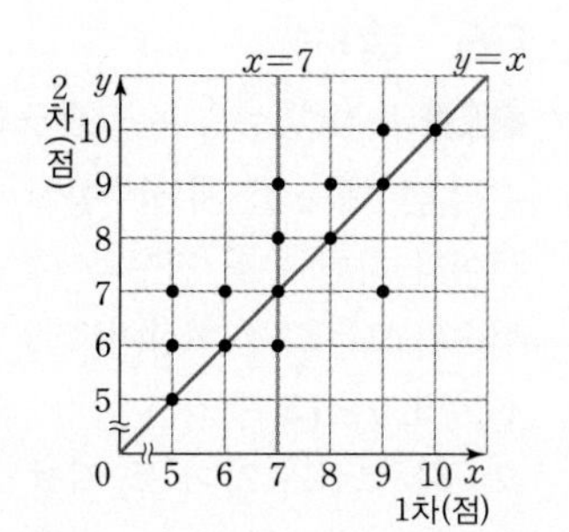

(3) 1차 점수가 2차 점수보다 낮은 선수의 수는 직선 $y=x$의 위쪽 부분에 속하는 점의 개수와 같으므로 7명이다.

(4) 1차 점수가 7점 미만이므로 $x<7$

위의 그림과 같이 $x=7$을 그으면 구하는 선수의 수는 직선 $x=7$의 왼쪽 부분에 속하는 점의 개수와 같으므로 5명이다.

이때 이 영역에 속하는 선수 5명의 2차 점수는 각각 5점, 6점, 7점, 6점, 7점이므로 그 평균은

$$\frac{5+6+7+6+7}{5}=\frac{31}{5}=6.2(\text{점})$$

04 답 1. A 2. ⑤

셀파 산점도를 보고 두 변량 사이의 관계를 파악해 본다.

1. 통학 거리에 비하여 통학 시간이 긴 학생은 대각선의 위쪽에 위치한 점을 찾으면 되므로 A이다.

2. ① 수학 점수가 높을수록 대체로 영어 점수도 높으므로 수학 점수와 영어 점수 사이에는 양의 상관관계가 있다.

② B는 A보다 오른쪽에 위치하므로 B는 A보다 수학 점수가 높다.

④ D는 B보다 위쪽에 위치하므로 D는 B보다 영어 점수가 높다.

⑤ D는 대각선의 위쪽에 위치하므로 수학 점수에 비하여 영어 점수가 높다.

따라서 옳지 않은 것은 ⑤이다.

05 답 (1) 5명 (2) 17명

셀파 주어진 조건에 맞게 기준이 되는 보조선을 긋고 해결한다.

중간고사의 수학 점수를 x점, 기말고사의 수학 점수를 y점이라 하자.

(1) 중간고사와 기말고사의 수학 점수의 합이 180점 이상이므로

$x+y\geq 180$

오른쪽 그림과 같이 직선 $y=-x+180$을 그으면 구하는 학생 수는 색칠한 부분과 그 경계에 속하는 점의 개수와 같으므로 5명이다.

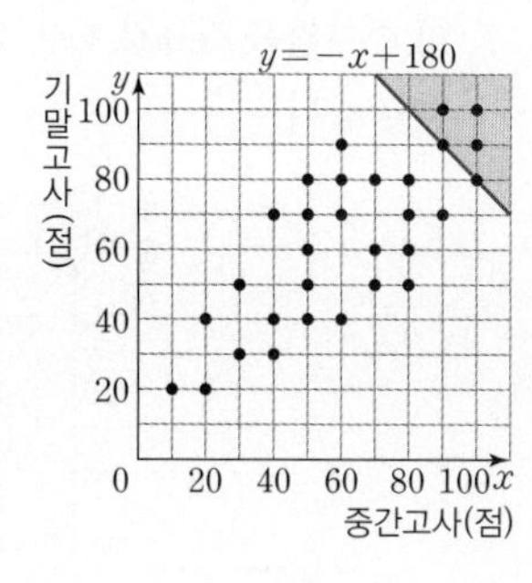

(2) 중간고사와 기말고사의 수학 점수의 차가 10점 이하이므로

$x-y\leq 10$ 또는 $y-x\leq 10$

다음 그림과 같이 직선 $y=x-10$과 직선 $y=x+10$을 그으면

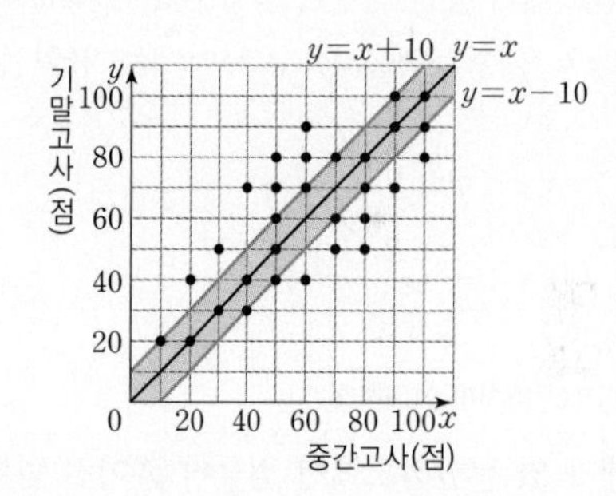

구하는 학생 수는 색칠한 부분과 그 경계에 속하는 점의 개수와 같으므로 17명이다.

실력 키우기

본문 | 130~131쪽

01 답 (1) 책의 수 (2) 12, 80 (3) 커

셀파 산점도는 두 변량 x, y 사이의 관계를 알아보기 위하여 이들의 순서쌍 (x, y)를 좌표로 하는 점을 좌표평면 위에 나타낸 그래프이다.

(1) 산점도에 나타난 두 변량은 [책의 수]와 국어 점수이다.

(2) 점 A의 x좌표가 12이고 y좌표가 80이므로 점 A의 좌표는 ([12], [80])이다.

(3) 점들이 오른쪽 위로 향하므로 점들의 분포는 x의 값이 커질 때, y의 값도 대체로 [커]지는 모양으로 나타난다.

02 답 (1) 풀이 참조 (2) 양의 상관관계

셀파 산점도는 두 변량 x, y의 순서쌍 (x, y)를 좌표로 하는 점을 좌표평면 위에 나타낸 그래프이다.

① x, y의 산점도 그리기 [60 %]

(1) 주어진 자료를 순서쌍 (x, y)로 나타내면
$(50, 55), (55, 55), (55, 65), (55, 75), (60, 55), (65, 60),$
$(65, 75), (70, 65), (70, 75), (75, 75), (75, 80), (75, 85),$
$(80, 70), (80, 75), (80, 80), (80, 85), (85, 70), (85, 75),$
$(85, 80), (90, 90)$
이 순서쌍을 좌표로 하는 점을 좌표평면 위에 나타내면 다음 그림과 같다.

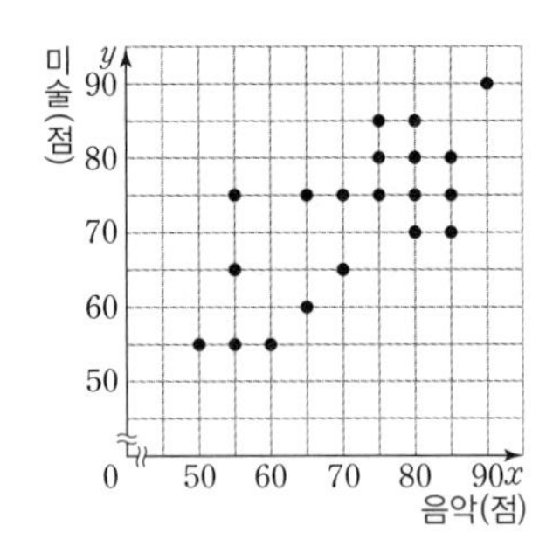

② 음악 점수와 미술 점수 사이의 상관관계 구하기 [40 %]

(2) (1)의 산점도에서 음악 점수가 높을수록 대체로 미술 점수도 높으므로 음악 점수와 미술 점수 사이에는 양의 상관관계가 있다.

03 답 ㄷ, ㄹ

셀파 상관관계에 대하여 이해한다.

ㄷ 상관관계가 있는 산점도에서 점들이 흩어진 범위가 넓을수록 상관관계가 약하다고 한다.
ㄹ 산점도에서 x의 값이 커짐에 따라 y의 값은 대체로 작아지는 경향이 있을 때, 두 변량 x, y 사이에는 음의 상관관계가 있다.
따라서 옳지 않은 것은 ㄷ, ㄹ이다.

04 답 ⑤

셀파 운동량이 많을수록 비만도가 낮은 경향이 가장 뚜렷하다.
⇨ 운동량과 비만도 사이에는 강한 음의 상관관계가 있다.

운동량이 많을수록 비만도가 낮으면 운동량과 비만도 사이에는 음의 상관관계가 있다.
또 그 경향이 가장 뚜렷하다는 것은 상관관계가 강하게 나타난다는 것이다.
따라서 주어진 산점도 중에 음의 상관관계인 것은 ④, ⑤이고, 이 중 가장 강한 음의 상관관계는 점들이 직선에 더 가까이 모여 있는 ⑤이다.

05 답 ③

셀파 산의 높이가 높아질수록 기온이 높아지는지 낮아지는지 확인한다.

산의 높이가 높아질수록 대체로 기온은 낮아지므로 산의 높이와 기온 사이에는 음의 상관관계가 있다.
① 지능지수와 식사량 사이에는 상관관계가 없다.
② 시력과 청력 사이에는 상관관계가 없다.
③ 배추 생산량이 많을수록 대체로 가격은 떨어지므로 배추 생산량과 가격 사이에는 음의 상관관계가 있다.
④ 여름철 기온이 높아질수록 대체로 음료수 판매량도 늘어나므로 여름철 기온과 음료수 판매량 사이에는 양의 상관관계가 있다.
⑤ 인구 증가율이 클수록 대체로 교통량도 늘어나므로 인구 증가율과 교통량 사이에는 양의 상관관계가 있다.
따라서 두 변량 사이의 상관관계가 산의 높이와 기온 사이의 상관계와 같은 것은 ③이다.

06 답 8명

셀파 두 직선 $x=75, y=75$를 긋고 생각한다.

수필 점수를 x점, 시 점수를 y점이라 하면 수필 점수와 시 점수가 모두 75점 이상이므로
$x \geq 75, y \geq 75$
오른쪽 그림과 같이 두 직선 $x=75, y=75$를 그으면 구하는 학생 수는 색칠한 부분과 그 경계에 속하는 점의 개수와 같으므로 8명이다.

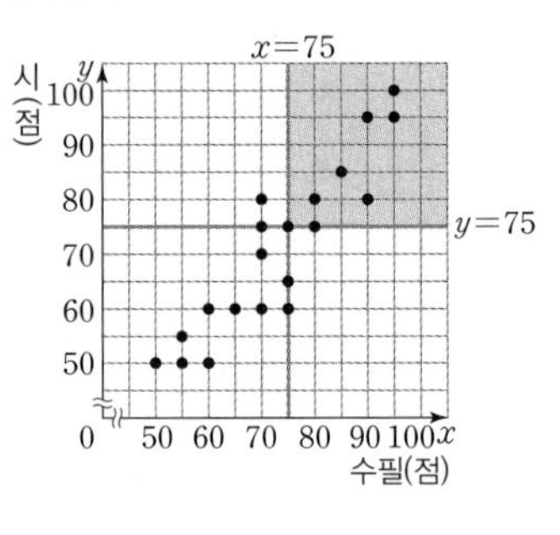

07 답 86.4점

셀파 $y \geq 80$인 영역에 속하는 점의 x좌표를 구한다.

수필 점수를 x점, 시 점수를 y점이라 하면 시 점수가 80점 이상이므로 $y \geq 80$
오른쪽 그림과 같이 직선 $y=80$을 그으면 구하는 학생 수는 색칠한 부분과 그 경계에 속하는 점의 개수와 같으므로 7명이다.

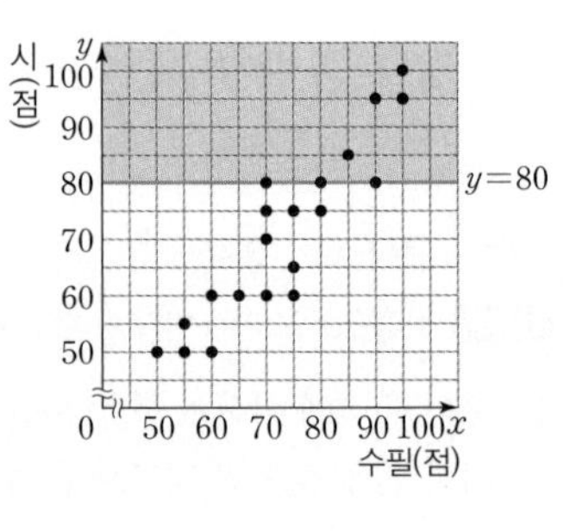

이때 이 영역에 속하는 학생 7명의 수필 점수는 각각 70점, 80점, 85점, 90점, 90점, 95점, 95점이므로 그 평균은

$$\frac{70+80+85+90+90+95+95}{7}=\frac{605}{7}=86.42\cdots(\text{점})$$

따라서 반올림하여 소수 첫째 자리까지 나타내면 평균은 86.4점이다.

08 답 8명

셀파 수필 점수 x점보다 시 점수 y점이 낮다. ⇨ $y<x$

수필 점수를 x점, 시 점수를 y점이라 하면 수필 점수보다 시 점수가 낮으므로 $y<x$

오른쪽 그림과 같이 직선 $y=x$를 그으면 구하는 학생 수는 직선 $y=x$의 아래쪽 부분에 속하는 점의 개수와 같으므로 8명이다.

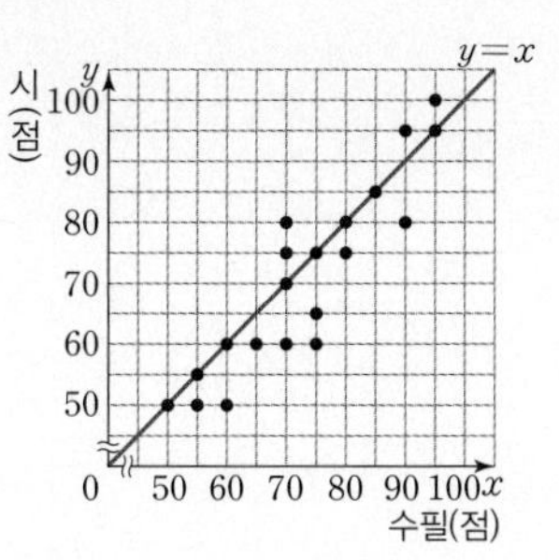

09 답 15 %

셀파 시 점수 y점이 수필 점수 x점보다 5점 높다. ⇨ $y=x+5$

① 시 점수가 수필 점수보다 5점 높은 학생 수 구하기 [60 %]

수필 점수를 x점, 시 점수를 y점이라 하면 시 점수가 수필 점수보다 5점 높으므로 $y=x+5$

오른쪽 그림과 같이 직선 $y=x+5$를 그으면 구하는 학생 수는 직선 $y=x+5$ 위의 점의 개수와 같으므로 3명이다.

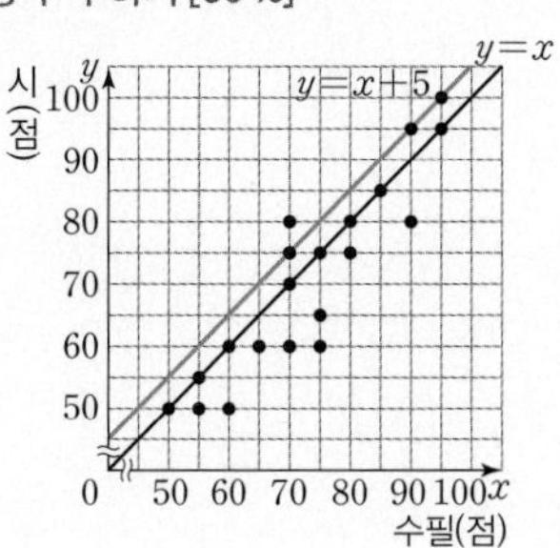

② 전체의 몇 %인지 구하기 [40 %]

$\therefore \frac{3}{20}\times 100=15\ (\%)$

10 답 ②

셀파 주어진 산점도는 양의 상관관계를 나타낸다.

① 키가 클수록 대체로 몸무게도 많이 나가므로 키와 몸무게 사이에는 양의 상관관계가 있다.

③ B는 대각선의 아래쪽에 위치하므로 키에 비하여 몸무게가 적게 나간다.

④ C는 대각선의 위쪽에 위치하므로 키에 비하여 몸무게가 많이 나간다.

⑤ D는 B보다 왼쪽에 위치하므로 D는 B보다 키가 더 작다.

따라서 옳은 것은 ②이다.

11 답 7명

셀파 두 과목의 점수의 평균이 80점 이상이다. ⇨ 두 과목의 점수의 합이 160점 이상이다.

영어 점수를 x점, 수학 점수를 y점이라 하면 영어 점수와 수학 점수의 평균이 80점 이상이므로

$\frac{x+y}{2}\geq 80 \qquad \therefore x+y\geq 160$

즉 구하는 학생 수는 영어 점수와 수학 점수의 합이 160점 이상인 학생 수와 같다.

오른쪽 그림과 같이 직선 $y=-x+160$을 그으면 구하는 학생 수는 색칠한 부분과 그 경계에 속하는 점의 개수와 같으므로 7명이다.

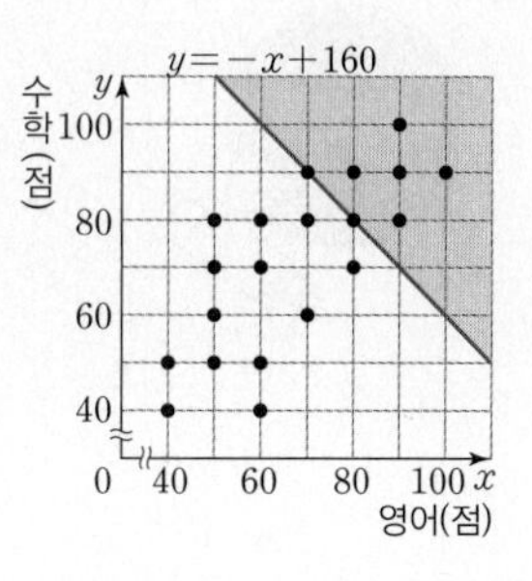

12 답 5명

셀파 두 과목의 점수의 차가 10점 초과이다. ⇨ $x-y>10$ 또는 $y-x>10$

영어 점수를 x점, 수학 점수를 y점이라 하면 영어 점수와 수학 점수의 차가 10점 초과이므로 $x-y>10$ 또는 $y-x>10$

오른쪽 그림과 같이 직선 $y=x-10$과 직선 $y=x+10$을 그으면 구하는 학생 수는 색칠한 부분에 속하는 점의 개수와 같으므로 5명이다.

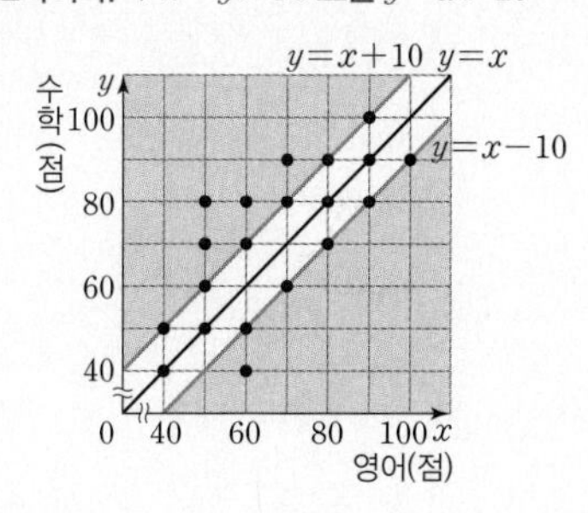

오답 피하기

'~ 초과'이므로 색칠한 부분의 경계인 두 직선 $y=x+10$, $y=x-10$ 위의 점을 포함하지 않는다.

13 답 180점

셀파 산점도에서 오른쪽 위로 갈수록 두 과목의 점수의 총점이 높다.

20명 중에 두 과목의 점수의 총점이 상위 25 % 이내에 드는 학생 수는

$20\times\frac{25}{100}=5$(명)

두 과목의 점수의 총점이 상위 25 % 이내에 드는 학생 5명의 두 과목의 점수를 (영어 점수, 수학 점수)로 나타내면

(80, 90), (90, 80), (90, 90), (90, 100), (100, 90)

이때 이 학생 5명의 두 과목의 점수의 총점은 각각

170점, 170점, 180점, 190점, 190점

이므로 그 평균은

$\frac{170+170+180+190+190}{5}=\frac{900}{5}=180$(점)

Memo

Memo

Memo